PRIS CYDWYBOD

T. H. Parry-Williams

a Chysgod y Rhyfel Mawr

Cyflwynedig i Ann Meire ac Elen Wade

PRIS CYDWYBOD

T. H. Parry-Williams

a Chysgod y Rhyfel Mawr

BLEDDYN OWEN HUWS

Argraffiad cyntaf: 2018

Dymuna'r cyhoeddwyr gydnabod cymorth ariannol
Cyngor Llyfrau Cymru

Cynllun y clawr: Y Lolfa

Rhif Llyfr Rhyngwladol:
978 1 78461 628 1

Cyhoeddwyd ac argraffwyd yng Nghymru gan
Y Lolfa Cyf., Talybont, Ceredigion SY24 5HE
gwefan www.ylolfa.com
e-bost ylolfa@ylolfa.com
ffôn 01970 832 304
ffacs 832 782

Cynnwys

Byrfoddau

arg.	argraffiad
c.	*circa*
gol.	golygwyd gan
gw.	gweler
ibid.,	yr un lleoliad
idem,	yr un awdur
LlGC	Llyfrgell Genedlaethol Cymru
'Papurau T. H. Parry-Williams'	Papurau Syr T. H. Parry-Williams a'r Fonesig Amy Parry-Williams
t.	tudalen
tt.	tudalennau

Diolchiadau

CARWN GYDNABOD FY NYLED i nifer o bobl a fu o gymorth wrth imi ymchwilio ar gyfer y llyfr hwn. Bu staff Llyfrgell Genedlaethol Cymru yn gymwynasgar iawn fel bob amser, yn enwedig Timothy Cutts, Jayne Day, D. Rhys Davies a Carol Edwards. Bu staff Archifdy Prifysgol Bangor hwythau hefyd yn barod eu cymorth, fel y bu Helen Palmer ac Ania Skarzynska o Archifdy Ceredigion a Lynn Crowther Francis o Archifdy Gwynedd. Rwy'n dra diolchgar i Julie Archer, archifydd Prifysgol Aberystwyth, am rwyddhau'r ffordd imi gael pori drwy archifau'r Brifysgol yn fy mhwysau.

Y diweddar Tom Dulyn Thomas, Cei Newydd (brodor o Nebo yn Arfon), a'm rhoes ar drywydd Dr Gwen Williams gyntaf. Yr oedd ei fam (Laura Griffith cyn priodi) yn ffrind i Eurwen Parry-Williams ac yn adnabod Dr Gwennie, a gwyddai am y garwriaeth rhyngddi a T. H. Parry-Williams. Bu Heulwen Humphreys, Aberteifi, mor garedig â rhoi mwy o wybodaeth imi am Dr Gwennie, ac rwy'n hynod ddiolchgar iddi am gael benthyg y cardiau post a anfonodd Parry-Williams at Gwen o Ogledd America, ynghyd â'r ohebiaeth rhwng ei diweddar ŵr, Peter Humphreys, ac R. Geraint Gruffydd. Heulwen a'm rhoes mewn cysylltiad ag Ann Meire (Nanw), merch Oscar Parry-Williams, ac Elen Wade ei merch. Uchafbwynt y gwaith ymchwil fu cyfarfod â hwy ill dwy. Buont yn eithriadol o hael a charedig wrthyf yn rhoi benthyg eu harchif deuluol imi, a rhoi eu caniatâd imi gyhoeddi lluniau a deunydd ohoni. I gydnabod eu haelioni a'u cyfeillgarwch, braint a phleser o'r mwyaf yw cael cyflwyno'r gyfrol iddynt hwy.

Braint hefyd fu cael cyfarfod ag aelodau o deulu Oerddwr, sef Heddwyn Hughes, Llanffestiniog, ac Arthur Hughes, Beddgelert. Diolchaf iddynt am rannu eu hatgofion â mi. Bu Heddwyn hefyd mor garedig â rhoi ei ganiatâd imi ddefnyddio rhai lluniau o'r Llyfr Melyn enwog sydd yn ei feddiant.

Am amrywiol gymwynasau, diolchaf yn gynnes i'r canlynol: Robin

Chapman, Alun Eirug Davies, Rhidian Griffiths, Marged Haycock, Bethan Miles, Gerald Morgan a Huw Walters, Aberystwyth; Carys Davies a Gruffydd Aled Williams, Dole; Arwyn Lloyd Hughes, Llandaf; Gareth Wyn Jones, Penmynydd; Valma Jones a Kathleen Richards, Tal-y-bont; Prys Morgan, Llandeilo Ferwallt; Elfed Roberts, Penrhyndeudraeth; Gerald Williams, Trawsfynydd; John Williams, Beddgelert, a Mair Williams, Chwilog.

Cefais gyfnod sabothol gan fy nghyflogwr, Prifysgol Aberystwyth, i ddechrau ysgrifennu'r gyfrol yn ystod Tymor y Gwanwyn a'r Haf 2017, ac am hynny rwy'n dra diolchgar.

Diolchaf yn gynnes i deulu T. H. Parry-Williams am eu caniatâd i ddefnyddio a dyfynnu o'r deunydd sydd ym mhapurau Syr T. H. Parry-Williams a'r Fonesig Amy Parry-Williams yn y Llyfrgell Genedlaethol. Dyfynnir o weithiau cyhoeddedig T. H. Parry-Williams gyda chaniatâd Gwasg Gomer.

Dymunaf ddiolch o galon i Derec Llwyd Morgan am ei gymwynas garedig yn darllen y gyfrol cyn imi ei chyhoeddi, ac am ei sylwadau hynod werthfawr arni.

Rwy'n ddyledus i Lefi Gruffudd o'r Lolfa am gytuno i gyhoeddi'r gyfrol, i Robat Trefor y golygydd, ac i'r wasg am ei gwaith glân a chymeradwy.

Yn olaf, diolch i Delyth, Catrin ac Eilir am bob cefnogaeth ac anogaeth.

Bleddyn O. Huws
Mehefin 2018

Rhagymadrodd

NID OES DIM AMHEUAETH nad oedd y bardd, y llenor a'r ysgolhaig T. H. Parry-Williams (1887-1975) yn enghraifft o ŵr a ddioddefodd erledigaeth oherwydd ei safiad heddychol yn ystod y Rhyfel Byd Cyntaf. Pan gofrestrodd ei wrthwynebiad i'r gorchymyn ar iddo ymuno â'r fyddin drwy orfodaeth, ychydig a feddyliai y byddai'n cael ei erlid hefyd oherwydd ei ddaliadau pan ddaeth yn adeg iddo gynnig am Gadair y Gymraeg yng Ngholeg Prifysgol Cymru, Aberystwyth, ar ôl y rhyfel. Bu o flaen y tribiwnlys fwy nag unwaith rhwng 1916 ac 1917, ac er y gallai fod wedi dewis mynd i gyflawni rhyw swyddogaeth heb fod yn uniongyrchol gysylltiedig ag ymladd a lladd, dewisodd lynu wrth ei egwyddorion gwrth-filitaraidd a gwneud cais am gael aros yn ei swydd fel darlithydd yn y Coleg. Methu a wnaeth y cais hwnnw ganddo ar y cynnig cyntaf, ond pan aeth â'i achos gerbron y tribiwnlys apêl sirol yn fuan wedyn, llwyddodd i gael ei eithrio'n amodol ar gyflawni swydd o bwysigrwydd cenedlaethol.[1] Yr oedd ymhlith y dynion hynny a esgusodwyd am fod eu galwedigaeth yn cael ei hystyried yn hanfodol.

Am iddo ennill yr hawl i barhau yn ei swydd, wedi i aelodau'r tribiwnlys apêl ddangos ychydig bach mwy o dosturi nag a ddangosid tuag at y rhelyw o'r dynion a ddeuai ger eu bron, ni fu'n rhaid iddo herio'r drefn i'r eithaf na phrofi ei safiad i'r eithaf, costied a gostio. Ond bu'n rhaid iddo ddioddef y math o ddirmyg a gelyniaeth a ddangosid tuag at bob heddychwr yn ystod y Rhyfel Mawr, am iddo sefyll yn erbyn llif y farn gyhoeddus drwy wrthod ymladd dros ei wlad. Dywedwyd pethau camarweiniol a chelwyddog amdano yn y wasg gan rywrai a oedd yn awyddus i weld ei gyd-weithiwr, Timothy Lewis (1877-1958), yn cael ei ddyrchafu i'r Gadair, am iddo ef fod

---

1   Ceir ei enw ar y gofrestr swyddogol o wrthwynebwyr cydwybodol y Rhyfel Mawr, gw: <https://search.livesofthefirstworldwar.org/record?id=GBM/CONSOBJ/5964> (cyrchwyd Tachwedd 2017).

mor ddewr ag ymuno â'r fyddin o'i wirfodd a gwasanaethu ym mlaen y gad yn Ffrainc. Hyd yn oed yn y cyfnod ar ôl y rhyfel, yr oedd un stori ar led yn honni i Parry-Williams dreulio blynyddoedd y rhyfel yn peintio llongau yn Llydaw.[2]

Talodd amryw o heddychwyr bris uchel am eu safiad fel gwrthwynebwyr cydwybodol. Bygythiwyd dienyddio rhai er mwyn dysgu gwers i eraill; aeth rhai i garchar a chael eu cam-drin yn enbyd; collodd rhai eu pwyll a gwthiwyd ambell un gan ei amgylchiadau i gyflawni hunanladdiad.[3] Ni fu pethau mor eithafol â hynny ar Parry-Williams am iddo allu aros yn ei swydd fel darlithydd drwy gydol y rhyfel, ond ni olygai hynny nad oedd pethau'n anodd nac yn boenus iddo. Bu'n rhaid iddo ymgodymu â'i gydwybod a'i deyrngarwch i'w egwyddorion personol, i'w fagwraeth grefyddol, i'w rieni, ac yn fwy na dim oll efallai, i'w frodyr a'i gefndryd a ufuddhaodd i'r alwad.

Mae modd gweld ar dudalennau llyfr lloffion ei gyfnither, Morfudd Mai Hughes ('Mofi', 1893-1969), Oerddwr, sef yr enwog Lyfr Melyn Oerddwr, olion y berthynas rhwng Parry-Williams a rhai aelodau o'i deulu.[4] Pan gynhaliwyd yr hyn a elwid yn 'gwrdd cymell' ym Meddgelert adeg ffair Ŵyl y Grog ym Medi 1914, i daer annog bechgyn yr ardal i ymrestru, llugoer fu'r ymateb.[5] Gan na chamodd neb ymlaen, bu rhai yn edliw i 'lanciau Eryri' eu difaterwch am iddynt ymblesera yn y ffair heb falio'r un ffeuen am yr argyfwng a wynebai'r wlad. Ond pan ddaeth y Ddeddf Orfodaeth i rym yn 1916, nid oedd modd osgoi'r alwad. Er i'w brawd, Frank Wyn Hughes (1891-1968), gael aros gartref i ffermio, bu'n rhaid i ddau arall o frodyr Mofi fynd i'r fyddin, fel y bu'n rhaid i nifer o'i chefndryd.[6] Ac er gwaethaf pob gofid am eu tynged hwy yn nyddiau'r drin, daliodd yn driw i'w hunig gefnder o heddychwr ar

---

2   Gw. W. Leslie Richards, 'Syr T. H. Parry-Williams a Heddychiaeth', *Barddas*, 126 (1987), t. 2.

3   Am hanes cyffredinol y gwrthwynebwyr cydwybodol adeg y Rhyfel Byd Cyntaf, gw. Ann Kramer, *Conscientious Objectors of the First World War: A Determined Resistance* (Barnsley, 2014), a Karyn Burnham, *The Courage of Cowards: The Untold Stories of First World War Conscientious Objectors* (Barnsley, 2014).

4   Pan briododd Mofi symudodd at ei gŵr, William Jones, i Hafod Lwyfog, Nantgwynant, ac yr oedd Tom yn hoff o ymweld â hwy yno, gw. Ifor Rees gol., *Bro a Bywyd Syr Thomas Parry-Williams 1887-1975* (Cyngor Celfyddydau Cymru, 1981), t. 10.

5   Gw. 'Cwrdd Cymell', *Yr Herald Cymraeg*, 14 Medi 1914, t. 6.

6   Cadarnhaodd Heddwyn Hughes, Teiliau Bach, Llanffestiniog, mai golwg yn un llygad yn unig a oedd gan Frank ei dad, ac iddo, o ganlyniad, gael ei eithrio rhag ymladd yn y Rhyfel Mawr a chael caniatâd i aros gartref i ffermio yn Oerddwr.

---

ochr teulu ei mam a gafodd ei eithrio rhag cyflawni gwasanaeth milwrol o unrhyw fath.

Yn ôl pob tystiolaeth, yr oedd Mofi'n ffrindiau mawr â Tom ac yn edmygu ei ddoniau fel ysgolor a bardd. Yn wir, yr eitem gyntaf un a lynodd yn ei llyfr lloffion yw erthygl o'r *Daily Mirror* yn cynnwys llun o'i chefnder pan gyflawnodd y gamp o ennill y Gadair a'r Goron yn Eisteddfod Genedlaethol Wrecsam yn 1912. Am iddo dreulio cymaint o'i amser yn ystod ei wyliau haf rhwng 1916 ac 1918 yn Oerddwr, cofnododd Parry-Williams â'i law ei hun rai o'r cerddi mwyaf dirdynnol a dwysbigol a gyfansoddodd yn ystod y rhyfel yn y Llyfr Melyn. Ond rhwng ei gloriau hefyd glynwyd lluniau o frodyr Mofi, sef William Francis Hughes ('William (Willie) Oerddwr', 1879-1966) ac Alun Ellis Hughes (ganed yn 1896) yng ngwisg y fyddin, a'i chefnder William Morris Ellis (ganed yn 1898), mab ei modryb Margaret, Glasfryn, Rhyd-ddu, yng ngwisg y llynges. Er nad oedd mam Parry-Williams ei hun, Ann Parry-Williams (1859-1926), yn cefnogi ei safiad heddychol, fel y cawn weld yn y drydedd bennod, nid oes arwydd fod neb o deulu Oerddwr wedi chwitho na dal dig. I'r gwrthwyneb, oherwydd glynwyd yn y Llyfr Melyn doriadau o bapurau newydd yn adrodd hanes penodi Tom yn Athro yn 1920 ynghyd â'r telegram gwreiddiol a gyrhaeddodd Oerddwr yn cyhoeddi, 'Tom appointed professor'. Dengys hynny gymaint yr ymfalchïai Mofi a'r lleill yn ei lwyddiant. Petasai rhai o'i gefndryd heb ddychwelyd o'r drin yn fyw, dichon y byddai pethau wedi bod yn bur wahanol.

Yr oedd sawl heddychwr wedi'i osod ei hun yn erbyn ei gymdogion, ei gyfeillion ac aelodau'i deulu drwy wrthwynebu'r rhyfel, ac yr oedd yn aml yn troedio llwybr unig. Dyna pam yr oedd taer angen brawdoliaeth arno i'w gynnal drwy oriau tywyll unigrwydd ac iselder, yn enwedig pan oedd y wasg felen yn lladd ar y 'conshis' ac yn eu dychanu'n ddidrugaredd. Un o ganlyniadau anffodus cyfnod y rhyfel oedd fod pobl ar y cyfan yn barotach i ymgecru a chynhennu nag oeddynt cynt am eu bod wedi cael eu rhannu'n garfanau gwrthwynebus i'w gilydd, a bod rhai o'r herwydd yn fwy na pharod i edliw i'r gwrthwynebwyr eu llwfrdra. Arweiniodd hynny at densiynau annioddefol mewn rhai teuluoedd oherwydd chwerwder yr adwaith i'r safbwynt heddychol, ac fe allai'r drwgdeimlad a'r rhwygiadau weithiau barhau'n hir, er gwaethaf pob ymgais i gymodi, yn enwedig pan oedd rhai aelodau o'r teulu wedi cael eu hanafu neu eu lladd.[7] Bu Parry-Williams yn ffodus iawn yn hynny o beth am na chefnodd ei deulu arno. Yr oedd ei amgylchiadau teuluol yn debyg i sawl heddychwr arall a gafodd gefnogaeth ei frodyr a'i chwiorydd, ei gefndryd a'i gyfnitherod, ond a'i gwelodd hi'n anodd ceisio ymdoddi'n ôl i'w gymuned ar ôl y rhyfel oherwydd agwedd agored-sarhaus rhai pobl.[8]

Pan drafodwyd cyflwyno gorfodaeth filwrol yng ngwledydd Prydain, dadleuai rhai nad caethwas oedd dyn mewn cymdeithas a honnai fod yn rhydd. A dyna'r eironi mawr, oherwydd disgwyliai'r wladwriaeth i ddynion ymladd i warchod rhyddid a chyfiawnder, tra dadleuai rhai o'i dinasyddion fod cyflwyno consgripsiwn yn golygu nad oedd parch i ryddid yr unigolyn. Yr oedd yn ddadl egwyddorol ac athronyddol o bwys ynghylch seiliau gwladwriaeth. Wrth i'r Mesur Gorfodaeth hwylio ar ei daith drwy Dŷ'r Cyffredin, fodd bynnag, fe lwyddwyd i ychwanegu ato yr hyn a elwid yn 'gymal cydwybod'. Dyna, felly, gydnabod hawl y dinesydd i wrthod ymladd ac i beidio â chydymffurfio â'r drefn, a thrwy hynny gael ei esgusodi rhag cyflawni gwasanaeth milwrol am resymau moesol ac egwyddorol.

Credai rhai mai rhyfel imperialaidd oedd y Rhyfel Mawr lle'r oedd y trechaf yn treisio'r gwan.[9] Ar adeg pan ddaeth hawliau'r wladwriaeth benben â hawliau ac ewyllys yr unigolyn, gellir ystyried bod Parry-Williams a'i gyd-weithiwr T. Gwynn Jones (1871-1949) yn rhan o'r gwrthsafiad deallusol ehangach yn erbyn gorfodaeth filwrol a militariaeth, tebyg i aelodau'r 'Bloomsbury Group' yn Llundain, pobl fel yr awdures Virginia Woolf, y beirniaid celf Clive Bell a Roger Fry, yr athronydd Bertrand Russell, a'r economegydd John Maynard Keynes.[10] Pobl oeddynt a welai pa mor ofer oedd yr holl ladd a pha mor

---

7   Gw., er enghraifft, achos Harold Bing o Croydon a'i deulu rhanedig yn Will Ellsworth-Jones, *We Will Not Fight: The Untold Story of World War One's Conscientious Objectors* (ail arg., London, 2013), t. 241.

8   Gw., er enghraifft, achos Bert Brocklesby o Swydd Efrog, yr unig un o bedwar brawd a wrthwynebai'r rhyfel, ond a gafodd gefnogaeth gan ei deulu, ibid., tt. 167-77.

9   Gw., er enghraifft, ysgrif T. Gwynn Jones 'Trechaf Treisied', a luniwyd drannoeth wedi i'r rhyfel dorri (6 Awst 1914 yw'r dyddiad wrthi) a'i chyhoeddi yn *Y Traethodydd* (Hydref 1914), tt. 312-20.

10   Gw. y bennod 'The Intellectuals, Restistance and Pacifism' yn Stephen Wade, *No More Soldiering: Conscientious Objectors in the First World War* (Stroud, 2016), tt. 135-56. Cafodd John Maynard Keynes (1883-1946) ei eithrio rhag ymladd am fod ei waith yn y Trysorlys o bwysigrwydd cenedlaethol, a threuliodd Bertrand Russell (1872-1970) gyfnod yn y carchar, ibid., t. 151.

ddinistriol i werthoedd cymdeithas wâr oedd y parodrwydd i ryfela. Ond yr oeddynt mewn lleiafrif.

Ystyrid y gwrthwynebwyr cydwybodol a'r sosialwyr gwrth-ryfel yn aml yn elynion mewnol, a chaent eu casáu am fod mor hunanol â gwrthod aberthu ar adeg pan oedd dynion eraill yn gorfod aberthu cymaint. Gwgid arnynt a chafwyd ymdrechion i'w hallgáu'n gymdeithasol am iddynt roi'r argraff eu bod wedi defnyddio cydwybod fel esgus i osgoi wynebu peryglon enbyd. Profiad cyffredin i'r heddychwyr oedd cael eu heithrio, a gwyddai Parry-Williams yntau rywbeth am y math hwnnw o brofiad. O ddarllen y cerddi a gyfansoddodd yn ystod y cyfnod hwn cawn yr argraff bendant o unigedd ac o ofn gwrthodiad. Aed ati yn Neddf Cynrychiolaeth y Bobl 1918 i rwystro'r gwrthwynebwyr cydwybodol – ac eithrio'r rheini a gyflawnai waith heb fod o natur ymladdgar – rhag pleidleisio mewn etholiadau cenedlaethol a lleol am gyfnod o bum mlynedd, a thrwy hynny eu difreinio.[11] Amheuid pa mor sefydlog eu meddwl oeddynt, a châi rhai ohonynt eu trin fel petaent yn wallgof. Yn wir, fel y dywedwyd eisoes, arweiniodd y pwysau a oedd ar ambell heddychwr iddo fynd o'i gof a chyflawni hunanladdiad, megis y truan hwnnw y ceir sôn amdano wedi ei grogi ei hun, a'r llythyr a dderbyniodd yn ei wysio i'r fyddin yn ei boced.[12]

Arfer cyffredin iawn oedd dyrchafu statws y milwr dewr a oedd yn ymgorfforiad o wrywdod gan ei gyferbynnu â'r hanner merch o ddyn a wrthodai ymladd.[13] Yr oedd syniad ar led y dylai dynion brofi eu dewrder a'u gwrywdod drwy wrando ar lais eu cydwybod a bod yn barod i ymladd dros eu gwlad. Am nad oedd cydwybod pob dyn yn ymateb yn yr un ffordd, aeth dynion yng ngwledydd Prydain i ddrwgdybio'i gilydd a chrewyd math ar baranoia torfol. Yr oedd sôn fod ysbiwyr yn y porthladdoedd, ac nid oedd prinder drwgdybiaeth nac erledigaeth ychwaith yn nhref brifysgol Aberystwyth. Credid ar y pryd fod yno glic neu gylch o heddychwyr, nid yn unig ymhlith darlithwyr y Coleg ond ymhlith rhai o'i fyfyrwyr hefyd, a bod y clic hwnnw, er lleied ei faint, yn eithaf dylanwadol. Nid rhyfedd, felly,

---

11   Ellsworth-Jones, *We Will Not Fight*, t. 240.
12   Gw. ibid., t. 75.
13   Ar y portread o'r gwrthwynebwyr yn ystod y rhyfel, gw. Lois S. Bibbings, *Telling Tales About Men: Conceptions of Conscientious Objectors to Military Service During the First World War* (Manchester, 2009), yn enwedig yr ail bennod, 'Of cowards, shirkers and 'unmen' ', tt. 89-110.

fod amryw am dorri crib rhai o'i aelodau drwy wneud popeth a fedrent i niweidio'u gyrfa a'u rhwystro rhag ymddyrchafu.

Mae'n rhyfedd fel y trosglwyddwyd yr atgasedd a gafodd ei feithrin tuag at Brwsiaeth a phopeth Almaenig yma yng ngwledydd Prydain yn atgasedd tuag at y sawl a wrthodai wneud ei ran. Cyhuddid gwrthwynebwyr y rhyfel o fod yn bleidiol i'r Almaen, ac yr oedd angen cryn ddewrder a chadernid cymeriad i wrthsefyll yr ysbryd brwd o blaid y rhyfel a'r don o wladgarwch a ysgubai drwy Gymru ac a hybid gan David Lloyd George a'i gefnogwyr. Ac nid gwleidyddion yn unig a alwai ar i bawb gefnogi ymdrech y dewrion ar faes y gad, wrth gwrs, gan fod rhai gweinidogion yr Efengyl yn cyfiawnhau'r rhyfel ac yn defnyddio'r pulpudau fel llwyfannau recriwtio.[14]

Er nad oes dim tystiolaeth ddogfennol wybyddus i neb gysylltu gwrthwynebiad Parry-Williams i'r rhyfel rhwng Prydain a'r Almaen i'w gyfnod yn fyfyriwr ymchwil mewn prifysgol Almaenig, nac i'w gysylltiadau ag ysgolheigion Celtaidd yr Almaen, nid yw'n amhosibl y byddai ei hanes diweddar ar y Cyfandir wedi peri i rai yn Aberystwyth amau ei gymhellion a dal dig tuag ato. Un arall o wŷr proffesiynol y dref a enillodd ei ddoethuriaeth yn un o brifysgolion yr Almaen, ac a gofrestrodd ei wrthwynebiad cydwybodol i'r rhyfel, oedd Dr Daniel James Davies (1876-1951), a ddysgai ieithoedd modern yn Ysgol Sir Aberystwyth.[15] Er iddo gael ei ryddhau mewn tribiwnlys ar yr amod ei fod yn parhau yn ei swydd fel athro, ni chafodd lonydd. Fe'i herlidiwyd yn ddidrugaredd gan rai o lywodraethwyr yr ysgol a chafwyd sawl ymgais i'w ddiswyddo. Daeth o fewn trwch blewyn i gael ei ddiswyddo yn 1916, a daliodd ei elynion ati i'w erlid. Flwyddyn yn ddiweddarach, pleidleisiodd y llywodraethwyr o blaid cael gwared ohono drwy fwyafrif o un bleidlais. Creodd hynny'r fath ddrwgdeimlad fel y galwyd am ddiddymu canlyniad y bleidlais; ni chredai rhai pobl ei bod yn gyfiawn erlid dyn oherwydd ei ddaliadau. Ond dioddef erledigaeth fu raid iddo tan ddiwedd y rhyfel, a hyd yn oed wedi i'r rhyfel ddod i ben, dialwyd arno drwy beidio â

---

14   Ar y gwahanol agweddau at ryfel ymhlith crefyddwyr Cymru, gw. Dewi Eirug Davies, *Byddin y Brenin: Cymru a'i Chrefydd yn y Rhyfel Mawr* (Abertawe, 1988).

15   Gwyn Jenkins, *Cymry'r Rhyfel Byd Cyntaf* (Talybont, 2014), tt. 124-5; Michael Freeman, *Gwrthwynebwyr Cydwybodol yn Sir Geredigion yn ystod y Rhyfel Byd Cyntaf*, Papur Cefndir CND Cymru: 6 (Llanbadarn Fawr, 2014), tt. 10-14.

rhoi'r un codiad cyflog iddo ef ag a gâi athrawon eraill yr ysgol.[16] Amheuid gan ambell un o'r llywodraethwyr pa mor gymwys oedd Dr Davies i ddysgu o gwbl am fod ei ddaliadau heddychol yn ddylanwad drwg ar ei ddisgyblion. Dyna'r math o amheuon a godwyd am Parry-Williams yn ogystal pan aed ati i geisio'i rwystro rhag cael ei benodi i'r Gadair Gymraeg yn 1919 ac yn 1920 drwy ei bardduo'n gyhoeddus.

Diau mai'r Ddeddf Orfodaeth a ddaeth i rym ar 2 Mawrth 1916 a sbardunodd yr heddychwyr Cymraeg eu hiaith i gynnal cynhadledd yn y Bermo ddiwedd y mis hwnnw i drafod sefydlu cylchgrawn er mwyn cynnal a chryfhau achos heddychiaeth.[17] Yr oedd misolyn *Y Deyrnas*, a ymddangosodd gyntaf yn Hydref 1916, yn gyhoeddiad cyfatebol i'r papur Saesneg *The Tribunal*, a sefydlwyd gan y 'No-Conscription Fellowship' ac a ymddangosodd fel wythnosolyn ym Mawrth 1916. Cynhadledd ddi-sôn-amdani yn y papurau newydd oedd cynhadledd yr heddychwyr yn y Bermo; fe ymddengys mai digwyddiad tawel a disylw ydoedd, os nad cyfrinachol ymron. Yr oedd Parry-Williams yn un o'r rhai a'i mynychodd, fel y gwelwn yn yr ail bennod.

Yr oedd y tribiwnlysoedd erbyn hynny eisoes wedi dechrau ar eu gwaith. Byddai ar y sawl a arddelai wrthwynebiad moesol a chrefyddol i wŷs y fyddin, ac i ryfel yn gyffredinol, angen pob cefnogaeth a chymorth i ymgynnal yn ystod yr wythnosau a'r misoedd anodd a oedd ar ddod wrth gael ei herio mewn tribiwnlys ac wrth wynebu dicter a dirmyg y cyhoedd. Yr oedd pawb a apeliai yn erbyn cael eu galw yn wynebu cael eu herio ac, yn achos llawer, eu gwatwar yn gyhoeddus. Bychenid amryw wrth i rai o aelodau'r tribiwnlysoedd gyhoeddi mai dyletswydd pob dyn oedd gwasanaethu'n ufudd a digwestiwn. Yr oedd swyddog milwrol hefyd yn bresennol yn y gwrandawiadau i geisio cornelu a baglu'r apelyddion, ac yn aml iawn byddid yn torri allan i chwerthin yn wawdlyd am ben ambell un mwy dihyder na'i gilydd a gâi drafferth i ddal ei dir wrth gael ei groesholi.

Bu tuedd i gredu, ar gorn ei bresenoldeb yn y Bermo ym Mawrth 1916,

---

16   Gw. ibid., t. 13-14.

17   Ar hanes natur y gwrthwynebiad i'r rhyfel yng Nghymru, gw. Aled Eirug, 'Agweddau ar y gwrthwynebiad i'r Rhyfel Byd Cyntaf yng Nghymru', *Llafur*, 4 (1987), tt. 58-68. Y mae ffigurau gwerthiant cylchgrawn *Y Deyrnas* mewn un mis yn 1917 ar d. 68, ac yr oedd 32 o gopïau yn cael eu prynu yn nhref Aberystwyth, sy'n 1.2% o gyfanswm y copïau a werthwyd drwy Gymru gyfan y mis hwnnw.

fod Parry-Williams yn aelod gweithgar o'r mudiad heddwch yng Nghymru. Mae'n ymddangos mai Dyfnallt Morgan a awgrymodd hynny gyntaf drwy ddweud hyn amdano: 'Bu'n weithgar o blaid heddwch ar raddfa genedlaethol hefyd'.[18] Nid oes dim tystiolaeth i gadarnhau ei fod yn gyhoeddus weithgar nac ychwaith yn gweithredu ar raddfa genedlaethol. Mae'n arwyddocaol nad yw George M. Ll. Davies (1880-1949) yn ei enwi wrth alw i gof gynhadledd y Bermo, neu'r 'Seiat Heddychwyr' fel y'i galwai. Enwir T. Gwynn Jones ganddo ymhlith yr arweinwyr di-dderbyn-wyneb eu pasiffistiaeth, ond nid enwir Parry-Williams o gwbl.[19] Serch hynny, yr oedd wedi ymuniaethu â'r gwrthsafiad Cristnogol i'r rhyfel, ac am hynny y teilyngodd ei grybwyll mewn cyfrol i goffáu canmlwyddiant Cymdeithas y Cymod.[20]

Yr hyn a gadarnhawyd gan un o'i gyn-fyfyrwyr, sef W. Leslie Richards, wrth drafod ei heddychiaeth, yw mai ofer chwilio yn ei weithiau llenyddol am ddim datganiadau ynghylch ei ddaliadau heddychol na'i farn ar y rhyfel.[21] Yr hyn a ganfu oedd amharodrwydd Parry-Williams i wneud na dweud dim ymfflamychol oherwydd ei annhueddrwydd cynhenid. Yn sicr, nid oedd mor amlwg â'i gyd-weithiwr T. Gwynn Jones, a ymddangosai'n llawer mwy ymosodol yn yr amrywiol gyfraniadau ganddo mewn gwahanol gylchgronau. Trwy gydol y rhyfel, bu'n ffodus o gwmni a chyfeillgarwch T. Gwynn Jones, ei gyd-aelod ar staff yr Adran. Y ddau ohonynt hwy a gynhaliai'r Adran Gymraeg yn absenoldeb y trydydd aelod, Timothy Lewis, a oedd yn y fyddin. Diau iddynt fod yn gefn i'w gilydd fel heddychwyr. Hawdd dychmygu y gallai fod yn anodd i rywun a gafodd sylw mor gyhoeddus â phrifardd cenedlaethol fel Parry-Williams fyw yn ei groen wrth geisio ymgynnal heb gefnogaeth rhywrai a arddelai'r un daliadau ag ef. Yn dawel bach ac yn ei ffordd ei hun y lleisiodd ei wrthwynebiad i'r rhyfel, a hynny'n aml mewn cerddi digon chwerw-eironig eu tôn.

Gan fod eraill wedi trafod ei ymateb llenyddol i'r Rhyfel Byd Cyntaf, y cyfan a wneir yn y fan hon wrth drafod rhai cerddi yw cydio mewn ambell

---

18   Dyfnallt Morgan, *Rhyw Hanner Ieuenctid: Astudiaeth o Gerddi ac Ysgrifau T. H. Parry-Williams rhwng 1907 a 1928* (Abertawe, 1971), t. 72.

19   George M. Ll. Davies, *Pererindod Heddwch* (Dinbych, 1945), t. 28.

20   D. Ben Rees gol., *Dilyn Ffordd Tangnefedd: Canmlwyddiant Cymdeithas y Cymod 1914-2014* (Lerpwl, 2015), t. 20.

21   W. Leslie Richards, 'T. H. Parry-Williams (1887-1975)', yn D. Ben Rees gol., *Dal Ati i Herio'r Byd*, cyfrol iii (Lerpwl a Llanddewi Brefi, 1988), tt. 65-72.

edefyn nas pwythwyd o'r blaen. Mae pawb sydd wedi trafod ei gynnyrch creadigol yn ystod y rhyfel, Dyfnallt Morgan, Gerwyn Wiliams, Llion Jones, R. Gerallt Jones ac Angharad Price, i gyd yn pwysleisio pa mor arwyddocaol ydyw o safbwynt twf ei yrfa fel bardd a llenor.[22] Yn ôl Angharad Price, y darlun ohono a ymffurfiodd yn ei gerddi erbyn diwedd y rhyfel yw'r darlun o ddyn ifanc toredig:

> Argraff o ddyn ifanc wedi ei dorri a geir yng ngherddi Parry-Williams ar ddiwedd cyfnod y Rhyfel Byd Cyntaf. Dyma'r Parry-Williams drylliedig a'i fyd yn deilchion wrth ei draed.[23]

Bu diwedd y rhyfel yn drobwynt iddo yn ei yrfa broffesiynol fel ag yn ei yrfa greadigol. Cafodd ei boenydio am y credai rhai pobl na ddylai heddychwr a wrthododd godi arfau i amddiffyn ei wlad gael bod heb ei gosbi. Yr oedd ysbryd dialedd yn fyw ac yn iach ar strydoedd Aberystwyth yn ogystal ag yn siambr Cyngor y Coleg, heb sôn am lefydd eraill lle y credid na ddylai'r sawl a wrthwynebodd y rhyfel gael blaenoriaeth ar filwr a ymrestrodd o'i wirfodd. Yr oedd teimlad cryf y dylai'r cyn-filwyr gael eu gwobrwyo am eu dewrder drwy eu ffafrio pan gynigient am swyddi mewn sefydliadau cyhoeddus, ac na ddylai'r heddychwyr gael rhwydd hynt i fwrw ymlaen â'u gyrfa a'u bywyd fel o'r blaen. Yng ngolwg rhai, yr oedd annheyrngarwch i'r wladwriaeth ac i'r brenin yn frad na ddylid byth ei faddau na'i anghofio.

Yn achos llawer o'r bobl a oroesodd y Rhyfel Mawr, yn gefnogwyr a gwrthwynebwyr y rhyfel fel ei gilydd, rhoed yr atgofion i raddau helaeth dan glo. Fel llawer o'r milwyr a wasanaethodd ac a welodd bethau gwirioneddol erchyll, dewisodd Parry-Williams yr heddychwr fygu llawer o'i atgofion am gyfnod y rhyfel. Oherwydd y gwrthwynebiad hynod gyhoeddus i'w enwebiad am y Gadair yn 1919, penderfynodd awdurdodau'r Coleg ohirio penodi am flwyddyn. Yr oedd cymaint o drafod wedi bod yn y wasg a chymaint o ddrwgdeimlad wedi'i greu yn sgil rhai cyhuddiadau maleisus ac enllibus, fel nad doeth i Parry-Williams ar ôl cael ei benodi yn 1920 oedd dal dig na beirniadu

---

22 Morgan, *Rhyw Hanner Ieuenctid*; Gerwyn Wiliams, *Y Rhwyg* (Llandysul, 1993), tt. 210-24; Llion Elis Jones, 'Agweddau ar waith T. H. Parry-Williams', traethawd PhD Prifysgol Cymru [Aberystwyth], 1993; R. Gerallt Jones, *T. H. Parry-Williams (Dawn Dweud)* (Caerdydd, 1999); Angharad Price, *Ffarwél i Freiburg: Crwydriadau Cynnar T. H. Parry-Williams* (Llandysul, 2013).

23 Price, ibid., t. 412.

neb a fu ynghlwm â'r helynt. Fel y cawn weld, arhosodd cysgod ei brofiadau drosto trwy gydol y dauddegau pan oedd yn dygnu arni â'i waith fel Athro a Phennaeth yr Adran. Ni allai fyth eu dileu o'i gof, gan iddynt adael argraff mor annileadwy ar greadur a oedd mor groenfeddal o deimladwy. Petai'n gymeriad mwy hyderus a checrus, gallai fod wedi dannod i'w elynion eu herledigaeth, ond gan ei fod yn gymeriad diymhongar a phoenus o swil, nid oedd codi crachod o gyfnod y rhyfel yn ei natur. Claddu'r bennod boenus honno yn ei hanes oedd orau, ac mae cynildeb y sylwadau sydd ganddo am gyfnod y rhyfel yn awgrymu digon am ei deimladau heb fod angen ymhelaethu.

Yr unig dro y bu iddo ymollwng i gyfleu ei ymateb i'w brofiad yn cael ei erlid oedd mewn ysgrif ar y pryf genwair, lle y mae'r pryf yn dod yn drosiad o'r gwrthwynebydd cydwybodol ac o bawb diniwed sy'n cael ei erlid; pawb nad yw'n ymyrryd dim â neb arall, ond eto'n cael ei boenydio a dioddef erledigaeth. Mae'n drosiad pwerus iawn, ond yn un a wisgodd ddinodedd am gymaint o flynyddoedd fel na sylweddolodd neb ei wir arwyddocâd na chyfeirio ato mewn print tan yn gymharol ddiweddar.[24] Ond trosiad am ei brofiad ef ei hun ydyw'n bendifaddau, fel y ceir gweld yn y chweched bennod.

Er mai tawedog fu Parry-Williams ynghylch ei brofiadau, dichon i'r cyfyng-gyngor a'r pangfeydd a brofodd fod yn debyg i'r rhai a ddisgrifiwyd gan ei gyfaill o heddychwr, Edward Stanton Roberts (1878-1938), a fu'n gyd-fyfyriwr ag ef yn Aberystwyth lle y buont yn cydletya.[25] Yr oedd Stanton Roberts yn un o'r graddedigion ifainc disglair hynny a chwiliai am waith ar ôl graddio, ac a gyflogwyd am gyfnod gan Urdd y Graddedigion i gopïo llawysgrifau yn y Llyfrgell Genedlaethol. Gohebai'n gyson â T. Gwynn Jones wedi iddo adael Aberystwyth yn 1915 pan oedd yn gweithio ar ei olygiad o Lysieulyfr William Salesbury ar gyfer ei draethawd MA. Wynebai gyfyng-gyngor dyrys, oherwydd yr oedd rhan ohono am gyfnod yn osio at fynd o'i wirfodd i gynorthwyo yn y Corfflu Meddygol, ond am ei fod yn Gristion ni allai gysoni ei gred â chyflawni unrhyw fath o wasanaeth milwrol, ac yr oedd ganddo 'ddigasedd perffaith at bob math ar filitariaeth efo'i rhwysg a'i

---

24   Gw. Bleddyn Owen Huws, ' 'Nid nefoedd i gyd mo'r ddaear': T. H. Parry-Williams a'r Rhyfel Mawr', *Llên Cymru*, 37 (2014/15), tt. 70-86, a tt. 84-5 yn benodol.

25   Gw. yr ysgrif iddo gan ei ŵyr, Dylan Iorwerth yn *Y Bywgraffiadur Cymreig 1951-1970* (Llundain, 1997), t. 288, a hefyd idem, ' 'Onid hoff yw cofio'n taith …' E. Stanton Roberts a T. Gwynn Jones', *Barddas*, 23 (Hydref 1978), tt. 1-3.

rhodres'.[26] Cynigiai am swyddi fel athro yn Sir Ddinbych, ac ofnai y byddai rhai o aelodau Pwyllgor Addysg y sir yn siŵr o ofyn iddo am ei safbwynt ar y rhyfel. Fe'i penodwyd maes o law yn brifathro Ysgol Pentrellyncymer.

Pan basiwyd y Ddeddf Orfodaeth, penderfynu cofrestru ei wrthwynebiad cydwybodol i'r rhyfel a wnaeth Stanton Roberts, a bu gerbron ei well mewn tribiwnlys yng Ngherrigydrudion ym mis Mawrth 1916. Yn ei lythyrau at T. Gwynn Jones adroddai ei brofiad a'i argraffiadau yn y tribiwnlys, a gadawodd fanylach a llawnach disgrifiad o'i amgylchiadau a'i safbwyntiau nag a wnaeth Parry-Williams erioed. Cafodd gynnig cael ei esgusodi rhag gwasanaethu yn y fyddin, ar yr amod ei fod yn aros yn ei swydd ym Mhentrellyncymer. Ond yr oedd ei agwedd yn gwbl ddigymrodedd, oherwydd pan gynigiwyd iddo ryddhad amodol, fe'i gwnaeth yn berffaith eglur i aelodau'r tribiwnlys ei fod yn ei dderbyn ar yr amod ei fod yn cael glynu wrth ei argyhoeddiadau fel heddychwr. Mynnai mai oherwydd ei wrthwynebiad cydwybodol i'r rhyfel y gwrthodai fynd i'r fyddin, fel yr atgoffodd T. Gwynn Jones:

> Ond fel y gwyddoch yr wyf wedi hen benderfynu na fydd a wnelo fi ddim a milwriaeth – mae pob ffurf arno'n ysgymunbeth yn fy ngolwg.[27]

Yr oedd yn barod i wynebu dirwy o £100 am anwybyddu'r wŷs a dderbyniodd i ymddangos gerbron y Bwrdd Meddygol yn Wrecsam, a dywedai y byddai wedi bod yn barod i wynebu cael ei garcharu petai raid. Oherwydd iddo arddel ei safbwynt mor gadarn ac mor ddiedifar o lafar yn y tribiwnlys, fe ddioddefodd ar ôl y rhyfel wrth gynnig am swyddi dysgu eraill yn Sir Ddinbych. Erbyn 1928 yr oedd yn Ysgol y Gyffylliog, a thybiai mai yno y byddai am rai blynyddoedd 'tra pery yr ysbryd milwriaethus yn fympwy ym meddwl a barn rhai o bwyllgor addysg y sir'.[28] Daeth arno awydd symud yn 1931, a chynigiodd am swydd prifathro Ysgol Gellifor ger Rhuthun, a'i chael yn unig drwy bleidlais fwrw cadeirydd y pwyllgor penodi, ond nid cyn i rywrai yng Ngellifor geisio atal y penodiad oherwydd ei farn ar y rhyfel:

---

26   Llythyr Edward Stanton Roberts at T. Gwynn Jones, 29 Tachwedd 1915, LlGC 'Papurau T. Gwynn Jones', G4956.
27   Llythyr Edward Stanton Roberts at T. Gwynn Jones, 15 Gorffennaf 1917, ibid., G4963.
28   Llythyr Edward Stanton Roberts at T. Gwynn Jones, 24 Rhagfyr 1928, ibid., G4977.

> Clywais fod yno ddau gyfarfod wedi eu cynnal i geisio'm rhwystro yno
> … mae plaid gref ar y Cyngor Sir yn fy erbyn oherwydd fy ngolygiad
> ar y rhyfel ac am i mi ddywedyd fy marn yn rhy glir a chroyw. Yr wyf
> wedi ymddiswyddo o fod yn flaenor ers tua dwy flynedd … yna wedi hir
> fyfyrio a darllen a bod droion yng nghyfarfodydd y Crynwyr pan ar dro
> ym Mirmingham … penderfynais na allwn ddal yn onest fel aelod gyda'r
> Meth[odistiaid] Calf[inaidd] … A thaenwyd y stori yng Ngellifor nad
> oeddwn yn grefyddol …[29]

Er ei fod yn dal i fynychu'r capel, dywedodd ei fod yn 'ceisio arfer y gras
ataliol, oherwydd gall dyn fforddio ymdawelu, er gwaethaf chwedleuon, pan
fyddo mewn heddwch â'i gydwybod ei hun.'[30] Parhaodd cysgod y rhyfel i
hofran yn hir dros yrfa Stanton Roberts, a hynny ddegawd wedi i'r rhyfel ddod
i ben. Fel ei gyfaill Parry-Williams, dioddefodd yntau elyniaeth ac erledigaeth
oherwydd ei ddaliadau personol.

Yr oedd awyrgylch pur annymunol wedi'i greu yn nhref Aberystwyth
adeg y rhyfel, ac nid oedd modd dianc rhag yr ysbryd militaraidd a gydiodd
yn rhai o'i thrigolion ychwaith wedi i'r rhyfel ddod i ben. Buasai yno
awyrgylch gwrthnysig i bob heddychwr. Yn fuan ar ôl dydd y Cadoediad,
ac ysbryd buddugoliaeth yn y gwynt, cododd yr awydd am drefnu
dathliadau cyhoeddus. Derbyniodd cynghorwyr Bwrdeistref Aberystwyth
yn ddiolchgar gynnig gan y prif swyddog a oedd yng ngofal yr offer rhyfel
yn Noc Penfro i anfon tri o'r gynnau mawr a gipiwyd oddi ar yr Almaenwyr
i'w harddangos yn y dref. Ac mewn cyfarfod o'r Cyngor ym mis Rhagfyr
1918, pleidleisiodd y cynghorwyr yn unfrydol dros orfodi'r Almaen i dalu
am holl gostau'r rhyfel fel rhan o delerau'r cytundeb heddwch, a phasiwyd
i anfon llythyr i hysbysu'r Prif Weinidog am eu penderfyniad. Yn Ionawr
1919, derbyniodd y Cyngor lythyr gan y Lifftenant-Gyrnol C. E. Davies,
prif swyddog unfed bataliwn ar bymtheg y Ffiwsilwyr Cymreig, yn gofyn a
hoffid gweld yn nhref Aberystwyth leoli'r gynnau mawr a gipiwyd oddi ar y
gelyn gan y bataliwn yng nghyffiniau Gwlad Belg, gynnau ac arnynt arysgrif
yn coffáu enw'r bataliwn. Derbyniwyd y cynnig yn llawen, ac fe ddaeth
llythyr arall gan y Cadfridog Parkyn y tro hwn, Ysgrifennydd Pwyllgor

---

29 Llythyr Edward Stanton Roberts at T. Gwynn Jones, 20 Mehefin 1931, ibid., G4980.
30 Ibid.

Tlysau'r Rhyfel yn y Swyddfa Ryfel yn Llundain, yn cadarnhau bod un o fagnelau'r Almaenwyr ar gael i'w arddangos yn y dref.

Parhâi'r ewfforia yn ystod misoedd yr haf pan aed ati i anfon dirprwyaeth at yr Aelod Seneddol lleol, Matthew Vaughan-Davies (1840-1935), Tan-y-bwlch, er mwyn pwyso arno i ofyn i'r Swyddfa Ryfel fabwysiadu Aberystwyth fel cartref parhaol Catrawd y Gynnau Mawr, ac yr oedd cynlluniau ar droed i gynnau tân gwyllt a choelcerth ar gopa Pendinas. Pan dderbyniwyd llythyr yn hysbysu'r Cyngor y bwriadai Cyngor Cyffredinol Cymreig Cymrodyr y Rhyfel Mawr gynnal cyfarfod yn y dref ym Medi 1919, cytunodd y cynghorwyr yn frwdfrydig i drefnu croeso dinesig.[31]

Yn y cyfnod ar ôl y rhyfel bwriai T. Gwynn Jones ei fol wrth y Parchedig Tegla Davies (1880-1967) ar ôl gweld effeithiau candryll y rhyfel ar ddyn ac ar gymdeithas, ac ef, cofier, fel cyd-weithiwr i Parry-Williams oedd yr un a oedd wedi cydgerdded yr un llwybr ag ef trwy gydol blynyddoedd y rhyfel:

> Y mae Ewrop – y mae'r byd, efallai – yn mynd yn deilchion. Duw yn unig a ŵyr pa beth fydd hanes y dyfodol. Rhaid digwydd rhyw gyfnewidiad aruthr, neu ynteu ddarfod am y ddaear. Onid oes ryw gomed drugarog ar ei ffordd yn yr eangderau, a roddai derfyn ar y ffŵl pennaf a grëwyd erioed? Onid yw bod yn ddyn yn beth cywilyddus – y fath ffŵl colledig? Ac nid oes ddianc rhagddo i unman. Trowch lle mynnwch, ffyliaid cegrwth, corachod hurt, bob un yn gaeth i'w gri chwilen, heb un amcan am bwyll yn y byd. Ac os mynnwch y rhai hurtaf o'r hurt, ewch i ganol yr Academigion![32]

Cri bwerus o'r galon oedd hon gan ddyn a welodd y fath lanast a greodd y rhyfel ar wareiddiad. Gwelir fel y chwalwyd ffydd pobl fel T. Gwynn Jones a Parry-Williams yn y ddynoliaeth ar ôl ceisio arddel safbwynt Cristnogol a brawdgarol trwy flynyddoedd yr heldrin. Llais y dadrithiedig a glywir yng ngeiriau Gwynn Jones, a'r hyn na wyddai ef ym mis Mai 1919, adeg ysgrifennu'r llythyr hwnnw at Tegla, oedd y byddai'n cael ei siomi ymhellach fyth gan yr 'academigion' wrth iddynt fynd ati i geisio llenwi swydd Athro'r Gymraeg yn y Coleg yn ystod y misoedd i ddod.

---

31 Daw'r wybodaeth am y gohebu a'r trafod a fu yng nghyfarfodydd y Cyngor Bwrdeistref yn ystod y misoedd ar ôl y rhyfel o gofnodion y Cyngor yn Archifdy Ceredigion, ABM/SE/1/19, *Borough of Aberystwyth Minutes and Agenda, 1919*, tt. 7, 34, 46-7, 91, 230, 338(b).

32 Llythyr T. Gwynn Jones at E. Tegla Davies, 24 Mai 1919, llawysgrif LlGC 21672C.

Diddorol yw olrhain y drafodaeth a fu cyn hyn ar helynt y Gadair Gymraeg o safbwynt Parry-Williams. Mae'n debyg mai T. I. Ellis yn ei gofiant i'r Prifathro J. H. Davies (1871-1926), a gyhoeddwyd yn 1963, oedd y cyntaf i grybwyll y mater mewn print, ond y cyfan a ddywedodd wrth gyfeirio at benodi Parry-Williams yn Athro oedd hyn: '… oherwydd ymrafaelion yn y Cyngor ni bu penodiad hyd 1920'.[33] Nid ymhelaethodd ar yr ymrafaelion a fu, a chan ei fod wedi dewis cyflwyno'r cofiant i 'Syr Thomas Parry-Williams', efallai nad oedd ei benderfyniad i beidio â manylu yn ddim syndod.

Gwelir yr un amharodrwydd i drafod yr helynt yn llawn a manwl yn astudiaeth bwysig Dyfnallt Morgan o weithiau cynnar Parry-Williams, *Rhyw Hanner Ieuenctid*, a gyhoeddwyd yn 1971. Dewisodd fynd y tu arall heibio i helynt y Gadair ac nid oedd ambell sylwebydd yn brin o nodi hynny. Barn Bobi Jones oedd i Dyfnallt Morgan lwyddo i 'ochrgamu heibio' yn ddeheuig i'r 'saga neu'r sgandal' yn hanes Parry-Williams yn 1919.[34] Wrth adolygu'r gyfrol, nododd Iorwerth Peate yntau na roes Dyfnallt Morgan sylw i 'arwyddocâd arbennig' y flwyddyn golegol a dreuliodd yn fyfyriwr gwyddonol cyn ei benodi'n Athro tua diwedd y trydydd tymor yn 1920. Fel un a oedd yn fyfyriwr yn y Coleg adeg y digwyddiadau, gwyddai Iorwerth Peate yn dda am y cefndir a bod llawer mwy i'w ddweud.[35]

Rhaid cofio, wrth gwrs, fod Parry-Williams ei hun yn dal yn fyw ac o gwmpas ei bethau yn 1971, a chofio hefyd i Dyfnallt Morgan gyflwyno'r gyfrol i'w hen Athro a'i wraig, y Fonesig Amy Parry-Williams (1910-1988), ac na fuasai am bris yn y byd am godi hen grachod a pheri loes. Enghraifft arall o'r un duedd i osgoi adrodd yr hanes yn llawn, ond o safbwynt Timothy Lewis y tro hwn, yw geiriau W. Beynon Davies am helynt y Gadair mewn ysgrif fywgraffyddol iddo:

> Dywedwyd pethau pigog a maleisus, lawer ohonynt, gan wahanol bleidiau yn y cyfwng hwnnw ac ni thâl eu hailadrodd bellach.[36]

---

33 T. I. Ellis, *John Humphreys Davies (1871-1926)* (Lerpwl, 1963), t. 127.

34 Bobi Jones, 'Can mlynedd o Lenyddiaeth Aberystwyth (2)', *Barn*, 113 (Mawrth 1972), t. 118.

35 Iorwerth Peate, 'Teyrnged i Athro', adolygiad ar *Rhyw Hanner Ieuenctid* gan Dyfnallt Morgan, *Y Genhinen*, 22/2 (1972), tt. 63-5.

36 W. Beynon Davies, 'Timothy Lewis (1877-1958)', *Cylchgrawn Llyfrgell Genedlaethol Cymru*, 21 (1979-80), t. 153.

Gan fod mwy o bellter rhyngom a'r digwyddiadau gan mlynedd yn ôl, mae'n haws i ni nag ydoedd i rai o gydnabod a chyfoeswyr Parry-Williams a Timothy Lewis adrodd y stori'n llawn heb ofni pechu na thramgwyddo neb. Pan aeth Bobi Jones ati i drafod y cerddi a luniodd Parry-Williams yn ystod 1919, y teitl a roes i'r bennod sydd ganddo'n trafod digwyddiadau'r flwyddyn gofiadwy honno yw 'Sgandal 1919'.[37] Yr oedd elfennau o sgandal yn perthyn i'r hanes, yn sicr, am fod Parry-Williams wedi mynd yng ngheg y byd, yn destun trafodaeth gyhoeddus yn y wasg leol a chenedlaethol yng Nghymru, ac yn ffigur i'w wawdio a'i fychanu'n greulon.

Yr hanesydd E. L. Ellis, adeg dathlu canmlwyddiant Coleg Aberystwyth yn 1972, oedd y cyntaf i drafod amgylchiadau penodi i'r Gadair Gymraeg mewn ychydig mwy o fanylder gan gyfeirio at natur y gwrthwynebiad i ymgeisyddiaeth Parry-Williams a'r drwgdeimlad pur annymunol a grewyd o ganlyniad i'r cyfan a ddigwyddodd.[38] Ef oedd y cyntaf i dynnu ar gofnodion Cyngor y Coleg ac ar ohebiaethau personol er mwyn adrodd yr hanes. Fe'i dilynwyd yn fuan wedyn gan David Jenkins, a neilltuodd ran o bennod yn ei gofiant i T. Gwynn Jones i adrodd helynt y penodi.[39] Tynnodd yntau ar gofnodion Cyngor y Coleg a rhai gohebiaethau personol, yn ogystal ag ar rai colofnau yn y wasg brintiedig, ond heb ddatgelu gormod am natur yr ymosodiadau personol ar Parry-Williams. Y fantais amlwg a oedd gan David Jenkins oedd ei fod yn nes at yr helynt nag yr ydym ni, ac yn un a fu'n ddisgybl i Parry-Williams yn ystod y tridegau. Mae'n amlwg ei fod yn bur gyfeillgar â'i hen Athro a bod Parry-Williams wedi gallu ymddiried ynddo. Nid pawb, efallai, sy'n sylweddoli i Parry-Williams ei hun ddarllen y bennod sy'n ymdrin â chyfnod y Rhyfel Mawr cyn cyhoeddi'r cofiant.[40] Buasai, felly, wedi bod â rhan fechan yn siapio'r ffeithiau, neu o leiaf wedi rhoi sêl ei fendith ar y fersiwn hwnnw o'r hanes, ac yn sgil hynny roi rhyw fath o sancsiwn arno. Mae'n arwyddocaol mai mewn ysgrif goffa i Parry-Williams y datgelodd David Jenkins pa mor ddirdynnol fu cyfnod y rhyfel iddo mewn gwirionedd, gan gynnig mwy o wybodaeth nag a wnaeth yn ei gofiant i T. Gwynn Jones.[41]

---

37   R. M. Jones, *Llenyddiaeth Gymraeg 1902-1936* (Cyhoeddiadau Barddas, 1987), tt. 284-96.
38   E. L. Ellis, *The University College of Wales Aberystwyth 1872-1972* (Cardiff, 1972), tt. 202-5.
39   David Jenkins, *Thomas Gwynn Jones: Cofiant* (Dinbych, 1973), tt. 238-71.
40   Gw. ibid., t. 10.
41   David Jenkins, 'Atgofion Myfyriwr III', *Y Traethodydd* (Hydref 1975), tt. 269-70.

Mae pawb hyd yma sydd wedi ymdrin â helynt penodi Parry-Williams i'r Gadair Gymraeg yn sgil ei safiad fel gwrthwynebydd cydwybodol wedi dibynnu i raddau helaeth iawn ar waith ymchwil David Jenkins. Dyna yn ei hanfod oedd prif ffynhonnell ei gofiannydd, R. Gerallt Jones, wrth drafod y ffeithiau: 'Er mwyn bod yn ffyddlon i fanylion yr hyn a ddigwyddodd, awn at fersiwn David Jenkins'.[42] Cyfeirio at fersiwn David Jenkins o'r hanes a wneir gan Angharad Price hefyd, er ei bod hi'n tynnu'n helaethach ar y cerddi a'r ysgrifau a'r cofnodion dyddiadurol wrth drafod y rhyfel a'i adladd o safbwynt Parry-Williams, ac yn ymdrin yn fanylach ag effaith y rhyfel arno nag a wna R. Gerallt Jones.[43] Ond mae tipyn mwy i'w ddweud am yr hanes nag a ddywedwyd ac a gyhoeddwyd yn barod.

Trwy dynnu ar ffynonellau mor amrywiol ag erthyglau a cholofnau yn y wasg, gohebiaethau preifat amryw o unigolion, a gwahanol gofnodion colegol, gellir adrodd yr hanes yn llawnach nag a wnaed erioed o'r blaen, a thaflu goleuni newydd ar yr holl helynt o safbwynt gwahanol bobl: Parry-Williams a'i gefnogwyr, Timothy Lewis a'i gefnogwyr yntau, ynghyd ag o safbwynt ambell un arall a oedd yn rhan annatod o'r stori. Trwy dynnu ar ddeunydd mewn archif deuluol, teflir golwg fanwl ar hynt brodyr Parry-Williams – Willie (1890-1935), Oscar (1892-1971), a Wynne Parry-Williams (1895-1952) – yn ystod y rhyfel, a chyflwynir am y tro cyntaf mewn print wybodaeth am ei garwriaeth â'r meddyg teulu o Drawsfynydd a Phenrhyndeudraeth, Dr Gwen Williams (1902-1985), a hefyd wybodaeth newydd am hyd a lled ei ddiddordeb mewn meddygaeth a'i awydd am gael newid gyrfa. Yr oedd yr ysfa i astudio meddygaeth yn uniongyrchol gysylltiedig â'i anfodlonrwydd ynghylch amodau'i swydd rhwng 1914 ac 1919, ac â'r hyn a ddigwyddodd pan ymgeisiodd am Gadair y Gymraeg yn 1919-20, a gellid dadlau i amgylchiadau'r penodiad fwrw'i gysgod dros yrfa'r Athro a'r Pennaeth Adran am flynyddoedd wedyn cyn i'r ysfa feddygol godi drachefn yn 1935.

Cyfyd sawl cwestiwn yn sgil rhai o benderfyniadau Parry-Williams. Gellir dweud i sicrwydd iddo fwriadu gadael yr Adran a chofrestru ar gwrs

---

42   Jones, *T. H. Parry-Williams (Dawn Dweud)*, t. 86.
43   Price, *Ffarwél i Freiburg*, tt. 305-431, gw. yn benodol tt. 422-3: 'Bu hwn yn fater helbulus, ac fe'i disgrifiwyd mewn manylder gan David Jenkins yn ei gofiant i T. Gwynn Jones, a chan R. Gerallt Jones yn ei gofiant i Parry-Williams.' Gw. hefyd Llion Jones, 'Agweddau ar waith T. H. Parry-Williams', tt. 141-4.

gwyddonol gyda'r bwriad o fynd yn feddyg ymhell cyn 1919. Yn sicr, nid penderfyniad difeddwl oedd dewis peidio ag adnewyddu'i gytundeb blynyddol fel darlithydd cynorthwyol dros dro a chofrestru fel myfyriwr gwyddonol blwyddyn gyntaf ym mis Hydref 1919. Nid oes dim amheuaeth nad oedd wedi hen ddiflasu ar ffiasgo'r Gadair, ond tipyn o ddirgelwch yw pam y penderfynodd gynnig amdani yr eilwaith pan ailhysbysebwyd hi yn haf 1920, ac yntau wedi rhoi ei fryd ar yrfa feddygol. A gafodd gan y Prifathro J. H. Davies addewid mai ef a'i câi, ac mai dyna pam y cefnodd ar ei yrfa wyddonol? Ai oherwydd yr ymdeimlad o ddyletswydd tuag at ei bwnc a'i Adran y newidiodd ei feddwl? Ai oherwydd ymdeimlad o deyrngarwch i'w hen Athro, neu ynteu ai oherwydd bod pwysau arno o du ei deulu a rhai o'i gyd-ysgolheigion Cymraeg?

Y mae un darn o dystiolaeth nid amherthnasol sy'n awgrymu'r rhan flaenllaw a chwaraeodd J. H. Davies ym mhenodiad Parry-Williams. Pan glywodd J. Gwenogvryn Evans (1852-1930) – yr ysgolhaig adnabyddus o ddeheuwr a drigai yn Llanbedrog yn Llŷn, ac fu'n gwasanaethu ar Gomisiwn y Llawysgrifau Hanesyddol – am farw J. H. Davies yn 1926, rai blynyddoedd wedi helynt y Gadair, ysgrifennodd lythyr at ei gyfaill mynwesol, Timothy Lewis, gŵr y bu'n gefnogwr brwd o'i blaid, gan ddatgelu i J. H. Davies geisio ei gael ef, Gwenogvryn, pan oedd yn aelod o Gyngor y Coleg, i gefnogi cais Parry-Williams yn 1919:

> Of the part J.H. played against your appointment I have first hand knowledge. He tried to enlist me to appoint P.W. because he was an old Aberystwythian. Then he buttonholed members of the Council & told them you could not teach.[44]

Nid oedd J. H. Davies yn ffafrio Timothy Lewis, felly. Beth a ddaw'n amlwg yw fod y cyn-Gofrestrydd a'r Prifathro yn dipyn o beiriant a chanddo ddawn i gael ei ffordd ei hun. Dygodd Gwenogvryn i gof un enghraifft o'i ddull cyfrwys o berswadio dynion dylanwadol i weithredu'n ôl ei ddymuniad, gan gynnwys Syr John Williams (1840-1926), Llywydd y Coleg rhwng 1913 a 1926:

44　Llythyr J. Gwenogvryn Evans at Timothy Lewis, 18 Awst 1926, LlGC 'Papurau Timothy Lewis', blwch 1, llythyrau at Timothy Lewis.

The first comment his old neighbour & school fellow, Ambrose Jones, made to me last week, when the news of J.H.'s death appeared in the morning papers, was: "Well, I never knew a fellow so full of tricks." So he was born crooked it would seem.

Well it was some years before I saw through him … I heard him fool Sir John more than once. For instance he would say: " I have been thinking over that idea of yours Sir John, & the more I think of it the more wonderful I think it." "Dear me what was that?" "Dont you remember saying so & so …" "No, upon my word I dont." "O, you say so many good things without thinking anything – they are commonplaces to you, but they are really very clever & this idea of yours must be carried out." "Have a cigar my boy". This lighted J.H. departed & Sir John on his return to the room said: "Fine fellow J.H., he should be made Principal."[45]

Rhywbeth arall a welai Gwenogvryn yn gweithio'n erbyn Timothy ac o blaid Parry-Williams oedd dylanwad enwadaeth.[46] Gan fod J. H. Davies yn un o hoelion wyth yr Hen Gorff, buasai'n debygol o fod yn fwy cefnogol i Fethodyn arall fel Parry-Williams nag i Annibynnwr fel Timothy.

Cyfyd sawl cwestiwn hefyd ynghylch penderfyniad Parry-Williams i beidio â mynd yn fyfyriwr meddygol am yr eildro yn 1935 ar ôl gwneud cais am le mewn ysgol feddygol a chael ei dderbyn. Er mor rhwydd fyddai amlhau esboniadau damcaniaethol, fe'n temtir i awgrymu ei bod yn dra thebygol mai'r ateb mwyaf credadwy yn y bôn yw fod ei benderfyniad yn arwydd o'i ansicrwydd cynhenid a'i anallu i ymrwymo wrth ddim yn derfynol a di-droi'n-ôl.

Yr oedd Parry-Williams yn ddyn cymhleth llawn deuoliaethau a pharadocsau, ond efallai mai'r argraff fwyaf a geir wrth ystyried ei hanes yn y gyfrol hon yw ei fod yn ddyn cadarn ei egwyddorion, er gwaetha'i swildod diarhebol. Fel y dywedodd ei gefnder, Thomas Parry, mewn ysgrif goffa iddo, yr oedd yn ddyn teimladwy, oedd, ond yr oedd hefyd yn ddyn dewr:

Fel pob gŵr sy'n mynnu torri llwybr iddo'i hun trwy dir dieithr, yr oedd Parry-Williams yn ŵr dewr mewn cysylltiadau lle'r oedd dewrder yn costio.

---

45 Ibid.
46 Gw. ibid: 'What Methodist trick will be the next we shall see …'.

Safodd fel gwrthwynebwr cydwybodol yn ystod y rhyfel mawr cyntaf, pan oedd dynion felly yn cael eu herlid yn ddidostur.[47]

Dysgodd Parry-Williams, fel yn wir y dysgodd pob heddychwr yn ystod y Rhyfel Mawr, fod pris i'w dalu am wrando ar lais ei gydwybod.

---

47 Thomas Parry, 'T. H. Parry-Williams', *Y Genhinen*, 24/2 (1975), t. 175; adargraffwyd yr ysgrif yn idem, *Amryw Bethau* (Dinbych, 1996), tt. 226-33.

PENNOD 1

Yn ôl i'r Coleg ger y Lli

YM MHARIS YR OEDD T. H. Parry-Williams pan glywodd mewn gohebiaeth gan ei frawd Oscar o Aberystwyth ddiwedd Tachwedd 1913 fod Edward Anwyl (1866-1914), Athro Cymraeg Coleg Prifysgol Cymru, Aberystwyth, wedi cadarnhau yn y wasg iddo gael ei benodi'n Brifathro cyntaf y coleg hyfforddi athrawon newydd a oedd i'w sefydlu yng Nghaerllion ar Wysg. Byddai'n cychwyn ar ei ddyletswyddau'n swyddogol ym mis Medi 1914 ac yn gadael yr Adran Gymraeg ar ôl dwy flynedd ar hugain o wasanaeth. Heb oedi, ysgrifennodd Parry-Williams lythyr at ei hen Athro i'w longyfarch. Anfonodd Edward Anwyl ateb gyda'r troad a'r gair 'cyfrinachol' wedi'i nodi ar ei frig, ac fe'i gwnaeth yn gwbl amlwg mai Parry-Williams oedd ei ddewis cyntaf fel ei olynydd apostolaidd. Dywedodd ei fod yn awyddus i'w weld yn dychwelyd i Aberystwyth i ddarlithio o fis Ionawr 1914 ymlaen o dan delerau ei gymrodoriaeth gyda Phrifysgol Cymru:

> Yr wyf yn awyddus iawn i chwi gael yr hyn a deilyngwch ar fy ymadawiad, ac am y rheswm hwnnw carwn pe gallech roddi eich darlithiau fel cymrawd yma y tymor nesaf er mwyn rhoi danghosiad eglur o'ch gallu i ddarlithio.[1]

Yr oedd y cynllun hwnnw eisoes wedi ei grybwyll wrth Brifathro'r Coleg, T. F. Roberts (1860-1919), a'r Cofrestrydd, J. H. Davies, ac fe fyddai Edward Anwyl ei hun wrth law am gyfnod i allu rhoi ei ddisgybl hoff ar ben y ffordd. Rhaid cofio mai Parry-Williams oedd y cyntaf i ennill gradd Anrhydedd Dosbarth Cyntaf yn y Gymraeg yn Aberystwyth, a'r trydydd myfyriwr erioed

---

1   Llythyr Edward Anwyl at T. H. Parry-Williams, 1 Rhagfyr 1913, LlGC 'Papurau T. H. Parry-Williams', B9.

i ennill dosbarth cyntaf drwy'r Coleg i gyd, ac yr oedd ei Athro yn edmygydd mawr o'i ddoniau. Pan ysgrifennodd Edward Anwyl at Henry Parry-Williams (1858-1925), tad ei fyfyriwr, i gydnabod ei lythyr yntau yn ei longyfarch ar ei benodiad, cyfeiriodd at yr ohebiaeth a anfonasai at y mab yn mynegi ei ddymuniad yn ddiamwys:

> Yr wyf eisoes wedi ysgrifennu at Mr. T. H. Parry-Williams, ac yr wyf yn awyddus iawn iddo roi ei ddarlithiau fel Cymrawd y tymor nesaf, er mwyn iddo gael cyfle i ddangos ei allu fel darlithydd. Yr wyf yn *awyddus iawn* iddo fod yn olynydd i mi, oblegid y mae yn fil mwy cymwys na neb arall y gwn i am dano. … Gellwch fod yn sicr nad oes neb y carwn yn fwy ei gael i gario ymlaen y gwaith a ddechreuais yma nag efe.[2]

Yn wir, cyn hynny, pan oedd Parry-Williams ar ddiwedd ei dymor cyntaf yn fyfyriwr ymchwil yng Ngholeg Iesu, Rhydychen, fe ysgrifennodd Edward Anwyl lythyr personol a chyfrinachol ato yn gofyn a fyddai ganddo ddiddordeb mewn cynnig am y ddarlithyddiaeth gynorthwyol yn yr Adran Gymraeg yr oedd Cyngor y Coleg newydd awdurdodi ei llenwi ar fyr rybudd, i gychwyn ar 7 Ionawr 1910, ond mae'n amlwg mai dewisach ganddo oedd ymroi i'w waith ymchwil ar y pryd ac ennill cymwysterau pellach.[3] Timothy Lewis a benodwyd i'r swydd honno a grewyd drwy haelioni'r rhodd ariannol a gafwyd gan Syr John Williams.[4]

Y Cofrestrydd, J. H. Davies, a ohebai â Parry-Williams ynghylch dychwelyd i Aberystwyth yn ôl tystiolaeth ei nodion dyddiadurol, ac ar ôl treulio gwyliau'r Nadolig yn Rhyd-ddu, dychwelodd i Aberystwyth ddechrau Ionawr 1914 yn barod ar gyfer traddodi darlithoedd yn ei hen Adran gan ymuno â Timothy Lewis a T. Gwynn Jones, a oedd wedi'i benodi'n Ddarllenydd ym mis Hydref 1913. Rhoddwyd tair seren â phensel gyferbyn â dydd Gwener, 16 Ionawr 1914, yn y dyddiadur er mwyn nodi'r diwrnod cofiadwy hwnnw pan draddododd ei ddarlith gyntaf.[5] Cynhaliodd gyfarfodydd yng nghwmni'r

---

2   Llythyr Edward Anwyl at Henry Parry-Williams, 2 Rhagfyr 1913, a ddyfynnir yn y copi o gais Parry-Williams am y Gadair Gymraeg yn 1920 a geir yn y ffeil ynghylch y Gadair yn Archifdy Prifysgol Aberystwyth, blwch C/C.S.CH./2.
3   Llythyr Edward Anwyl at T. H. Parry-Williams, 28 Rhagfyr 1909, LlGC 'Papurau T. H. Parry-Williams', CH9.
4   Ellis, *University College of Wales Aberystwyth, 1872-1972*, t. 167.
5   Dalen rydd o'i ddyddiadur ym mis Ionawr 1914, LlGC 'Papurau T. H. Parry-Williams', M430.

Prifathro, y Cofrestrydd, ac Edward Anwyl, ac yr oedd yn ymddangos fod pawb yn hapus â'r trefniant hwn a olygai fod rhagolygon am ddinas barhaus iddo yn Aberystwyth ar gychwyn gyrfa nodedig fel darlithydd.

Yr oedd popeth fel petai wedi disgyn i'w le yn daclus a dirwystr. Erbyn iddo ddychwelyd o'i grwydriadau ar y Cyfandir yr oedd ganddo dair o raddau ymchwil i'w enw, BLitt Rhydychen, MA Cymru, a PhD Freiburg. Gosodasai seiliau cadarn yn y gwahanol brifysgolion i yrfa academaidd a ymddangosai y pryd hynny mor llyfn a di-dolc. Ond erbyn dechrau Awst daeth dwy ergyd a fyddai'n dod i ansefydlogi'i yrfa am rai blynyddoedd, sef dyfodiad y rhyfel a marwolaeth ddisymwth Edward Anwyl yn wyth a deugain oed.

Ysgrifennodd Henry Parry-Williams lythyr ar ei ran ef a'i wraig i gydymdeimlo â J. Bodfan Anwyl, brawd Edward Anwyl, ac yn hwnnw cyfeiriodd at y golled o'u safbwynt hwy ac o safbwynt eu mab:

> Ni theimlais i fwy oherwydd colli *perthynas* erioed nag a deimlais o golli Syr Edward – y gŵr gymerodd awenau *tad* o'm llaw pan oedd fy nwylaw i yn rhy fyr ac yn rhy lesg i'w cynnal mwy.
> "My last bulwark is gone" meddai Tom pan glywodd y newydd trist, ac felly yr ydym oll yn teimlo.[6]

Yr oedd marwolaeth Edward Anwyl, felly, yn ergyd i Parry-Williams am iddo golli ei brif gynghorwr a'i gynheiliad. Yr oedd wedi'i gael ei hun yn ôl ar staff yr Adran drwy ymdrechion a chefnogaeth ei hen Athro, a dyma fo bellach yn gorfod wynebu'r dyfodol ar ei ben ei hun.

Yn fuan wedi i'r newydd y byddai Edward Anwyl yn gadael Coleg Aberystwyth i fynd i Gaerllion ddod yn gyhoeddus ddiwedd 1913, dechreuodd y dyfalu yn y wasg pwy a allai fod yn llenwi'r Gadair Gymraeg yn ei le. Yr enwau mwyaf tebygol yn ôl y *Cambria Daily Leader*, er enghraifft, oedd Timothy Lewis, Ifor Williams, W. J. Gruffydd a T. H. Parry-Williams.[7] Mae'n debyg fod rhyw symudiadau wedi bod hefyd cyn diwedd 1913 i geisio dwyn perswâd ar W. J. Gruffydd i gynnig am gadair Edward Anwyl, ac yr oedd rhai

---

6   Llythyr Henry ac Ann Parry-Williams at J. Bodfan Anwyl, 11 Awst 1914, LlGC 'Papurau'r Teulu Anwyl', 29/197.
7   *The Cambria Daily Leader*, 6 Mawrth 1914, t. 1.

hyd yn oed am weld John Morris-Jones yn cael ei ddenu o Fangor.[8]

I'r cyfnod hwn o ansicrwydd ynghylch tynged y Gadair y perthyn y llythyr a anfonodd Morgan Watkin (1878-1970) o Baris yn cyfeirio at ryw gais am swydd a oedd gan Parry-Williams ar y gweill. Dyna pryd yr oedd yn hogi'i arfau ac yn paratoi at y posibilrwydd o gynnig am y Gadair, os a phryd yr hysbysebid hi. Yr oedd Parry-Williams yn gyfeillgar â Morgan Watkin a threuliasai dipyn o amser yn ei gwmni tra oedd ym Mharis; câi wahoddiad i de yn aml yng nghwmni Morgan a'i wraig Lucy. Sonnir yn y llythyr hwn, a luniwyd ym mis Mai 1914, am fwriadau W. J. Gruffydd, sydd, fe ddichon, yn cyfeirio at ddiddordeb Gruffydd yng Nghadair Anwyl. Yr oedd Paul Barbier, Athro Iaith a Llenyddiaeth Ffrangeg Coleg Caerdydd, wedi dweud wrth Morgan Watkin fod ei gyfaill, Gruffydd, 'yn bur ffyddiog yr elai â'r maes':

> Nid wyf yn cenfigennu nac wrthych chwi nac wrth T. Lewis. Pryder cyfreithlon ddigon yw eich pryder chwi eich dau ac nid oes eisiau i ni sôn am y rhesymau drosto.[9]

Ai pryder Timothy Lewis a Parry-Williams oedd y byddai W. J. Gruffydd yn cipio'r Gadair o dan eu trwynau ac yn dod yn bennaeth arnynt? Cyfeiriodd Morgan Watkin wedyn at John Rowland (1877-1941), cyn-ysgrifennydd personol i David Lloyd George ac aelod o Gyngor Coleg Caerdydd:

> Ni ddaeth gair o ateb i mi fyth oddi wrth John Rowland. Os dechreuwch ganvaso gadewch i mi gael gair a mynnaf pa un a ydyw ef o'ch plaid ai peidio. Os na chaf glywed dim gennych, ni symudaf fys, gan gadw mewn côf gynghor J. H. Davies i chwi y dydd o'r blaen.[10]

Gwna'r cyfeiriad hwn at ofyn barn John Rowland inni amau tybed a oedd Parry-Williams yn llygadu rhyw swydd yng Nghaerdydd, a'i fod wedi gobeithio denu cefnogaeth John Rowland, a hynny ar gyngor Morgan Watkin, a bod J. H. Davies wedi ei sicrhau y deuai cyfle iddo yn Aberystwyth, neu ynteu

---

8   Robin Chapman, *W. J. Gruffydd (Dawn Dweud)*, t. 58; T. I. Ellis, *John Humphreys Davies (1871-1926)*, tt. 105-6; Ellis, *University College of Wales Aberystwyth, 1872-1972*, t. 202.

9   Llythyr Morgan Watkin at T. H. Parry-Williams, 10 Mai 1914, LlGC 'Papurau T. H. Parry-Williams', CH556.

10   Ibid.

ai meddwl yr oedd am gael cefnogaeth John Rowland ar gyfer y swydd yn Aberystwyth?

Anodd dychmygu nad yn ei *alma mater* yn Aberystwyth y dymunai fod, ac anodd dychmygu hefyd nad oedd am wireddu dymuniad Edward Anwyl am ei weld yn dod yn olynydd teilwng iddo. Nid oedd ganddo unrhyw reswm dros gredu ychwaith ym mis Mai 1914, ryw dri mis cyn marwolaeth Edward Anwyl, na fyddai dylanwad a chefnogaeth ei Athro yn dal i bwyso'n drwm o'i blaid. Awgryma geiriau cryptig nesaf Morgan Watkin, fodd bynnag, mai llygadu'r Gadair yn Aberystwyth yr oedd yn hytrach nag unrhyw swydd yng Nghaerdydd:

> Gwych oedd clywed fod pethau wedi dechreu mynd rhagddynt yn hwylus. Gobeithio fod yr wybren yn dal yn lâs o hyd a bod eich gobaith am weld y wlad well yn cryfhau.[11]

Penderfynodd Cyngor y Coleg ym mis Ebrill 1914 ohirio llenwi'r Gadair am flwyddyn er mwyn cael mwy o amser i bwyso a mesur pethau, ac er mwyn peidio â rhoi'r argraff i'r tri aelod o staff, T. Gwynn Jones, Timothy Lewis a Parry-Williams, fod gan yr un ohonynt ddwyfol hawl i'r Gadair.[12] Addawodd Morgan Watkin anfon copïau o geisiadau am swyddi at Parry-Williams fel enghreifftiau iddo, petai'n dymuno eu derbyn, gan gynnwys copi o gais Dr William Evans Hoyle (1855-1926), cyfarwyddwr yr Amgueddfa Genedlaethol yng Nghaerdydd, am ryw swydd yn yr Amgueddfa Brydeinig. Mae'n dra thebygol nad oedd y newydd am benderfyniad y Cyngor i oedi am flwyddyn wedi cyrraedd Paris, a bod Morgan Watkin yn dal i feddwl fod ei gyfaill yn ymbaratoi i gynnig am y Gadair.

Fel y digwyddodd pethau, nid oedd raid meddwl mwy am lunio cais na chanfasio am y tro gan i'r newyddion am farwolaeth annhymig Edward Anwyl ddechrau mis Awst daflu pawb oddi ar ei echel, ac am i ddyfodiad y rhyfel roi terfyn unwaith ac am byth ar unrhyw obaith o lenwi'r Gadair tra parhâi'r argyfwng hwnnw. Crewyd ansicrwydd am nad oedd modd i neb wybod pa

---

11   Ibid.
12   Ellis, *The University College of Wales Aberystwyth 1872-1972*, t. 202.

bryd y deuai'r rhyfel i ben na beth fyddai maint ei effaith ar na choleg na chymdeithas.

Y gwir amdani yw fod Parry-Williams yn teimlo'n anniddig ynghylch ei safle o fewn yr Adran erbyn 1915. Cafodd ddyrchafiad o fath yng Ngorffennaf 1914 pan newidiwyd ei statws o gymrawd dysgu i ddarlithydd cynorthwyol dros dro ar gyflog o £175 y flwyddyn, ond mae'n amlwg nad oedd yr amodau 'dros dro' yn ei blesio, a mynegodd ei anfodlonrwydd mewn llythyr ym mis Medi 1915 at Syr John Williams, Llywydd y Coleg. Mynegodd ei siom am nad oedd ei swydd yn un barhaol, ac mae'n ymddangos iddo hefyd grybwyll yr angen am lenwi cadair wag Edward Anwyl. Os ceisio mwy o sicrwydd ac ymrwymiad hirdymor oedd ei nod, byddai'n rhaid iddo feithrin mwy o amynedd, oherwydd dywedodd y Llywydd yn blwmp ac yn blaen nad oedd y Coleg mewn sefyllfa i wneud penodiadau parhaol, a bod penderfyniad y Trysorlys yn Llundain i beidio â chynyddu'r cymhorthdal i golegau Prifysgol Cymru wedi rhoi terfyn ar bob gobaith am y tro am lenwi cadeiriau gweigion. Mae modd casglu oddi wrth ateb Syr John fod Parry-Williams wedi bygwth cefnu ar ei swydd a'i fod yn ystyried troi ei olygon at yrfa fel meddyg. Cafodd bregeth na allai'n hawdd iawn ei hanghofio. Gan fod y cyngor a roddwyd iddo gan lawfeddyg profiadol ac uchel ei barch fel Syr John yn cynnwys sawl ystyriaeth i Parry-Williams gnoi cil arni, a chan y byddai'i eiriau yn debyg o fod yn dal i atsain yn ei glustiau yn 1919 pan fentrodd ei siawns ar gychwyn gyrfa wyddonol a meddygol, mae'n werth dyfynnu talp go dda o'r llythyr:

> You are desirous of entering the profession of medicine. I know of no fairer and nobler profession.
>
> Your training, however, has been a preparation for a totally different career – a literary or a teaching one or both. You have spent years in this training. You have had no training in science, and it would take you at least five years training to graduate in medicine. The training for it is an expensive one, and when it is over your troubles will only begin, for you will have to set-up in practice or to devote yourself to professional work and research. If you set up a practice, you will have to wait for patients, and patients do not swarm to one who has had a distinguished career and taken even the higher-degrees. Indeed he often proves a failure in practice.
>
> On the other hand if you devote yourself to professional work &

research you will be in exactly the position in which you are now – that is you will have to ask for a post.

You speak of starting again at Aberystwyth as a wild-goose chase. This is neither correct nor fair.

Aberystwyth found a place for you to put your feet upon and show what you are capable of as a teacher and as an instructor of youths. The time during which you have held the lectureship is hardly sufficient for you to know of what metal you are made.

It is a somewhat strange position to occupy – to have spent years preparing for a literary and a professional career, and then to give it up after two years experience (because of a disappointment) with the object of training for another profession utterly unlike the one for which you have trained.

I think that you are making a mistake – probably an irretrievable mistake. I am writing after the experience of a long life and I state what I believe to be the very best for you under the circumstances – stick to what you have.[13]

Er iddo siarad heb flew ar ei dafod, mae'n ymddangos mai poeni am les Parry-Williams yr oedd Syr John yn bôn, ac er gwaetha'r siomedigaeth a'r anniddigrwydd a gorddai'r darlithydd, mae'n ymddangos nad oedd ganddo ddewis ond gwrando ar ddoethineb y cyngor a bodloni ar ei glwt am y tro. Yr oedd ei awydd am fwy o sicrwydd a sefydlogrwydd yn gwbl ddealladwy, wrth reswm, ond drwy grybwyll y Gadair wag wrth Syr John dangosodd beth oedd ei wir uchelgais. Fe allai ei fygythiad i droi at broffesiwn meddygol gael ei ddehongli fel modd o ddwyn pwysau ar y Coleg i ymorol am lenwi'r Gadair, ond ni thyciodd hynny ddim gyda'r Llywydd.

Nodir yng nghofnodion Cyngor y Coleg ym mis Ebrill i'r Prifathro T. F. Roberts gyfeirio at drefniadau dros dro'r Adran Gymraeg yn ystod y sesiwn colegol hwnnw, ac i fater y Gadair wag gael ei grybwyll. Ar argymhelliad J. Gwenogvryn Evans, penderfynwyd gohirio'r drafodaeth ar benodi Athro'r Gymraeg ac awgrymwyd y dylai'r trefniadau dros dro a oedd mewn grym barhau hefyd yn y sesiwn dilynol.[14] Pan gadarnhaodd y Cyngor argymhelliad

---

13   Llythyr Syr John Williams at T. H. Parry-Williams, 21 Medi 1915, LlGC 'Papurau T. H. Parry-Williams', B11.

14   Archifdy Prifysgol Aberystwyth, CNL/1/A1, *Cofnodion Cyngor Coleg Aberystwyth, 1911-15*, 23 Ebrill 1915, tt. 527–8.

Pwyllgor Cyllid y Coleg ym Mehefin 1916 y dylai T. Gwynn Jones, Darllenydd yn y Gymraeg, Timothy Lewis, darlithydd cynorthwyol a T. H. Parry-Williams, darlithydd cynorthwyol dros dro, gael eu hailbenodi ar gyflog o £175 yr un, gwelwyd nad oedd dim newid yn statws swydd Parry-Williams.[15] Yr unig gysur oedd fod cyflogau'r ddau ddarlithydd cynorthwyol £55 yn uwch na chyflogau darlithwyr cyfatebol mewn adrannau eraill, a hynny fel cydnabyddiaeth o'r cyfrifoldebau a'r dyletswyddau ychwanegol a oedd ar eu hysgwyddau am nad oedd gan yr Adran Gymraeg bennaeth gweithredol. Y Prifathro oedd pennaeth yr Adran, ond mewn enw yn unig. Wedi i Timothy Lewis gael ei alw i'r fyddin ym mis Mai y flwyddyn honno, a pharhau i dderbyn cyfran o'i gyflog trwy gydol cyfnod ei wasanaeth milwrol, sef y gwahaniaeth rhwng ei gyflog arferol a'r tâl a dderbyniai gan y fyddin, disgynnodd mwy o faich ar ysgwyddau Parry-Williams a T. Gwynn Jones. Penodwyd Parry-Williams yn arholwr mewnol yn y Gymraeg ar gyfer arholiadau gradd yr haf hwnnw. Efallai mai i gydnabod y beichiau ychwanegol a oedd arno yn ystod absenoldeb Timothy Lewis y diflannodd y 'dros dro' yn nheitl ei swydd pan adnewyddwyd ei gytundeb fel darlithydd cynorthwyol yn 1917.[16] Yn ogystal â'i waith dysgu a gweinyddu mewnol yn yr Adran, cynhaliai hefyd ddosbarthiadau allanol yn Abergynolwyn ac yn Aberllefenni.[17] Er bod amryw o ddosbarthiadau tiwtorial allanol y Coleg wedi eu gohirio o achos y rhyfel, yr oedd awydd am weld y gwaith dysgu yn y cylchoedd astudio allanol yn parhau o dan arweiniad rhai o ddarlithwyr y Coleg.

Câi Parry-Williams hefyd wahoddiadau i ddarlithio i gymdeithasau diwylliannol yn ystod blynyddoedd y rhyfel. Bu'n annerch Cymmrodorion y Barri ym mis Ionawr 1915 ar y testun 'Gwrthryfelwyr llên'. Cyn iddo ddechrau traethu yn y cyfarfod hwnnw, fodd bynnag, bu'n rhaid iddo wrando ar berorasiwn gwladgarol y cadeirydd a gyfeiriai at waed Prydeinig yn llifo er mwyn gwarchod cyfiawnder a hawliau gwledydd bychain. Bu'r Cymry'n genedl heddychlon ers canrifoedd, meddai'r cadeirydd, 'Segurdod yw clod y cledd / A rhwd yw ei anrhydedd'. Ond tynnwyd y cledd o'r wain ac fe'i hogwyd yn barod gan Gymry o Gaerdydd i Gaergybi ac o Fôn i Fynwy,

---

15   Archifdy Prifysgol Aberystwyth, CNL/1/A2, *Cofnodion Cyngor Coleg Aberystwyth, 1916-19*, 28 Mehefin 1916, t. 51.

16   Ibid., t. 188.

17   Ibid., tt. 52-3.

Cymry a gyffrowyd gan ddicter cyfiawn tuag at y gorthrymwr a oedd â'i fryd ar ddinistrio'r gwerthoedd gorau.[18] Hawdd dychmygu'r darlithydd heddychol ei ddaliadau'n gwingo wrth wrando'r geiriau hynny.

Yn Eisteddfod Genedlaethol Bangor yn 1915, pan enillodd Parry-Williams y dwbl-dwbl am yr eildro, ychwanegwyd at ei amlygrwydd fel bardd cenedlaethol, ac yr oedd ei statws fel addysgwr hefyd yn denu gwahoddiadau i annerch cynulleidfaoedd o athrawon ysgol. Ym mis Mawrth 1916, er enghraifft, bu'n annerch cyfarfod o gangen leol Undeb Cenedlaethol yr Athrawon yn Nolgellau ar 'Lenyddiaeth Gymreig a'r Plant'. Dywedodd wrth ei gynulleidfa fod '... pob plentyn yn fardd a phob bardd yn blentyn', a'i fod yn cofio dysgu'r gerdd 'Lochinvar' gan Walter Scott pan oedd ef ei hun mewn trywsus cwta. Er na ddeallai hanner y geiriau ar y pryd, cafodd ei swyno gan 'y dinc, y rhediad, y mydr'.[19] Mae'n arwyddocaol mai penillion yn cynnwys cwpledi odledig sydd i'r gerdd honno, sef mydr mesur y rhigwm yn ei hanfod, y math o fydr a fabwysiadodd Parry-Williams ar gyfer y rhan fwyaf o'i gerddi o 1920 ymlaen.

Yn ystod blynyddoedd y rhyfel bu cryn drafod ynghylch dyfodol astudiaethau Cymraeg a Chymreig yng Ngholeg Aberystwyth, gan fod teimlad ymhlith rhai o aelodau Cyngor y Coleg yn benodol nad oedd cenhadaeth a chylch gorchwyl yr Adran Gymraeg yn ddigon eang a phellgyrhaeddol. Teimlid bod y cwrs gradd yn rhy gyfyng a chul. Gogwydd ieithyddol ac ieithegol trwm a oedd i'r maes llafur, a charai rhai weld agweddau ar hanes a llenyddiaeth Cymru yn cael eu cyplysu ag astudio'r iaith. Sefydlwyd pwyllgor arbennig – Pwyllgor Astudiaethau Cymreig – i drafod dyfodol y pwnc, ac fe gyfarfu am y tro cyntaf ym mis Mai 1915, ond heb gynrychiolaeth arno o blith staff yr Adran. Y Prifathro T. F. Roberts oedd y cadeirydd, ac ymhlith yr aelodau eraill yr oedd O. M. Edwards (1858-1920) a'i frawd Edward Edwards (1865-1933), Athro Hanes yn y Coleg, Gwenogvryn Evans a D. Lleufer Thomas (1863-1940), a oedd yn aelodau o Gyngor y Coleg, J. H. Atkins, yr Athro Saesneg, T. Stanley Roberts yr Athro Hanes Trefedigaethol, a'r Cofrestrydd, J. H. Davies. Yr oedd trem y Cofrestrydd fel petai'n wastadol ar yr Adran Gymraeg yn ystod y cyfnod hwn.

---

18   Gw. *Barry Dock News*, 15 Ionawr 1915, t. 3.
19   *The Cambrian News and Merionethshire Standard*, 24 Mawrth 1916, t. 4.

Mewn drafft o gynllun ac iddo'r teitl 'Memorandum on Celtic Studies', gosodwyd gerbron y cefndir a'r cyd-destun, ac mae'n amlwg mai ymadawiad Edward Anwyl a ysgogodd y trafodaethau diweddaraf.[20] Gwahoddwyd arbenigwyr o'r tu allan i'r Coleg i ymuno â'r pwyllgor, sef yr Athrawon John Rhŷs (1840-1915), John Morris-Jones, Thomas Powel (1845-1922) a J. E. Lloyd (1861-1947), a chyfetholwyd E. A. Lewis, Athro Economeg a Gwyddor Gwleidyddiaeth y Coleg, yn aelod hefyd. Anfonodd yr arbenigwyr pwnc, sef John Rhŷs a Thomas Powel, sylwadau ar bapur, a lluniodd John Morris-Jones adroddiad ar y cyd â J. E. Lloyd, ac wedi ystyried y rheini lluniwyd argymhellion. Yn eu plith yr oedd sefydlu'r egwyddor y dylid astudio iaith a llenyddiaeth Cymru trwy gydol y cwrs gradd Cymraeg, ac y dylai myfyrwyr Anrhydedd gael dewis naill ai canolbwyntio ar iaith drwy ddilyn cwrs a roddai gyfle iddynt ganolbwyntio ar ramadeg ac ieitheg ac ar yr ieithoedd Celtaidd eraill, neu ddilyn cwrs iaith a llên â'i bwyslais yn bennaf ar lenyddiaeth gydag astudiaeth gymharol ar lenyddiaethau'r ieithoedd Celtaidd eraill. Mewn trafodaeth bellach a gafwyd yn Senedd y Coleg rai misoedd ar ôl sefydlu'r pwyllgor, nodwyd y byddai'n ddymunol gweld datblygu efrydiau Celtaidd gyda phwyslais ar astudio hanes y bobloedd a'r cenhedloedd Celtaidd drwy fanteisio ar yr adnoddau a geid yn y Llyfrgell Genedlaethol. Aed cyn belled â nodi bod angen sefydlu Ysgol Astudiaethau Celtaidd ac ynddi staff o arbenigwyr ar Hen Gymraeg, Cymraeg Canol a Modern, yr ieithoedd Celtaidd cytras, llenyddiaeth Gymraeg, llenyddiaeth Geltaidd gymharol, archaeoleg Geltaidd, hanes cymdeithasol ac economaidd Cymru, a phalaeograffeg, sef yr astudiaeth o hen lawysgrifen, arysgrifau a llawysgrifau. Yr oedd hon yn rhaglen hynod uchelgeisiol a blaengar a olygai fod ysgolheigion yn cael eu penodi nid yn unig i ddysgu israddedigion ond hefyd i ymchwilio ac i gyfarwyddo myfyrwyr ymchwil. Crybwyllwyd hefyd yr angen am benodi Darllenydd mewn geiriadureg a allai ganolbwyntio ar lunio geiriadur cyflawn yr iaith Gymraeg. Pe bai'r adnoddau ariannol ar gael, fe ellid hefyd yn y dyfodol sefydlu Darllenyddiaethau mewn barddoniaeth Gymraeg, mewn golygu testunau ac mewn astudio anthropoleg Geltaidd. Aed cyn belled ag ystyried y gofynion ariannol er mwyn gwireddu'r fath gynllun

---

20   Gw. y copi o'r ddogfen 'Draft Memorandum on Celtic Studies' ym mhapurau J. H. Davies sy'n ymwneud â Choleg Aberystwyth rhwng 1919 a 1926, llawysgrif LlGC Cwrt-mawr 1384E.

gan nodi y byddai angen o leiaf £2,000, sef £1,300 yn fwy nag oedd costau rhedeg yr Adran ar y pryd.

Dim ond ar ôl i'r awgrym hwnnw gael ei fabwysiadu gan y Pwyllgor Astudiaethau Cymreig yr aed ati i holi barn y tri aelod o staff yr Adran a'u gwahodd i gyflwyno eu cynlluniau hwy ar gyfer dysgu'r Gymraeg fel pwnc academaidd yn y dyfodol. Cafodd y tri gyfle i osod eu stondin, a diau fod tynged y Gadair wag yng nghefn meddwl pob un ohonynt. Tynnu ar eu cryfderau a'u harbenigeddau a wnaeth y tri wrth argymell maes llafur ar gyfer y pedair blynedd o gwrs, o'r flwyddyn gyntaf 'Intermediate' hyd at y flwyddyn Anrhydedd.

Pwysleisiai T. Gwynn Jones yr angen am ddysgu Llydaweg a Gwyddeleg fel ieithoedd byw ac am ddysgu hanes llenyddiaeth Gymraeg a Cheltaidd hyd at ddiwedd y bedwaredd ganrif ar bymtheg. Gan fod O. M. Edwards, fel aelod o'r pwyllgor, wedi awgrymu pwysigrwydd hyfforddi myfyrwyr i gyfansoddi rhyddiaith a barddoniaeth, awgrymodd T. Gwynn Jones y dylid hyfforddi myfyrwyr y flwyddyn gyntaf i gynganeddu. Byddai hynny'n gyfrwng i feithrin doniau ieithyddol a chreadigol mewn modd tebyg i'r arfer o gyfansoddi barddoniaeth Ladin mewn ysgolion clasurol. Gan fod geirfa Gymraeg y myfyrwyr, ym mhrofiad Gwynn Jones, mor denau a diffygiol, byddai eu hyfforddi i gyfansoddi darnau mewn rhyddiaith a barddoniaeth yn fodd i ehangu eu geirfa a chryfhau eu meistrolaeth ar yr iaith.

Yn ei gynllun yntau hefyd cyfeiriodd Parry-Williams at bwysigrwydd y gwaith o hyfforddi'r myfyrwyr i gyfansoddi rhyddiaith yn fwyaf arbennig, a gwelai'r angen am helaethu'r dewis o destunau gosod a astudid yn y flwyddyn gyntaf. At ei gilydd, yr oedd gogwydd ieithyddol pendant i gynllun Parry-Williams, gyda'i bwyslais ar ramadeg Cymraeg Canol, ar yr elfen Ladin yn yr iaith Gymraeg ac ar yr elfen Saesneg hefyd, sef un o'i feysydd ymchwil ef ei hun y byddai'n cyhoeddi ffrwyth ei ymchwiliadau ynddo erbyn 1923 yn *The English Element in Welsh: A Study of Loan-words in Welsh*. Yn yr ail flwyddyn, disgwyliai i fyfyrwyr astudio ieitheg gymharol a ffoneteg, elfennau o ramadeg Celtaidd cymharol a ffonoleg, elfennau o ramadeg y Gernyweg a'r Llydaweg, a hefyd, o bosibl, elfennau o ramadeg Hen Wyddeleg. Yn y drydedd flwyddyn, parheid â'r un llwybr a osodasid yn yr ail o safbwynt gramadeg hanesyddol, ond yn ychwanegol byddai disgwyl i fyfyrwyr astudio testunau Hen Wyddeleg ac arysgrifau Ogam ac arysgrifau Celtaidd y Cyfandir a hen losau. Byddai'r bedwaredd flwyddyn yn barhad o waith y drydedd, ond bod pwyslais ar ddarllen testunau o'r llawysgrifau Cymraeg cynharaf, Llyfr Du Caerfyrddin, Llyfr Aneirin, Llyfr Coch Hergest, Brut y Tywysogion, cyfreithiau'r Llyfr Gwyn, y Brutiau, testunau o'r *Myvyrian Archaiology* a gwaith Dafydd ap Gwilym ac eraill. Yn wahanol i'w ddau gyd-weithiwr, cynhwysai cynllun Parry-Williams hefyd bumed flwyddyn, sef y cwrs Meistr a adeiladai ar waith y bedwaredd flwyddyn, sef y flwyddyn Anrhydedd. Cyn y gallai myfyriwr gychwyn ar y bumed flwyddyn fodd bynnag, byddai'n ofynnol iddo fod wedi cychwyn astudio Hen Sansgrit a Hen Slafoneg yn ei drydedd flwyddyn, ac ar ôl cynefino â Hen Wyddeleg dylai fod wedi dechrau troi at Wyddeleg Canol a Modern. Yr oedd Parry-Williams yn mynnu y dylai pob myfyriwr MA lunio traethawd bob pythefnos ac y dylai dderbyn cyfarwyddyd rheolaidd gan ei diwtor mewn seminar.

O wybod i'r Coleg yn 1919 a 1920 benodi i ddwy Gadair, gan alw'r naill yn Gadair mewn llenyddiaeth a'r llall yn Gadair mewn iaith, er nad oedd pawb wedi deall mai felly y digwyddai pethau, ac i'r penderfyniad synnu ambell aelod o'r Cyngor hyd yn oed, gellir gweld bod egin y syniad o ddatblygu dau lwybr gradd o fewn yr Adran wedi'i blannu yn y memorandwm hwn yn 1915.

At ei gilydd, fe welir bod y cynllun a gyflwynodd Parry-Williams yn adeiladu ar gorff y gwaith o natur ieithyddol a ffilolegol yn nhraddodiad John Rhŷs ac ysgolheictod ieithegol yr Almaen, y math o waith a wneid gan Edward Anwyl yn Aberystwyth a chan ei gyfoeswyr ym Mangor a Chaerdydd. Tynnai Parry-Williams, wrth reswm, yn helaeth ar yr hyfforddiant a dderbyniodd wrth draed John Rhŷs yn Rhydychen, Rudolf Thurneysen (1857-1940) yn Freiburg, a Joseph Loth (1847-1934) a Joseph Vendryes (1875-1960) ym Mharis. Tystia Cassie Davies (1898-1988), a fu'n fyfyrwraig iddo yn ystod blynyddoedd y rhyfel, beth oedd cynnwys y cyrsiau a ddysgid ganddo ar y pryd:

Dr. Parry oedd yn ein tywys i 'ddyallu' tipyn ar y Llyfr Du a'r Hen Gymraeg; fe a agorodd inni 'Lyfr yr Ancr', Brut Sieffre, y Pedair Cainc a'r Rhamantau mewn Cymraeg Canol; fe eto oedd yn ein hyfforddi mewn Hen Wyddeleg, Llydaweg a Chernyweg, ac yn bennaf oll, fe a'n cyfareddodd

ni â'r pwnc a elwid bryd hynny yn *Celtic Philology* (Ieitheg Geltaidd yn
ddiweddarach). Dyna'r maes mwyaf diddorol o ddigon i mi yn y cwrs cyfan
– gweld cyd-gysylltiad aelodau o'r teulu Indo-Ewropeaidd o ieithoedd ac
olrhain seiniau cynnar yr ieithoedd hyn fel y tybid eu bod, gan ddangos
eu datblygiad mewn gwahanol ieithoedd gyda sylw arbennig i'r ieithoedd
Celtaidd. Fe ddeuai seiniau rhyfedd weithiau o enau'r darlithydd wrth iddo
geisio cyfleu rhai o'r seiniau cynnar i ni![21]

Glynodd Parry-Williams a Gwynn Jones yn eu cynlluniau wrth gwrs
gradd a seiliwyd ar eu cyraeddiadau a'u diddordebau hwy eu hunain heb
eu gorlwytho ag elfennau i geisio torri cyt. Pur wahanol oedd hi yn achos
eu cyd-weithiwr Timothy Lewis. Mae'n arwyddocaol i ddechrau iddo osod
'Honours School in Celtic' fel pennawd i'w gynllun, a hwnnw'n cynnwys
cynllun gradd tair blynedd yn hytrach na'r cynllun pedair blynedd arferol. Pan
drodd pethau'n chwerw adeg y gystadleuaeth am y Gadair yn 1919, pwysleisiai
ei gefnogwyr ef dro ar ôl tro mai Cadair Geltaidd mewn Adran Geltaidd
oedd hi, a thynnid sylw at ei gymwysterau fel ysgolhaig Celtaidd yn hytrach
nag fel ysgolhaig Cymraeg. Rhoddai hynny'r argraff fod iddo broffil mwy
rhyngwladol a fyddai'n trosgynnu'r elfen fwy lleol a chenedlaethol a geid o
wreiddio'r Gadair wrth y Gymraeg yn unig. Yr oedd y sôn ym memorandwm
y pwyllgor hwn am y posibilrwydd o sefydlu Ysgol Astudiaethau Celtaidd yn
rhoi cyfle i Timothy Lewis dynnu sylw at ei hyfforddiant a'i arbenigedd yn yr
ieithoedd Celtaidd, gan atgyfnerthu'r syniad mai ef oedd y mwyaf cymwys ar
gyfer bod yn bennaeth ar yr Ysgol, er ei bod braidd yn gynamserol meddwl
am hynny yng nghanol sŵn y rhyfel.

Amlinellodd Timothy Lewis ddau ddewis o fewn yr un cynllun gradd,
sef naill ai llenyddiaeth fel prif bwnc neu ynteu iaith fel prif bwnc. I'r rhai
a ddewisai lenyddiaeth yn bennaf, gallent ddewis cwrs Anrhydedd mewn
llenyddiaeth Hen Gymraeg a Chymraeg Canol hyd at y flwyddyn 1400,
neu mewn llenyddiaeth Fodern rhwng *c.*1400 a 1900. Ond hyd yn oed
wrth ddewis y cwrs llên yn bennaf, ni ellid osgoi astudio iaith ychwaith,
oherwydd argymhellai fod gramadeg hanesyddol y Gymraeg yn cael ei ddysgu
fel rhan o'r cwrs hwnnw yn ogystal â'r iaith Wyddeleg. Yr oedd hefyd yn

---

21   Cassie Davies, 'Atgofion – Aberystwyth, 1914-19' yn Idris Foster gol., *Cyfrol Deyrnged Syr
      Thomas Parry-Williams* (Llys yr Eisteddfod Genedlaethol, 1967), tt. 110-11.

ychwanegu i'r pair bynciau mwy ymylol megis hanes crefydd gyda golwg ar Apocryffa'r Testament Newydd, archaeoleg, palaeograffeg hanesyddol ac ymarferol, hanes cyfoes gyda sylw i'r symudiadau cymdeithasol a diwydiannol (nid diwylliannol), a hanes llenyddiaeth Saesneg. Yr oedd yn ymddangos fel petai ganddo wybodaeth o'r rhesymeg y tu ôl i sefydlu'r pwyllgor i gychwyn, a bod elfen o chwarae i'r galeri yn ei gynllun.

Yn achos y myfyrwyr a ddewisai iaith fel eu prif bwnc gradd, yr oedd yn argymell darllen testunau Cymraeg o gyfnod Llyfr Du Caerfyrddin ymlaen – gan gynnwys Llyfr Du'r Waun y bu ef ei hun yn gweithio arno – hyd at waith Dafydd ap Gwilym. Yr oedd yn argymell astudio cyfrol gyntaf ac ail gyfrol llawlyfr ei hen Athro yn Freiburg, Rudolf Thurneysen, *Handbuch des Alt-Irischen* (1909) a gyfieithwyd i'r Saesneg gan D. A. Binchy ac Osborn Bergin dan y teitl *A Grammar of Old Irish*, a detholiad ei hen Athro yn Nulyn a Manceinion, John Strachan (1862-1907), o destun Gwyddeleg, *Stories from the Táin* (1908). Byddai'n rhaid dysgu elfennau o Gernyweg a Llydaweg yn ogystal, ac elfennau o ramadeg Celtaidd cymharol ac egwyddorion ieitheg gymharol. Yr oedd hanes gramadeg Lladin Canol a'i ddylanwad ar awduron Cymraeg Canol yn mynd i hawlio sylw yn ogystal ag astudio palaeograffeg Ladin, Wyddeleg a Chymraeg. Gellid cynnal y gwersi hynny yn y Llyfrgell Genedlaethol a gellid trefnu ymweliad â Llyfrgell Coleg y Drindod a'r Academi Wyddelig Frenhinol yn Nulyn. Ystyriai y byddai gwybodaeth o Ladin, Ffrangeg ac Almaeneg yn anhepgorol, yn ogystal â chwrs mewn Sansgrit.

Credai Timothy Lewis hefyd fod cyfleon di-ben-draw i ddatblygu ymchwil ac efrydiau uwchraddedig, ac amlinellodd yn fras y meysydd y gellid eu trin gan ymchwilwyr ym maes iaith a llên, economeg gymdeithasol a gwmpasai astudio'r cyfreithiau Cymreig a Gwyddelig, sef pwnc o ddiddordeb i Timothy Lewis ei hun, ynghyd ag archaeoleg. Yr oedd hanes dysg a chrefydd yn bynciau y gellid eu trin mewn cydweithrediad ag adrannau eraill o fewn y Coleg, a gwelai fod cyfle i astudio'r Llydaweg drwy drefnu cyfnod o rai misoedd ym Mhrifysgol Rennes. Yr oedd yn gynllun digon uchelgeisiol, ac ni ellir osgoi'r argraff ei fod am ddefnyddio'r cyfle i osod allan y math o weledigaeth a fyddai'n debyg o ddal sylw aelodau dylanwadol o'r Pwyllgor Astudiaethau Cymreig.

Mae'r ddogfen hon yn un hynod ddiddorol ar lawer ystyr. Yn gyntaf oll, am y byddai sawl un a enwid ynddi ymhlith *dramatis personae* saga'r penodi i'r Gadair yn 1919-20: J. H. Davies a fyddai wedi dod yn Brifathro erbyn hynny, Edward Edwards, a fyddai'n Is-Brifathro erbyn 1920, Gwenogvryn Evans a ymddiddorai'n fawr yn y penodiad am resymau a ddaw'n amlwg yn y man, a D. Lleufer Thomas a John Morris-Jones a fyddai'n dod yn aelodau o'r Pwyllgor Penodi. Yn ychwanegol at y rheini, wrth gwrs, yr oedd y tri phrif ymgeisydd am y Gadair. Yr ail beth diddorol ac o bwys ynddi yw'r cipolwg a geir ar weledigaeth y tri aelod o staff ynghylch cynnwys y cwrs gradd a'r maes llafur, ond ni sonnir dim gan yr un ohonynt am gyfrwng y dysgu. Yn Saesneg, a Saesneg yn unig, y cynhelid darlithoedd yr Adran Gymraeg hyd at ddiwedd y dauddegau, ac yn Saesneg y gosodid ac yr atebid yr holl bapurau arholiad. A'r trydydd peth o ddiddordeb yw fod modd gweld yn y memorandwm y syniadau tra uchelgeisiol ac arloesol o safbwynt datblygu'r ddisgyblaeth yn Aberystwyth, a'r ewyllys ymhlith rheolwyr y Coleg i wireddu'r weledigaeth honno. Oni bai am y rhyfel, mae'n ddigon posibl y byddai'r cynllun wedi gweld golau dydd, ond, fel cyfanwaith ar y pryd, fe aeth i'r gwellt.

Bu sefydlu'r Comisiwn Brenhinol ar Addysg Brifysgol yng Nghymru o dan gadeiryddiaeth yr Arglwydd Haldane yn ystod 1916 hefyd yn gyfle i ailystyried natur a chyfeiriad y ddisgyblaeth ar raddfa genedlaethol, a chan i J. H. Davies gyflwyno memorandwm yn rhannol seiliedig ar yr un mewnol a luniwyd gan y Pwyllgor Astudiaethau Cymreig fel rhan o'i dystiolaeth i'r Comisiwn, daeth cyfle i wireddu rhan o'r weledigaeth drwy gyfrwng yr hyn a sefydlwyd yn y cyfnod yn union ar ôl y rhyfel, sef Bwrdd Gwybodau Celtaidd Prifysgol Cymru.[22]

Yn ystod y sesiwn holi ac ateb a gafwyd yn dilyn cyflwyno'r memorandwm gerbron aelodau'r Comisiwn, a gynhwysai'r ddau Gymro amlwg, Henry Jones (1852-1922) ac O. M. Edwards, a'r olaf, fe gofir, wedi gweithredu fel aelod o'r Pwyllgor Astudiaethau Cymreig yng Ngholeg Aberystwyth, gofynnwyd i J. H. Davies a oedd y Coleg wedi penodi olynydd i Edward Anwyl. Dywedodd na allai'r Coleg wneud oherwydd ei farwolaeth ddisymwth a dyfodiad y rhyfel. Holwyd ef ymhellach ynghylch y tri aelod o'r staff, a dywedodd mai

---

22 Ceir y memorandwm ar Astudiaethau Celtaidd a gyflwynwyd gan J. H. Davies, gyda chyfeiriad penodol at iaith, llenyddiaeth a hanes Cymru, ynghyd â chofnod o'r sesiwn holi ac ateb ar ei dystiolaeth yn *Royal Commission on University Education in Wales, Appendix to Second Report of the Commissioners* (London, 1917), tt. 169-80.

dau aelod oedd am fod un wedi ymuno â'r fyddin. Gofynnwyd iddo fanylu ar y ffordd yr oedd gwaith yr Adran wedi ei rannu rhwng y ddau, a dywedodd mai Parry-Williams i bob pwrpas a oedd yn gyfrifol am yr holl waith dysgu ar gyfer y radd Gymraeg. Gan fod rhaid i fyfyrwyr ar bob lefel ('Intermediate', 'Ordinary', 'Special', 'Honours') astudio rhywfaint o lenyddiaeth ynghyd â chyfansoddi rhyddiaith – gwaith a olygai hyd at dair darlith yr wythnos yng nghyfnod Edward Anwyl – traddodai T. Gwynn Jones bum darlith yr wythnos. Cyfran fechan o'r cwrs a ddysgid ganddo ef, felly; disgynnai'r holl waith o ddysgu'r cyrsiau ieithyddol ar ysgwyddau Parry-Williams. Nid oedd modd gwadu nad oedd gogwydd ieithyddol trwm i'r cwrs gradd Cymraeg, a phriodolid hynny'n bennaf i ddylanwad diddordebau ieithegol John Rhŷs, a ddisgrifiwyd gan J. H. Davies fel 'tad astudiaethau modern ar y Gymraeg'.[23] Cyfeiriodd y comisiynwyr at femorandwm y Pwyllgor Astudiaethau Cymreig a argymhellai gael dau gynllun gradd annibynnol, y naill â'i bwyslais ar iaith a'r llall ar lenyddiaeth, ar batrwm yr hyn a ddigwyddodd yn ysgol iaith a llenyddiaeth Saesneg Prifysgol Rhydychen, sef rhannu'r ysgol yn ddwy, a chael y naill i ganolbwyntio ar iaith a'r llall ar lenyddiaeth. Yn adroddiad terfynol y Comisiwn, argymhellwyd y dylid ehangu'r astudiaeth o'r Gymraeg ym Mhrifysgol Cymru i gynnwys agweddau ar fywyd, meddwl a gwareiddiad y Cymry, gan baratoi'r ffordd ar gyfer penodi i ddwy Gadair yn yr Adran Gymraeg.[24]

Tra oedd y trafodaethau hyn yn mynd rhagddynt, taflai'r rhyfel ei gysgod hyll dros bopeth a ddigwyddai yn nhref brifysgol lan môr Aberystwyth. Rhaid cofio bod cymaint â 9,000 o filwyr wedi eu lleoli yno erbyn mis Ionawr 1915, sef ychydig mwy na beth oedd maint poblogaeth y dref gyfan cyn y rhyfel, a bod rhai miloedd o filwyr tiriogaethol hefyd yn gwersylla yn y cyffiniau. Yr oedd yr ysbryd jingoistaidd ar ei fwyaf tanbaid a'r rhwysg militaraidd i'w weld bron yn ddyddiol wrth i filwyr orymdeithio drwy strydoedd y dref ar eu ffordd i rai o'r pentrefi cyfagos, ac wrth i faneri Jac yr Undeb gyhwfan oddi ar bolion ar y strydoedd.[25] Gellid gweld aelodau o'r catrodau a letyai yn

---

23 Ibid.
24 *Royal Commission on University Education in Wales, Final Report of Commissioners* (London, 1918), tt. 83-4.
25 Am hanes tref Aberystwyth yn ystod y Rhyfel Mawr, gw. William Troughton, *Aberystwyth and the Great War* (Stroud, 2015).

y dref yn cynnal ymarferion ymladd â bidogau ar Gaeau'r Ficerdy ar Ffordd Llanbadarn. Trowyd y Coleg Diwinyddol yn ysbyty'r Groes Goch ac ynddo 50 o welyau i ofalu am filwyr clwyfedig a oedd yn ymadfer cyn ailymuno â'r frwydr yn Ffrainc. Yr oedd amryw o bobl y dref yn awyddus i gynorthwyo'r ymdrech ryfel ym mhob dull a modd, a chynhaliwyd wythnos arfau rhyfel yng Ngorffennaf 1917 i annog pobl i brynu bondiau ac i ddathlu bod dros £9,000 eisoes wedi eu codi yn lleol, gorchest a barodd i'r Swyddfa Ryfel anfon un o danciau'r fyddin i'r dref er mwyn dangos pa fath o arfau y gellid eu prynu â'r arian. Teithiodd tanc metel saith dunnell ar hugain, a fedyddiwyd yn 'Julian', yn araf drwy'r dref a pharcio ar y Prom, ac apeliodd y maer mewn araith oddi ar ben yr anghenfil haearn am fwy o gyfraniadau ariannol gan unigolion a chan y banciau, ac erbyn diwedd yr wythnos honno codwyd y swm anhygoel o ychydig dros £680,000, sef cyfraniad ar gyfartaledd o £76 y pen gan bawb o blith poblogaeth y dref.[26]

Un o ganlyniadau mwyaf anffodus ffyrnigrwydd y dymer wrth-Almaenig a fodolai ar ddechrau'r rhyfel oedd y bennod waradwyddus honno a ddigwyddodd yn hanes Coleg a thref Aberystwyth, pan erlidiwyd yr Athro Hermann Ethé (1844-1917) o'i swydd a'i gartref ym mis Hydref 1914. Adroddwyd yr hanes yn fanwl gan Tegwyn Jones, a thrwy'r cyfan i gyd yr hyn a ddaeth yn amlwg oedd fod rhagfarn a chasineb yn tra-arglwyddiaethu ar synnwyr a rheswm yn Aberystwyth, a bod ysbryd erlitgar a dialgar cryf ymhlith llawer o arweinwyr y gymdeithas.[27] Rhoes yr Athro Ethé, a oedd yn Almaenwr balch a ddewisodd aros yn ddinesydd Almaenig yn hytrach na dal pasbort Prydeinig, bedwar degawd o wasanaeth i'r Coleg fel Athro Ieithoedd Dwyreiniol a Modern. Pan ddychwelodd ef a'i wraig o'u gwyliau haf yn yr Almaen ym Medi 1914, ymgasglodd tyrfa o ddwy fil, yn ôl yr amcangyfrif, ar ben Rhodfa'r Gogledd gan chwythu pob math o fygythion yn erbyn yr ysgolhaig a'i wraig, a gorymdeithio at eu cartref yn Ffordd Caradog mewn ysbryd terfysglyd; rhoddwyd gorchymyn iddynt adael y dref o fewn

---

26   Ibid., tt. 91-2. Ceir llun o'r tanc a thorf o bobl edmygus o'i gwmpas yn *Aberystwyth a Gogledd Ceredigion Mewn Hen Luniau*, Adran Gwasanaethau Diwylliannol Dyfed (1992), t. 8.

27   Tegwyn Jones, 'Erlid yn Aber' yn Tegwyn Jones ac E. B. Fryde gol., *Ysgrifau a Cherddi Cyflwynedig i Daniel Huws* (Aberystwyth, 1994), tt. 165-78. Gw. hefyd Christopher T. Husbands, 'Yr Athro Carl Hermann Ethé (1844-1917): hefyd yn ddioddefwr o'r Rhyfel Byd Cyntaf': <https://www.aber.ac.uk/en/media/departmental/informationservices/pdf/Yr-Athro-Carl-Hermann-Ethé_Husbands.pdf> (cyrchwyd Mehefin 2017).

pedair awr ar hugain neu wynebu cael eu cosbi trwy drais. Aed ati'n ogystal i chwilio am fwy o bobl o dras Almaenig a drigai ac a weithiai yn y dref gan roi gorchymyn iddynt hwythau adael heb oedi. Daeth yn amlwg nad criw o garidýms a arweiniai'r dorf o erlidwyr, ond rhai o barchusion y dref, sef y meddyg teulu a'r ynad heddwch Dr T. D. Harries, a'r cyfreithiwr a'r cynghorydd tref T. J. Samuel. Nid oes ryfedd yn y byd i Ethé ddweud ei fod yn teimlo fel anifail gwyllt yn cael ei hela gan haid o helgwn.

Yr hyn sy'n waeth yw i'w erlidwyr barhau i'w boenydio wedi iddo ymadael â'i swydd a'i gartref yn y dref trwy fynnu ei fod yn cael ei amddifadu o'i Gadair a cholli buddiannau ei bensiwn. Yng nghyfarfodydd Cyngor Tref Aberystwyth y galwyd am bwyso ar y Coleg i atal taliadau pensiwn yr Athro Ethé. Yr unig un a fu'n ddigon dewr i achub ei gam yno oedd yr Athro Edward Edwards a oedd yn gynghorydd tref, ac a alwodd am ychydig bach o bwyll a thegwch, ond ofer fu ei ymdrech. Yr oedd y cynghorydd T. D. Harries yn benderfynol o atal Ethé a phob Almaenwr arall rhag derbyn yr un geiniog o bensiwn: '… drive the devils out of the country, and don't let them go with any of our money in their pockets,' meddai.[28] Ychwanegodd ei fod yn dymuno y byddai ei gyd-gynghorydd, yr Athro Edwards, yn byw yn ddigon hir i allu cadw 'drewdod y gwaed Almaenig' allan o'r Coleg.

Gwaethygodd yr atgasedd tuag at yr Almaenwyr, ynghyd â phob copa walltog arall a ystyrid yn estron-genedl, gan yr ysbryd jingoistaidd a senoffobaidd a borthid gan straeon yn y wasg ddyddiol am farbareiddiwch yr Almaenwyr yng Ngwlad Belg a'u defnydd o nwyon gwenwynig, a phan suddwyd llong y Lusitania ganddynt ym Mai 1915 gan ladd dros fil o'r teithwyr a oedd ar ei bwrdd. I'r cyfnod hwnnw y perthyn y nodyn bygythiol canlynol a anfonwyd at y Prifathro gan rywun dienw mewn llawysgrifen fras ac anghelfydd, sy'n awgrymu iddo gael ei lunio gan awdur penwan a di-ddysg:

> Why should you try to inflict a German on us when all places are doing away with them the cruel lot. It is reported you will try to get Ethe back after the war. Be warned this time. His life will be in danger if he has the face to come here and take our English money. Let a British man have it.[29]

---

28   *The Welsh Gazette and West Wales Advertiser*, 13 Ebrill 1916, t. 5.
29   Llythyr dienw at T. F. Roberts [1915], Archifdy Prifysgol Aberystwyth, gw: <Cymru1914.org/cy/view/archive_file/4106128/6> (cyrchwyd Mai 2017).

Cyfuniad peryglus yw annioddefgarwch, rhagfarn gibddall a chasineb gwerinos ddiddeall a digydymdeimlad, ond y tristwch yw i'r gwrthwynebiad i'r gefnogaeth a dderbyniodd yr Athro Ethé gan awdurdodau'r Coleg – pobl a oedd yn ei barchu am ei ddysg a'i ysgolheictod a'i gyfraniad i'r brifysgol – ddod hefyd o gyfeiriadau digon annisgwyl. Cafwyd gohebiaeth ynghylch yr achos gan y cyfreithiwr o'r Wyddgrug a Chrwner Sir y Fflint, F. Llewellyn-Jones (1866-1941), a oedd yn un o gyn-fyfyrwyr Ethé ac yn un o gefnogwyr Adran y Gyfraith yn ei hen goleg, yn ogystal â bod yn ŵr go flaenllaw gyda Chymdeithas y Gyfraith yng Nghymru. Yr oedd hefyd yn aelod o Gyngor y Coleg, ac anfonodd air at y Prifathro a'r Cofrestrydd ym mis Mehefin 1915 yn mynegi ei fwriad i anfon rhybudd o gynnig ffurfiol i'w osod ar agenda'r cyfarfod nesaf yn tynnu sylw at bresenoldeb enw'r Athro Ethé ar Galendr y Brifysgol o hyd, ac yn galw am weithredu ar frys er mwyn ei amddifadu o'i Gadair a'r holl freintiau a oedd ynghlwm â hi.[30] Mae'n ymddangos ei fod yn ddigon bodlon fod Cadair Ethé yn cael ei chadw ym mis Tachwedd 1914, a bod trefniadau dros dro yn eu lle hyd nes y byddai'r amgylchiadau'n ffafriol i'r Athro allu dychwelyd i'w llenwi. Ond yr hyn a drodd y fantol yn erbyn hynny bellach, meddai, oedd sylweddoli bod yr Almaenwyr fel cenedl yn 'savage barbarians who will stop at nothing in their attempt to crush Britain'.[31] Yr oedd suddo'r Lusitania a defnydd yr Almaenwyr o nwyon ar faes y gad, ym marn F. Llewellyn-Jones, yn golygu na ellid goddef cael Athro o dras Almaenig ar staff y Coleg.

Hawdd yw dychmygu nad oedd yr hinsawdd a'r awyrgylch yn Aberystwyth y dwthwn hwnnw'n ddymunol gan y rhai a wrthwynebai'r rhyfel ac a deimlai fod yr holl naws jingoistaidd a'r ysbryd militaraidd yn stwmp ar eu stumog. Ac os teimlent y gallent gael rhyw ddinas noddfa a swcr yn y capeli anghydffurfiol yng nghartre'r Gyffes Ffydd, caent eu siomi o achos fod y dwymyn ryfelgar wedi cydio'n go sownd ynddynt hwythau hefyd. Fel y tystiodd T. Gwynn Jones yn y dyddiadur a gadwodd rhwng 1914 a 1917, yr oedd llawer o bobl a arddelai heddychiaeth cyn y rhyfel bellach wedi newid eu cân, ac ambell un

---

30 Llythyrau F. Llewellyn-Jones at T. F. Roberts ac at J. H. Davies, 4 Mehefin 1915, Archifdy Prifysgol Aberystwyth, gw: <Cymru1914.org/cy/view/archive_file/4106128/30 a 32> (cyrchwyd Mai 2017).

31 Llythyr F. Lewellyn-Jones at T. F. Roberts, 4 Mehefin 1915, Archifdy Prifysgol Aberystwyth, gw: <Cymru1914.org/cy/view/archive_file/4106128/31> (cyrchwyd Mai 2017).

ohonynt wedi troi'n filitarydd brwd. Cyfeiriodd at un gŵr y gwyddai amdano fel aelod o gymdeithasau heddwch ac a arferai fod yn llafar ei wrthwynebiad i filitariaeth o bob math; unwaith yr ymaelododd dau o feibion y gŵr â changen y Coleg o Gorfflu Hyfforddi'r Swyddogion, yr 'Officers' Training Corps' (OTC), trodd ei gefn ar heddychiaeth ac ymroi i deithio'r wlad gan annerch mewn cyfarfodydd recriwtio.[32] Yr oedd gweld a chlywed am rai a fu o'r blaen yn arddel heddychiaeth yn syrthio'n ysglyfaeth i apeliadau'r dydd am wrhydri a dewrder i ymladd ac amddiffyn rhyddid a chyfiawnder yn tristáu Gwynn Jones. Cafodd ei ddadrithio'n llwyr gan bobl fel Henry Jones ac O. M. Edwards a ymwelodd ag Aberystwyth ym Mehefin 1916 fel aelodau o Gomisiwn Haldane, am eu bod yn gallu cyfiawnhau'r rhyfel ac yn annog bechgyn cefn gwlad Cymru i ymrestru. Er iddo dorri gair ag O. M., gwelodd gyfnewidiad syfrdanol ynddo; yr oedd golwg nychlyd arno fel petai'n ŵr yn cael ei erlid, ac yr oedd wedi heneiddio'n ddirfawr. Nid oedd ond cysgod o'r dyn yr arferai fod, ac yr oedd ei ymarweddiad boneddigaidd arferol yn golygu cryn ymdrech iddo.[33]

Ni allai T. Gwynn Jones ychwaith oddef gwrando ar weinidogion yr Efengyl yn cyfiawnhau'r rhyfel. Yn fuan wedi iddo arwain ei deulu allan o gapel y Tabernacl un nos Sul ar ôl clywed y Parchedig R. J. Rees ar ei weddi yn diolch i Dduw am barodrwydd dynion i wasanaethu eu gwlad, a dweud ei fod yn gobeithio am fuddugoliaeth i'r lluoedd arfog, cafodd Gwynn Jones ei geryddu gan wraig un o'r blaenoriaid. Yr oedd hi'n feirniadol ohono am beidio â mynychu'r capel. Er ei bod yn ymddangos yn wraig ddidwyll, ni allai Gwynn Jones gredu'r fath syniad o Dduw a oedd ganddi; dywedodd wrtho ei bod yn erbyn rhyfel, ond am fod un o'i meibion wedi cael ei gonsgriptio, nid oedd unrhyw ddewis arall ganddi ond ei gefnogi. Pan ddywedodd Gwynn Jones wrthi nad oedd yn deall pam y dylid bendithio'r rhyfel o'r pulpud, atebodd hithau gan ddweud y gellid gweddïo ar Dduw am lwyddiant yn y rhyfel 'fel yn yr hen amseroedd, ac y dylai wneud rhywbeth i'n helpu'.[34] Cyfeiriodd Gwynn Jones at un arall o weinidogion Aberystwyth a ddywedodd yn ei bregeth y byddai'r Crist yn croesawu'r 'milwr mwyaf pechadurus' a

---

32 Dyddiadur Rhyfel T. Gwynn Jones, LlGC 'Papurau T. Gwynn Jones', D293, t. 52.
33 Ibid., t. 77.
34 Ibid., t. 64r.

laddwyd yn y ffosydd ac yn bwrw heibio'r rheini a'u galwai eu hunain yn wrthwynebwyr cydwybodol.

Cofnodai Gwynn Jones yn ei ddyddiadur yn aml yr hyn a glywai gan eraill, pobl fel Ifor Williams a adroddodd wrtho am ddyn o Dregarth ger Bangor, a oedd gartref o'r fyddin am gyfnod ar ôl cael ei glwyfo yn y Dardanelles, yn adrodd hanes camgymeriadau dybryd rhai o swyddogion y fyddin a'r bwnglerwaith a gostiai'n ddrud iawn mewn bywydau.[35] Yr oedd yn hoff o gofnodi hanesion a ddinoethai oferedd y rhyfel a dadlennu twyll a phropaganda'r Llywodraeth a'r papurau newydd. Un arall a fu'n adrodd wrtho am y gamdriniaeth a dderbyniai rhai o'r milwyr a gonsgriptiwyd oedd Ernest Jones, myfyriwr meddygol a oedd yn y fyddin yn erbyn ei ewyllys ac yn ymwneud ag ymchwil i wrthweithio effaith nwy gwenwynig. Bu'n athro Cemeg yn yr Ysgol Sir yn Aberystwyth am rai blynyddoedd cyn gadael ym Mai 1915 i fynd i astudio meddygaeth ym Mhrifysgol Manceinion. Yno yr oedd pan gafodd wŷs i ymrestru, a'i yrru, yn ôl adroddiad T. Gwynn Jones yn ei ddyddiadur:

> … with the scum of that town, packed like herrings in a railway waggon to Aldershot. There, having reported himself, a sergeant told him to stand in a certain place until called for. It was bitterly cold & raining heavily. He went & stood under cover from the rain. The Sergeant came to him & said "You bloody well better stand where I put you". There he stood for two hours & a half. He was then taken to a room with stone floor & whitewashed walls, given a blanket & told to sleep in a corner, one of four in the room. There was no matress & his clothes were wet through. In the morning, he was given a plate, a knife & fork, a spoon & a mug & told to go to fetch his breakfast. Porridge, a slice of bacon, bread & a lump of butter were piled up on the plate & he was ordered to take a mugful of tea from a bucket. He said that the medical authorities estimate that one out of ten men in the British Army suffer from venereal disease.[36]

Ar ôl y rhyfel, ac ar ôl iddo gwblhau ei radd, dychwelodd Ernest Jones i Aberystwyth i weithio fel patholegydd yn yr ysbyty, a daeth yn un o gyfeillion T. H. Parry-Williams. Ym mis Awst 1926 priododd â Rhiannon, merch

---

35   Ibid., t. 58.
36   Ibid., t. 78.

John Morris-Jones, a weithiai yn y Llyfrgell Genedlaethol, ac yr oedd Parry-Williams yn un o westeion y briodas.[37]

Yng nghwmni T. Gwynn Jones yr oedd Parry-Williams pan welsant yr Athro Edward Edwards ar y stryd yn Aberystwyth un prynhawn Sadwrn yn ceisio perswadio bechgyn y dref i ymuno â'r fyddin. Yr oedd y gohebydd, y bardd a'r heddychwr Dewi Morgan (1877-1971) yn cofio'r ddau yn dod i'r tŷ dan chwerthin ac yn adrodd bod T. Gwynn Jones wedi gofyn i'r Athro Edwards, 'Faint ydech chi'n gyfrif o ddynion lladdadwy sydd yn Aberystwyth yn awr?'[38] Yr oedd yn gwestiwn deifiol a darddai o'r angerdd a'r dicter a deimlai Gwynn Jones tuag at y rhyfel, a hefyd yn nodweddiadol o'r math o agwedd herfeiddiol a ddangosid ganddo'n aml yn ystod dyddiau'r drin. Ond yr hyn a ddôi â'r neges adref ynghylch gwir drychineb y rhyfel i Gwynn Jones a Parry-Williams fel ei gilydd oedd y newyddion am farw rhai o gyn-fyfyrwyr y Coleg, gan gynnwys un o gyn-fyfyrwyr yr Adran Gymraeg a oedd yn fardd addawol, sef y Lifftenant Gwilym Williams a laddwyd yn Ffrainc ym mis Mai 1916, ac yntau'n chwech ar hugain oed. Cyhoeddwyd casgliad o'i gerddi a'i ysgrifau gan ei frodyr a'i chwiorydd yn 1917 mewn cyfrol goffa ac iddi'r teitl *Dan yr Helyg*.

Yn achos Parry-Williams hefyd, byddai derbyn llythyrau gan un o'i gyn-fyfyrwyr yn peri iddo ffieiddio at yr amgylchiadau a wynebid gan fechgyn o'r un anian ac o'r un cefndir ag yntau a gafodd eu consgriptio ac nad oedd ganddynt rithyn o reolaeth dros eu tynged. Ysgrifennodd Tom Hughes Jones (1894-1966) at ei ddarlithydd o wersyll y Gwarchodwyr Cymreig yn Caterham, Surrey, yn adrodd ei hanes yn gorfod dewis rhwng naill ai ymuno â Chyffinwyr De Cymru neu'r Gwarchodwyr Traed. Ei ddewis cyntaf ef fyddai mynd i Gatrawd y Gynnau Mawr, fel yr aethai Timothy Lewis, ond gan nad oedd lle iddo yno bu'n rhaid bodloni ar y fan lle'r oedd, er cased oedd hynny ganddo:

Ni allaf ddweyd fy mod yn hoffi'r lle; y mae'n sicr na fyddaf yma funud yn hwy nag sydd raid. Ceir yma ddigon o yfed, rhegi, cablu a (Beth yw'r gair

---

37 Gw. llythyrau John Morris-Jones at T. H. Parry-Williams, 17 a 20 Mehefin 1926, LlGC 'Papurau T. H. Parry-Williams', CH259-60. Y mae lluniau o Parry-Williams yn y briodas yn archif deuluol Ann Meire.

38 Dewi Morgan, 'Atgofion', yn rhifyn coffa T. Gwynn Jones o'r *Llenor*, 28 (1949), tt. 93-4.

Cymraeg am *bullying*?) Y mae'r N.C.Os [non-commissioned officers] yn giaidd dros ben; ant mor bell a tharo'r milwyr cyffredin yn ystod y drill, ond cymerant ofal tyneru eu hiaith a'u hymddygiadau pan fydd swyddog yn agos. Ond beth dâl siarad, yr un yw egwyddor militariaeth ym mhob oes a gwlad ... Y mae iaith yr N.C.Os yma'n ddychrynllyd ac ofnadwy. Pe na wyddwn am hynny o'r blaen, disgwyliwn i'r ddaear eu llyncu yn y fan, gan y cyplasant yr enwau mwyaf sanctaidd a'r bryntni mwyaf ffiaidd.[39]

Yr oedd agwedd mân swyddogion y fyddin tuag at ddynion ifainc a fagwyd ar aelwydydd crefyddol a diwylliedig yng Nghymru yn gwbl sarhaus, ac ni allai Parry-Williams lai na chyfrif ei fendithion am nad oedd yn gorfod wynebu'r fath amgylchiadau garw a diraddiol.

Y dewis wrth geisio goroesi'r rhyfel fel heddychwr yn nhref a Choleg Aberystwyth oedd naill ai herio neu ddihoeni mewn anobaith. Yr oedd cefnogaeth T. Gwynn Jones a Parry-Williams i gylchgrawn *Y Wawr* yn dra arwyddocaol, nid am ei fod, ar yr olwg gyntaf o leiaf, yn fersiwn Cymraeg digon parchus o'r cylchgrawn prifysgol Saesneg *The Dragon*, ond am iddo ddatblygu yn ystod ei oes fer o bedair blynedd i fod yn gyhoeddiad hynod heriol ei natur gan genhedlaeth o fyfyrwyr cenedlatholgar eu hanian, annibynnol eu barn a mentrus eu hysbryd y byddai amryw ohonynt yn y man yn dod yn ffigurau cyhoeddus o bwys. Magodd y cylchgrawn y fath hyder fel cyhoeddiad radical lled wleidyddol nes i hynny yn y diwedd arwain at ei dranc.[40] Er iddo gael ei sefydlu cyn i Parry-Williams ddychwelyd i'r Coleg o Baris, fe gefnogodd y cylchgrawn yn gyson fel cyfrannwr ac fel cynrychiolydd y cyn-fyfyrwyr ar ei bwyllgor gwaith. Yr oedd hefyd yn cynorthwyo'r golygyddion drwy gysylltu â phobl o'r tu allan i'r Coleg i holi am gyfraniadau, beirdd fel Eifion Wyn, J. R. Tryfanwy, a'r llenor a'r gwleidydd W. Llewelyn Williams. Ymddangosodd stori gan ei dad yn y cylchgrawn hefyd, sef 'Y Patant', sy'n adrodd hanes dychmygol cyfaill o ddyfeisiwr yn cynllunio peiriant a oedd yn rhyw fath o brototeip o'r tanc a ddefnyddid ar faes y gad yn Ffrainc.[41] Defnyddiodd Parry-Williams ei hun y cylchgrawn i gyhoeddi rhai o'i weithiau mwyaf mentrus yn

39   Huw Walters, 'Dau lythyr gan Tom Hughes Jones', *Taliesin*, 101 (1998), t. 99.
40   Gw. T. Robin Champan, 'Toriad y Wawr: twf a thranc cylchgrawn Cymraeg cyntaf myfyrwyr Aberystwyth': <https://www.aber.ac.uk/en/media/departmental/informationservices/pdf/specialcollections/Toriad-y-Wawr.pdf> (cyrchwyd Mehefin 2017).
41   *Y Wawr*, cyfrol v, rhif 1 (Gaeaf 1917), tt. 34-9.

ystod y cyfnod hwn, yn ysgrifau a cherddi. Fel y dywedodd Angharad Price: '… gellid dadlau bod bodolaeth *Y Wawr* ei hun … wedi bod yn ysbrydoliaeth i Parry-Williams gyfansoddi rhai o'i weithiau mwyaf cynhyrfus hyd yn hyn.'[42]

Mae'n wybyddus iawn mai cyfrannwr mwyaf tanbaid a heriol y cylchgrawn oedd D. J. Williams, Abergwaun, a adawsai Goleg Aberystwyth i fynd yn fyfyriwr ymchwil i Rydychen. Cyhoeddwyd yr ysgrif enwog 'Y Tri Hyn' ganddo yn rhifyn haf 1916, lle y mentrai achub cam y rhai a oedd dan gabl gan y wladwriaeth Brydeinig, ac yn fodau esgymun gan berchnogion a golygyddion pwerus rhai o bapurau mwyaf jingoistaidd Stryd y Fflyd yn Llundain, pobl fel yr Arglwydd Northcliffe, un o farwniaid y wasg asgell dde Seisnig a pherchennog y *Daily Mail*, y *Daily Mirror* a'r *Times*, a'r Aelod Seneddol Horatio Bottomley, golygydd gwladgarol y cylchgrawn *John Bull*. Pobl oedd y rhain a fu'n allweddol yn cynhyrchu propaganda o blaid y rhyfel drwy gyhoeddi erthyglau senoffobaidd gwrth-Almaenig, yn ogystal â chyhoeddi deunydd yn ymosod ar y rheini a oedd yn annheyrngar i'r wladwriaeth a'r ymerodraeth Brydeinig, sef y gwrthwynebwyr cydwybodol ac aelodau Sinn Féin yn Iwerddon ar ôl Gwrthryfel y Pasg. Yr oedd y 'tri hyn' meddai, sef yr Almaenwr, y gwrthwynebwr cydwybodol a'r Sinn Féiniad, yn anathema gan bobl ar y pryd, a'r mwyaf dirmygedig ohonynt i gyd oedd y gwrthwynebwr cydwybodol:

> Honna hwn garu gelyn; ie, hyd yn oed, petai'r gelyn hwnnw ddued ac hylled a'r Ellmyn. O leiaf gwrthyd ei ladd. Mae'r syniad o garu gelyn ac ymddwyn yn ddynol tuag ato yn gymaint o heresi yng Nghymru heddyw ag ydoedd yn amser Moses gynt, a phregethir hynny'n groew o lwyfan, a phulpud, a phapur gan amryw o wyr blaenaf y genedl heb son am lu difrif canlynwyr y gwersyll.[43]

Golygydd y rhifyn hwnnw a gyhoeddodd yr erthygl ddeifiol gan D. J. Williams oedd Tom Hughes Jones, a fyddai, fel y gwelsom eisoes, yng ngwasanaeth y fyddin erbyn mis Tachwedd 1916, ac yn ei nodiadau golygyddol diolchodd i'r tri o aelodau staff yr Adran Gymraeg am eu cefnogaeth i'r cylchgrawn, ac i T. H. Parry-Williams yn benodol am fod yn 'ffyddlon

---

42 Price, *Ffarwél i Freiburg*, t. 312.
43 *Y Wawr*, cyfrol iii, rhif 3 (Haf 1916), t. 110.

gydag awgrym a chyngor lawer tro'. Tybed a fu i'r golygydd ymgynghori â'r darlithydd ynghylch cynnwys y rhifyn hwnnw, ac i'r darlithydd ei gynghori i beidio â sensro'r erthygl a gyfiawnhâi safbwynt y gwrthwynebwyr cydwybodol mewn modd mor ddigyfaddawd?

Tynnodd ysgrif D. J. Williams sylw O. M. Edwards ac ennyn cymaint ar ei lid nes iddo gyfeirio yn nodiadau golygyddol *Cymru* yn Awst 1916 at y rhifyn hwnnw o'r *Wawr* fel un a'i siomodd yn ddirfawr.[44] Yr oedd wedi'i galonogi'n fawr, meddai, gan fodolaeth y cylchgrawn ac wedi codi'i obeithion am weld sefydlu ysgol newydd o lenorion Cymraeg yng ngholeg prifysgol hynaf Cymru. Ond y fath siom a gafodd pan welodd fod y tri arwr – 'y German, y Sinn Ffeiner, a'r gwrthwynebydd cydwybodol' – yn cael eu cyflwyno fel arwyr Cymru Fydd. Rhywbeth arall a gyhoeddwyd yn y rhifyn hwnnw na phlesiodd O. M. Edwards oedd teyrnged gan D. J. Williams i Gwilym Williams, y cyn-fyfyriwr a laddwyd yng ngwanwyn 1916. Canolbwyntio ar dristwch colli Cymro gwlatgar a bardd addawol o Gristion a chanddo bersonoliaeth gyfeillgar a charedig a wnaeth D. J., gan osgoi clodfori ei yrfa fel milwr na chrybwyll ei aberth ddewr:

> Os mwg a llaid sydd uwch ei fedd yn Ffrainc, heddyw, y mae ei gymeriad gwyn a dilwgr yn siarad heb gwmwl arno wrthym ni. Er iddo farw'n ieuanc, ni fu efe byw am ddim, petai ond am ddylanwad Cristionogol ei bersonoliaeth garedig ar ei wir gymdeithion yn y coleg.[45]

Cyfeiriodd O. M. Edwards yn goeglyd at y geiriau hyn drwy edliw na fyddai'r bechgyn o Goleg Aberystwyth a oedd yn gwasanaethu yn Ffrainc yn gallu gadael un o'u plith dan 'fwg a llaid' ei fedd yn Ffrainc heb gymaint â chyfeirio at 'yr aberth a'i cododd uwchlaw pob ysbryd hunanol a hunan-ddigonol.' Nid da ganddo'r islais heddychol a gwrth-ryfel a oedd i'r cylchgrawn. I ychwanegu at ei ofid, yr oedd yn y rhifyn hwnnw hefyd feirdd 'ac eraill' a oedd yn 'gwamalu ac yn canu am eu gofidiau dychmygol, fel Herrick findlws gynt yn canu am gariad y blodau tra'r oedd llais Milton fel udgorn yng nghad y Rhyfel Mawr'. Nid yw'n amhosibl fod ergyd i Parry-Williams yn y fan hon, oherwydd cynhwyswyd ei gerdd dri phennill

---

44   O. M. Edwards, 'Llyfrau a Llenorion', *Cymru*, 51 (Awst 1916), t. 88.
45   *Y Wawr*, cyfrol iii, rhif 3 (Haf 1916), tt. 129–30.

'Dagrau' yn y rhifyn hwnnw. Telyneg fach feddal, hunanganolog ydyw lle mae'r bardd yn ceisio rhesymu beth a achosodd i'r tristwch dwys a gydiodd ynddo beri iddo wylo dagrau'n lli. Nid unrhyw ymdeimlad o bechod nac o edifeirwch yn sgil profiad crefyddol neu ysbrydol a gymhellodd y dagrau; dod yn ddigymell a wnaethant am 'fod rhaid i'r Duwdod, / Wrth fy nagrau i.' Daw i'r canlyniad fod ffynhonnell cronfa ddagrau'r ddynolryw yn tarddu o'r tristwch sy'n rhan annatod o'i fodolaeth. Sôn am wylo oherwydd cyflwr dyn yn y byd a wnâi, ac nid oedd addasach amser i wneud hynny nag yn amser rhyfel. Gall mai hynny a welai O. M. Edwards fel gwamalrwydd. Yr oedd ambell gerdd arall hefyd yn yr un rhifyn a allai fod wedi ennyn yr ymateb hwnnw gan olygydd y *Cymru*, sef 'Y Milwr Rhif' a'i his-deitl '(*The Consgript*)' gan rywun a'i galwai ei hun yn 'O', cerdd wrth-gonsgripsiwn eironig, gynnil ei thôn sy'n llai na brwd dros rai o'r rhesymau a ddefnyddid i gyfiawnhau'r rhyfel, sef aberth, amddiffyn rhyddid a dangos dewrder. Ym marn yr awdur, ymladdai'r milwr tros wlad nad oedd yn berchen arni; amddiffynnai'r milwr ryddid yn enw Duw ac yntau ei hun yn gaeth; rhoid bri ar ennill y Groes Victoraidd am ddewrder tra bo'r milwr marw druan â chroes uwchben ei fedd.[46]

Fe all mai diffyg cerddi'n clodfori aberth y milwyr a cherddi'n galw'r dewr i'r gad a barodd i O. M. Edwards yn ei lith olygyddol ffromi wrth wamalrwydd honedig y beirdd, ond y frawddeg a wnaeth argraff ar Parry-Williams ei hun, i'r graddau iddo wneud nodyn ohoni ar ddarn o bapur a'i gadw'n ddiogel o fewn ei gopi o hunangofiant Cassie Davies, *Hwb i'r Galon* (1973), oedd honno a sgriblodd fel hyn:

Cymru (Coch) / Awst, 1916 / "Llyfrau a Llenorion" / (ymosodiad gan O.M.E. ar *Y Wawr*) / "… sieryd rhai ohonynt beth a ymddengys i mi yn deyrnfradwriaeth amlwg."[47]

Bu ei gyn-fyfyrwraig, Cassie Davies, yn aelod o bwyllgor gwaith *Y Wawr*, a cheir cyfeiriad gan Parry-Williams ar y darn papur a gynhwysai'r nodyn

---

46   Ibid., t. 119.

47   Nodyn ym meddiant yr awdur a ganfuwyd yng nghopi personol Parry-Williams o hunangofiant Cassie Davies, *Hwb i'r Galon* (Abertawe, 1973), a brynwyd yn siop Llyfrau Ystwyth, Aberystwyth, ym mis Mai 2016, pan werthwyd yr hyn a oedd yn weddill o lyfrgell Amy a T. H. Parry-Williams yn y Wern, Ffordd y Gogledd.

uchod at yr union dudalen yn *Hwb i'r Galon* sy'n cyfeirio at sylwadau beirniadol O. M. Edwards ar y cylchgrawn. Fel y mae'n digwydd, yr oedd y cyhuddiad hwn o 'deyrnfradwriaeth' yn rhyw fath o ragargoel o'r cyhuddiadau a gafwyd pan gyrhaeddodd y gwrthwynebiad cyhoeddus i'r *Wawr* ei benllanw yn 1918, a pheri iddo gael ei sensro a'i ddirwyn i ben.

Cyn inni sôn am y fachludiad *Y Wawr*, fodd bynnag, mae'n werth troi at y llythyr a anfonodd golygydd rhifyn haf 1916 at Parry-Williams yn trafod ymosodiad O. M. Edwards. Yr oedd yn amlwg i Tom Hughes Jones mai ysgrif D. J. Williams a dramgwyddodd O. M., a datgelodd i D. J. anfon llythyr hir at ei feirniad 'ar yr un llinellau â'r ysgrif ond os dim yr oedd y llythyr yn fwy diamwys.'[48] Derbyniwyd ateb annisgwyl gan O. M. yn gwadu mai'r ysgrif ar 'Y Tri Hyn' a barodd iddo gyhuddo'r cylchgrawn o deyrnfradwriaeth ond, yn hytrach, 'cân rhyw eneth.' Yr oedd hynny'n achos dirgelwch mawr i'r golygydd am nad oedd ganddo ef, na neb arall ychwaith, y syniad lleiaf at ba gân yn union y cyfeiriai. Yr oedd yn annog Parry-Williams i gysylltu â D. J. i gael yr hanes o lygad y ffynnon. Er gwaetha'r ymosodiad gan O. M., yr oedd Tom Hughes Jones yn gwbl ddigymrodedd ei farn nad offeryn dof i gefnogi'r rhyfel oedd *Y Wawr* ond, yn hytrach, cyfrwng i bobl annibynnol eu meddwl gael mynegi eu gwrthwynebiad iddo. Mae'n ddiddorol nodi i Parry-Williams ddewis cadw dau o lythyrau Tom Hughes Jones o'r cyfnod hwnnw y tu mewn i'r rhifynnau o'r cylchgrawn a rwymwyd ganddo a oedd yn ei feddiant.

Er i'r ysgrif honno gan D. J. Williams gynhyrfu'r dyfroedd, mae'n ymddangos na chafodd y fath effaith ag a gafodd yr ysgrif ac iddi'r teitl 'Ich Dien' a luniodd ar gyfer rhifyn y gwanwyn yn 1918 a olygid gan Ambrose Bebb (1894-1955). Yn honno, yr oedd unwaith eto yn amddiffyn yr heddychwyr drwy ddychanu'r ymateb arferol iddynt gan gefnogwyr y rhyfel:

> Os gwyddoch am rywun yn rhywle yn tueddu i sôn am heddwch, a
> heb fod ganddo o leia ddim o dan gan punt yn y 'War Loan' yn profi ei
> 'deyrngarwch' y tu hwnt i bob amheuaeth, gellwch fentro ar unwaith mai
> bradwr a phro-German melltigedig ydyw, ac mai dyletswydd pob gwir

---

48 Gw. Walters, 'Dau lythyr gan Tom Hughes Jones', tt. 97-8.

Gristion ydyw ei erlid a'i ymlid, neu ei osgoi fel gwrthrych 'amheus' ac annheilwng o gymdeithas.[49]

Buasai'r sylwadau hynny'n amlygu agwedd wrth-ryfel yr awdur, ond ni fodlonodd D. J. ar ei gadael hi yn y fan honno, oherwydd aeth rhagddo i ymosod ar yr ysbryd ymerodraethol Prydeinig am mai celwydd noeth a rhagrith oedd sôn am amddiffyn a gwarchod cenhedloedd bychain Ewrop pan nad oedd gan Gymru hawl i'w llywodraethu ei hun. 'Aed yr Ymherodraeth i'r cŵn o'm rhan i,' meddai. Eironi'r sefyllfa oedd fod D. J. yn cydnabod bod ei ddaliadau ef yn cael eu hystyried yn rhai bradwrus ac annheyrngar yng ngolwg y wladwriaeth pan oedd yn ceisio arddel ei ryddid barn drwy godi llef yn erbyn y math o gyflyraeth ac unffurfiaeth meddwl a gymhellai ufudd-dod digwestiwn i'r rhyfel. Trodd ei sylw hefyd at yr aelodau seneddol Cymreig nad oeddynt yn ddim ond cynffonwyr i'r Saeson, a'u beirniadu am eu gwaseidd-dra a'u diffyg asgwrn cefn i sefyll dros egwyddorion cenedlaethol, Cristnogol a dyngarol.

Wedi i rywun yng ngwasg y *Montgomery County Times*, lle'r oedd y rhifyn hwnnw o'r *Wawr* i gael ei argraffu, sylwi ar ddeunydd a ystyrid yn annheyrngar mewn cyfnod o ryfel, dygwyd y peth i sylw awdurdodau'r Coleg, a galwyd y golygydd, Ambrose Bebb, o flaen ei well. Ym marn Griffith John Williams, a oedd yn aelod o bwyllgor gwaith y cylchgrawn adeg yr helynt, ysgrif olygyddol Bebb yn y rhifyn arfaethedig a oedd wedi tramgwyddo.[50] Mynnai'r Is-Brifathro Edward Edwards (brawd O. M. Edwards, fe gofir), fod Bebb yn ymddiswyddo ar unwaith.[51] Dywedwyd wrtho y bwriedid codi'r mater yng nghyfarfod nesaf Cyngor y Coleg, a diau y buasai medru dweud bod y golygydd wedi syrthio ar ei fai a derbyn ei gyfrifoldeb drwy ymddiswyddo wedi galluogi'r awdurdodau i leddfu peth ar y feirniadaeth gyhoeddus. Ym mis Ionawr 1918, gofynnodd Syr J. D. Rees, Aelod Seneddol Dwyrain Nottingham, gwestiwn i'r Ysgrifennydd Cartref ynglŷn â'r cylchgrawn ar lawr Tŷ'r Cyffredin, gan dynnu ei sylw at yr hyn a alwai yn 'seditious articles

---

49 *Llais y Lli*, cylchgrawn myfyrwyr Coleg Prifysgol Cymru, Aberystwyth, Ionawr 1971, tt. 8-10; ar y cefndir, gw. J. Gwyn Griffiths, 'Ysgrif a gladdodd gylchgrawn', *Y Traethodydd* (Ionawr 1973), tt. 114-17.

50 Gw. llythyr G. J. Williams at D. J. Bowen, 31 Hydref 1961, llawysgrif LlGC 15349: 'Yr oedd sylwadau'r golygydd, Ambrose Bebb, wedi cynhyrfu'r awdurdodau.'

51 Gw. T. Robin Chapman, *W. Ambrose Bebb (Dawn Dweud)* (Caerdydd, 1997), tt. 20-2.

in the Welsh language calculated, if not intended, to debauch the loyalty of the students and to impede the prosecution of the war.'[52] Galwai am rwystro cyhoeddi'r erthyglau ac am gosbi'r sawl a oedd yn gyfrifol amdanynt, ond gan nad oedd y rhifyn tramgwyddus honedig wedi ei gyhoeddi, ni allai'r Ysgrifennydd Cartref ymyrryd.

Yr oedd hyn oll yn gyhoeddusrwydd gwael i'r Coleg, a honnid bod nythaid o heddychwyr yn llechu o fewn ei byrth. Ond ni chaniataodd aelodau o bwyllgor gwaith *Y Wawr* yn ei gyfarfod brys i Ambrose Bebb ildio i'r pwysau a oedd arno i ymddiswyddo. Pan ddaeth gwŷs swyddogol yn gorchymyn Bebb i ymddangos gerbron pwyllgor rheoli Senedd y Coleg, penderfynodd yr aelodau sefyll fel un gŵr, gan gynnwys Parry-Williams a oedd yn parhau'n gynrychiolydd y cyn-fyfyrwyr ar y pwyllgor.[53] Dewisodd y pwyllgor cyfan ymddiswyddo gan ddod â'r cylchgrawn i ben. Yng ngeiriau Cassie Davies flynyddoedd yn ddiweddarach, 'fe wysiwyd pwyllgor *Y Wawr* – ac yr oeddwn i'n un ohonyn nhw – gerbron, ac fe ddywedwyd bod *Y Wawr* i fachlud. Ac mi eson i dynnu'n llunie i gyd wedyn mewn du galarus.'[54] Ym marn Cassie Davies, yr oedd cefnogaeth T. H. Parry-Williams i'r myfyrwyr ac i'r cylchgrawn nid yn unig yn brawf o'i deyrngarwch diwyro iddynt hwy ond i'w egwyddorion ef ei hun yn ogystal.[55]

---

52   *The Cambrian News and Welsh Farmers' Gazette*, 18 Ionawr 1918, t. 8.
53   Yr hyn a nododd Parry-Williams yn ei ddyddiadur ar gyfer 21 Chwefror 1918 oedd: 'Y Wawr Cttee. gerbron senate', gw. LlGC 'Papurau T. H. Parry-Williams', M430.
54   Adysgrif o sgwrs radio a ddarlledwyd gyntaf yn 1972 yn y rhaglen 'Y Coleg ger y Lli' fel rhan o'r gyfres 'Cywain', ac a ailddarlledwyd ar y rhaglen 'Cofio' gan John Hardy ar BBC Radio Cymru, 9 Hydref 2016: <http://www.bbc.co.uk/programmes/b07ypmzt>.
55   Davies, 'Atgofion – Aberystwyth, 1914-19' yn Foster gol., *Cyfrol Deyrnged*, t. 112.

'Adeg ddiflas a gofidus erchyll'

Bron na ellir cyfrif ar fysedd un llaw y troeon y cyfeiriodd T. H. Parry-Williams mewn print at ei brofiadau fel gwrthwynebydd cydwybodol. A hyd yn oed pan grybwyllodd hynny, gwneud a wnaeth yn ddigon didaro gan gyfyngu ei sylwadau i ychydig frawddegau yn unig. Ond mae'r cynildeb a'r tawedogrwydd yn ddigon inni allu synhwyro pa mor ddirdynnol oedd ei brofiad, a pha mor niweidiol oedd yr hyn a ddigwyddodd i ddyn hynod deimladwy fel efô.

Daw'r cyfeiriad cynharaf ganddo o'r ysgrif 'Lilith' a gyhoeddwyd yn *O'r Pedwar Gwynt* yn 1944. Trafod ei gasineb at y gyfraith y mae ac yn cyffesu hyn:

> Ni bûm erioed yng ngafael y Gyfraith, fel y dywedir, oddieithr un waith pan oedd deddf arbennig dros dro ar Lyfr Ystadud y wlad hon.[1]

Nid yw'n enwi'r ddeddf nac yn ymhelaethu ar yr union amgylchiadau, ac oni bai ein bod yn gwybod am ei safiad fel heddychwr, hawdd fyddai inni fethu'r cyfeiriad at Ddeddf Gorfodaeth 1916 gan mor annelwig ydyw. Yr oedd dros chwarter canrif wedi mynd heibio er pan laciodd y ddeddf arbennig honno ei gafael arno, ac yr oedd y cyfan fel petai wedi ei rewi gan amser.

O 1946 y daw'r ail gyfeiriad ganddo mewn sgript radio deipiedig o'r sgwrs 'Y Dyn a'i Dylwyth' a ddarlledwyd ym mis Hydref y flwyddyn honno. Trafod

---

1   T. H. Parry-Williams, *O'r Pedwar Gwynt* (Aberystwyth, 1944), t. 10.

effaith y profiad o fyw oddi cartref yn ystod y tymhorau pan aeth i'r ysgol sir ym Mhorthmadog a wnâi, gan honni mai dyna'r 'peth pwysicaf a ddigwyddodd i mi erioed o ran cyffro angerddol yn f'enaid.' Yna, ychwanegodd frawddeg arall:

> Nid oedd ing a phangfeydd bod yn wrthwynebydd cydwybodol ymhen blynyddoedd wedyn yn y Rhyfel Mawr, hyd yn oed, yn gyffelyb i hyn.[2]

Brawddeg yw hon a groeswyd allan â phensel fel petai wedi golygu'r sgript cyn ei darlledu a hepgor y cyfeiriad at y rhyfel.

Aeth bron i chwarter canrif arall heibio cyn y daeth y sylw nesaf ganddo mewn copi teipiedig o sgript sgwrs radio hunangofiannol a ddarlledwyd yn 1970, lle'r oedd yn trafod ei yrfa. Wrth grybwyll ei gyfnod fel darlithydd cynorthwyol yn ystod blynyddoedd y Rhyfel Mawr, daw'r cyfaddefiad hwn megis wrth fynd heibio:

> Fel y buasech yn disgwyl, adeg ddiflas a gofidus erchyll oedd hi yr adeg honno i heddychwyr.[3]

Mewn fersiwn arall yn llaw'r awdur o'r un sgwrs radio, lle y cyfeiria at ei benderfyniad yn 1919 i gefnu ar ei swydd fel darlithydd am flwyddyn er mwyn dilyn cwrs gwyddonol, mae'n braidd gyffwrdd â'i brofiad trwy gyfeirio at y cyfnod fel 'amser anghysurus ac alaethus'.[4]

Ddwy flynedd yn ddiweddarach, mewn ysgrif a gyhoeddwyd i ddathlu hanner canmlwyddiant Gwasg Prifysgol Cymru yn 1972, mae'n dwyn i gof waith Comisiwn Haldane rhwng 1916 ac 1918, 'pan oedd rhyfel yn cynhyrfu'r byd'.[5] Yn sgil cyhoeddi adroddiad y Comisiwn y sefydlwyd y Bwrdd Gwybodau Celtaidd, fel y gwelsom yn barod, a chynhaliodd hwnnw ei gyfarfod cyntaf ym mis Ionawr 1919. Meddai Parry-Williams:

---

2   'Y Dyn a'i Dylwyth', sgript sgwrs radio a ddarlledwyd ar 22 Hydref 1946, LlGC 'Archifau BBC Cymru', blwch 24.

3   'Gyrfa, darnau hunangofiannol' [1970], LlGC 'Papurau T. H. Parry-Williams', G85.

4   Ibid., G83.

5   Cyhoeddwyd yr ysgrif ar ffurf llyfryn, T. H. Parry-Williams, *Bwrdd Gwasg Prifysgol Cymru: Rhai Hen Atgofion* (Caerdydd, 1972).

Erbyn hyn yr oedd sŵn y Comisiwn a'i bethau, er pwysiced oeddynt, wedi colli atyniad i mi. Yr oeddwn i, oherwydd amgylchiadau digon cymysglyd, wedi arfaethu cefnu ar fy astudiaethau fel y rhai a nodwyd, newid fy "myd academig".[6]

Mae'r cyfeiriad at 'amgylchiadau digon cymysglyd' yn debyg i'r enghraifft o'r tanosodiad trawiadol sydd ganddo mewn sgwrs ar raglen radio i nodi canmlwyddiant y Coleg ger y Lli yn 1972, pan gyfeiriodd ato'i hun yn cael ei benodi i'r Gadair Gymraeg yn 1920 'ar ôl dipyn bach o drafferth'.[7] Dyma'r ychydig sylwadau prin sydd ganddo y medrir eu cribinio lle y mae'n crybwyll ar goedd ei brofiadau fel heddychwr yn ystod ac yn union ar ôl y rhyfel. Fel llawer o bobl eraill, gwell ganddo oedd tewi a pheidio ag ymhelaethu. Dyna ddigon o awgrym i'w brofiadau yn ystod y cyfnod hwnnw adael eu hôl arno.

Amcangyfrifir i o leiaf 16,500 o wrthwynebwyr cydwybodol yng ngwledydd Prydain ymddangos o flaen eu gwell yn ystod y Rhyfel Mawr ar ôl i Ddeddf Gwasanaeth Milwrol 1916 ddyfod i rym, ac ymhlith y rheini yr oedd hyd at fil ohonynt yn byw yng Nghymru.[8] Nid oedd eu safiad yn un poblogaidd. Caent eu condemnio a'u gwatwar gan y wasg a chan y cyhoedd yn gyffredinol fel llyfrgwn, bradwyr a chachgwn di-asgwrn-cefn. Nid oedd aelodau o 'griw'r bluen wen' yn deilwng o gael eu galw'n ddynion go iawn, ac yr oedd y gwrthwynebiad hwnnw i'w gael yn yr Arfon wledig o fewn ychydig filltiroedd i gartref Parry-Williams yn Rhyd-ddu. Tystia Gwilym R. Jones yn ei hunangofiant i'r casineb gwenwynllyd a ddangosid tuag at George M. Ll. Davies ymhlith 'y saint' tua diwedd 1916 pan ddigwyddodd droi i mewn i'r Capel Mawr (MC), hen gapel ei daid, John Jones, yn Nhal-y-sarn, Dyffryn Nantlle.[9] Fe'i gelwid yn 'hen gonshi' ac yn 'llwfrgi'. Yn Nhal-y-sarn y trigai'r heddychwr blaenllaw David Thomas (1880-1967), a oedd yn athro yn yr ysgol gynradd, a'r argraff a adawodd sgyrsiau oedolion y pentref ar

---

6   Ibid., t. 9.
7   Dyfyniad o'r sgwrs radio a ddarlledwyd gyntaf yn 1972 ar y rhaglen 'Cywain', 'Y Coleg ger y Lli', ac a ailddarlledwyd ar y rhaglen 'Cofio' gan John Hardy ar BBC Radio Cymru, 9 Hydref 2016, gw: <http://www.bbc.co.uk/programmes/b07ypmzt>.
8   Gw. Aled Eirug, 'Rhaff ac iddi amryw geinciau': Gwrthwynebiad i'r Rhyfel Mawr yng Nghymru' yn Gethin Mathews gol., *Creithiau: Dylanwad y Rhyfel Mawr ar Gymdeithas a Diwylliant yng Nghymru* (Caerdydd, 2016), t. 151.
9   Gwilym R. Jones, *Rhodd Enbyd* (Y Bala, 1983), tt. 86-7.

Gwilym R. yn blentyn, pan drafodid yr athro, oedd ei fod yn ewach o ddyn bach ofnus a llwfr.[10]

Cyflwynodd y llywodraeth ei Mesur Cofrestru Cenedlaethol fel y cam cyntaf tuag at wasanaeth milwrol gorfodol, a daeth y mesur yn ddeddf ym mis Gorffennaf 1915. Yr oedd disgwyl i bob sifiliad, yn ddynion a gwragedd rhwng pymtheg a phump a thrigain oed, lenwi ffurflen gyda'u manylion personol arni a nodi a oeddent yn fodlon gwirfoddoli i gyflawni gwaith o natur arbennig. Dyna pryd y daeth yn amlwg fod yng Nghymru a Lloegr yn unig bum miliwn o ddynion o fewn yr oedran milwrol nad oeddynt yn gwasanaethu yn y lluoedd arfog. Yn eu plith yr oedd dynion yr ystyrid eu bod naill ai'n cyflawni gwaith hanfodol neu eu bod yn anaddas i frwydro. O'u heithrio hwy, amcangyfrifid bod rhwng miliwn a hanner a dwy filiwn o ddynion yn yr oedran priodol a allai wasanaethu ond nad oeddent eto wedi gwirfoddoli. Dyna pam yr aed ati i gynyddu'r ymdrechion i wasgu ar eu cydwybod a'u denu drwy gyhoeddi posteri a threfnu teithiau recriwtio lle'r oedd ffigurau cyhoeddus o bwys yn annog y bechgyn i ymrestru.

Ar ôl llunio'r gofrestr o ddynion abl, aed ati wedyn i geisio'u recriwtio drwy'r hyn a elwid yn 'Gynllun Derby' ar ôl enw'r Arglwydd Derby a benodwyd yn Gyfarwyddwr Recriwtio'r Weinyddiaeth Ryfel. Rhoid pwysau ar ddynion rhwng deunaw a deugain ac un oed i 'ardystio', sef datgan eu parodrwydd i fod ar gael pan fyddai eu hangen. Gan na lwyddodd Cynllun Derby erbyn diwedd Tachwedd 1915 i chwyddo'r rhengoedd fel yr oeddid wedi gobeithio, sylweddolwyd nad oedd ymrestru gwirfoddol yn mynd i ddiwallu'r angen ac y byddai'n rhaid cyflwyno gorfodaeth. Erbyn Rhagfyr 1915 yr oedd dros hanner miliwn o filwyr y fyddin Brydeinig naill ai wedi eu lladd neu ar goll, ac amcangyfrifai'r Arglwydd Kitchener fod angen recriwtio o leiaf 130,000 o ddynion y mis yn ychwanegol i gymryd lle'r rhai a gâi eu hanafu a'u lladd.[11] Aeth y llywodraeth ati i gyflwyno'r Mesur Gwasanaeth Milwrol gyda'r bwriad o gyflwyno consgripsiwn yn weithredol o 2 Mawrth 1916 ymlaen. Derbyniodd y Mesur ei ailddarlleniad yn Nhŷ'r Cyffredin ar 17 Ionawr, ac ar ôl mynd drwy ei drydydd darlleniad

---

10   Ibid., t. 19. Ar ei hanes fel gwrthwynebydd cydwybodol, gw. Angharad Tomos, *Hiraeth am Yfory: David Thomas a Mudiad Llafur Gogledd Cymru* (Llandysul, 2002), tt. 76-94.

11   James McDermott, *British Military Service Tribunals, 1916-1918: 'A very much abused body of men'* (Manchester, 2011), t. 13.

ddeng niwrnod yn ddiweddarach, cyrhaeddodd y Llyfr Statud erbyn 28 Ionawr.

Gorchmynnai Deddf Gwasanaeth Milwrol 1916, y daethpwyd i'w hadnabod hefyd fel y Ddeddf Gorfodaeth Filwrol, fod pob dyn dibriod a phob dyn gweddw iach ac abl ei gorff rhwng deunaw a deugain ac un mlwydd oed yn cael ei alw i'r fyddin. Ystyrid bod pawb a gyfarfyddai â'r gofynion hynny i bob pwrpas yn filwr, a'i fod eisoes yng ngwasanaeth y wladwriaeth Brydeinig ac y parhâi i fod felly hyd nes y deuai'r rhyfel i ben. Ni elwid ar ddynion deunaw oed i fynd dramor hyd nes y byddent wedi cyrraedd eu pen-blwydd yn bedair ar bymtheg. Caniateid i ddynion gael eu heithrio rhag gorchmyn y ddeddf ar bedair sail, sef (1) ar y sail eu bod mewn galwedigaeth a ystyrid yn werthfawr i'r wlad; (2) ar y sail y byddai rhywun a oedd yn ddibynnol arnynt yn wynebu caledi difrifol; (3) ar sail cyflwr eu hiechyd neu lesgedd; (4) ar y sail fod ganddynt wrthwynebiad cydwybodol i wasanaeth milwrol ymladdol, yng ngeiriau'r ddeddf ei hun, 'a conscientious objection to undertaking combatant service'. Gallai'r eithriad a ganiateid fod yn un llwyr, yn un amodol neu'n un dros dro, a phan ganiateid rhyddhad, cyflwynid tystysgrif eithrio y gellid ei hadolygu ar unrhyw adeg. O blith yr 16,500 o bobl a apeliodd yn erbyn gorfodaeth filwrol ar sail cydwybod yng ngwledydd Prydain, rhwng 300 a 400 yn unig a lwyddodd i gael eu heithrio'n llwyr a diamod. Derbyniodd tua 6,500 o ddynion ryddhad yn amodol ar gyflawni gwaith a ystyrid o bwysigrwydd cenedlaethol, ac un o'r rheini oedd Parry-Williams.

Yn ei erthygl olygyddol yn y cylchgrawn *Cymru* Ddydd Gŵyl Dewi 1916 – rai misoedd cyn ei ymosodiad ar gylchgrawn *Y Wawr* – rhoes O. M. Edwards ei sylw i'r ddeddf orfodaeth yn union ar drothwy'r diwrnod pryd y disgwylid i ddynion ymrestru:

> Yfory gelwir holl fechgyn dibriod ein gwlad, rhwng pedair ar bymtheg a deugain oed, i'r gad … Y mae rhyddid Cymru, a'i bywyd fel cenedl, mewn perygl.[12]

Dyna sut y dehonglai'r cyfwng a wynebai'r Cymry, ac yr oedd ef ei hun wedi bwrw'i goelbren o blaid y rhyfel, fel y gwnaeth eraill o'r to hŷn o ysgolheigion

---

12   *Cymru*, 50 (Mawrth 1916), t. 105.

Cymraeg eu hiaith yr oedd gan y cyhoedd barch cyffredinol iddynt, Yr Athro John Morris-Jones a'r Athro Henry Jones, gan annerch mewn cyfarfodydd recriwtio ac annog bechgyn gogledd Cymru i wneud eu dyletswydd.[13]

Fis yn ddiweddarach, neilltuodd O. M. Edwards ei golofn olygyddol i drafod natur cydwybod gan grybwyll fel y bu'n rhaid iddo ef, a oedd yn hŷn na'r oedran recriwtio milwrol, ymgodymu â'i gydwybod ei hun. Penderfynodd fod yn rhaid ymladd yn erbyn grymoedd dinistriol yr Almaen, ac awgrymodd mai'n hwyr iawn yn y dydd y deffrodd cydwybod rhai pobl. Esgus cyfleus gan rai oedd pledio cydwybod er mwyn osgoi gwneud eu dyletswydd. Dadleuai na allai'r gwrthwynebwyr hawlio monopoli ar gydwybod, gan mai oherwydd eu cydwybod y penderfynodd llawer o'r milwyr ymuno â'r fyddin o'u gwirfodd. Gallai fod yn gyfrwng i gymell pobl i gefnogi'r rhyfel yn ogystal â'i wrthwynebu, ac yr oedd yn edliw bod rhai o'r heddychwyr a wrthodai ymladd ar sail eu cydwybod hefyd yn gwrthod cymryd unrhyw ran yn y rhyfel o gwbl, hyd yn oed drwy ymgeleddu milwyr clwyfedig.

Troi i'r Hen Destament ac at hanes codi'r deml yng Nghaersalem a wnaeth i chwilio am gyfochraeth a chyffelybiaeth i amgylchiadau'r dydd:

> Dydd yw hwn y rhaid adeiladu fel yr adeiledid y deml yn amser Nehemiah; un llaw yn gweithio yn y gwaith, a'r llaw arall yn dal arf; ac ar ganiad yr udgorn yr oedd yn rhaid i bawb ymladd i amddiffyn y rhan o'r deml oedd wedi ei chodi.
>
> Daw'r aflwydd hwn i ben. Daw'r deml i fyny er gwaetha'r gelyn. Gofynnir yn y dydd hwnnw i'r gweithwyr beth oedd eu rhan hwy o'r mur. "Ni fedrwn adeiladu, deffrôdd fy nghydwybod." "Pryd y deffrodd?" "Ar yr awr dduaf, pan oedd y gelyn ar dorri drwodd, pan oedd yr udgorn daeraf, – dyna'r adeg y teimlais i na ddylwn wneud dim."[14]

Gan fod ei fab ei hun eisoes yn swyddog yn y fyddin erbyn hynny, gwyddai O. M. Edwards yntau beth oedd natur yr aberth y disgwylid iddo'i gwneud fel tad. Dannod ei ddifrawder i'r sawl a wrthwynebai'r rhyfel ar sail cydwybod a wnâi, a hynny'n ddigon coeglyd, a'r awgrym oedd y byddai ganddo gydwybod euog pan ddeuai dydd y fuddugoliaeth. Effaith peth fel hyn oedd gwneud i'r

---

13 Clive Hughes, *'I'r Fyddin Fechgyn Gwalia!' Recriwtio i'r Fyddin yng Ngogledd-Orllewin Cymru 1914-1916* (Llanrwst, 2014), tt. 236-7.

14 *Cymru*, 50 (Ebrill 1916), t. 154.

lleiafrif a wrthsafodd y pwysau i gydymffurfio â'r drefn deimlo eu bod dan gabl ac y dylent gywilyddio am na fuasent yn barotach i wneud eu dyletswydd.

Gellir casglu hefyd oddi wrth y math o gerddi a ymddangosai ar dudalennau rhifynnau o'r *Cymru* beth oedd safbwynt y golygydd ynglŷn â 'chydwybod' honedig-barod a chyfleus rhai heddychwyr. Yn ystod y flwyddyn pan gyflwynwyd consgripsiwn, a phan oedd y papurau newydd yn adrodd hanesion y llysoedd apêl a gynhelid ledled y wlad, cyhoeddwyd 'Y Milwr' gan Ap Melangell o Firmingham, er enghraifft, cerdd yr oedd ei hergyd yn cyd-fynd i'r dim â safbwynt O. M. Edwards, am y pwysleisiai mai ymateb i alwad ei gydwybod a wnaethai'r milwr drwy wneud ei ran ar adeg mor dyngedfennol:

> Ymrestrodd y gwron, ei fywyd a roddodd
> Yn aberth gwirfoddol ar allor ei wlad,
> Nid brenin na deddf sy'n prysuro ei gamrau
> Ond udgorn cydwybod a'i galwodd i'r gad;
> Clustfeiniodd a chlywodd y gŵyn a'r ochenaid
> Yn disgyn fel oer-gri yn llym ar ei glyw; –
> Os gormes gyhoedda fod Rhyddid i farw,
> Ateba yn eofn, – "Mae Rhyddid i fyw!"[15]

Cerdd arall nodweddiadol o'r cyfnod, a ymddangosodd ar dudalennau'r un rhifyn, oedd 'Dial y Cam' gan Lew Deulyn o bentref Nantlle heb fod nepell o Ryd-ddu.[16] Trafod ymateb llanc o amaethwr i'r alwad arno i ymrestru a wnâi, gan ddweud i'r llencyn adael ei aradr a'i wedd a chyfrwyo'i farch i'r frwydr. Yr oedd ei gariad at ei wlad yn ei wneud yn eofn – 'anadlai wladgarwch' – ac yr oedd y llaw a fu'n dal yr aradr bellach 'yngharn y cledd'. Er gwaethaf ei awydd am ennill y dydd ar y gelyn er mwyn dial y cam a wnaed, colli ei fywyd a wnaeth yn y diwedd. Marwolaeth fuddugoliaethus oedd hon am fod yr amaethwr cyffredin yn caru ei wlad yn fwy nag yr oedd yn ofni'r gelyn. Cerdd sentimental, feddal, mae'n wir, ond un a fyddai'n debyg o daro tant ymhlith trwch darllenwyr y *Cymru*.

Drwy gyferbynnu cydwybod y milwr â chydwybod y gwrthwynebwr, a chyplysu cydwybod ag euogrwydd fel y gwneid gan rai o gefnogwyr y

---

15 Ibid., 51 (Awst 1916), t. 69.
16 Ibid., t. 82.

rhyfel, rhoid pwysau ychwanegol ar yr heddychwyr, fel pe na bai digon o bwysau arnynt yn barod. Nid oedd raid i neb gyplysu'r ddeubeth i beri i Parry-Williams ymdeimlo â baich euogrwydd, oherwydd byddai gwybod bod ei frodyr a'i gefndryd ef ei hun – yn ogystal â rhai o'i fyfyrwyr – wedi cael eu galw, neu wedi mynd o'u gwirfodd, yn ddigon i beri iddo ymgodymu â'i ymdeimlad o gyfrifoldeb a pheri iddo'i holi ei hun a wnaethai'r peth iawn. Nac anghofiwn ychwaith am y pwysau cyhoeddus a'r gyflyraeth dorfol nerthol a borthid gan y wasg brintiedig, a'r propaganda llethol o blaid y rhyfel. Ar ddudalennau'r papurau wythnosol lleol ceid yn gyson luniau o'r bechgyn a oedd wedi gwirfoddoli yn gwisgo lifrai milwrol a phenawdau bras tebyg i'r pennawd 'Aberystwyth Boys for the Front' a geid yn y *Cambrian News*, er enghraifft.[17] Ochr yn ochr â'r colofnau a ganmolai ddewrder y bechgyn a ymrestrodd o'u gwirfodd, ceid hanesion am feibion a brodyr a gwŷr priod a thadau a anafwyd neu a laddwyd yn Ffrainc, a buasai hynny wedi ychwanegu at bangfeydd cydwybod dirdynnol a dwysbigol y gwrthwynebwr. Byddai angen cryn ddewrder ar y sawl a âi i'r fyddin o ddewis neu o raid, yn sicr, ond byddai angen dewrder hefyd ar y sawl a ddewisodd wrthsefyll y pwysau llethol ar iddo gydymffurfio ac ufuddhau i'r alwad.

Cyn i'r Ddeddf Orfodaeth ddod i rym ar 2 Mawrth, cyhoeddodd David Thomas, yr heddychwr o Dal-y-sarn, lythyr yn *Y Dinesydd Cymreig* er mwyn cyflwyno cyfarwyddiadau i'r rheini a fyddai ymhen dim o dro yn gorfod cyfiawnhau peidio ag ymrestru ar sail eu hargyhoeddiadau crefyddol a moesol.[18] Yr oedd angen cyngor arnynt ynghylch darpariaethau'r ddeddf a'r cyfarwyddiadau a roddwyd i'r Bwrdd Llywodraeth Leol a weinyddai'r tribiwnlysoedd. Yr oedd David Thomas hefyd yn awyddus i hysbysu ei gyd-wrthwynebwyr cydwybodol ynghylch bodolaeth y tair cymdeithas heddychol a fedrai gynnig nodded a chefnogaeth iddynt, sef Cymdeithas y Crynwyr, Brawdoliaeth y Cymod ('The Fellowship of Reconciliation') a'r Frawdoliaeth yn Erbyn Consgripsiwn ('The No-Conscription Fellowship'). Gan fod pwyllgorau cenedlaethol y tair cymdeithas hyn yn cydweithredu â'i gilydd,

---

17   *The Cambrian News*, 21 Ebrill 1916, t. 6.
18   Gw. 'Deddf Gorfodaeth a'r Gwrthwynebwr Gorfodol', *Y Dinesydd Cymreig*, 16 Chwefror 1916,
    t. 5.

daethpwyd i ddealltwriaeth mai pwyllgor Cymdeithas Brawdoliaeth y Cymod a fyddai'n cydlynu pethau yng ngogledd Cymru. Yr oedd hyd at drigain o weinidogion yr Efengyl yn perthyn i wahanol ganghennau o Frawdoliaeth y Cymod yn siroedd y Gogledd, ac erbyn 1915 yr oedd cangen wedi'i sefydlu ym Mangor. Dyna egin yr hon y daethpwyd i'w galw'n ddiweddarach yn Gymdeithas y Cymod. Cymdeithas Gristnogol anenwadol ydoedd yn ei hanfod, a gynhwysai bobl a gredai'n gryf '… fod pob rhyfel yn groes i ysbryd Iesu Grist, ac mai drwy feithrin ysbryd cariad a heddwch yn unig yr oedd llwyddo Ei deyrnas Ef yn y byd.'[19]

Dechreuodd y Swyddfa Ryfel anfon papurau yn gwysio dynion i'r fyddin ym mis Chwefror 1916, ac yr oedd gan y gwrthwynebydd cydwybodol ddau ddewis, naill ai anwybyddu'r gorchymyn yn ei alw i fyny a disgwyl hyd nes y câi ei arestio, neu gyflwyno cais ffurfiol i glerc y tribiwnlys lleol cyn 2 Mawrth yn galw am gael ei esgusodi rhag gofynion y Ddeddf Orfodaeth. Wedi hynny, gallai ddisgwyl derbyn gwŷs i ymddangos gerbron y tribiwnlys ar ôl o leiaf dri diwrnod o rybudd.

Yr oedd Parry-Williams eisoes wedi ymddangos mewn tribiwnlys cyn mynychu'r gynhadledd dridiau a drefnwyd gan aelodau o Frawdoliaeth y Cymod yn y Bermo yn niwedd Mawrth 1916. Diau mai'r penderfyniad pwysicaf a wnaed gan yr wyth ar hugain a oedd yno'n bresennol oedd cychwyn cyhoeddi misolyn *Y Deyrnas* o dan olygyddiaeth radical Thomas Rees (1869-1926), Prifathro Coleg Diwinyddol Bala-Bangor, cylchgrawn a fyddai'n dod yn gyfrwng i roi llais i'r mudiad o blaid heddwch, i wrthweithio dylanwad peirianwaith propaganda'r Swyddfa Ryfel, ac i fod yn gefn ac yn gynhaliaeth i'r rheini a wynebai'r tribiwnlysoedd oherwydd eu gwrthwynebiad i'r rhyfel.[20] Yr Athro J. Morgan Jones (1873-1946), Bangor, a etholwyd yn drysorydd y fenter, gŵr a fyddai'n olynu Thomas Rees yn brifathro'r Coleg, a'r Parchedig H. Harris Hughes (1873-1956), Bangor, yn ysgrifennydd. Diben y misolyn oedd 'hyrwyddo egwyddorion Teyrnas Nefoedd, a'u cymhwyso at faterion cymdeithas a gwlad mewn achosion byw a llosg', a gwelir, felly, mai ar sail egwyddorion Cristnogol y lleisiai'r cyhoeddiad ei wrthwynebiad i'r Rhyfel.[21]

---

19   Geiriau David Thomas, ibid.
20   Gw. E. H. Griffiths, *Heddychwr Mawr Cymru, I* (Caernarfon, 1967), t. 61.
21   Gw. y nodyn gan y Parchedig H. Harris Hughes yn trafod cychwyn *Y Deyrnas* yn T. Eirug Davies, *Y Prifathro Thomas Rees: Ei Fywyd a'i Waith* (Llandysul, 1939), t. 141.

Egwyddorion y Bregeth ar y Mynydd gyda'i phwyslais ar garu gelynion oedd prif ganllaw cefnogwyr a darllenwyr *Y Deyrnas*.

Beth bynnag a ddywedir am ddaliadau crefyddol T. H. Parry-Williams yn ddiweddarach yn ei oes, y mae'n gwbl amlwg mai heddychwr Cristnogol ydoedd yn ystod y Rhyfel Byd Cyntaf. Yr oedd yn aelod o gapel y Methodistiaid Calfinaidd gartref yn Rhyd-ddu lle'r oedd ei dad yn flaenor. Mynychai'r gwasanaethau yn Siloh Aberystwyth yn rheolaidd yn ystod y tymhorau colegol, ac yr oedd yn athro ar un o ddosbarthiadau Ysgol Sul y myfyrwyr yno hyd at 1917. Tystia'r cerddi a gyhoeddodd ym misolyn Cymraeg yr heddychwyr, 'Crist yn Ddeugain Oed', 'Jerusalem, Jerusalem...' a 'Duw ar Fawrth', a'r gerdd Saesneg yn *The Dragon*, 'Christ at Thirty', ei fod wedi myfyrio'n ddwys ar berson y Crist ac yn ei weld fel ffigur i ymbatrymu arno.[22] Ymuniaethodd â'r Crist gwrthodedig ac erlidedig, a diau i hynny ddeillio o'i brofiadau a'i deimladau ar y pryd.

Un o'r llyfrau y bu'n eu darllen yn ystod cyfnod y rhyfel oedd *Ecce Homo* gan yr hanesydd J. R. Seeley (1834-1895), a gyhoeddwyd yn wreiddiol yn 1866.[23] Canolbwyntio ar ddynoliaeth Crist a wnâi'r llyfr beiddgar hwn, a dderbyniodd lawer o ymateb gan gefnogwyr a beirniaid fel ei gilydd.[24] Ystyriai Seeley fod y Crist yn athronydd moesol a sefydlodd ei weriniaeth fyd-eang ei hun, a dadleuai y dylai dysgeidiaeth Crist fel y'i hamlygir yn y Testament Newydd fod yn sail i wyddor gymdeithasol frawdgarol mewn gwladwriaeth Gristnogol a fyddai'n cofleidio datblygiadau gwyddonol ac yn cefnu ar ofergoeliaeth. Yng nghyd-destun yr ymateb gan rai diwinyddion rhyddfrydol i Ddarwiniaeth, galwai am gofleidio'r meddwl gwyddonol ar draul rhai o athrawiaethau traddodiadol yr Eglwys Anglicanaidd. Mae'n arwyddocaol pa rannau o'r llyfr a farciodd Parry-Williams wrth ei ddarllen, a pha sylwadau a wnaeth ar ymyl y ddalen, oherwydd yr oedd Seeley yn feirniadol o'r Eglwys Gristnogol o gyfnod y Diwygiad Protestannaidd ymlaen am gefnogi gormes ac aflywodraeth, gan atal cynnydd cymdeithasol a gwleidyddol. Hawdd deall

---

22 Gw. ymdriniaeth Angharad Price â'r cerddi yn *Ffarwél i Freiburg*, tt. 362-4, 387-9, 403-9.

23 J. R. Seeley, *Ecce Homo: A Survey of the Life and Work of Jesus Christ* (London, 1866). Fersiwn clawr papur a gyhoeddwyd yng nghyfres llyfrau chwe cheiniog Macmillan yn 1904 sydd yn llyfrgell bersonol Parry-Williams yn y Llyfrgell Genedlaethol. Ar flaen y clawr, a'r tu mewn iddo, y mae'r dyddiad '18 vi 1917' yn llaw Parry-Williams.

24 Gw. Daniel Pals, 'The reception of "Ecce Homo"', *Historical Magazine of the Protestant Church*, 46 (Mawrth 1977), tt. 63-84.

pam y marciau pensel ar rannau o bumed bennod y llyfr a ymwnâi â rhai o egwyddorion y Crist – trugaredd a maddeuant yn fwy na dim – ar adeg pan oedd cymaint o arweinwyr yr Eglwys Gristnogol yn cyfiawnhau ac yn cefnogi'r rhyfel. Gwrthwynebai'r Rhufeiniaid y Crist, ac fe'i croeshoeliwyd gan Beilat am iddo hawlio ei fod yn frenin yr Iddewon, ac am iddo ymwrthod ag unrhyw fath o rym a thrais. Un frawddeg a farciwyd mewn pensel gan Parry-Williams oedd hon, sy'n cyfeirio at esiampl y Crist a'i deyrnas:

> He expressly told Pilate that his kingdom was one the members of which did not fight, and, consistently with this principle, he forbade his follower Peter to take up arms even in order to save him from arrest.[25]

Diau iddo'i nodi nid yn unig oherwydd ei pherthnasedd i amgylchiadau'r dydd, ond am ei bod hefyd yn cadarnhau ei egwyddorion ef ei hun fel un o etifeddion 'y deyrnas'. Mae'r frawddeg ganlynol sy'n cyfeirio at y Crist a farciwyd ganddo hefyd yn awgrym cryf fod y geiriau'n atgyfnerthu ei safiad personol:

> … [he] walked among men as though he were one of them, relieved them in distress, taught them to love each other … and when his enemies grew fiercer, continued still to endure their attacks in silence …[26]

Yr oedd Parry-Williams yn loyw iawn yn ei Feibl, ac wrth ymyl y rhan o'r llyfr sy'n trafod caethwasiaeth yng ngweriniaeth ddamcaniaethol y Crist, yn ôl Seeley, dyma'r hyn a ysgrifennodd:

> Slavery is a political institution – Christ taught no politics! "ai yn gaeth y'th alwyd … eto, os gelli fod yn rhydd mwynha hynny yn hytrach" – Paul.[27]

Er bod tuedd i gyflwyno Parry-Williams fel un o arweinwyr menter Brawdoliaeth y Cymod yn sefydlu'r *Deyrnas*, nid oes tystiolaeth ei fod yn un o'r ceffylau blaen. Yn wir, y mae'n amheus a fu ganddo unrhyw ran arweiniol mewn dim ynglŷn â'r Frawdoliaeth. Fel un a hawliodd ei fod yn

---

25   Seeley, *Ecce Homo*, t. 11.
26   Ibid., t. 17.
27   Ibid., t. 49. Dyfynnu a wnâi o I Corinthiaid 7:21.

wrthwynebydd cydwybodol mewn tribiwnlys, ac fel un a addunedodd i gefnogi'r cylchgrawn drwy gyhoeddi cerddi ynddo yr ymwnâi â'r mudiad heddwch cynnar yng Nghymru. Ni chymerodd unrhyw ran flaenllaw yn ei drefniadaeth. Yn sicr, yr oedd ei argyhoeddiadau yn gryfion a'i safiad yn gywir a diffuant, ond nid oedd yn un o'r trefnwyr. Am ei fod yn ffigur adnabyddus fel bardd a oedd yno ym mhresenoldeb rhai o bobl flaenllaw'r mudiad heddwch, pobl fel Thomas Rees, John Morgan Jones a George M. Ll. Davies, y daeth pobl i gredu ei fod ymhlith yr arweinwyr. Fe gofir bod George M. Ll. Davies, a adwaenid fel 'pererin heddwch', yn un o sylfaenwyr Brawdoliaeth y Cymod yn Llundain, a heb os yn un o heddychwyr mwyaf adnabyddus a dioddefus y dydd.[28]

Yng nghwmni ei gyd-weithiwr a'i gyfaill T. Gwynn Jones yr aeth Parry-Williams i gynhadledd yr heddychwyr yn y Bermo. Mae'n amheus a fyddai wedi mynd yno ar ei ben ei hun, nid oherwydd unrhyw ddiffyg argyhoeddiad, ond oherwydd ei fod yn greadur mor anymwthgar. Un o'r pedwar myfyriwr o Goleg Bala-Bangor a fynychodd y gynhadledd yng nghwmni'r Prifathro Thomas Rees oedd R. J. Jones, a fu o flaen y tribiwnlys ym Mangor a chael ei ryddhau'n ddiamod. Wrth ddwyn i gof ei brofiadau yn y Bermo yn ei hunangofiant flynyddoedd yn ddiweddarach, dywedodd mai honno oedd y gynhadledd fwyaf cofiadwy y bu ynddi erioed. Cofiai weld T. Gwynn Jones yn un o'r cyfarfodydd dan gymaint o deimlad nes bod dagrau'n powlio i lawr ei ruddiau: 'Beth yn fanwl oedd yr achos, ni wn,' meddai, 'ond yr oedd gweld y fath ddyn wedi ei feddiannu mor llwyr yn rhyfeddod mawr i mi.'[29] Cofiai hefyd Parry-Williams wrth y bwrdd bwyd yn y gynhadledd un diwrnod yn estyn iddo ddarn o bapur ac arno linellau o gywydd gan T. Gwynn Jones yn deifiol ddychanu crefyddwyr Ewrop am werthu eu henaid i'r diafol.[30]

Yr oedd T. Gwynn Jones yn llawer mwy cyhoeddus lafar ei wrthwynebiad i'r rhyfel nag oedd Parry-Williams, ac enwid ef yn un o'r siaradwyr yn y gynhadledd heddwch a fyddai'n cael ei chynnal yn Llandrindod ym mis Medi 1917 o dan nawdd cylchgrawn *Y Deyrnas* a than gadeiryddiaeth Thomas

---

28   Gw. Jen Llywelyn, *Pilgrim of Peace: A Life of George M. Ll. Davies* (Talybont, 2016).

29   R. J. Jones, *Troi'r Dail* (Abertawe, 1961), t. 56.

30   Ibid. Gw. hefyd E. Tegla Davies, 'Atgofion', yn rhifyn coffa T. Gwynn Jones o *Y Llenor*, 28 (1949), t. 100.

Rees. Dengys ei aml gyfraniadau yng nghylchgronau'r cyfnod ei fod yn llawer mwy ymosodol ei heddychiaeth na Parry-Williams. Ef piau'r disgrifiad enwog ohono'i hun fel '*pacifist* â'r pwyslais ar y *fist*'.[31] Yr oedd ei feirniadaeth ar y rhyfel a'i achosion, ac ar weinidogion cigyddlyd yn danllyd ac yn angerddol. Yn Chwefror 1916, cyfrannodd erthygl ar 'The Tradition of War' i'r *Venturer*, sef cylchgrawn a gyhoeddid gan Frawdoliaeth y Cymod yn Llundain, lle y dadleuai mai rhyfel oedd y ffordd fwyaf gwallgof o ddatrys pob anghydfod rhwng gwledydd.[32] Yr oedd mynd i ryfel yn dangos bod rheswm wedi methu. Credai'r gwleidyddion fod rhyfela yn beth anrhydeddus a bod gwrthod gwneud yn llwfr. Canmolai safbwynt niwtral yr Unol Daleithiau, a chredai mai'r peth mwyaf anrhydeddus a dewr y gellid ei wneud oedd aberthu er mwyn sicrhau heddwch.

★ ★ ★

Erbyn mis Mawrth 1916 yr oedd ychydig dros ddwy fil o dribiwnlysoedd wedi eu sefydlu o fewn yr awdurdodau lleol ym Mhrydain o dan reolaeth y Bwrdd Llywodraeth Leol. Buasai rhai o'r rheini eisoes yn weithredol cyn pasio'r Ddeddf Orfodaeth oherwydd y drefn o gofrestru sifiliaid a sefydlwyd yn 1915. Sefydlwyd hefyd 83 o dribiwnlysoedd apêl fel bod modd mynd ag achos a wrthodid mewn tribiwnlys lleol ar lefel dosbarth i dribiwnlys apêl ar lefel sirol. Ceid hefyd un Tribiwnlys Canolog y gellid cyflwyno apêl iddo pe na bai pobl yn fodlon ar ddyfarniad y tribiwnlys sirol. Y gŵyn fwyaf cyffredin yn erbyn aelodau'r tribiwnlysoedd oedd fod ganddynt ragfarn amlwg yn erbyn heddychwyr. Y cynghorau lleol gwledig, dosbarth, a bwrdeistrefol a oedd yn gyfrifol am benodi aelodau'r tribiwnlys, a byddai'r rheini'n gyfuniad o gynghorwyr dosbarth a henaduriaid y cyngor sir, ynadon heddwch, ambell glerigwr eglwysig a gweinidog Anghydffurfiol, ambell dirfeddiannwr lleol o Dori, ynghyd â gwas sifil a weithredai fel clerc. Yr oedd gan amryw ohonynt ddaliadau digon ceidwadol a sefydliadol a militaraidd. Yn bresennol hefyd ym mhob cyfarfod o'r tribiwnlys byddai cynrychiolydd milwrol a benodwyd gan y Swyddfa Ryfel, cyn-swyddog wedi ymddeol o'r fyddin fel rheol, ac un a

---

31   Davies, 'Atgofion', ibid., t. 97.
32   *The Venturer*, cyfrol 1, rhif 5 (Chwefror 1916), tt. 153-5.

weithredai fel swyddog recriwtio. Er nad oedd ganddo bleidlais, yr oedd modd iddo ddylanwadu ar y drafodaeth drwy gynnig ei gyngor, yn enwedig felly pan geid aelodau di-glem a hawdd eu camarwain ar y tribiwnlys. Ar ddudalennau'r *Deyrnas*, disgrifiwyd aelodau rhai o'r tribiwnlysoedd fel 'dynionach bychain anwybodus na wyddent ddim am gydwybod ond eu mympwyon eu hunain', a chwynid fod Saeson uniaith yn gweithredu ar y tribiwnlysoedd, hyd yn oed yn y siroedd Cymreiciaf.[33] Prin iawn oedd cydymdeimlad amryw ohonynt â'r sawl a fynnai gael ei eithrio ar sail ei argyhoeddiadau crefyddol a moesol, fel y daeth Parry-Williams i ddeall pan wynebodd y tribiwnlys am y tro cyntaf ym mis Mawrth 1916.

Gwaith aelodau'r tribiwnlys, yn ôl y cyfarwyddiadau swyddogol a dderbynient gan Lywydd y Bwrdd Llywodraeth Leol, oedd penderfynu yn y modd mwyaf diduedd, teg a goddefgar posibl a oedd y gwrthwynebiad ar sail cydwybod yn un didwyll ai peidio. Ond ychydig o degwch a goddefgarwch a geid gan y rhan fwyaf o'r aelodau. At ei gilydd, yr oeddynt yn dra rhagfarnllyd eu hagwedd tuag at yr heddychwyr, a dyfynnid achosion yn y papurau lleol am ddynion yn cael eu trin yn sarhaus a'u bychanu'n wawdlyd wrth i aelodau'r tribiwnlys chwerthin am ben eu hymdrechion i geisio cyfiawnhau eu safiad wrth gael eu croesholi. Y math o gwestiwn nodweddiadol a ofynnid iddynt yn aml oedd 'beth a wnaech petai'r Almaenwyr rheibus yn cyrraedd ac yn ymosod ar eich mam a'ch chwaer?'

Ymylai'r driniaeth a gâi sawl gwrthwynebydd yn aml ar fod yn fwlio. Yn Sir Aberteifi, er enghraifft, yr oedd yn wybyddus i'r awdurdodau fod y Parchedig T. E. Nicholas (Niclas y Glais, 1879-1971), yr heddychwr a'r bardd o sosialydd a oedd yn drefnydd y Frawdoliaeth yn Erbyn Consgripsiwn yn y sir, yn cynorthwyo rhai o fechgyn ardal Llangybi i lenwi eu ffurflenni cais am gael eu heithrio.[34] Ceisiai aelodau'r tribiwnlys, ac yn enwedig y cynrychiolydd milwrol a oedd yno'n bresennol, bwyso ar y bechgyn i gyfaddef pwy a fu'n eu cynorthwyo, a hynny drwy ddulliau holi digon cyfrwys er mwyn ceisio eu baglu a'u cornelu.

Gan nad yw papurau swyddogol tribiwnlys Cyngor Dosbarth Gwledig

---

33 Gw. *Y Deyrnas*, Hydref 1916, t. 2; ibid., Mehefin 1917, t. 3.

34 Hefin Wyn, *Ar Drywydd Niclas y Glais: Comiwnydd Rhonc a Christion Gloyw* (Talybont, 2017), tt. 165-6; gw. hefyd Freeman, *Gwrthwynebwyr Cydwybodol yn Sir Geredigion yn ystod y Rhyfel Byd Cyntaf*, tt. 15-18.

Glaslyn wedi goroesi, nac ychwaith drafodion Tribiwnlys Apêl Sir Gaernarfon (gorchmynnodd y llywodraeth ar ôl y rhyfel fod cofnodion bron pob un o'r tribiwnlysoedd yn cael eu llosgi), y cyfan sydd gennym fel tystiolaeth am ymddangosiad Parry-Williams gerbron y tribiwnlys yw'r adroddiadau a gyhoeddwyd yn y wasg leol.[35] Caniateid i aelodau'r cyhoedd a'r wasg fod yn bresennol yn y cyfarfodydd, oni bai fod aelodau'r tribiwnlys yn mynnu fel arall. Pan ymddangosodd gerbron aelodau o dribiwnlys Cyngor Dosbarth Glaslyn ym Mhorthmadog ar Ddydd Gŵyl Dewi 1916, adroddwyd bod ei gyflogwr, sef awdurdodau Coleg Prifysgol Cymru, Aberystwyth, yn gwneud cais am iddo gael ei eithrio rhag ymuno â'r fyddin am fod ei wasanaeth o wir bwys i'r Coleg. Yr oedd arnynt ei angen i barhau â'r gwaith o baratoi myfyrwyr at eu harholiadau gradd, merched gan mwyaf, ond rhai dynion hefyd nad oeddynt naill ai'n ddigon iach i ymladd neu a esgusodwyd rhag gwasanaethu. Pe bai'r darlithydd yn cael ei alw i'r fyddin, fe amharai hynny'n ddirfawr ar addysg ei fyfyrwyr a'u rhagolygon yn eu harholiadau. Pan alwyd ar y darlithydd ei hun ymlaen, cyhoeddodd fod ganddo wrthwynebiad cydwybodol i wasanaeth milwrol. Nodwyd hefyd nad oedd wedi ardystio. Yr oedd i hynny ei arwyddocâd oherwydd, fel y nodwyd eisoes, o dan amodau Cynllun Derby yn 1915 yr oedd recriwtwyr yn dwyn pwysau ar ddynion i ardystio, a olygai eu bod wedi datgan eu parodrwydd i ymuno â'r fyddin pryd a phan ddeuai'r alwad, a thrwy hynny yr oeddynt dan ymrwymiad i wasanaethu'r wlad a'r brenin. Rhoid sicrwydd iddynt mai yn ôl trefn oedran y caent eu galw, ac y gelwid ar ddynion sengl yn gyntaf cyn dechrau galw ar ddynion priod. Erbyn mis Ebrill 1916, fodd bynnag, dechreuwyd gwysio dynion priod yn ogystal oherwydd y colledion enbyd ar faes y gad, a'r pwysau ychwanegol a roddwyd ar bersonél y fyddin yn sgil Gwrthryfel y Pasg yn Iwerddon. Rhybuddiodd David Thomas yn ei lythyr agored at wrthwynebwyr cydwybodol y cyfeiriwyd ato eisoes na ddylent ar unrhyw gyfrif ardystio cyn gwneud cais am gael eu hesgusodi, am na chaniateid i ddynion hawlio rhyddhad ar sail gwrthwynebiad cydwybodol petaent wedi ardystio.

---

35   Diolchaf i Lynn Crowther Francis o Archifdy Gwynedd am gadarnhau hyn mewn gohebiaeth bersonol, 6 Mawrth 2017. Yr unig gofnodion sydd wedi goroesi yw rhai tribiwnlysoedd Cyngor Dosbarth Gwyrfai am eu bod yng nghasgliad Undeb Chwarelwyr Gogledd Cymru.

Gan na thrafododd Parry-Williams yn unman natur na sail ei argyhoeddiadau fel gwrthwynebwr cydwybodol i'r rhyfel, nid oes gennym syniad manwl am ei gyffes ffydd fel heddychwr. Y cyfan a erys yw adroddiadau'r papurau newydd ar y tribiwnlysoedd yr ymddangosodd ynddynt i sefyll ei dir yn gyhoeddus. Dyna pam y mae'n werth dyfynnu o'r adroddiad yn *Yr Herald Cymraeg* ar y drafodaeth yn y gwrandawiad cyntaf y bu ynddo ddechrau Mawrth 1916. Cadeirydd y tribiwnlys oedd David Fowden Jones (bu farw yn 1942) o Eisteddfa, Cricieth, cynghorydd ar Gyngor Dosbarth Gwledig Glaslyn, aelod o fainc yr ynadon ym Mhorthmadog, a Thori o ran ei liw gwleidyddol. Gwyddom hynny am mai ef oedd ymgeisydd y Ceidwadwyr yn Sir Gaernarfon yn yr etholiad cyffredinol yn 1929:

> Y Cadeirydd: Pe bai pawb fel chwi buasai y Germans yma yn fuan iawn.
> Yr Athro: Pe bai pawb yr un golygiad a mi ni buasai rhyfel o gwbl. Yr wyf
> yn erbyn rhyfel a gwasanaeth milwrol yn gyfangwbl.
> Y Cadeirydd: Pe y deuai y Germans drosodd a gorchfygu y wlad hon buasai
> yn rhaid i bawb wasanaethu fel milwyr yn barhaus. Ymladd yn erbyn
> hynny yr ydym.

> Mewn trafodaeth bellach dywedodd yr Athro ei fod yn ystyried ei fod yn cyflawni gwaith pwysig wrth baratoi yr efrydwyr ieuainc am eu graddau. Pasiwyd trwy bleidlais derfynol y Cadeirydd i wrthod y cais. Datganai y Cadeirydd ei obaith y byddai i'r Prif-ysgolion roddi y flaenoriaeth ar ol i'r rhyfel fyned drosodd i'r dynion oeddynt wedi amddiffyn eu gwlad mewn adeg o ryfel.[36]

Mae'r adroddiad yn y *Carnarvon and Denbigh* yn dyfynnu sylwadau'r cadeirydd air am air, ac yn dweud iddo gyfeirio at ei obaith y byddai colegau Prifysgol Cymru yn rhoi blaenoriaeth i'r dynion a wasanaethodd eu gwlad pan fyddid yn penodi i swyddi Athrawon yn benodol. Wrth wrando ar ei sylwadau, cafodd Parry-Williams ragflas ar y math o ragfarn agored y byddai'n gorfod ei hwynebu ymhen tair blynedd pan fyddai'n cynnig am swydd Athro'r Gymraeg, oherwydd cynyddu a wnaeth y galwadau erbyn diwedd y rhyfel am roi blaenoriaeth i gyn-filwyr wrth benodi i swyddi cyhoeddus. Gan mai

---

36   *Yr Herald Cymraeg*, 7 Mawrth 1916, t. 6. Gw. hefyd yr adroddiad Saesneg yn *The Carnarvon and Denbigh Herald*, 3 Mawrth 1916, t. 6.

trwy bleidlais fwrw'r cadeirydd y gwrthodwyd ei gais am ryddhad, yr oedd y tribiwnlys wedi'i hollti trwy'i ganol. Prawf yw hynny nad oedd y darlithydd prifysgol yn gwbl ddigefnogaeth, a chyhoeddodd ei fwriad i apelio yn erbyn y dyfarniad ymhen y mis.

Bu aelodau'r tribiwnlys ym Mhorthmadog y diwrnod hwnnw'n eistedd am bedair awr yn gwrando ar 33 o achosion, a'r rhan fwyaf ohonynt o ddigon yn geisiadau gan amaethwyr a gafodd eu rhyddhau'n llwyr, a chan rai gweision ffermydd a gafodd eu heithrio'n amodol am un tymor amaethyddol yn unig. Er na allai Parry-Williams ddisgwyl dim ffafrau, mae'n amlwg fod cael ei wrthod yn siom. Yr oedd yn siom hefyd i olygydd *Y Cymro*, a fentrodd ar ddudalen blaen y papur yr wythnos ganlynol feirniadu'r penderfyniad i wrthod cais rhywun mor amlwg â T. H. Parry-Williams am gael ei ryddhau ar sail ei wrthwynebiad cydwybodol i'r rhyfel:

> … y mae gweled fod peth fel hyn yn bosibl yng Nghymru, yn ddigon i ferwi gwaed dyn. I ba beth y dywedir fod gan ddyn hawl i sefyll o'r neilltu ar dir cydwybod, ac y gwrthodir derbyn gair un o safle Dr. Parry Williams? Pe buasai yn gwadnu esgidiau pobl Aberystwyth buasai yn cael aros gartref.[37]

Yr awgrym pigog oedd y byddai ganddo well siawns o gael ei ryddhau petai'n gweithio fel crydd yn hytrach nag fel darlithydd. Nid pawb a arddelai farn gefnogol fel honno am y pasiffistiaid, neu'r 'pasty-faces' fel y gelwid hwy'n watwarus yn y wasg Saesneg.[38] Cywirach adlewyrchiad o ragfarn y cyhoedd yn erbyn y conshis oedd safbwynt un a ddefnyddiai'r ffugenw 'Cymro' yng ngholofn lythyrau'r un rhifyn o'r *Herald Cymraeg* ag a adroddai hanes y tribiwnlys ym Mhorthmadog: 'llwfriaid ydynt yn y gwraidd'. Ac fel pe i roi mwy o halen ar friw cydwybod pob heddychwr, plastrwyd lluniau o rai o'r bechgyn lleol o Lŷn ac Eifionydd a wasanaethai yn y lluoedd arfog yn drwch ar dudalennau rhifynnau'r wythnos honno o'r *Herald Cymraeg* a Saesneg.

Yr oedd ail baragraff ar dudalen blaen *Y Cymro* ar 15 Mawrth 1916

---

37   *Y Cymro*, 15 Mawrth 1916, t. 1.
38   Gw: <http://www.ppu.org.uk/coproject/conscription.html> (cyrchwyd Ebrill 2017); David Boulton, *Objection Overruled: Conscription and Conscience in the First World War* (arg. newydd, Dent, 2014), t. 135.

yn cyfeirio at achos aelod arall o staff Coleg Aberystwyth a fu gerbron tribiwnlys Bwrdeistref Aberystwyth yr wythnos flaenorol, ond a gafodd ei ryddhau. Gyda chefnogaeth J. H. Davies y Cofrestrydd a'r Athro Edward Edwards, apeliai Dr E. A. Lewis am gael ei esgusodi ar y sail ei fod yn gwneud gwasanaeth o bwys cenedlaethol drwy ddysgu palaeograffeg i hanner cant o fyfyrwyr. Trwy gyferbynnu'r ddau achos, yr oedd y papur fel petai'n tynnu sylw at y driniaeth anghyfartal a dderbyniasai'r ddau ddarlithydd. Mewn cyfarfod diweddarach o dribiwnlys Bwrdeistref Aberystwyth, tynnwyd sylw at y rhifyn hwnnw o'r *Cymro* a gyfeiriai at achos Parry-Williams, a galwyd am gywiro'r camargraff mai gerbron tribiwnlys Aberystwyth y bu ac mai trwy bleidlais fwrw'r maer y gwrthodwyd ei gais. Dichon mai oherwydd y dryswch hwn y plannwyd y syniad ym meddyliau rhai pobl mai o flaen tribiwnlys Aberystwyth yr ymddangosodd Parry-Williams, oherwydd yng nghanol helynt y Gadair yn 1919 gwnaed honiad iddo benderfynu cyflwyno'i gais am gael ei eithrio gerbron tribiwnlys Dosbarth Glaslyn ar ôl methu'r tro cyntaf yn Aberystwyth.[39] Honiad cwbl ddi-sail oedd hwnnw oherwydd iddo ymddangos gerbron y tribiwnlys lleol ym Mhorthmadog am mai yn Nhŷ'r Ysgol, Rhyd-ddu, yr oedd wedi ei gofrestru. Yno yr oedd ei gartref swyddogol, a lletya yn nhref Aberystwyth a wnâi yn ystod y tymhorau colegol yn unig. Gan mai swydd dros dro a oedd ganddo yr adeg honno, nid oedd wedi llwyr fwrw gwreiddiau mewn trigfan barhaus.

Ar 25 Ebrill 1916 yr ymddangosodd y darlithydd Cymraeg o Aberystwyth o flaen tribiwnlys apêl Sir Gaernarfon a gadeirid gan Arglwydd Raglaw'r sir, sef J. E. Greaves (1847-1945) o blas Glangwna, Caeathro, un o berchnogion Chwarel y Llechwedd ym Mlaenau Ffestiniog.[40] Adroddodd ei fod yn apelio yn erbyn dyfarniad y tribiwnlys lleol am fod ganddo wrthwynebiad cydwybodol i ryfel yn ogystal ag am fod ei wasanaeth fel darlithydd yn y Coleg o fudd cenedlaethol. Y tro hwn, ymneilltuodd aelodau'r panel i ystyried ei gais y tu ôl i ddrysau caeedig – rhywbeth na ddigwyddai ond

---

39   Gw. yr erthygl 'Sir Edward Anwyl's successor: Who shall it be? Remarkable allegations', *The Carnarvon and Denbigh Herald*, 26 Medi 1919, t. 8.

40   Mab i fanciwr o Leamington, a ddaeth i Dremadog tua 1833 a phrynu Chwarel y Llechwedd, oedd J. E. Greaves. Yr oedd ei frawd, R. M. Greaves, a oedd hefyd yn y fasnach lechi, yn byw yn y Wern, Penmorfa. Gwasanaethodd J. E. Greaves fel Arglwydd Raglaw Sir Gaernarfon rhwng 1886 a 1933.

mewn achosion eithriadol fel arfer – a phenderfynasant ei ryddhau'n amodol am flwyddyn fel y gallai ddychwelyd at ei briod waith.[41] Sefydlwyd pwyllgor gan y Bwrdd Masnach yn y Senedd ddiwedd Mawrth 1916 yn benodol i drafod natur gwaith o bwysigrwydd cenedlaethol, Pwyllgor Pelham fel y'i gelwid. Ei ddiben oedd cynghori'r tribiwnlysodd ynghylch y math o swyddi o fudd cenedlaethol y gellid rhyddhau gwrthwynebwyr cydwybodol i'w cyflawni, ac yr oedd dysgu yn un ohonynt.

Os bwriwn olwg fanylach ar yr apeliadau a'r dyfarniadau a wnaed yn y tribiwnlys y diwrnod hwnnw, fe welwn i Parry-Williams ddod allan ohoni'n eithaf rhwydd, o ystyried fod y gweddill o'r penderfyniadau a wnaed yn rhai eithriadol lym.[42] O'r 21 o bobl a ymddangosodd gerbron y fainc, gwrthodwyd ceisiadau 16 ohonynt yn y fan a'r lle. Dyna ganran o 76% o wrthodiadau. Yr unig un a gafodd ei ryddhau'n llwyr a diamod oedd myfyriwr diwinyddol gyda'r Methodistiaid Calfinaidd a oedd â'i fryd ar gael ei ordeinio ac a oedd newydd dderbyn galwad i fynd yn weinidog ar eglwys yng Ngogledd America. Rhyddhad amodol a gafodd pawb arall, ac ambell un am gyfnod o fis neu ddau yn unig. Dynion busnes lleol oedd rhai o'r apelyddion. Apeliai un gŵr a chanddo fusnes cludo nwyddau gyda cheffyl a throl yn erbyn mynd. Cyflogai hyd at saith o ddynion, a chludai dunelli o nwyddau bob wythnos o orsaf drenau Porthmadog i Feddgelert, ac o'r felin flawd i ffermydd lleol. Yr oedd hefyd yn gofalu am ei fam weddw, ac nid oedd ei frawd yn alluog i redeg y busnes yn ei absenoldeb. Rhoddwyd cyfnod o ddeufis iddo roi ei dŷ mewn trefn cyn gorfod mynd. Yr oedd groser o Borthmadog a sefydlodd ei fusnes ei hun gydag ond ychydig o gyfalaf yn honni ei fod wedi gweithio'n galed i adeiladu ei fusnes a chreu trosiant o £3,000 y flwyddyn, ac ofnai y byddai'r cyfan yn mynd i'r gwellt pe bai gorfodaeth arno i fynd i'r fyddin. Caniatawyd chwe mis iddo ymbaratoi cyn hel ei bac a mynd. Apeliai pobydd o'r un dref am gael ei eithrio am nad oedd neb arall ond efô ar gael i bobi bara am fod pobyddion

---

41   *Yr Herald Cymraeg*, 2 Mai 1916, t. 6. Derbyniodd Parry-Williams lythyr gan y bardd Eifion Wyn o Borthmadog, dyddiedig 18 Mai, yn cyfeirio at ei ryddhau wedi i'r tribiwnlys blaenorol ei wrthod: 'Clywais i Sanhedrin y Sir fod yn ddigon gwladgar i'ch gollwng yn rhydd. Diolch mai nid Ffowdeniaid pawb', gw. LlGC 'Papurau T. H. Parry-Williams', CH603.

42   Gw. yr adroddiad yn *Y Genedl Gymreig*, 2 Mai 1916, t. 7. Mae hwn yn llawnach na'r adroddiad a gafwyd yn yr *Herald Cymraeg*.

mor brin. Dywedwyd wrtho'n swta y gallai merched wneud y gwaith, a gwrthodwyd ei apêl. Hawliai pedwar o apelyddion eraill eu bod yn edrych ar ôl aelodau oedrannus o'u teulu a oedd yn llwyr ddibynnol arnynt am bethau fel talu'r rhent. Pe gorfodid iddynt fynd, byddai'n galed ar y bobl oedrannus hebddynt, ond ni ddangoswyd dim trugaredd. Hawliai un o feibion Hafod y Llan, Nantgwynant, a oedd yn was fferm yn Hafod Lwyfog, Nantgwynant, fod y gwaith a gyflawnai yn anhepgorol, ond ni chytunai aelodau'r fainc a bu'n rhaid iddo yntau fynd i'r gad.

Yr oedd un gweinidog rhan-amser o Benmorfa, a oedd hefyd yn ffermio, yn apelio ar ran ei nai, sef mab ei ddiweddar frawd. Gan na allai'r gweinidog ffermio ar ei ben ei hun oherwydd ei fod yn rhannol anabl, dadleuai fod angen cymorth y nai arno. Fe'i heriwyd gan y swyddog milwrol sirol a oedd yn bresennol, sef y Lifftenant Caradog Davies, gŵr y byddai Parry-Williams yntau'n gorfod dal pen rheswm ag ef ymhen y flwyddyn. Dywedodd y Lifftenant wrth y gweinidog rhan-amser anabl: 'Yr ydych yn edrych yn dda yn eich wyneb', cyn cael yr ateb, 'Nid yno y mae'r drwg, ond yn fy nhraed.' Mynd i'r fyddin fu raid i'r nai. Gofynnodd ei ewythr am ganiatâd i fynd â'r apêl ymhellach, ond gwrthodwyd y cais. Yr argraff a geir wrth ddarllen yr adroddiad yw pa mor gwbl ddiymadferth oedd llawer o'r dynion hyn wrth geisio cyflwyno'u dadleuon ynghylch eu hamgylchiadau a'u hanawsterau personol a theuluol wrth ddod wyneb yn wyneb â gorfodaeth a llaw haearn y wladwriaeth.

Un arall a fu o flaen ei well y diwrnod hwnnw oedd William Francis Hughes, cefnder mynwesol Parry-Williams. Dadleuai ef ei fod yn ddinesydd Americanaidd a'i fod yn helpu ei dad ar y fferm gartref yn Oerddwr Uchaf. Cedwid 35 o wartheg a 500 o ddefaid ar 550 o erwau gwasgaredig, a chan ei bod yn anodd canfod gweision i gynorthwyo, yr oedd ei wasanaeth ef yn anhepgorol. Er gwaethaf ymdrech lew i argyhoeddi aelodau'r tribiwnlys o ddilysrwydd ei gais, ni allai gyflwyno prawf o'i ddinasyddiaeth Americanaidd, ac o ganlyniad methu a wnaeth ei apêl. Er mai yn Oerddwr y'i ganed, treuliodd naw mlynedd yn yr Unol Daleithiau a chyfeiriodd Parry-Williams at ei gefnder ymhen blynyddoedd wedyn fel un a fu'n 'crwydro'r byd gorllewinol, nes bod ganddo acen Americanaidd yn ei Saesneg'.[43] Ymfudasai ei chwaer, Kate Olwen, gyda'i gŵr i Ogledd America yn 1906, gan ymsefydlu yn Butte, Montana, ac yno y bu farw yn ddwy ar bymtheg ar hugain oed yn Hydref 1918.[44] Mae'n amlwg nad oedd treulio cyfnod yn gweithio yn yr Unol Daleithiau yn ddigon i William allu hawlio iddo ennill dinasyddiaeth yno.

Yr unig ddau a apeliai ar sail eu gwrthwynebiad cydwybodol y tro hwnnw oedd Parry-Williams a Griffith Williams, prifathro ysgol gynradd Nanmor. Yn rhyfedd iawn, gwrthodwyd apêl y prifathro a gorchmynnwyd iddo fynd i Gorfflu Meddygol y Fyddin. O ystyried mor llym oedd dyfarniadau'r panel, byddid yn maddau i unrhyw un am deimlo bod y driniaeth a dderbyniodd Parry-Williams yn drugarog tu hwnt. Ni fyddem yn synnu dim petai rhywfaint o anniddigrwydd ymhlith y gwrthodedigion siomedig ynghylch y flwyddyn amodol o ras a dderbyniodd y darlithydd prifysgol, yn enwedig am i'r gwrthwynebydd cydwybodol arall a oedd yno fethu â chael caniatâd i aros yn ei swydd yn ysgol Nanmor. Pa ddrwgdeimlad a grëwyd yn lleol ynghylch y driniaeth ymddangosiadol gydymdeimladwy a dderbyniodd mab Tŷ'r Ysgol, Rhyd-ddu, ni ellir ond dyfalu.

Yr oedd modd i Parry-Williams goleddu'i ddaliadau fel heddychwr heb orfod cyhoeddi hynny oddi ar bennau'r tai yn ystod deunaw mis cyntaf y rhyfel, a chadw'i ben yn isel gan ymroi i'w waith ac ymgynnal o ddydd i ddydd orau y medrai. Ond unwaith y pasiwyd y Ddeddf Orfodaeth, deuai ei safiad pasiffistaidd yn un tra chyhoeddus a rhaid oedd ymrwymo wrtho doed a ddelo a pharatoi i wynebu'r byd a'i holl gasineb. Yn ystod y cyfnod hwn pan gyhoeddwyd hanes ei apêl gerbron y tribiwnlys yn y wasg y derbyniodd lythyr gan ysgolhaig a gwas sifil o Sais, y bu'n rhoi gwersi Cymraeg iddo yn ei amser hamdden er 1914, yn dweud ei fod am dorri pob cysylltiad ag ef oherwydd ei safiad.[45] Byddai gweld pobl ddeallus a chyfrifol yn cefnu arno fel hyn wedi ei frifo i'r byw.

---

43 Gw. y sgript sgwrs radio, 'Personau', LlGC 'Papurau T. H. Parry-Williams', G91. Yn Oerddwr Uchaf yr oedd yng Nghyfrifiad 1881 yn faban dros ei flwydd oed. Mewn ysgrif goffa iddo, mae Canwy (J. H. Williams) yn dweud hyn amdano: '… treuliodd fore oes yn ffermio gyda'i rieni. Anturiodd i America a bu yno am 9 mlynedd. Torrwyd ar ei heddwch, ie heddwch gan y Rhyfel Mawr 1914-18. Peth ofnadwy i dangnefeddwr fel William Oerddwr oedd gorfod mynd i'r lladdfa yn Ffrainc', *Yr Herald Cymraeg*, 31 Ionawr 1966, t. 7.

44 *Y Drych*, 21 Tachwedd 1918, t. 3.

45 Hanesyn a adroddwyd gan Jenkins, 'Atgofion Myfyriwr III', t. 269.

Er mor annymunol fuasai'r profiad o ymddangos gerbron y tribiwnlys y ddau dro hynny yn 1916, cafodd lawer llai o anawsterau nag eraill yn yr un sefyllfa. Wynebodd David Thomas, er enghraifft, lu o drafferthion pan geisiodd gael ei ryddhau'n amodol er mwyn gallu parhau â'i waith fel athro ysgol. Gosodwyd pob math o rwystrau yn ei ffordd. Gwrthodwyd ei gais gan y tribiwnlysoedd lleol a sirol, a bu'n rhaid iddo gyflwyno apêl i'r Tribiwnlys Canolog yn Llundain.[46] Dyfarnodd hwnnw na châi gadw ei swydd fel athro yn Nhal-y-sarn ac y byddai'n rhaid iddo ganfod swydd arall hanner can milltir i ffwrdd o'i gartref. Ar ôl gwneud sawl cais seithug am swydd, llwyddodd yn y pen draw i gael lle fel gwas fferm yn y Bers, Wrecsam, lle y bu tan ddiwedd y rhyfel, cyn dychwelyd i'w hen swydd fel athro. Yng ngeiriau ei wyres, Angharad Tomos: 'Cafodd ei heddychiaeth ei herio i'r eithaf a phrofodd ganlyniadau sefyll dros egwyddor amhoblogaidd.'[47]

Yr oedd rhai o wrthwynebwyr y rhyfel yn fodlon wynebu carchar yn hytrach nag ufuddhau i ddedfryd a gorchymyn y tribiwnlysoedd. Absoliwtydd o'r fath oedd Ithel Davies o Gwm Tafolog ym mhlwyf Cemaes ger Mallwyd, a wrthodai wneud dim oll a fyddai'n gysylltiedig â'r rhyfel, na hyd yn oed ymgymryd â gwaith o bwysigrwydd cenedlaethol. Gwrthododd ardystio o dan y cynllun cofrestru cenedlaethol ac ymaelododd â'r Frawdoliaeth yn Erbyn Gorfodaeth gan wynebu ei dynged yn gwbl eofn.[48] Ar ôl cael ei wysio i ymddangos gerbron y tribiwnlys lleol ym Machynlleth, gwrthodwyd ei gais am ryddhad. Pan apeliodd wedyn yn erbyn y penderfyniad hwnnw yn y tribiwnlys sirol, yr unig gyfaddawd a gynigiwyd iddo oedd ei fod i ymuno â'r fyddin i wneud gwasanaeth heb fod o natur ymladdol. Penderfynodd anwybyddu'r gorchymyn ac, o ganlyniad, cafodd ei arestio a'i ddedfrydu i fisoedd o garchar â llafur caled. Oherwydd ei agwedd gwbl unplyg a heriol o ddigyfaddawd, enynnodd lid a dicter sawl swyddog mewn lifrai. Fe'i gwnaeth ei hun mor amhoblogaidd ymhlith swyddogion y carchar milwrol yn yr Wyddgrug nes i un rhingyll geisio dysgu gwers iddo drwy ei ddyrnu'n ddidrugaredd a thorri asgwrn ei drwyn. Cafodd ei guro a'i gosbi drwy ei roi mewn gwasgod rwym, a chodwyd ei achos o gamdriniaeth ar lawr Tŷ'r Cyffredin. Nid eithriad oedd

---

46   Gw. Tomos, *Hiraeth am Yfory*, tt. 85–7; Kramer, *Conscientious Objectors*, tt. 64–6.
47   Tomos, *Hiraeth am Yfory*, t. 93.
48   Gw. Ithel Davies, *Bwrlwm Byw* (Llandysul 1984), tt. 61–79.

ei achos ef, ond un o blith nifer o enghreifftiau tebyg o gamdriniaeth erchyll a ddioddefodd heddychwyr ar law swyddogion y fyddin.[49]

Un arall a wrthwynebai'r rhyfel, wrth gwrs, oedd Gwenallt, a fyddai ar ôl y rhyfel yn mynd yn fyfyriwr i'r Adran Gymraeg wrth draed T. H. Parry-Williams, cyn cael ei benodi maes o law yn aelod o'r staff. Am ei fod yntau fel Ithel Davies yn absoliwtydd, cafodd ei garcharu a throdd ei brofiadau yn nofel led hunangofiannol, *Plasau'r Brenin* (1934).[50]

Yr oedd yn anos i'r rhai a wrthwynebai'r rhyfel am resymau gwleidyddol gael eu heithrio na'r rhai a wrthwynebai am resymau crefyddol neu foesol.[51] Mae'n ddigon posibl hefyd i'w oedran fod o blaid Parry-Williams, oherwydd i'r Tribiwnlys Canolog yn Llundain gyhoeddi cyfarwyddyd yn dweud y dylid ystyried oedran wrth bwyso a mesur ceisiadau am ryddhad, gan fod dyn aeddfetach ei farn a'i feddwl wedi cael mwy o amser i fesur hyd a lled ei gydwybod.[52] Cafodd y darlithydd wyth ar hugain oed ganiatâd i ddychwelyd at ei waith yn y Coleg gan Dribiwnlys Apêl Sir Gaernarfon ym mis Ebrill 1916, ond gwyddai y byddai'n rhaid iddo ymddangos o flaen ei well ymhen y flwyddyn i ddadlau'i achos drachefn.

Ar 22 Mawrth 1917 y cynhaliwyd yr olaf o'r tri gwrandawiad y bu ynddynt yn ystod y rhyfel, a hynny yn nhref Pwllheli, lle'r oedd y cadeirydd J. E. Greaves a'i gyd-aelodau yn gwrando ar achosion apêl o ardaloedd cynghorau gwledig Llŷn a Glaslyn, a chynghorau tref Porthmadog a Phwllheli. Yr oedd yr adroddiadau ar achos Parry-Williams yn y wasg y tro hwn yn llawnach ac yn feithach nag yr oeddynt flwyddyn ynghynt, sy'n dangos bod llawer mwy o ddiddordeb yn ei hanes. Rhoid sylw amlycach hefyd i'w enwogrwydd cenedlaethol fel bardd a gyflawnodd y gamp o gipio'r Gadair a'r Goron yn yr un Eisteddfod Genedlaethol ddwywaith, y tro cyntaf yn Wrecsam yn 1912 a'r ail dro ym Mangor yn 1915.

Er gwaethaf ei enwogrwydd fel prifardd a'i statws fel darlithydd prifysgol a ryddhawyd yn amodol am fod ei waith yn cael ei ystyried yn bwysig i'r wlad,

---

49 Am enghreifftiau tebyg o gamdriniaeth, gw. Boulton, *Objection Overruled*, tt. 146-64.
50 Gw. Alan Llwyd, *Gwenallt: Cofiant D. Gwenallt Jones 1899-1968* (Talybont, 2016), tt. 66-84; Diarmait Mac Giolla Chríost, 'Gwenallt yn Wormwood Scrubs a Dartmoor', *Llên Cymru*, 37 (2014/15), tt. 58-69.
51 Gw. Kramer, *Conscientious Objectors*, tt. 54-5.
52 Ibid.

wynebodd her wirioneddol yn y tribiwnlys y tro hwn am fod y cynrychiolydd milwrol, y Lifftenant Caradog Davies, yn unol â chyfarwyddyd Cyngor y Fyddin, yno'n unswydd i adolygu achos pob dyn o dan un ar ddeg ar hugain oed a ddaliai dystysgrif ryddhad amodol. Gan fod Parry-Williams ar y pryd yn naw ar hugain oed, mynnai'r Lifftenant Davies fod ganddo'r hawl i dynnu ei dystysgrif eithrio oddi arno a'i recriwtio i'r fyddin. Dadleuai'r darlithydd nad oedd ei achos ef yn ddarostyngedig i orchymyn y fyddin am na chaniateid adolygu achosion pobl a gafodd eu rhyddhau ar sail eu cydwybod. Mynnai mai ei brif reswm dros apelio flwyddyn ynghynt oedd fod ganddo wrthwynebiad cydwybodol i ryfel, yn ogystal â'i fod wrth ei alwedigaeth yn cyflawni gwaith o bwysigrwydd cenedlaethol. Er mwyn ategu'r farn ei fod yn cyflawni swyddogaeth a oedd yn fwy buddiol i'r wladwriaeth nag unrhyw waith arall y gallai fod yn ei wneud, gofynnodd am i lythyrau gan y Prifathro T. F. Roberts a'r Cofrestrydd J. H. Davies, a oedd ym meddiant y clerc, gael eu darllen.

Esboniodd y Cofrestrydd na fu'n bosibl penodi neb i lenwi'r bwlch yn lle'r diweddar Athro Edward Anwyl oherwydd dyfodiad y rhyfel, a bod gwaith yr Adran Gymraeg yn cael ei wneud gan ddau darlithydd cynorthwyol ac un Darllenydd. Gan fod un o'r ddau ddarlithydd wedi ymuno â'r fyddin, ysgwyddid y rhan fwyaf o'r baich dysgu gan T. H. Parry-Williams. Ef hefyd oedd arholwr mewnol yr Adran ar gyfer arholiadau gradd Prifysgol Cymru.

Tystiai'r Prifathro ei fod yn adnabod y darlithydd er pan ddaethai i Goleg Aberystwyth yn lasfyfyriwr, a chadarnhaodd pa mor anhepgorol oedd ei gyfraniad i waith yr Adran: byth oddi ar farwolaeth Edward Anwyl, ef a oedd wedi cynnal pen trymaf y gwaith o ddysgu iaith a llenyddiaeth Gymraeg a pharatoi myfyrwyr ar gyfer eu harholiadau gradd pàs ac anrhydedd. Am fod y Gymraeg yn bwnc pwysig yng ngolwg y Brifysgol, ac yn bwnc poblogaidd gan fyfyrwragedd a oedd â'u bryd ar ddysgu mewn ysgolion cynradd ac uwchradd, cyflawnai'r darlithydd waith o bwysigrwydd cenedlaethol.

Yn Saesneg y cynhaliwyd y gwrandawiad, ac mae'r adroddiadau arno a geir yn y *Carnarvon and Denbigh Herald* a'r *Cambrian News* gryn dipyn yn llawnach na'r adroddiad yn yr *Herald Cymraeg*.[53] Crynodeb wedi'i gyfieithu'n unig a geid yno. Mae'n werth dyfynnu rhan o'r adroddiad a gyfeiriai at farn y Prifathro T. F. Roberts am safiad a chymeriad y darlithydd:

> Without expressing any opinion as to the merits of the grounds of conscientious objection which Dr Parry Williams felt against military service, he had no doubt whatever that they were genuinely held by him and that he was a man who was governed by a scrupulous standard of integrity in all that he undertook.[54]

Ni waeth pa mor werthfawr oedd gwasanaeth y darlithydd yn y Coleg, meddai'r Llifftenant Caradog Davies, ni ddylid ei esgusodi ar y sail honno gan fod dybryd angen dynion o dan un ar ddeg ar hugain oed ar y fyddin. Ei ddylestwydd bennaf ef oedd corlannu cymaint byth o ddynion ag y medrai er mwyn atgyfnerthu'r rhengoedd ar faes y gad. Aeth ymlaen i ddatgelu nad oedd dim esboniad ysgrifenedig wedi'i nodi ar y dystysgrif eithrio, fel na allai Parry-Williams o'r herwydd haeru mai ar sail ei gydwybod y cafodd ryddhad amodol. Pe bai ei wrthwynebiad cydwybodol wedi'i nodi fel rheswm ar y dystysgrif, cydnabu'r Llifftenant na fyddai ganddo hawl i'w herio, ond yn niffyg hynny, yr oedd yn benderfynol mai ar sail ei waith yn y Coleg y cafodd ei ryddhau, a bod ganddo, o ganlyniad, berffaith hawl i'w wysio i'r fyddin. Gwasgai'r cynrychiolydd milwrol yn galed. Gan ei fod yn bresennol yn y tribiwnlys sirol flwyddyn ynghynt, tybed a gorddai teimladau ynddo fod y darlithydd wedi cael gwrandawiad rhy oddefgar ac iddo ennill ei ryddhad yn rhy rwydd? Wrth ymateb, mynnai Parry-Williams mai ar sail ei wrthwynebiad cydwybodol yn bennaf y dadleuasai ei achos o'r cychwyn cyntaf, a'i fod hefyd o'r farn ei fod yn cyflawni gwaith o bwys cenedlaethol.

Cadarnhaodd clerc y tribiwnlys nad oedd yr union reswm dros ei ryddhau wedi'i nodi ar ei dystysgrif eithrio, a rhoes y cadeirydd ei big i mewn er mwyn ceisio torri'r ddadl drwy ddweud fod ganddo frith gof mai ar sail ei gydwybod y cafodd ei ryddhau flwyddyn ynghynt. Ond gan nad oedd dim i brofi hynny ar ddu a gwyn, gair Parry-Williams yn erbyn gair y Llifftenant Davies oedd hi.

---

53   Gw. yr adroddiadau yn *The Carnarvon and Denbigh Herald*, 23 Mawrth 1917, t. 8; 'Ap[ê]l y Bardd Cenedlaethol', *Yr Herald Cymraeg*, 27 Mawrth 1917. t. 4; 'Welsh Bard Exempted', *The Cambrian News*, 30 Mawrth 1917, t. 5.

54   *The Cambrian News*, 30 Mawrth 1917, t. 5.

Dyma flas ar weddill y drafodaeth rhwng y ddau, gan ddyfynnu o'r adroddiad manwl yn y *Cambrian News*:

> Dr Parry Williams – My case is much stronger than twelve months ago. I am now doing the work of two men: that of a professor and a lecturer.
>
> In answer to the Military Representative he said he already suffered on account of his conscientious objection. Some people had made efforts to deprive him of the post.
>
> The Military Representative – You have suffered no financial loss.
>
> Dr Parry Williams – Oh, no; but I may say that I do not attach much importance to money.
>
> The Military Representative – Do you persist to-day that your chief objection to military service is conscientious objection?
>
> Dr Parry Williams – Yes.
>
> [The Military Representative] – You put it on a higher plane than your duties?
>
> [Dr Parry Williams] – Yes, it is my main ground. At the same time I submit that my work is of national importance.[55]

Yr oedd hon fel dadl gylch a chwlwm diddatod. Er mwyn datrys pethau, ymneilltuodd y naw aelod o'r tribiwnlys i drafod yr achos yn y dirgel. Pan ddychwelasant yn ddiweddarach a chyhoeddi eu bod yn anwybyddu apêl y cynrychiolydd milwrol ac yn caniatáu rhyddhad amodol i Parry-Williams ar sail ei wrthwynebiad cydwybodol, yn ogystal ag ar sail ei waith a ystyrid o fudd cenedlaethol, croesawyd y newydd gan rai o'i gefnogwyr a oedd yno â bonllef o gymeradwyaeth.

Gwerth nodi, efallai, mai tribiwnlys milwrol oedd hwn yn ei hanfod, a bod y swyddog wedi bwrw amheuaeth ar ddilysrwydd daliadau cydwybodol Parry-Williams. Dyna pam yr oedd ef ei hun yn mynnu mor daer mai ar sail ei gydwybod yn bennaf y cafodd ei eithrio flwyddyn ynghynt, a bod ei safiad yn un cwbl ddiffuant a gonest. Yr oedd y swyddog hefyd yn bychanu pwysigrwydd ei waith fel darlithydd drwy ddadlau nad oedd hynny ynddo'i hun yn ddigon i'w atal rhag cael ei wysio i'r fyddin, er gwaethaf ymgais y Cofrestrydd a'r Prifathro i wrthbrofi hynny yn eu datganiadau o gefnogaeth. Un cyfaddefiad annisgwyl braidd gan Parry-Williams, fel y gwelsom, yw iddo ddioddef ar gorn ei safiad am i rywrai gelyniaethus geisio'i ddisodli a'i

---

55   Ibid.

amddifadu o'i swydd. Mae hyn yn dra dadlennol, oherwydd nid oes yn unman arall, hyd y gwyddys, dystiolaeth iddo ddioddef erledigaeth o'r math hwnnw cyn profi'r gwrthwynebiad a fu i'w gais am swydd Athro'r Gymraeg yn ystod haf 1919 a haf 1920. Diau mai sylw bwriadol-sarhaus gan y Lifftenant oedd dweud nad oedd y darlithydd wedi bod ar ei golled yn ariannol oherwydd yr erlid, fel petai'n disgwyl iddo fod wedi dioddef caledi oherwydd ei safiad. Hawdd dychmygu mai'r peth olaf ar feddwl y darlithydd dan yr amgylchiadau hynny fyddai'r arian yn ei boced.

Gan nad oedd nodyn ar ei dystysgrif yn esbonio pam y cafodd ei eithrio'n amodol ym mis Ebrill 1916 – blerwch gweinyddol digon anesgusodol, a dweud y gwir – daeth o fewn trwch blewyn i gael ei orfodi i ymuno â'r fyddin. Petai hynny wedi digwydd, gallai'n hawdd fod wedi cyfeirio'i apêl at y Tribiwnlys Canolog yn Llundain, a'r tebyg yw y gwyddai aelodau'r tribiwnlys apêl sirol ym Mhwllheli y câi wrandawiad ar sail yr esgeulustod gweinyddol. Buasai hynny'n adlewyrchiad gwael ar y cadeirydd a'r clerc, a gall fod awydd i osgoi unrhyw chwithdod o'r fath yn un o'r rhesymau a barodd i'r fantol droi o'i blaid.

Er gwaethaf her y Lifftenant Caradog Davies a'i agwedd haerllug o ddigydymdeimlad, y mae rhywun yn casglu rhwng y llinellau fod agwedd ambell aelod o'r tribiwnlys yn fwy cefnogol. Dyma'r hyn a nododd Parry-Williams yn ei ddyddiadur ar y diwrnod hwnnw:

Dydd Iau, 22 Mawrth 1917 – Cychwyn i Bwllheli i'r Tribunal. Condl. Exempt. Dyfod yn [ô]l o Bwllheli ym motor T. Griffith Llanrwst (aelod o'r tribunal).[56]

Teithiodd adref i Ryd-ddu yng ngherbyd Thomas Griffith, aelod o'r tribiwnlys a oedd yn ynad heddwch yn nhref Llanrwst, ac wrth ei waith bob dydd yn oruchwyliwr ar ystad Gwydir. Yr oedd digon o gefnogaeth i'w sefyllfa ymhlith aelodau'r panel, a diau fod ganddynt barch i'w enw da fel bardd ac i'w safle fel darlithydd, yn enwedig ar ôl clywed geirda dau o brif swyddogion

---

56   Dalen rydd o ddyddiadur am y cyfnod 11-31 Mawrth 1917, LlGC 'Papurau T. H. Parry-Williams', M430. Yn ôl nodyn yn llaw Parry-Williams yn Llyfr Melyn Oerddwr, t. 82, treuliodd chwe diwrnod yn dilyn y gwrandawiad apêl yn Oerddwr: 'Yma'n Oerddwr o ddydd Sul, y 25ain o Fawrth 1917, hyd ddydd Sadwrn y 31ain o'r un mis.'

y Coleg i'w gyfraniad fel addysgwr. Mae'n bosibl hefyd iddo lwyddo, trwy gyfrwng ei ddull tawel a phwyllog o ddal ei dir, i argyhoeddi mwyafrif yr aelodau o gryfder a diffuantrwydd ei safiad egwyddorol.

Pe bai rheswm ar ei dystysgrif yn nodi mai pwysigrwydd ei waith fel darlithydd oedd prif achos ei ryddhad amodol yn Ebrill 1916, mae'n ddigon posibl na fuasai'r tribiwnlys ym Mawrth 1917 wedi bod lawn mor drugarog. Petai pethau wedi mynd yn ei erbyn, byddai wedi gorfod dewis rhwng naill ai cyfaddawdu drwy dderbyn swydd nad oedd yn uniongyrchol gysylltiedig ag ymladd, neu benderfynu styfnigo ac ymwrthod yn llwyr ag unrhyw orchwylion milwrol gan wynebu cael ei garcharu. Gan na fu'n rhaid iddo ddewis, ofer efallai yw inni ddamcaniaethu. Ond eto, yr oedd dynion yn ei sefyllfa ef yn cael eu gwrthod ac yn gorfod penderfynu sut i ymateb. Pe bai pethau wedi mynd i'r pen arno, nid yw'n amhosibl y byddai wedi dewis gwasanaethu yng Nghwmni Cymreig y Corfflu Meddygol lle'r oedd ei frawd Oscar, yn enwedig o ystyried iddo fynegi diddordeb mewn astudio meddygaeth mor gynnar â 1915. Trwy wneud hynny byddai wedi llwyddo i osgoi unrhyw annifyrrwch a allasai fod gartref, a byddai hefyd wedi llwyddo i gael rhywfaint o brofiad ymarferol a fyddai wedi bod yn hwb i'w gynlluniau i astudio meddygaeth ar ôl y rhyfel.

O ystyried hefyd ei gymwysterau fel ieithydd, gallai'n hawdd fod wedi manteisio ar y cysylltiadau a oedd gan Gofrestrydd y Coleg, J. H. Davies, â swyddfa'r Prif Sensor yn Llundain. Ym Mehefin 1916, er enghraifft, ysgrifennodd J. H. Davies at yr ysgolhaig Morgan Watkin yn dweud y gallai ei gael ef i mewn i Adran Sensor y Swyddfa Ryfel, petai'n dymuno.[57] Cynigiodd hefyd weithredu dros Edward Stanton Roberts drwy geisio cael swydd iddo fel sensor llythyrau Cymraeg, petai yntau'n dymuno, a diau y gallai fod wedi estyn ei gefnogaeth i Parry-Williams yn yr un modd.[58] Ond buasai'r drws ymwared hwnnw ar agor i Parry-Williams cyn i'r Ddeddf Orfodaeth ddod i rym, a gallai'n hawdd fod wedi mynd i swydd heb fod o natur ymladdgar o

---

57   Llythyr J. H. Davies at Morgan Watkin, 6 Mehefin 1916, LlGC 'Papurau Morgan Watkin' (heb eu catalogio): 'Are you of military age? Are you medically fit? I ask because I think it possible I might get you into the Censor's department. I got one man in some months ago ... a friend of mine is in very close touch with the Chief Censor.'

58   Gw. llythyr Edward Stanton Roberts at T. Gwynn Jones, 'Calan Gaeaf' 1915, LlGC 'Papurau T. Gwynn Jones', G4954.

ddewis ac o wirfodd, cyn cofrestru ei wrthwynebiad ac ymddangos gerbron y tribiwnlys. Prawf diymwad o gryfder ei ddaliadau a'i egwyddorion yw iddo wrthod gwneud hynny a dewis troedio llwybr unig a gofidus y gwrthwynebydd cydwybodol.

Mae'n amhosibl inni wybod a gyfeiriodd Parry-Williams yn benodol at ei wrthwynebiad crefyddol ai peidio yn ystod ei ymddangosiadau o flaen y tribiwnlys. Nid oes mwy o fanylion am ei resymau na'r hyn a geir yn y datganiad cyffredinol ganddo a ddyfynnwyd yn yr *Herald Cymraeg* ym Mawrth 1916: 'Yr wyf yn erbyn rhyfel a gwasanaeth milwrol yn gyfangwbl'. Gallasai fod yn gwrthwynebu rhyfel a gwasanaeth milwrol am resymau dyneiddiol, wrth reswm, fel y gwnâi llawer, neu ynteu am resymau gwleidyddol. Mae'n ddigon posibl na ofynnwyd iddo ymhelaethu ar ei resymau gan aelodau'r tribiwnlys, wrth gwrs, neu, os cynigiodd sylwadau pellach ar ei ddaliadau ar lafar, na chawsant mo'u dyfynnu gan y wasg. Ond oherwydd ei bresenoldeb yn y gynhadledd honno yn y Bermo, lle'r oedd rhai o brif arweinwyr Cymreig y gwrthwynebiad Cristnogol i'r rhyfel yn bresennol, gellir tybio mai safbwynt Cristnogol a oedd ganddo yntau hefyd yn bennaf.

Er iddo gael ei ryddhau'n amodol ym Mawrth 1917, nid oedd yn llwyr ddihangol rhag crafangau'r awdurdodau milwrol, oherwydd ceir cofnod yn ei ddyddiadur iddo dderbyn dau lythyr ynghylch cael archwiliad meddygol ym mis Gorffennaf 1917.[59] Yna, ym mis Chwefror 1918, cofnododd iddo dderbyn galwad i fynd i Wrecsam am archwiliad gan Fwrdd Meddygol y fyddin.[60] Mae'n amlwg nad oedd y blaidd militaraidd wedi cilio o'r drws.

Os teimlai fod cyfnod y rhyfel ei hun yn boenus, yr oedd gwaeth i ddod, oherwydd pan ddaeth yn amser i lenwi'r Gadair Gymraeg yn 1919 cafodd ei erlid gan ohebwyr dienw yn y wasg, gan amrywiol ganghennau o gymdeithas cyn-aelodau'r lluoedd arfog, yn ogystal â chan ffigurau cyhoeddus amlwg fel y Cadfridog-Frigadydd Owen Thomas (1858-1923), Aelod Seneddol Môn, a'r Gwir Barchedig John Owen (1854-1926), Esgob Tyddewi, a oedd yn aelod o Lys Llywodraethwyr Coleg Aberystwyth ac yn gyn-Athro'r Gymraeg yng Ngholeg Dewi Sant, Llanbedr Pont Steffan.

---

59   Dalen rydd o ddyddiadur y cyfnod rhwng 11 a 31 Mawrth 1917, LlGC 'Papurau T. H. Parry-Williams', M430
60   Dalen rydd o ddyddiadur y cyfnod rhwng 1 a 28 Chwefror 1918, ibid.

Teulu Tŷ'r Ysgol a'r rhyfel

G WASANAETHODD TRI BRAWD IAU T. H. Parry-Williams yn y Rhyfel Mawr. Yr oedd William, neu Willie, a defnyddio'i enw anwes, wedi ymfudo i Ogledd America cyn 1911 ac wedi ymsefydlu yn ninas Chicago erbyn 1913, lle'r oedd yn gweithio ym myd masnach; gweithiai yn siop gwerthu nwyddau aml-lawr Marshall Field. Dengys ei gofnodion milwrol iddo ymuno â'r fyddin Americanaidd ym mis Mawrth 1918 i dderbyn hyfforddiant cyn cychwyn ar ei wasanaeth milwrol yn swyddogol ar 25 Mehefin 1918. Yn wirfoddol yr ymunodd â'r fyddin yn hytrach na chael ei gonsgriptio, yn ôl tystiolaeth ei dad.[1] Hwyliodd o borthladd Hoboken, New Jersey, ar fwrdd llong yr USS Mount Vernon drosodd i ymladd gyda'r Cynghreiriaid yn Ffrainc fel aelod o Gwmni D catrawd y '528th Engineers', ac fe'i dyrchafwyd yn sarsiant. Cafodd ei ryddhau o'r fyddin ar 25 Mehefin 1919 ar ôl dychwelyd dros Fôr Iwerydd i'r Unol Daleithiau.[2]

Gwyddom ychydig mwy am wasanaeth y ddau frawd arall, Oscar a Wynne, am fod eu cofnodion milwrol a'u dyddiaduron poced o gyfnod y rhyfel wedi eu cadw yn archifau'r teulu. Ar ôl ymadael ag Ysgol Sir Porthmadog aeth Oscar i Aberystwyth ym Medi 1909 yn llanc un ar bymtheg oed pan benodwyd ef yn glerc iau yn swyddfa Cofrestrydd y Coleg, a phan oedd ei frawd hynaf wedi graddio a mynd yn fyfyriwr ymchwil i Rydychen. Erbyn haf 1915 yr

---

1 Llythyr Henry Parry-Williams at E. Morgan Humphreys, 18 Hydref 1919, LlGC 'Papurau E. Morgan Humphreys', A/3430.

2 Gellir gweld cofnodion milwrol Willie, William Francis Parry-Williams, yn 'U.S. Army Transport Service, Passenger Lists, 1910-1939; U.S. National Cemetery Internment Control Forms, 1928-1962': <http://interactive.ancestrylibrary.com> (cyrchwyd Gorffennaf 2017). Bu farw Willie ar 7 Gorffennaf 1935 a'i gladdu ym Mynwent Genedlaethol Cypress Hills, Brooklyn, Efrog Newydd.

oedd wedi ymuno â changen y Coleg o Gorfflu Hyfforddi'r Swyddogion (OTC), ac fe ysgrifennodd ei bennaeth, J. H. Davies y Cofrestrydd, lythyr at awdurdodau'r fyddin yn Nhachwedd 1915 yn rhoi geirda iddo er mwyn ei gael i mewn i ryw swydd o natur weinyddol:

> He has been for a very long time anxious to do his share to help his country, but hitherto his work has been indispensable to the College. We now feel that we should place no obstacle in his way, but I think he would be employed with the best results if he were to obtain a position in the army where his skill in clinical [and] financial work could be fully applied.[3]

Gwyddai J. H. Davies o brofiad beth oedd cryfderau Oscar fel gweinyddwr ac ariannwr, ac erbyn mis Ionawr 1916 yr oedd yn aelod o Uned B Cwmni Cymreig y Corfflu Meddygol, y 'Royal Army Medical Corps' (RAMC). Honno oedd yr uned a sefydlwyd drwy ymdrechion y Cadfridog-Frigadydd Owen Thomas er mwyn caniatáu i rai o fyfyrwyr y colegau diwinyddol, ac eraill, allu gwasanaethu heb orfod ymladd, ac un o'i haelodau enwocaf oedd Cynan.[4]

Am i Oscar ymuno â'r Corfflu Meddygol, diolch i gymorth J. H. Davies, y mae tuedd i ystyried ei fod yn heddychwr. Yn wir, cofnodir ei enw ar y gofrestr genedlaethol o wrthwynebwyr cydwybodol y Rhyfel Byd Cyntaf.[5] Hyd y gwyddys, ni chofrestrodd ei wrthwynebiad i'r rhyfel ac ni fu o flaen y tribiwnlys, gan iddo ymuno o'i wirfodd â'r OTC. Ceir llun ohono yng nghwmni llu o'i gyd-ddarpar filwyr o flaen yr Hen Goleg yn Aberystwyth yn Rhagfyr 1915 yn gwisgo lifrai ac yn dal reiffl. Go brin y byddai'n dal reiffl pe byddai'n heddychwr.

Am y misoedd cyntaf yng ngwasanaeth yr RAMC yn 1916, bu Oscar yn

---

3   Geirda J. H. Davies i Oscar, 25 Tachwedd 1915, a gedwir yn archif deuluol Ann Meire.
4   Ceir hanes Uned Gymreig yr RAMC gan R. R. Williams, *Breuddwyd Cymro Mewn Dillad Benthyg: Hanes y Cwmni Cymreig o'r Corfflu Meddygol a Ymunodd yn y Rhyfel Gyntaf 1914-1918* (Lerpwl, 1964). Y mae llun o Oscar ym marics Hillsborough rhwng tt. 33-4. Prynodd Tom ac Amy Parry-Williams gopi o'r llyfr yn anrheg Nadolig i Oscar, ac mewn llythyr at Ann Meire, 1 Ionawr 1965, dywedodd Yncl Tom iddo 'anfon llyfr i Oscar … yn sôn am yr RAMC yn y Rhyfel Cyntaf a'i lun yntau yno mewn grŵp yn hogyn ifanc glandeg'.
5   Nodir ei statws fel 'Non-combatant', gw: <https://search.livesofthefirstworldwar.org/ record?id=GBM/CONSOBJ/18053> (cyrchwyd Gorffennaf 2017), ar sail yr wybodaeth a geir yn llyfr R. R. Williams; gw. hefyd y Gofrestr Heddwch Gymreig a luniwyd gan Cyril Pearce: < https://wcia.secure.force.com/peacemapwales#> (cyrchwyd Gorffennaf 2017).

derbyn hyfforddiant yn Llandrindod, cyn i'w uned symud i Wharncliffe ger Sheffield yn ne Swydd Efrog i dderbyn mwy o hyfforddiant, mewn hen ysbyty meddwl a drosglwyddwyd i ofal y Swyddfa Ryfel i'w addasu'n ysbyty milwrol, lle'r oedd 58 o welyau, tair theatr lawdriniaethol, adran belydr-X a chlinig deintyddol. Cafodd fynd adref am ysbaid dros fwrw'r Sul yn niwedd Awst cyn dychwelyd i farics y Corfflu Meddygol yn Hillsborough ger Sheffield. Erbyn Medi 1916 yr oedd wedi teithio i Southampton yn barod ar gyfer croesi i'r Cyfandir. Erbyn hynny, diddymwyd Uned Gymreig y corfflu ac aeth ei haelodau ar wasgar, rhai ohonynt, fel Oscar, i Ffrainc, rhai i Salonica, ac eraill i'r Aifft.[6] Yr oedd Oscar bellach yn rhan o '129fed Ambiwlans Maes' y Corfflu Meddygol. Ceir nodyn yn ei ddyddiadur iddo anfon nifer o lythyrau a chardiau post at bobl gartref ar ôl croesi i Ffrainc, yn cynnwys Tom, ei frawd, a'i ddwy chwaer, Blodwen ac Eurwen.

Mae'r cofnod dyddiadurol am 4 Hydref 1916 yn nodi hyn: 'Went on duty in Hospital … as clerk'. Fe atebodd y geirda a luniodd J. H. Davies i'w gael i mewn i adain weinyddol yr RAMC ei ddiben, felly. Trwy gydol y misoedd nesaf tan haf 1917, yr oedd yn gorymdeithio o wersyll ambiwlans i wersyll ambiwlans yn Ffrynt y Gorllewin adeg trydedd frwydr Ypres, o Caestre i Poperinge, ymlaen i Proven ac i Pelissier Farm yn ymyl Cefn Pilkem. Ar 31 Gorffennaf 1917, sef diwrnod cychwyn cyrch dinistriol cyntaf brwydr Passchendaele pan laddwyd Hedd Wyn, yr oedd yn ddigon agos at wres y frwydr i glywed sŵn yr ergydion. Y geiriau a gofnododd yn ei ddyddiadur y diwrnod hwnnw oedd 'Great Bomb 3rd Battle Ypres'.

Cafodd fynd adref am ysbaid ganol mis Hydref 1917 yr un pryd ag y daeth Wynne yntau adref am wythnos, a chofnododd yn ei ddyddiadur iddynt deithio i Aberystwyth ar 18 Hydref i ymweld ag Eurwen a Tom. Yr oedd Eurwen erbyn hynny newydd gychwyn ar ei thymor fel glasfyfyrwraig yn y Coleg yn astudio llaethyddiaeth.[7] Tra oeddent yno, cawsant ill pedwar dynnu eu llun mewn siop ffotograffydd yn y dref, ac Oscar a Wynne yn eu lifrai. Mae golwg ddifrifddwys ar wynebau pawb yn y llun, ac am a wyddent hwy ar y pryd gallai hwnnw fod y tro olaf i'r pedwar ohonynt fod gyda'i gilydd yn fyw.

6   Williams, *Breuddwyd Cymro Mewn Dillad Benthyg*, t. 14.

7   Rhif 5023 ar Gofrestr Myfyrwyr y Coleg oedd Eurwen Parry-Williams, gw. Archifdy Prifysgol Aberystwyth, blwch R/AC/1. Erbyn ei thrydedd flwyddyn, cymerai ran yn nadleuon y Gymdeithas Geltaidd, gw. *The Dragon*, Ebrill 1919, tt. 111–12.

Wedi iddo ddychwelyd i Ffrainc, bu'n crwydro o le i le eto a chofnododd ei symudiadau'n fanwl yn ei ddyddiadur. Gwelodd â'i lygaid ei hun faint y dinistr a'r chwalfa a adawyd gan y brwydro yn rhai o'r pentrefi y teithiai drwyddynt. Prynodd becyn o gardiau post wrth fynd trwy bentref Vieux Berquin ac ar un ohonynt lun o'r adeiladau ar sgwâr yr eglwys a'r farchnad yn Steenwerck. Ysgrifennodd ar gefn y cerdyn: 'Instead of a market place this spot is now full of lorries and tents etc.' Mewn pentrefi eraill gwelodd fwy o eglwysi ac adeiladau wedi eu rhacsio'n gyrbibion gan fomiau'r rhyfel, a phrynodd gardiau yn dangos lluniau o'r difrod. Ar gefn un cerdyn o Aire-sur-la-Lys ysgrifennodd nodyn yn cyfeirio at eglwys Saint-Pierre: 'The tower still remains but the church roof has been shelled. Not even the scaffold left.'

Erbyn mis Tachwedd 1918 yr oedd yn aelod o staff uned pencadlys cyfarwyddwr cynorthwyol gwasanaethau meddygol y fyddin Brydeinig yn Ffrainc, lle y bu am bum mis hyd nes iddo gael ei ryddhau o'r fyddin yn swyddogol. Oherwydd i beth oedi fod cyn iddo gael ei ddadgomisiynu, ysgrifennodd lythyr o wersyll yr RAMC yn Blackpool ganol Mawrth 1919 at y Cadfridog A. H. Heslop, sef y gŵr y bu'n gweithio tano yn Ffrainc, yn holi am ei bapurau ymadael. Atebodd yntau gan ddweud ei fod yn synnu nad oedd Oscar eisoes wedi'i ryddhau gan fod ei bapurau wedi eu hanfon ymlaen i swyddfa gofnodion y fyddin ac y dylai gysylltu â hi i holi eu hynt:

I was under the impression that the fact of you being evacuated sick would have put you right at once.

This office has gone to the dogs since all you lads left here, but as we shall not be here a month hence it does not matter much.[8]

Y llythyr hwn yw'r unig dystiolaeth i Oscar ddioddef salwch. Nid oes gyfeiriad o gwbl yn ei ddyddiaduron at unrhyw anaf, na dim yn ei gofnodion milwrol ychwaith sy'n nodi iddo ddioddef niwed corfforol. Os cafodd ei daro'n wael ychydig cyn gadael pencadlys y gwasanaethau meddygol, y mae'n amlwg na chafodd ddim anfadwch a adawodd effaith barhaol arno. Addawodd y Cadfridog Heslop y byddai'n anfon gair at awdurdodau Coleg Aberystwyth yn mynegi ei werthfawrogiad o'i waith tra bu dan ei ofal yn Ffrainc: 'My

---

8   Llythyr A. H. Heslop at Oscar Parry-Williams, 17 Mawrth 1919, a gedwir yn archif deuluol Ann Meire.

work became very easy after your arrival ...'.[9] Cadwodd at ei air a lluniodd lythyr nodedig o ganmoliaethus ar 5 Ebrill 1919 a'i bostio i'r Coleg: 'I may say he was the best clerk I have ever had serving under me.'[10] Oherwydd iddo wneud cymaint o argraff arno, meddai, mynnodd ei enwebu am gael ei enwi mewn adroddiadau:

> I thought so much of him that I sent his name forward to be mentioned in Despatches and this appreciation I hope, will be given him.[11]

Ni wyddai Oscar ei hun ddim am yr enwebiad hwnnw ar y pryd, ond anfonwyd llythyr a thystysgrif swyddogol ato ym Mehefin 1919 yn datgan bod y Preifat J. O. Parry-Williams, 81779 RAMC, wedi ei enwi mewn adroddiadau gan Syr Douglas Hague ym mis Mawrth am ei wasanaeth dewr a nodedig ar faes y gad. Trwy ryw amryfusedd, yr oedd yn fis Ionawr 1921 ar Oscar yn derbyn ei dystysgrif, a chan fod y cyfan mor annisgwyl iddo, cysylltodd â swyddfa gofnodion yr RAMC i holi sut yr enillodd y fath anrhydedd. Pan ddeallodd wedi hynny mai'r Cadfridog Heslop a'i henwebodd, anfonodd air o ddiolch ato. Erbyn hynny yr oedd A. H. Heslop wedi dychwelyd at ei waith fel llawfeddyg, ac yn ceisio ennill cymhwyster pellach mewn llawfeddygaeth.[12] Yn ei ateb i Oscar, cyfaddefodd mai ar ei awgrym ef y gwnaed y cais am gael enwi Oscar mewn adroddiadau oherwydd yr hyn a ystyriai yn 'splendid services'.[13] Yn ogystal â'r dystysgrif, cafodd Oscar hefyd ddwy fedal i gydnabod ei wasanaeth i'r Corfflu Meddygol yn ystod y rhyfel.

Trwy gydol y cyfnod y bu yng ngwasanaeth y fyddin, parhâi Oscar i dderbyn cyfran o'i gyflog gan Goleg Aberystwyth, a phan gafodd ei ddadgomisiynu dychwelodd i'w hen swydd yn y Gofrestrfa. Ar derfyn ei gyfnod o wasanaeth milwrol, gallai deimlo'n falch o'r hyn a gyflawnodd

---

9   Ibid.

10   Llythyr A. H. Heslop at J. H. Davies, Cofrestrydd y Coleg, 5 Ebrill 1919, a gedwir yn archif deuluol Ann Meire.

11   Ibid.

12   Cyhoeddwyd papur gan y Cadfridog Heslop yn trafod rhai o'r anafiadau mwyaf cyffredin i gymalau'r pen-glin yn y *British Medical Journal* yn ystod y rhyfel, gw: <http://jramc.bmj.com/content/jramc/43/6/446.full.pdf> (cyrchwyd Mai 2017).

13   Llythyr A. H. Heslop at Oscar Parry-Williams, 14 Chwefror 1921, a gedwir yn archif deuluol Ann Meire.

---

gan edrych ymlaen at ddatblygu ei yrfa yn y Coleg. Pan sefydlwyd y Fridfa Blanhigion yn Aberystwyth yn 1919, fe'i penodwyd i swydd cyd-ysgrifennydd y Fridfa a'r Adran Amaethyddiaeth, cyn dod yn y man yn brif ysgrifennydd y Fridfa i gydweithio'n agos â'r cyfarwyddwr cyntaf, George Stapledon (1882-1960).

Clerc ym Manc y Midland yng Nghorwen oedd Wynne cyn ymrestru o'i wirfodd ac ymuno ag unfed bataliwn ar hugain Catrawd y Ffiwsilwyr Cymreig. Treuliodd fisoedd yn y gwersyll hyfforddi ym Mharc Cinmel ger Bodelwyddan ac yna yng ngwersyll ei gatrawd yng Nghasnewydd. Erbyn y daeth yn amser iddo hwylio i Ffrainc yr oedd wedi'i ddyrchafu'n sarsiant. Goroesodd ei ddyddiadur poced am y flwyddyn 1918 yn croniclo cyfnod tra pheryglus yn ei hanes pan na fu ond y dim iddo gael ei ladd, a phan gafodd ei gipio a'i ddal yn garcharor gan yr Almaenwyr am saith mis.

Ar 10 Ebrill 1918, yr oedd ei fataliwn wedi ymuno â nawfed bataliwn y Ffiwsilwyr Cymreig yn y llinell flaen yn Ffrainc pan ddaethant o dan ymosodiad gan yr Almaenwyr. Gan mor ffyrnig y cyrch, bu'n rhaid iddynt gilio'n ôl, ond nid heb i rai o'r milwyr gael eu taro a'u hanafu. Drannoeth, ychwanegodd Wynne gofnod yn ei ddyddiadur:

Were shelled again at 3am and withdrew up a ridge. I am now in a trench covered from head to foot with mud & also hungry. We were shelled to blazes and what a h[ell]…Wounded in the afternoon.[14]

Ceir bwlch ar dudalennau'r dyddiadur wedyn tan 27 Mai. Yn y cyfamser, daeth neges i Dŷ'r Ysgol, Rhyd-ddu, o swyddfa gofnodion y fyddin yn Amwythig yn hysbysu ei rieni fod '62585 R.W.P. Williams' o'r gatrawd Gymreig wedi ei glwyfo gan belen dân a'i gludo i'r ysbyty yn Boulogne. Cyrhaeddodd llythyr gan Wynne ei hun o Ffrainc ar 21 Mai yn manylu ar ei gyflwr erbyn hynny:

I am free from pain now. Whether the pain will come again, I do not know. My ear is much better also, after putting some stuff in it at the Hospital, but it is still almost useless. It is no good reporting anything here to the Doctors.

14   Daw'r dyfyniadau o ddyddiadur poced Wynne Parry-Williams yn 1918 a gedwir yn archif deuluol Ann Meire.

They will not believe anything unless your leg or arm is broken, or that you are dead ...[15]

Erbyn diwedd y mis yr oedd yn ei ôl yn y llinell flaen ar lan afon Marne, ac ailddechreuodd lenwi ei ddyddiadur. Ar ddydd Iau, 30 Mai 1918, yn Lappion ger Jonchery, cipiwyd ef a rhai o'i gyd-filwyr yn garcharorion: 'Captured by the Germans after hair breath escapes.'

Cafodd y carcharorion eu trin yn weddol ar y cychwyn. Rhannai'r milwyr Almaenig â hwy yr ychydig fwyd a'r sigarennau a oedd yn eu meddiant, ond bu'n rhaid gorymdeithio wedyn am 25 cilometr i wersyll a oedd mor llawn fel y bu'n rhaid iddynt gysgu allan ar stumog gwag. Wedi codi drannoeth a chael llymaid o goffi a thafell o fara, cychwynasant orymdeithio am gilometrau lawer yng nghanol gwres llethol y dydd nes oeddent bron â diffygio.

Yr unig fwyd a gaent am ddyddiau oedd bara ac ychydig o selsig Almaenig, fel y gwelir oddi wrth y cofnod macaronig hwn: 'We get a small issue of German sausage – a'i ogleu'n ofnadwy – yn drewi'n gingron.' Bron i bythefnos ar ôl cael ei gipio, yr oedd Wynne mewn gwersyll yn Hirson ac yn byw ar groen ei ddannedd. Yr unig fwyd a gâi oedd cawl llysiau ac un dorth i'w rhannu rhwng pedwar. Ymunodd cannoedd o garcharorion o Ffrancwyr â hwy yn y gwersyll, nes bod yno ddwy fil o ddynion mewn lle cyfyng a dim lle i droi. Pan ddaeth yn amser iddynt gael eu symud ymlaen ymhen rhai dyddiau, croesasant y ffin i Aachen yn yr Almaen i wersyll Limburg, lle'r oedd lle i ddeuddeng mil o garcharorion. Teithio oddi yno wedyn mewn trên trwy ddinasoedd Cologne a Bonn a chyrraedd gwersyll Darmstadt yn yr oriau mân ar fore 14 Mehefin. Ar ôl gorymdeithio am awr o'r orsaf a chyrraedd y gwersyll am dri o'r gloch y bore, cafodd Wynne bowlennaid o gawl ac aeth i gysgu. Pan ddeffrodd am wyth y bore canlynol cafodd gyfle i ymolchi ac eillio a theimlai fel dyn newydd. Aed â'r bechgyn i'r baddondy a mygdarthwyd eu dillad, ond ychydig iawn o fwyd a gawsant i lenwi eu boliau.

'Just a llwgu' oedd y geiriau a sgribliodd yn ei ddyddiadur un dydd Sul yng nghanol Mehefin, ac er na wyddai ef hynny ar y pryd, byddai'r sôn am ei newyn yn dod yn thema gyson yn ei gofnodion dyddiadurol yn ystod y misoedd i ddod. Teimlai'n oer ac yn wan, ac yr oedd yn aml ar ei gythlwng.

---

15 Llythyr gan Wynne at ei rieni, 21 Mai 1918, LlGC 'Papurau T. H. Parry-Williams', A151.

Câi dalp o fara a chawl llysiau i ginio, ac er bod hwnnw fel dŵr, llowciai'r cyfan yn awchus. I de, fe gâi ychydig o ddŵr wedi'i felysu, ond yr oedd yn dal i deimlo'n llwglyd a gwan. Yr oedd llawer o'i gyd-garcharorion erbyn hynny'n dioddef o ddolur rhydd a bu'n rhaid iddynt gael eu trin am ddysentri.

Ar ôl bod yn garcharor am dair wythnos, dechreuodd ei newyn a'i wendid effeithio ar ei feddwl. Yn ei freuddwydion, fe'i gwelai ei hun yn ôl yn Rhyd-ddu, unwaith yn y capel, dro arall yn y gegin gartref, fel y gwelir yn y cofnod hwn:

> Dreamt I had a little quarrel with mother about the laying of things out on
> the table. I leave the room, but Mam send Eurwen back for me. I apologise
> & get a good feed. Also another dream having a feed in some café.

Gartref yn Nhŷ'r Ysgol yr oedd ei rieni ar bigau'r drain. Ni chlywsant ddim o'i hanes hyd nes iddynt dderbyn neges gan y fyddin ar 23 Mehefin yn eu hysbysu fod eu mab wedi bod ar goll er 30 Mai. Ni chafwyd mwy o newyddion am Wynne wedyn tan ddiwedd wythnos gyntaf mis Gorffennaf pan gyrhaeddodd llythyr arall wedi'i gyfeirio at ei dad:

> B[ritish] E[xpeditionary] F[orce]
>
> 7/7/18
>
> Dear Sir,
> I am sorry there is no further information to give regarding your son Sergt.
> R W Parry-Williams. He was reported missing on 30/5/18, but it is our
> opinion here that he with a number of others were taken prisoners. After
> careful search through the Company I failed to find anyone who could
> throw further light as to what really happened.
>   I wish it were possible to give you something more definite.
>
> Yours faithfully,
>
> Chas. L. Perry C7.[16]

Rhaid fod hwnnw'n gyfnod pryderus iawn i'w rieni a'i chwiorydd a'i frawd Tom, oherwydd heb air o newydd pellach aethant i ofni'r gwaethaf. Adroddwyd yn y *Llangollen Advertiser*, papur a gynhwysai newyddion o dref

---

16   Llythyr a gedwir yn archif deuluol Ann Meire.

Corwen lle y buasai Wynne yn y banc, ei fod ar goll, a dywedwyd ei fod yn gymeriad poblogaidd a llawn bywyd a oedd yn aelod yng nghapel y Methodistiaid yn y dref.[17]

Erbyn dechrau Gorffennaf, yn ystod pumed wythnos ei gaethiwed – cyfrai Wynne yr wythnosau'n ddeddfol yn ei ddyddiadur – yr oedd wedi ei symud i garchar Lamsdorf lle y treuliodd weddill ei gyfnod yn garcharor hyd nes iddo gael ei ryddhau yn niwedd Rhagfyr 1918.

Unwaith yn rhagor, ei sylwadau ynghylch y bwyd sy'n hawlio'r lle blaenaf ar dudalennau'i ddyddiadur. Yr oedd patrwm dyddiol bywyd yn y gwersyll yn hynod undonog a'r fwydlen syrffedus yn ddi-flas a di-faeth. Gweinid y pryd cyntaf o gawl am bump y bore; powlennaid arall o gawl a thamaid o fara am hanner awr wedi wyth cyn cysgu wedyn tan amser cinio. Mwy o gawl a bara i de a chawl hefyd i swper am wyth o'r gloch y nos. Ar adegau prin, ceid tamaid o gig yn llygad y cawl, ond byddai blas od arno. Yn amlach na pheidio, cawl dyfrllyd a weinid a hwnnw fel dŵr pilion tatws:

> Sâl fel ci yn y nos ar ôl y soup. Yn taflyd i fynny a dolur bol. Llawer o'r
> hogia yr un fath. 6am Peeling water, fearful stuff (dŵr tatws).

A phan nad oedd y boen yn y bol a'r chwydu'n ei gadw'n effro'r nos, yr oedd y llau cochion yn ei frathu. Erbyn wythfed wythnos ei gaethiwed ym mis Gorffennaf, yr oedd si wedi cyrraedd y gwersyll fod gobaith am heddwch. Yr oedd croeso mawr i hynny, a chroeso hefyd i'r sôn fod parseli bwyd y Groes Goch ar fin cyrraedd.

Pan oedd yng ngharchar Limburg a Darmstadt, fe lanwodd Wynne gardiau'r Groes Goch yn hysbysu ei fod yn garcharor rhyfel, ac mae'n amlwg i'r rheini gyrraedd Rhyd-ddu erbyn canol mis Gorffennaf, oherwydd adroddir yn rhifyn 17 Gorffennaf o'r *Cymro* fod y teulu bellach wedi clywed ei fod wedi'i ddal yn garcharor. Aethai tua chwe wythnos heibio heb iddynt dderbyn yr un gair, a rhaid fod clywed ei fod yn dal yn fyw wedi bod yn achos o ryddhad mawr. Byddai derbyn y llythyr hwn a ysgrifennwyd gan Wynne ar 4 Hydref wedi eu hargyhoeddi ei fod yn dal yn syndod o galonnog er gwaethaf ei amgylchiadau:

---

17 *Llangollen Advertiser*, 5 Gorffennaf 1918, t. 8.

62585 Sgt. W. Parry-Williams

9th Battn. Welsh Regt., A Coy, Lamsdorf, Germany

4/10/18

My dearest father & mother & all,

I have not yet received a parcel or a letter yet, but I am expecting weekly
now. Maybe you have been informed by the Red Cross London or my
regimental Depôt, that they have sent parcels to me … We are beginning to
get our emergency parcels through now, and those help to carry us on until
our grocery parcels arrive from England. A year to now I had special leave to
go home because Oscar was on leave. That now seems a few days ago. Roll
on the day once more when you may see me coming up by the Post Office
– aiming at the dear old steps. My health is champion, and I pray God daily
that you all at home are quite well …[18]

Er i Wynne barhau i anfon llif cyson o gardiau post a llythyrau gartref at
ei rieni mewn llawn obaith y byddent yn cyrraedd pen eu taith, yr oedd yn
ddiwedd mis Hydref, fodd bynnag, ar eu llythyrau hwy yn dechrau cyrraedd
Lamsdorf. Yr oedd deall fod ei deulu bellach yn gwybod ei fod yn dal ar dir
y byw, ac ymhle yr oedd, yn gysur mawr iddo. Anfonodd air i Aberystwyth
at ei frawd ddechrau mis Tachwedd, ac mae'n amlwg fod arafwch y gwaith
o anfon parseli bwyd a dillad i'r gwersyll yn achos cryn rwystredigaeth iddo:

My dear Tom,

Very many thanks for your P.C. of the 19th Sept which I received last Wed.
I also received Tada's letter & PC. As yet I have not received no parcels
from the Red Cross London or anywhere. I think it is about time my
Grocery parcels were through from the Red Cross also my clothes from the
Regt Depôt Cardiff. Drop a line often … Best love from your dear brother,
Wynne.[19]

Yn fuan wedyn cafwyd mwy o amrywiaeth yn arlwy'r gwersyll pan
ddechreuodd parseli'r YMCA Americanaidd gyrraedd. Cynhwysai'r parsel ar
gyfer pob carcharor gaws, sago, pwdin reis a thri phecyn o fisgedi. Yr oedd

---

18   Llythyr a gedwir yn archif Ann Meire.

19   Cerdyn post gan Wynne Parry-Williams at T. H. Parry-Williams, 3 Tachwedd 1918, a gedwir
    yn archif deuluol Ann Meire.

llyfrau hefyd yn cael eu dosbarthu yn y gwersyll erbyn hynny. Cofnododd iddo dderbyn copi o *The Comedy of Errors*. Nid oedd dim eironi yn hynny iddo ef, oherwydd yr oedd newyddion wedi cyrraedd y gwersyll fod yr Almaenwyr yn dechrau cilio o Wlad Belg a Ffrainc ac na fyddai'n hir eto cyn y ceid terfyn ar y rhyfela. Parodd y newydd fod yr Almaenwyr yn ystyried derbyn pedwar pwynt ar ddeg Woodrow Wilson, a heddwch am unrhyw bris, gryn gyffro ymhlith y carcharorion:

> Heard rumours of peace causing great excitement amongst the boys, also that the Germans have started to evacuate Belgium and France. The Germans are willing to accept the 14 clauses, i.e. peace at any cost.

Pan ddaeth diwrnod y Cadoediad, ac yntau ym mhumed wythnos ar hugain ei gaethiwed, yr oedd yr amgylchiadau yn Lamsdorf yn dechrau llacio. Cyfeiria yn ei ddyddiadur ato'i hun yn dechrau cynorthwyo yn swyddfa'r gwersyll, ac yn sgwrsio'n Gymraeg â dau Gymro arall a oedd yno, 'Williams & Owen', yn ogystal â chyfansoddi penillion. Fe'i penodwyd i swydd gyfrifol yn y swyddfa gan ei fod yn un o'r rhai a baratoai'r ddrafft ar gyfer y milwyr a adawai yn eu cannoedd yn ystod ei ychydig wythnosau olaf yng ngwersyll y carcharorion rhyfel. Ar 30 Rhagfyr 1918, saith mis union i'r diwrnod y cafodd ei gipio, gadawodd Lamsdorf a'i throi hi am adref. Wedi iddo ddychwelyd i Ryd-ddu ym mis Ionawr 1919, cynhaliwyd cyngerdd yn neuadd y dref ym Mhorthmadog i roi croeso adref i fechgyn y fro a fu'n gaeth mewn gwersylloedd i garcharorion yn ystod y rhyfel, ac yr oedd Wynne yn un o'r rhai a gafodd gyfle i annerch y gynulleidfa a sôn am ei brofiadau.[20]

Y mae un eitem deuluol o bwys wedi'i chadw ar ffurf llyfr lloffion yn mesur 30 x 40 centimedr sy'n cynnwys llawer o ddeunydd o gyfnod y rhyfel a oedd ym meddiant y chwaer hynaf, Blodwen. Cyfuniad sydd ynddo o luniau o Oscar a Wynne gyda'u catrodau ynghyd â chardiau post a chardiau Nadolig a anfonwyd gan y brodyr gartref at eu rhieni a'u chwiorydd, ac ambell un at

---

20   Gw. yr adroddiad yn y *Cambrian News and Welsh Farmers' Gazette*, 31 Ionawr 1919, t. 7. Cadwodd Parry-Williams gopi yn ei lyfrgell bersonol o'r llyfr gan Edward Davies Penmorfa, *Hanes Porthmadog: Ei Chrefydd a'i Henwogion* (Caernarfon, 1913), a gyflwynwyd i Wynne gan swyddogion y pwyllgor a drefnodd y digwyddiad, gyda'r cyflwyniad hwn yn ysgrifenedig ynddo: 'Cyflwynedig gan Ardalwyr Porthmadog i Sergt. Wynne Parry-Williams Rhyd-Ddu, un o garcharorion y Rhyfel Mawr 1914–18, ar ei ddychweliad yn ôl i'r Hen Wlad.'

eu brawd yn Aberystwyth. Mae'r llyfr lloffion, ac ar ei glawr y geiriau 'The Great War' mewn llythrennau cochion bras, yn enghraifft o'r llyfrau a geid yn unswydd i gadw *memorabilia* teuluol o gyfnod y rhyfel. Mae'n amlwg mai Blodwen yn bennaf a gasglodd ac a drefnodd y deunydd yn ofalus er mwyn rhoi ar gof a chadw holl ymwneud y brodyr â'r Rhyfel Mawr, o'r cyfnod pan oedd Oscar a Wynne yn y gwersylloedd hyfforddi a phan oedd Willie wedi cyrraedd Ffrainc yng nghwmni'r Americanwyr, ac o'r cyfnod pryderus am hynt Wynne pan gafodd ei anafu a'i gipio'n garcharor hyd at yr adeg pan ddychwelodd y tri yn groeniach yn 1919.

Ymysg y deunydd amrywiol y mae cardiau post a yrrwyd gan y bechgyn i Ryd-ddu, llun maint cerdyn post o Oscar yn dal reiffl yng nghwmni aelodau'r OTC o flaen porth yr Hen Goleg yn Aberystwyth ym mis Rhagfyr 1915, a llun o Wynne â streipen gorporal ar ei fraich yng nghwmni'i gyd-aelodau o Gatrawd y Ffiwsilwyr Brenhinol Cymreig pan oeddynt yn hyfforddi yng ngwersyll Parc Cinmel yn 1916. Llun arall ohono yng Nghinmel yn Ebrill 1917, ac yntau erbyn hynny'n gwisgo tair streipen ar ei fraich. Ceir ambell delegram ymhlith y lloffion hefyd, megis yr un diddyddiad a yrrwyd gan Oscar i Dŷ'r Ysgol yn nodi 'Appointment to the post', a'r cerdyn Nadolig a anfonwyd ganddo at ei chwiorydd yn 1917, yn cynnwys copi o raglen swyddogol yn nodi trefn ei ddiwrnod Nadolig yn Ffrainc: brecwast am 7.30 o'r gloch, uwd, ham wedi'i ferwi, sawsiau, bara menyn a the. Gêm rygbi wedyn am 9.45 a gêm bêl-droed am 11.00, cyn eistedd i ginio am 1.00 o'r gloch: twrci rhost, porc rhost, saws afal, cabaits, tatws a phys. Llwnc destun i'r brenin cyn y pwdin Dolig, salad ffrwythau, cwstard, brandi, sigârs, sigarennau, cwrw a lemonêd.

Mae yn y llyfr hefyd rai cardiau post gan Willie, yn cynnwys un at ei frawd Tom ym mis Rhagfyr 1918, lle'r oedd yn diolch am y llyfrau a anfonwyd ato:

Many thanks for the books I received from home. They have afforded me great pleasure – especially your part where you give your results of the super pack in the Super Tramp. Your dear bro. Willie.[21]

---

21   Ymddiddorai Tom yng ngwaith y bardd o Gymro, W. H. Davies (1871-1940). Traddododd ddarlith arno a'i chyhoeddi yn 1917, gw. Price, *Ffarwél i Freiburg*, tt. 418-21. Cyhoeddodd W. H. Davies ei hunangofiant, *An Autobiography of a Super Tramp*, yn 1908, lle y soniai am ei grwydriadau yn yr Unol Daleithiau, Canada a Lloegr.

Glynwyd yn y llyfr hefyd y cerdyn post a anfonwyd gan Willie oddi ar fwrdd yr SS Agamemnon ar 16 Mehefin 1919 pan oedd ar ei ffordd yn ôl i'r Unol Daleithiau yn hysbysu ei rieni y byddai taith o ddeuddydd eto o'i flaen cyn y cyrhaeddai Efrog Newydd. Y llong honno oedd yr hen USS Kaiser Wilhelm II a gomisiynwyd gan lynges yr Unol Daleithiau yn niwedd Awst 1917, cyn ei hailenwi yn SS Agamemnon, er mwyn cludo milwyr draw i Ffrainc. Ar ôl y Cadoediad, teithiodd ymhell dros ddeugain mil o filwyr Americanaidd gartref ar ei bwrdd mewn naw croesiad dros Fôr Iwerydd.[22]

Athrawes gynradd yn Llandudno oedd Blodwen yn ystod y rhyfel, a cheir sawl eitem yn y llyfr sy'n dangos iddi fynychu rhai o'r digwyddiadau militaraidd a gynhaliwyd yn y dref. Cadwodd y copi gwreiddiol o raglen swyddogol yr archwiliad milwrol gan Lloyd George o fataliwn Cymreig Gogledd Cymru ar ddydd Gŵyl Dewi 1915, a'r tocyn swyddogol yn caniatáu iddi hi fod ar blatfform yr orsaf drenau yng Ngorffennaf y flwyddyn honno pan oedd pedwaredd frigâd ar ddeg y Ffiwsilwyr Cymreig yn ymadael â'r dref. Yr oedd hynny, cofier, yn yr adeg cyn i'w brodyr ymrestru yn y catrodau Cymreig. Gan fod toriad papur newydd o'r *Cymro* gan Einion Evans o'r bedwaredd frigâd ar ddeg yn cynnwys addasiad o'r cyfieithiad Cymraeg o un o ganeuon Saesneg gwladgarol y rhyfel 'Keep the home fires burning ('Till the boys come home)' wedi ei lynu yn y llyfr, a bod llun o Einion (neu Eifion) Evans o'r un gatrawd ymhlith y lloffion, dyfalu y mae rhywun tybed a allai hwn efallai fod yn gariad i Blodwen?[23] Gall mai dyna pam y cafodd hi docyn arbennig i fod ar blatfform yr orsaf yn ffarwelio â'r frigâd.

Mynychodd Blodwen y gwasanaeth crefyddol a gynhaliwyd dan nawdd Catrawd y Fyddin Gymreig ym mhafiliwn Llandudno pan oedd y Parchedig John Williams, Brynsiencyn, yn pregethu, a chadwodd daflen swyddogol y gwasanaeth yn ofalus. Mynychodd hefyd y cyngerdd Gŵyl Ddewi a gynhaliwyd ym mhier pafiliwn Llandudno yn 1917 er budd y gronfa genedlaethol a sefydlwyd gan Mrs Lloyd George i gefnogi'r milwyr, a'r Cadfridog-Frigadydd Owen Thomas yn llywyddu. Yn wir, yr eitem olaf un yn y llyfr llofion yw llun a dorrwyd o bapur newydd yn dangos y Prif Weinidog ac aelodau o'i gabinet

---

22 Am hanes y llong, gw: <http:shipscribe/usnaux/ww1/ships/id3004.htm> (cyrchwyd Mai 2017).
23 Ymddangosodd llythyr gan Einion Evans yn cynnwys geiriau'r gân yn *Y Cymro*, 22 Mawrth 1916, t. 4.

yn Rhagfyr 1916. Glynwyd bathodyn ac arno lun o Lloyd George a'r geiriau 'National Fund for Welsh Troops' gyferbyn â llun Owen Thomas ar yr un ddalen, gan awgrymu fod y ddau yn arwyr ganddi. Prin y dychmygai y byddai'r Cadfridog yn un o'r bobl a fyddai'n lobïo Cyngor Coleg Aberystwyth i atal penodi ei brawd yn Athro yn 1920. Rhywbeth arall a ddiogelwyd ganddi yw rhaglen y dathliadau heddwch a gynhaliwyd yn Llandudno yng Ngorffennaf 1919, a thaflen y gwasanaeth cydenwadol o ddiolch a gynhaliwyd ym mhier y pafiliwn.

Nid pethau'n perthyn i Blodwen yw'r unig loffion yn y llyfr serch hynny, oherwydd ceir hefyd ambell beth a oedd yn eiddo i'w brodyr. Ceir ynddo fap a gadwyd o'r *Daily Mail* yn dangos rhan o Ffrynt y Gorllewin o gwmpas Arras yng ngogledd Ffrainc, a map arall yn dangos safleoedd prif wersylloedd carcharorion yr Almaen ac Awstria, gyda nodiadau mewn inc a phensel gan Wynne yn nodi ym mha rai y bu ef ynddynt, ac ym mha rai y bu bechgyn eraill a adwaenai. Ceir hefyd lyfryn o gartwnau rhyfel yn dychanu'r Almaenwyr a adargraffwyd o'r *Daily Dispatch*, a phedwar llyfryn o'r *Daily Graphic Special War Cartoons* a oedd yn eiddo i Oscar, yn llawn gwawdluniau Prydeinig o'r Almaenwyr.

Yr eitem fwyaf trist a gadwyd ymhlith y lloffion yw honno sy'n atgof poenus am brofedigaeth deuluol drasig, sef taflen yn coffáu'r ysgolhaig Thomas Roberts o Borth-y-gest, gŵr Gwladys, cyfnither plant Tŷ'r Ysgol, a laddwyd yn ffosydd Ffrainc yn bedair ar ddeg ar hugain mlwydd oed a'i gladdu ym mynwent Brydeinig Bucquoi Road ger Arras. Merch hynaf y Parchedig R. R. Morris (1852-1935), brawd Ann Parry-Williams, oedd Gwladys, ac yr oedd yn athrawes yn Wrecsam. Cyn iddo ymrestru, yr oedd Thomas Roberts yn athro Cymraeg yn Ysgol Grove Park, sef ysgol sir y bechgyn yn yr un dref. Un o raddedigion yr Adran Gymraeg yn Aberystwyth ydoedd; yr oedd yntau yn un o gywion Edward Anwyl. Mae tystiolaeth fod Parry-Williams ac yntau'n gyfeillion gan fod cofnod yn nodion dyddiadurol Parry-Williams iddo anfon cerdyn post ato yn 1911, ac iddo aros gyda Gwladys ei gyfnither a letyai yn Rhiwabon.[24] Yn yr ewyllys a luniwyd gan Thomas Roberts ar faes y gad, gadawodd ei gopi o'i draethawd MA yn cynnwys ei olygiad o gerddi Dafydd Nanmor i Ifor Williams, er mwyn iddo allu ei gyhoeddi yn ei gyfres

---

24   Gw. dalen rydd o ddyddiadur 1911-12, LlGC 'Papurau T. H. Parry-Williams', M430.

o destunau o waith y cywyddwyr.[25] Aelod o gatrawd yr York and Lancaster oedd Thomas Roberts, a phan oedd gartref am ysbaid o'r fyddin ar 11 Medi 1917 y priododd â Gwladys. Flwyddyn a mis yn ddiweddarach, ar 11 Hydref 1918, yr oedd y gŵr priod yn gelain. Iddo ef y lluniodd R. Williams Parry un o'i englynion i'r dysgedigion a gollwyd yn y rhyfel:

> I Borth y Gest a'i brith gôr o wylain
> Ni ddychwela'i brodor;
> Ond aros mae dros y môr
> Tragywydd-lonydd lenor.[26]

Fe welir bod cynnull y lloffion yn ymgais i lunio archif deuluol a fyddai'n gofnod parhaol o ymwneud teulu Tŷ'r Ysgol â'r Rhyfel Mawr. Yr unig beth sydd ar goll yma, wrth gwrs, yw hanes ymwneud, neu'n gywirach, efallai, ddiffyg ymwneud y brawd hynaf â'r rhyfel. Er bod ambell gerdyn post ato ymhlith y deunydd, y mae Tom yn drawiadol o absennol. Cysegrwyd y llyfr lloffion i drysori'r pethau hynny a ymwnâi â'r rhai a wasanaethodd yn y fyddin, a bron na ellir ymdeimlo â balchder Blodwen yng nghyfraniad ei brodyr i'r ymdrech Brydeinig yn y rhyfel. Ceir ymdeimlad o wladgarwch ym mheth o'r deunydd amrywiol a gasglwyd ganddi, ac wrth droi'r dalennau, anodd yw osgoi'n ogystal yr argraff gyffredinol o ofid a gofal. Pan fu farw Blodwen yn annhymig yn 1933, a hithau ond yn wyth a deugain mlwydd oed, cyfansoddodd ei brawd gerdd i'w choffáu lle y mae'n dweud amdani: 'Ymgeledd am ffawd ein teulu ni / Oedd unig angerdd ysol ei byw a'i marw hi.' Tystia llyfr lloffion y rhyfel yn loyw i'w gofal am ffawd ei brodyr a fu yn y drin.

Cafodd Blodwen y chwaer fawr ei phigo gan ewfforia'r rhyfel. Yr oedd ganddi, wrth reswm, ymlyniad emosiynol wrth dynged ei thri brawd iau a fu'n gwasanaethu, ac efallai fod cariad iddi hefyd yn y fyddin. Diau ei bod, wrth gynnull y deunydd ar gyfer y llyfr lloffion, eisiau diogelu'r pethau hynny a fyddai'n ei hatgoffa hi a gweddill y teulu o'r adeg bryderus honno yn eu hanes, yn enwedig adeg diflaniad Wynne pan na wyddent odid ddim am ei

---

25   Gw. Elen Wyn Simpson, 'Syr Ifor Williams a Milwyr y Rhyfel Byd Cyntaf', *Trafodion Cymdeithas Hynafiaethwyr a Naturiaethwyr Môn* (2013), tt. 17-37.

26   R. Williams Parry, *Yr Haf a Cherddi Eraill* (Y Bala, 1924), t. 106.

dynged am gyfnod o rai wythnosau, a phan ofnent yn eu calonnau ei fod wedi'i ladd. Os bodiodd y brawd hynaf drwy'r lloffion, ac nid oes reswm dros gredu na welodd y llyfr, mae'n rhaid iddo deimlo peth chwithdod wrth wneud. Dichon y byddai gweld yr archif hon, nad oedd ynddi'r un smic am stori'r heddychwr yn eu plith, wedi peri iddo deimlo peth annifyrrwch, nid am ei fod yn wrthodedig gan neb ohonynt, ond am fod pawb arall o'r teulu wedi bod yn rhan o rywbeth y diofrydodd ef i'w wrthwynebu'n llwyr.

Buasai canfyddiad pobl ei ardal enedigol hefyd o ymwneud ei deulu ef ei hun â'r rhyfel wedi peri i Parry-Williams deimlo'n fwy unig a neilltuedig yn ei safiad, oherwydd y pennawd a ymddangosodd yng ngholofn y 'Manion o'r Mynydd' gan Garneddog yn yr *Herald Cymraeg* ym mis Mawrth 1917 oedd 'Teulu Gwladgarol'. Honnid mai'r teulu a oedd â'r mwyaf o'i aelodau yng ngwasanaeth y fyddin yn holl blwyf Beddgelert yr adeg honno oedd disgynyddion William a Mary Morris, taid a nain Parry-Williams ar ochr ei fam. Cyfeirir at ei frodyr, Oscar a Wynne fel 'meibion Mrs Parry-Williams Tŷ'r Ysgol' (nid oedd Willie wedi ymuno â'r fyddin Americanaidd yr adeg honno); ei gefnder, David (ganed yn 1886), unig fab y Parchedig R. R. Morris; ei ddau gefnder Joseph (ganed yn 1895) a William Morris Ellis, meibion ei fodryb Margaret, Glasfryn, Rhyd-ddu; cefnder arall, sef mab i John Morris, brawd ei fam a oedd yn byw yn Bury, Swydd Gaerhirfryn; a'r ddau gefnder o Oerddwr Uchaf, William Francis ac Alun Ellis Hughes, meibion ei fodryb Betsi (Elizabeth).[27]

Fe awgrymwyd cyn hyn fod Oerddwr yn seintwar i Parry-Williams yr heddychwr yn ystod y cyfnod rhwng 1916 a diwedd y rhyfel. Yr oedd y gilfach neilltuedig honno'n uchel yn y mynyddoedd ymhell o gyrraedd sŵn a dwndwr y byd yn cynnig math ar ddihangfa iddo, hyd yn oed ddihangfa rhag teulu a phentrefwyr Rhyd-ddu a'r cyffiniau. R. Gerallt Jones a sylwodd gyntaf ar ei gofnodion dyddiadurol o'r cyfnod hwn, er mor ddarniog ac anghyflawn ydynt, iddo dreulio'r rhan fwyaf o'i wyliau haf rhwng 5 Gorffennaf a dechrau Medi 1917 yn Oerddwr, a bod hyd yn oed ei rieni wedi gorfod teithio yno i'w weld. Awgrym R. Gerallt Jones oedd fod hynny'n arwydd o'r gwrthwynebiad posibl

---

27 'Manion o'r Mynydd', *Yr Herald Cymraeg*, 6 Mawrth 1917, t. 3. Cyfeirir at rai o'r bechgyn hyn hefyd yn mynd i wersyll milwrol Parc Cinmel yn *Y Genedl Cymreig*, 18 Gorffennaf 1918, t. 2.

a fyddai i'w safiad fel heddychwr ymhlith pobl ar lawr gwlad.[28] Gan fod ei gefndryd yn y fyddin, yr oedd angen pâr arall o ddwylo i gynorthwyo gyda'r cynhaeaf, nid yn unig yn Oerddwr ond hefyd ar rai o ffermydd eraill yr ardal, yn Llwynyrhwch, Nant Gwynant, er enghraifft, yn ôl y cofnodion dyddiadurol.[29]

Glynwyd ffotograffau yn Llyfr Melyn Oerddwr o'r teulu yn cywain gwair gyda throl a cheffyl. Mae modd gweld y darlithydd o wrthwynebydd cydwybodol yn cribinio gwair yn ei grys a'i wasgod yn rhai o'r ffotograffau hynny, ac mewn un arall yn eistedd ar ofergarfanau cefn y drol. Gadawyd bylchau amlwg ar rai o ffermydd yr ardal y flwyddyn honno, ac yn eu plith ambell fwlch eithaf creulon. Claddwyd y Preifat John Evans, mab Hendre Gwenllian, Llanfrothen, ym mis Ebrill 1917 wedi iddo farw mewn ysbyty yn Llundain o ganlyniad i'r anafiadau a ddioddefodd allan yn Ffrainc.[30] Buasai croeso yn Hendre Gwenllian ac mewn sawl fferm arall, yn sicr, i gymorth ychwanegol gyda'r cynhaeaf yr haf hwnnw.

Cafodd William Oerddwr ganiatâd i ddod adref o farics Catterick Bridge am rai dyddiau yn ystod y drydedd wythnos yng Ngorffennaf 1917 i helpu gyda'r cynhaeaf, a chan fod y tywydd mor ffafriol, yr oedd llawer o ffermydd y gwastatir wedi llwyddo i gael y gwair i ddiddosrwydd cyn diwedd y mis. Mewn nodyn yn y 'Manion o'r Mynydd' ar 31 Gorffennaf 1917, cyfeiriodd Carneddog at y 'Gunner' William Oerddwr a fu adref am rai dyddiau, ac at obaith ffermwyr yr ardal am gael gorffen y cynhaeaf yn gynt nag arfer, hyd yn oed rai o'r ffermwyr mynyddig a dorrai fanwair â phladuriau yn hytrach nag â pheiriant a cheffyl. Er bod llawer wedi llwyddo i gael y gwair i mewn, yr oedd gan rai waith mawr i'w wneud eto, meddid.

Yr oedd yn ganol Awst ar y pladurwr yn gadael Oerddwr Uchaf; awgrym efallai o galedwaith lladd gwair ar le trwm a llechweddog. Rhaid cofio i William Oerddwr, fel rhan o'i apêl yn y tribiwnlys ym mis Ebrill 1916, gyfeirio at y 550 o erwau gwasgaredig a berthynai i'w dad, a pha mor anodd oedd cael llafurwyr i gynorthwyo gyda'r gwaith. Fe all mai arwydd o brysurdeb y cynhaeaf yn Oerddwr a diffyg amser i eillio yw i Parry-Williams dyfu barf am ryw chwe wythnos yn ystod yr haf hwnnw, neu ynteu arwydd o'i awydd am

---

28   Jones, *T. H. Parry-Williams (Dawn Dweud)*, tt. 82-3.
29   Gw. dalen o ddyddiadur Gorffennaf-Medi 1917, LlGC 'Papurau T. H. Parry-Williams', M430.
30   Gw. *Y Genedl Gymreig*, 10 Ebrill 1917, t. 7.

weddnewidiad dros dro 'fel rhyw fath o fwgwd', chwedl Angharad Price.[31]

Efallai fod rheswm arall dros dreulio'i wyliau haf yn trin y gwair fel llafurwr cyffredin yn unigedd Oerddwr, ar wahân i'r angen gwirioneddol am gymorth ychwanegol a oedd ar ei deulu, sef er mwyn osgoi ymdroi gormod ymhlith pobl y pentrefi cyfagos a chael ei weld yn segura. Ymddangosodd llythyr gan Evan Williams o Feddgelert yng ngholofn y 'Manion o'r Mynydd' ddechrau Awst 1917 yn lladd ar fechgyn dosbarth canol a gâi eu heithrio rhag ymladd yn y fyddin. Gwelai hynny fel ffafriaeth, tra bo bechgyn dosbarth gweithiol yn cael eu gorfodi i fynd. Edliwiai fod llawer o'r 'dynion ieuainc iach a chryf yr olwg arnynt yn plesera ar hyd a lled y wlad ar eu motor beics a'u beics', tra oedd meibion y dosbarth gweithiol yn ymladd yn y ffosydd.[32] Gall mai ar sail rhagfarn lwyr y llefarai Evan Williams, ond gan fod ei feibion ef ei hun yn y fyddin yr oedd hefyd â'i fys lle'r oedd ei ddolur:

> Gorfodir i rai bechgyn o filwyr, druain bach, rhai wedi eu clwyfo ddwy a thair gwaith i fynd yn ôl i'r ffosydd i ymladd wedyn, ie, i ymladd dros y dosbarth llwfr a chowardiaid yma sydd yn plesera ar hyd a lled ein gwlad ...[33]

Dyna daro'r post i'r pared glywed. Yn sicr, ni allai neb gyhuddo meibion ysgolfeistr Rhyd-ddu o dderbyn unrhyw ffafriaeth, gan fod dau ohonynt eisoes yng ngwasanaeth y fyddin erbyn haf 1917, ond fe allai darllen sylwadau fel y rhain mewn colofn boblogaidd yn y papur lleol fod wedi peri anesmwythyd i heddychwr croendenau fel Parry-Williams. Er mai ar ôl y rhyfel ym Medi 1920 y prynodd ef ei fotor-beic cyntaf, y KC 16 diarhebol, gellid ei weld cyn hynny yn marchogaeth ei feic ar hyd rhai o ffyrdd y fro yn ystod y gwyliau.

Byddai bwrw'r amser yn ddiwyd allan yn yr awyr iach yn Oerddwr yn gyfle iddo osgoi dod wyneb yn wyneb â gormod o bobl mor anoddefgar eu hagwedd ag Evan Williams o Feddgelert, ac osgoi gorfod meddwl gormod hefyd am y rhyfel. Ond hyd yn oed yn ystod ei ymweliadau ag Oerddwr yng nghwrs y blynyddoedd pan oedd yn 'gonshi' swyddogol, nid oedd modd dianc yn llwyr rhag y rhyfel. Ym mis Awst 1916, er enghraifft, cyrhaeddodd y newydd fod ei gefnder, y Preifat Alun Ellis Hughes, wedi ei glwyfo yn

---

31   Price, *Ffarwél i Freiburg*, t. 400.
32   'Manion o'r Mynydd', *Yr Herald Cymraeg*, 7 Awst 1917, t. 3.
33   Ibid.

Ffrainc. Cafodd ei symud i ysbyty ger Manceinion lle y bu ei frawd, William, yn ymweld ag ef. Yr oedd darn o ffrwydryn 'maint joi baco go fawr', medd ei frawd, wedi mynd yn gyfan gwbl drwy'i goes ychydig yn uwch na'i benglin. Bu'r darn haearn yn sownd yn y goes am rai dyddiau cyn i feddyg allu ei dynnu. Pan dynnwyd y metel o'r cnawd fe'i hanfonwyd i Oerddwr er mwyn i'r teulu gael ei weld a'i gadw.[34] Byddai'r darn hwnnw o shrapnel yn atgof parhaus am y peryglon dyddiol dychrynllyd a wynebai'r hogiau yn y ffosydd. Ac yn nechrau Tachwedd 1918, cyrhaeddodd telegram yn hysbysu teulu Oerddwr fod eu mab, Alun Ellis, wedi'i glwyfo unwaith yn rhagor, ac iddo fod am gyfnod 'yn ddifrifol wael' cyn cael ei gludo i Loegr i dderbyn triniaeth mewn ysbyty.[35]

At ei gilydd, felly, ni waeth pa mor awyddus oedd Parry-Williams i ganfod noddfa rhag artaith y rhyfel, nid oedd modd iddo ei osgoi am fod yr heldrin yn cyffwrdd mor agos â bywydau cymaint o aelodau o'i deulu ef ei hun. Profiad ambell un arall a ymwelodd ag Oerddwr yn y cyfnod hwn oedd ymdeimlo â'r rhin arbennig a berthynai i'r lle. Gwahoddwyd y pregethwr cynorthwyol a'r bardd Hugh Edwards (Huwco Penmaen) o'r Rhyl i aros ar yr aelwyd ryw nos Sul ym mis Mai 1917 ar ôl bod yn cynnal oedfa yng Nghapel Cedron yr Annibynwyr yn Nanmor, lle'r oedd John Hughes, penteulu Oerddwr, yn ddiacon. Lluniodd gerdd dri phennill ar 'Fy Ymweliad ag Oerddwr' i gofnodi'r achlysur, ac yn un o'r penillion cyfeiriodd yn benodol at ei ddymuniad i ddianc rhag amgylchiadau'r dydd:

> Tra dynion yn greulawn, a'r byd yn llawn brad,
> Bywydau yn ddibris, a gwaed yn rhad,
> I lennyrch ddigyffro [sic], dymunol yw dod,
> A cheisio anghofio bod rhyfel yn bod.
> Bro dawel fynyddig sy'n estyn at Dduw,
> Lle mae pobl garedig a heddwch yn byw—
> Bro hynod ei hanes, roes groesaw i mi,
> Ar aelwyd lân gynnes,—dirodres yw hi.[36]

---

34 Gw. y llythyr gan William Oerddwr yn 'Manion o'r Mynydd', *Yr Herald Cymraeg*, 15 Awst 1916, t. 2.

35 Gw. 'Manion o'r Mynydd', ibid., 12 Tachwedd 1918, t. 3.

36 Ysgrifennwyd copi o'r gerdd yn Llyfr Melyn Oerddwr, a chyhoeddwyd y gerdd gan Garneddog yn *Cerddi Eryri* (Dinbych, 1927), t. 97. Gw. hefyd y cyfeiriad at ymweliad Hugh Edwards (Huwco Penmaen) ag Oerddwr yn 'Manion o'r Mynydd', *Yr Herald Cymraeg*, 12 Mehefin 1917, t. 3.

Er gwaethaf ei awydd am gael anghofio'r rhyfel, ni allai yntau wneud hynny yn Oerddwr ychwaith am fod dau o'r meibion yng ngwasanaeth byddin Prydain, y naill ohonynt ar y pryd, sef William, yng Nghatrawd y Gynnau Mawr ym Mhenfro, a'r llall, Alun Ellis, erbyn hynny'n ymladd yn yr Aifft ac ym Mhalesteina.

Ar derfyn y rhyfel, pan ryddhawyd brodyr T. H. Parry-Williams o'r fyddin, ymgynullodd y teulu ar yr aelwyd yn Nhŷ'r Ysgol yng ngwanwyn 1919, cyn i bawb wasgaru i'w hynt, a chyn i'r tri chyn-filwr ailgydio yn y swyddi a oedd ganddynt cyn ymuno â'r fyddin. Tynnwyd cyfres a gynhwysai o leiaf ddeg o ffotograffau o'r teulu yr adeg honno gan eu cefnder Richard David Ellis (ganed yn 1900), Glasfryn, Rhyd-ddu. Tan fis Rhagfyr 1917, yr oedd Richard, neu 'RD' fel y'i gelwid gan y teulu, yn ddisgybl-athro yn ysgol Rhyd-ddu cyn symud i Lundain i weithio ym maes telathrebu.[37] Ar ôl y rhyfel, astudiodd am radd wyddonol a bu'n athro gwyddoniaeth mewn ysgol ramadeg yng Nghaint. Mae'n ymddangos mewn un llun grŵp yng nghwmni ei gefndryd – llun a dynnwyd gan Blodwen – ac mewn llun arall yn clownio gyda Wynne lle y mae'r ddau yn esgus bwrw'i gilydd, y naill ag ystyllen a'r llall â chadair bren, a Henry Parry-Williams yn y canol rhyngddynt yn ceisio eu cadw ar wahân.

Trafododd R. Gerallt Jones ddau o'r ffotograffau hyn yn ei gofiant i Parry-Williams, a thybiai mai yn 1916 y cawsant eu tynnu.[38] Nid cywir mo hynny, oherwydd nid oedd Willie wedi ymuno â'r fyddin Americanaidd yr adeg honno, heb sôn am gael ei ddrafftio i Ewrop. Prawf arall nad yn y flwyddyn honno y tynnwyd y lluniau yw'r tair streipen sydd ar freichiau Wynne; yn ystod 1917 y dyrchafwyd ef yn sarsiant. Yng ngwanwyn 1919 y tynnwyd y lluniau fel cofnod o ryddhad a llawenydd y teulu am fod pawb wedi goroesi'r rhyfel ac wedi ymgynnull gyda'i gilydd yn deulu cyflawn, cytûn unwaith eto. Gellir gweld olion esgyrn eira ar yr Wyddfa yn ambell lun, sy'n cadarnhau pa adeg o'r flwyddyn oedd hi, naill ai mis Mawrth neu

---

37   Gw. *Y Genedl Gymreig*, 11 Rhagfyr 1917, t. 4. Dywedir ei fod yn athro 'medrus a llwyddiannus'.

38   Jones, *T. H. Parry-Williams (Dawn Dweud)*, tt. 12-13. Y ddau lun a drafodir gan R. Gerallt Jones yw'r rheini a welir rhwng tudalennau 30 a 31, sef y ddau lun a gyhoeddwyd yn Rees gol., *Bro a Bywyd Syr Thomas Parry-Williams 1887-1975*, rhifau 8 a 9, tt. 6-7. Y dyddiad wrthynt yn y fan honno yw 1916. Gw. hefyd Price, *Ffarwél i Freiburg*, tt. 354-5, lle trafodir ymdriniaeth R. Gerallt Jones â'r ddau ffotograff.

fis Ebrill. Gwisga Oscar ei ddillad ei hun ac mae Wynne a Willie yn dal yn eu lifrai.

Dyfalwyd ar sail gosodiad y grŵp yn rhai o'r lluniau fod peth pellter rhwng Tom a gweddill y teulu. R. Gerallt Jones a dynnodd sylw at hyn gyntaf mewn sylwebaeth sy'n enghraifft wych o ddehongli llun drwy graffu ar bethau gweladwy, awgrymog. Mae'n sefyll beth draw, yn ffigur mwy trist a dwys a di-hwyl yr olwg, ac mewn llun arall, a dynnwyd gan Blodwen, mae'n eistedd ar wahân mewn cadair freichiau tra bo pawb arall yn uned glòs fel petai'n gogwyddo oddi wrtho. Mae'r bwlch rhyngddo a gweddill y teulu, sydd mewn cyffyrddiad corfforol â'i gilydd, yn amlwg. Ond efallai na ddylid barnu popeth wrth ei olwg, oherwydd ceir ambell lun arall yn y casgliad lle y mae gosodiad y grŵp fymryn yn wahanol a'r cysylltiad rhwng yr uned yn dynnach, a lle y mae Tom yn ymddangos yn rhan annatod ohoni.

Rhaid cyfaddef mai'r rhai sy'n ymddangos hapusaf a mwyaf ymlaciedig yn y lluniau yw'r rhieni, y ddwy chwaer, a dau o'r brodyr, sef Oscar a Wynne. Yn wir, mae golwg ddireidus ar Wynne ac Oscar, yn enwedig yn y llun lle mae'r brodyr gyda'u tad a Wynne yn cosi o dan ên Oscar â'i fys. Cysgod gwên yn unig sydd ar wyneb Tom. Yn hwnnw, y mae'r tad balch a'r tri chyn-filwr yn uned gorfforol glòs gyda'i gilydd, tra bo Tom yn eistedd fymryn ar wahân heb ddim cysylltiad corfforol rhyngddo a'r gweddill. Ond peth peryglus yw darllen gormod i mewn i bethau nad ydynt yn ymddangos yn union fel yr oeddynt mewn gwirionedd.

Serch hynny, ni ellir osgoi peidio â sylwi mai golwg ddigon syber a phrudd sydd ar wyneb Tom ymron pob un o'r lluniau y mae ef ynddynt a dynnwyd ar y diwrnod hwnnw, ac eithrio'r llun lle mae ef a Willie yn gwisgo coronau eisteddfodol y prifardd. Yn y llun hwnnw yn unig yr ymddengys ar ei fwyaf ymlaciedig. Digon posibl mai efô, fel yr un mwyaf sensitif yn eu plith, oedd yr un a ymdeimlai fwyaf â dwyster yr achlysur, nid am ei fod o reidrwydd yn drist nac yn anhapus, ond am fod arwyddocâd emosiynol dwfn i'r cydgyfarfyddiad llawen o ystyried pa mor arteithiol o ofidus fu'r misoedd a'r blynyddoedd blaenorol iddynt i gyd fel teulu.

Yn y fan hon y mae'n debyg y dylid oedi i ystyried beth yn union oedd agwedd y teulu at safiad Tom. Gan Dyfnallt Morgan yn ei draethawd MA y cafwyd yr awgrym cyntaf nad oedd Ann Parry-Williams yn rhy hapus gyda phenderfyniad ei mab hynaf i arddel ei heddychiaeth. Cystal dyfynnu'r nodyn gan Dyfnallt Morgan sy'n nodi ffynhonnell ei wybodaeth:

> Cofiaf y diweddar Barchedig J. Ellis Williams, gweinidog M.C.
> Llanddewibrefi, a oedd yn ffrind i T. H. Parry-Williams, yn dweud wrthyf
> flynyddoedd yn ôl nad oedd yn hawdd gan y bardd fyned adref i Ryd-ddu
> yn ystod blynyddoedd y rhyfel, gan nad oedd ei fam yn cydymdeimlo â'i
> safbwynt pasiffistaidd. Dyna sy'n peri i mi feddwl bod elfen o uniaethu ag un
> agwedd ar brofiad Crist ar ran y bardd yn y llinellau a ddyfynnwyd yn awr.[39]

Y llinellau y cyfeirir atynt yw'r rhai a ddyfynnwyd yn y traethawd o'r gerdd 'Christ at Thirty':

> but it was
> A wrench well nigh beyond the power of the flesh
> To tear my very mother from the heart
> Which she herself had given me. Ingrate? Yes,
> Maybe; but when what mother's love obscure
> The straight unbending line of my intent,
> Her little hedge of love had to be torn,
> Root stem and branch, to see the greater love.
> O love of women, bane of all the world.[40]

Yr ymddygiad a rwygodd gariad calon mam yr Iesu oedd y llwybr unplyg a diwyro ym mwriad y mab ('The straight unbending line of my intent'), sef troedio'r ffordd at y Groes. Pe baem am gymhwyso hynny at Parry-Williams, gallem fod yn dadlau mai'r hyn a rwygodd gariad ei fam ei hun oddi wrtho oedd ei ymlyniad diwyro wrth ei heddychiaeth.

Gan na chynhwysodd Dyfnallt Morgan y darn ynghylch diffyg cydymdeimlad Ann Parry-Williams â safbwynt ei mab yn y fersiwn cyhoeddedig o'i draethawd yn y gyfrol *Rhyw Hanner Ieuenctid*, nid yw'n amhosibl mai ar gais Parry-Williams ei hun y'i hepgorwyd – a bwrw ei fod yn dal yn y deipysgrif a welodd Parry-Williams – gan mai i'w hen Athro, ac yntau'n dal ar dir y byw yn 1971, y cyflwynodd Dyfnallt Morgan ei gyfrol. Gofynnodd iddo ddarllen

---

39 Dyfnallt Morgan, 'Rhyw hanner ieuenctid: astudiaeth o gerddi ac ysgrifau T. H. Parry-Williams rhwng 1907 a 1928', Traethawd MA Prifysgol Cymru [Bangor], 1969, t. 61.
40 Fe'i dyfynnwyd hefyd yn Morgan, *Rhyw Hanner Ieuenctid*, t. 78.

y gwaith cyn ei gyhoeddi a diolchodd iddo am 'ei gyngor a'i gyfarwyddyd hael'.[41] Efallai mai'n unol â chyfarwyddyd y gwrthrych y dilewyd unrhyw sôn am anghymeradwyaeth ei fam i'w safiad fel gwrthwynebydd cydwybodol. Yr unig reswm a allai fod dros yr anghymeradwyaeth honno oedd fod ei meibion eraill wedi ymrestru, ynghyd â chymaint o'i neiaint, a bod hynny wedi achosi annifyrrwch iddi hi mewn perthynas â'i chwiorydd a'i brodyr, heb sôn am bobl ardal Rhyd-ddu a'r cyffiniau. Pa reswm arall a allai fod?

Er nad oedd Nanw, merch Oscar, a aned yn 1927, ei hun yn ymwybodol fod hanes o ddrwgdeimlad rhwng ei nain a'i hewythr adeg y rhyfel, fe glywodd gan Bethan ei chyfnither, sef merch Eurwen, nad oedd 'Nain Rhyd-ddu' yn rhyw hapus iawn â safiad Tom, a bod pethau'n anodd iddo yn Rhyd-ddu.[42] Eurwen oedd y cyw melyn olaf, a diau ei bod hi'n cofio mwy am yr awyrgylch a'r sgwrs gartref ar yr aelwyd adeg y rhyfel am iddi fod fwy yng nghwmni ei rhieni yn absenoldeb pawb arall a oedd wedi gadael y nyth. Cafwyd cadarnhad pellach fod gwrthwynebiad gan ei fam i safiad Parry-Williams mewn sylwadau gan Heddwyn Hughes (ganed yn 1945), mab Frank Oerddwr, cefnder Tom. Pan holwyd Heddwyn beth oedd ymateb y teulu i'w safiad heddychol, dyma'r hyn a ddywedodd:

> Roedd ei fam o'i hun wedi'i hel o o'no am nad oedd o ddim wedi mynd i'r rhyfel, dwi'n meddwl, yndê; roedd 'na rywbeth felly, yndê. Rhywbeth i'r cyfeiriad yna ... Roedd hi isio iddo fo fynd i'r rhyfel am fod cymaint o'r teulu wedi mynd, mae'n debyg.[43]

Er bod R. Gerallt Jones yn dyfalu 'y byddai ei fam yn sicr yn llawn cefnogaeth a chydymdeimlad'[44] â Tom, y mae yntau'n ceisio dehongli'r cyfeiriad at 'arswyd gweled ôl tristâd / Ar wedd fy mam neu'n llygad llym fy nhad' yn niweddglo'r soned 'Ofn' fel yr ymddangosodd yn y casgliad cyhoeddedig cyntaf o'i waith barddonol, *Cerddi* (1931), drwy holi tybed ai 'digwyddiadau'r rhyfel, ei wrthdystiad ef a phryder dros y brodyr' oedd i gyfrif am yr ofn o weld ymateb y rhieni.[45] Y mae'r soned hon yn un o'r cnwd

---

41   Ibid., t. 18.
42   Cyfweliad rhwng Ann Meire a'r awdur, Mai 2016, gw. Atodiad 3.
43   Mewn cyfweliad â'r awdur yn Nheiliau Bach, Llanffestiniog, Tachwedd 2017.
44   Jones, *T. H. Parry-Williams (Dawn Dweud)*, t. 83.
45   Ibid., tt. 102–3.

o sonedau hynod ddiddorol a ymddangosodd yn 1919 yn fuan ar ôl terfyn y rhyfel, ac yn ystod y flwyddyn bwysig honno a drafodir yn fanylach yn y ddwy bennod nesaf. Ar dudalennau'r *Welsh Outlook* y cyhoeddwyd hi'n wreiddiol fel rhan gyntaf y dilyniant o ddwy soned dan y teitl 'Dau Deimlad'.[46] Yr ail soned oedd honno y rhoddwyd iddi'r teitl 'Nef' yn *Cerddi*. Sôn amdano'i hun yn dychwelyd adref i Dŷ'r Ysgol a wna yn 'Ofn', mor heini a sionc ei gerddediad ag erioed, a'i galon yn llawn llawenydd a hiraeth. Ond gŵyr y daw'r dydd y goddiweddir yr ymdeimlad o gyffro gan ymdeimlad o bryder a braw o weld tristwch ar wedd ei fam neu yn llygad llym ei dad.[47] Y dehongliad mwyaf tebygol o'r ofn hwn o ymateb y tad a'r fam yw y byddai'r dydd yn dod pan fyddai'r naill neu'r llall yn marw, ac y byddai'r gofid a'r trymder bod rhywbeth yn bod yn achos braw i'r mab, sef yr arswyd o glywed am farwolaeth y naill neu'r llall ohonynt. Yr allwedd i ddeall y gerdd yn y modd hwn yw'r cysylltair 'neu' yn y llinell olaf. Roedd yr ymateb gan y naill neu'r llall yn dibynnu'n union pwy a ragflaenai pwy. Ofn clywed newyddion drwg am golli ei dad a'i fam a barai'r arswyd iddo.

Soned arall a welodd olau dydd am y tro cyntaf ar dudalennau'r *Welsh Outlook* yw honno y daethpwyd i'w hadnabod wrth ei theitl yn *Cerddi*, 'Cydbwysedd'. Y mae'n un o ddwy soned ddi-deitl yn rhifyn Mawrth 1919 o'r cylchgrawn. Gan fod y fersiwn gwreiddiol ychydig yn wahanol i'r fersiwn a ymddangosodd ddeuddeng mlynedd yn ddiweddarach yn 1931, a chan fod y gerdd yn sôn yn benodol am haelioni ei fam tuag at grwydriaid, y mae'n werth ei dyfynnu:

> Gwn na wrthododd 'mam gardod erioed
> I'r haid fegerllyd a fu'n crwydro'n hir,
> Wŷr, gwragedd ifanc, hên a chanol oed,
> O wyrcws ac i wyrcws yn y sir,
> "Duw a'ch bendithio" meddent. Oni chaent
> Bob amser ganddi'r mwydion gyda'r crwst,
> A chig a cheiniog? Yna, fel petaent
> Fonheddig, moesymgryment. Yn fy ffrwst
> Wrth gornel, ddoe ddiweddaf, yn y dref

---

46   *The Welsh Outlook*, cyfrol 6, rhif 12 (Rhagfyr 1919), t. 300.
47   Y cwpled clo yn y fersiwn a ymddangosodd yn y *Welsh Outlook* oedd '…arswyd gweled [ô]l tristâd / Ar rudd fy mam neu'n llygad du fy nhad.'

> Gwrthodais gardod i ryw glamp o ddyn
> A fegiai'n eon â chwynfanllyd lef,
> A mynd ymlaen dan regi wrtho'i hun.
> Ond neithiwr, yn fy mreuddwyd, gwelais hi,
> Fy mam fy hunan, yn fy ngwrthod i.[48]

Gwelir bod y cwpled clo wedi'i newid erbyn i'r soned ymddangos yn *Cerddi*:

> A mam, 'rwy'n siŵr, yr un awr yn rhoi clamp
> O gardod dwbl gartref i hen dramp.[49]

Cofier mai 'Cydbwysedd' oedd y teitl a ddewiswyd ar gyfer y gerdd hon pan gyhoeddwyd hi'n wreiddiol yn ddi-deitl. Mae diffyg haelioni'r mab tuag at y begerwr a welodd ar gornel un o strydoedd y dref – diffyg haelioni a barodd i'r trempyn 'regi wrtho'i hun'– yn cael ei gydbwyso gan y cardod dwbl a rôi ei fam i ryw 'hen dramp' gartref. Yr oedd crintachrwydd y mab yn cael ei ddirymu gan haelioni'r fam, fel petai parodrwydd y naill i roi yn gwneud iawn am gyndynrwydd y llall. Ond yn y fersiwn gwreiddiol, gwêl y mab mewn breuddwyd ei fam yn ei wrthod. Mae'r gwrthodiad hwnnw fel petai'n fath o gosb neu gerydd am iddo ef wrthod rhoi dim i'r begerwr ar y stryd. Y tebyg yw fod mwy o arwyddocâd i'r sôn am 'fy ngwrthod i' yn 1919 nag oedd yn 1931. Nid oes wadu nad yw'r diwygio a fu ar y cwpled olaf yn bryfoclyd o awgrymog.

Er gwaethaf agwedd anghymeradwyol ei fam at ei safiad yn ystod y rhyfel, nid oes tystiolaeth o fath yn y byd i unrhyw ddrwgdeimlad rhwng y ddau niweidio eu perthynas o gwbl, nac ychwaith y cariad rhyngddynt. Yn achos ei dad, nid oedd amheuaeth o gwbl ynghylch ei gefnogaeth i safiad ei fab hynaf. Yn hwyrach yn ei oes, fel ateb i'r cwestiwn mewn cyfweliad ag Aneirin Talfan Davies ai ef oedd ffefryn y teulu, dywedodd Parry-Williams nad efô ydoedd:

> … nid fi oedd y ffefryn, erbyn i mi ddechrau pwyso a mesur; ond rwy'n credu fod gan fy mam, efallai, un ffefryn, ac 'roedd hynny'n ddigon naturiol, ac mae o'n fyw o hyd. Ond efallai fy mod i'n dipyn o ffefryn gan fy nhad;

---

48   *The Welsh Outlook*, cyfrol 6, rhif 3 (Mawrth 1919), t. 64.
49   T. H. Parry-Williams, *Cerddi: Rhigymau a Sonedau* (Aberystwyth, 1931), t. 44. Y dyddiad a geir wrth y gerdd yno yw 1919.

'dwy' ddim yn siŵr, ond am mai fi oedd y mab hynaf, ac 'roedd o'n disgwyl rhywbeth oddi wrtha i, mae'n siŵr gen i.[50]

Ffefryn ei fam yn bendifaddau oedd Oscar, neu Siôn fel y'i gelwid ganddi (John Oscar Parry-Williams oedd ei enw llawn). Mewn llythyr at Tom ac Oscar ychydig wythnosau cyn ei farw ar ddydd Nadolig 1925, cyfeiriodd eu tad at fwriad Oscar i briodi ei ddyweddi, Dorothy Ellis ('Dora', 1899-1959) o Dre Taliesin ger Aberystwyth, athrawes yn ysgol gynradd Tal-y-bont, a dywedodd wrtho fod ei fam yn dweud '... na cheith Dora mohonot i gyd ... Aeth i grio ddoe wrth feddwl na chaiff hi ddim golchi dy ddillad am yn hir eto.'[51]

Fel y daeth yn dra amlwg yn ystod cyfnod yr erlid a fu ar Tom yn 1919-20, yr oedd ei dad a'i frodyr yn gadarn eu cefnogaeth iddo. Yn wir, y mae lle i gredu y buasai ei dad wedi cofrestru'n wrthwynebwr cydwybodol ei hun petasai yn yr oedran milwrol, oherwydd mewn teyrnged iddo yn adroddiad yr eglwys ym mlwyddyn ei farw, fe'i galwyd yn 'heddychwr heb ei ail'. Yr oedd yn Gristion o duedd efengylaidd, yn ôl ei gyn-weinidog a'i gyfaill, y Parchedig D. Perry Jones, mewn ysgrif deyrnged iddo: 'Hoffai wedd efengylaidd yr Efengyl; ac yr oedd ynddo duedd at y cyfrin'.[52] Bu'n flaenor yn ei gapel ac yn un o bileri'r achos am gyfnod o ddeugain mlynedd. Bu'n llywydd Cyfarfod Misol Arfon, a lluniodd adroddiad ar ganmlwyddiant yr achos yn Rhyd-ddu. Yr oedd sôn edmygus amdano'n arwain seiadau yn y capel bychan lle'r oedd cynifer â 57 o bobl yn bresennol. Rhywbeth arall sy'n peri inni dybio mai safbwynt heddychol a arddelai'r tad yn ystod y rhyfel oedd ei gyfeillgarwch â'r holl ysgolheigion o'r Cyfandir y bu'n rhoi gwersi Cymraeg iddynt dros y blynyddoedd, gan gynnwys Almaenwyr fel Heinrich Zimmer o Ferlin (1851-1910), Hermann Osthoff o Heidelberg (1847-1909), a Rudolf Thurneysen o Freiburg. Yr Athro T. Hudson Williams (1873-1961) a gyflwynodd yr ysgolheigion hyn i Henry Parry-Williams, fel y gallent ymweld ag ef yn

---

50   Copi teipiedig o'r cyfweliad rhwng Aneirin Talfan Davies a T. H. Parry-Williams mewn rhaglen yn y gyfres deledu 'Dylanwadau' a ddarlledwyd ar y BBC ar 16 Mehefin 1960, LlGC 'Papurau T. H. Parry-Williams', G109. Gw. hefyd y copi o'r sgript yn LlGC 'Papurau Aneirin Talfan Davies', blwch 15, ynghyd â phapurau a gohebiaeth yn ymwneud â darlledu'r rhaglen.

51   Llythyr Henry Parry-Williams at Tom ac Oscar, 28 Tachwedd 1925, sydd yn archif deuluol Ann Meire.

52   D. Perry Jones, 'Marw-goffa Henry Parry-Williams', *Y Cymro*, 17 Chwefror 1926, t. 6.

Rhyd-ddu er mwyn gloywi eu Cymraeg. Cystal oedd yr hyfforddiant a gaent fel yr adroddid stori am Heinrich Zimmer yn archebu tocyn trên yng ngorsaf Porthmadog drwy ofyn am 'docyn mynd a dod' pan oedd pawb arall wedi arfer gofyn am docyn 'return'.[53]

Mae'n amlwg fod y tad a'r mab hynaf yn rhannu llawer o'r un diddordebau, oherwydd darllenai Henry Parry-Williams lyfrau ynghylch syniadau gwyddonol am y byd a'r greadigaeth; yr oedd ganddo feddwl ymchwilgar a chwilfrydig. Tystia ei gyn-weinidog iddo fod yn darllen cyfieithiad Saesneg o lyfr y biolegydd a'r athronydd o'r Almaen, Ernst Haeckel (1834–1919), *The Riddle of the Universe*, ac i hynny siglo tipyn arno. Darwinydd oedd Haeckel a gredai fod esblygiad yn cynnig esboniad unol ar bopeth ym myd natur, ac yn cynnig ffordd athronyddol o ymdrin â dirgelwch bywyd. Safbwynt a ddadleuai o blaid moniaeth a oedd ganddo, sef yr athrawiaeth mai un sylwedd sydd i realaeth, yn groes i ddeuoldeb, sef yr athrawiaeth fod dwy egwyddor wrthwynebol i'w gilydd yn y bydysawd a bod meddwl a mater yn ddau beth ar wahân. Iddo ef, yr oedd y gred yn Nuw ac yng Nghrist yn seiliedig ar fythau nad oeddynt yn cyd-fynd â darganfyddiadau gwyddoniaeth fodern. Ond, meddai'r Parchedig D. Perry Jones, pan ailddarllenodd Henry Parry-Williams Efengyl Ioan yn fuan wedyn, gyda'i phwyslais ar y Gair a wnaethpwyd yn gnawd, 'fe giliodd y niwl'.[54] Diau y byddai daliadau Cristnogol y tad wedi peri iddo gymeradwyo a chefnogi safiad heddychol y mab.

Am ymateb ei gefndryd lluosog ar ochr teulu ei fam i'w safiad, nid oes dim tystiolaeth o gwbl fod unrhyw wrthwynebiad na drwgdeimlad tuag ato, na bod neb yn dal dig. Yn wir, pan ofynnwyd i Arthur Hughes, Beddgelert, a oedd yn nai i William Oerddwr, a gofiai glywed sôn fod unrhyw ddrwgdeimlad ymhlith y gangen honno o'r teulu ynghylch safiad Tom Parry-Williams, dywedodd na chlywsai ddim o gwbl.[55] Y mae Arthur Hughes, a aned yn 1925, yn fab i gefnder William Oerddwr; yr oedd taid Arthur, William Hughes, Cwmcaeth, Nanmor, yn frawd i John Hughes, Oerddwr, tad William Oerddwr. Bu Arthur yn gweini yn Oerddwr pan oedd yn llefnyn, a chysgai yn y tŷ gan rannu'r

---

53 Ceir yr hanesyn gan Henry Parry-Williams, 'Dr Heinrich Zimmer', *Cymru*, 20 (Ionawr 1901), t. 113.
54 Jones, 'Marw-goffa Henry Parry-Williams', t. 6.
55 Mewn cyfweliad â'r awdur ar 1 Gorffennaf 2016.

un llofft â William Oerddwr.[56] Yr oedd hefyd, wrth gwrs, yn adnabod Tom Parry-Williams ac yn ei gofio'n dod i helpu yn y cynhaeaf yn Oerddwr yn ystod y pedwardegau, a byddai, felly, wedi bod mewn sefyllfa dda i wybod am unrhyw ddrwgdeimlad posibl a allai fod wedi bodoli. Ond ni chlywodd erioed sôn am ddim byd felly. Ar sail popeth a wyddom am berthynas Tom â'i gefnder William Oerddwr yn enwedig, nid oedd dim ond cyfeillgarwch agos rhwng y ddau. A thystiolaeth Heddwyn Hughes yntau, mab Frank Oerddwr, oedd na fodolai ddim drwgdeimlad nac annifyrrwch o gwbl rhwng brodyr ei dad, William ac Alun Ellis, a'u cefnder Parry-Williams.

Ac er i'w brawd hi, David, orfod mynd i'r fyddin, nid oes argoel o gwbl nad oedd gan Eleri (1893-1986), merch R. R. Morris a Catherine ei wraig, ddegawdau wedi'r rhyfel, ddim ond atgofion hapus a phleserus am gwmni ei chefnder Tom Parry-Williams, a oedd chwe blynedd yn hŷn na hi. Yn ogystal â chofio am garedigrwydd ei 'Hyncl Parry' a'i 'Hanti Ann', cofiai'n arbennig am duedd eu mab i chwerthin yn iach pan welai ac y clywai bethau gogleisiol:

> Cofiaf am chwerthiniad iach Tom, pan fyddai rhywbeth yn ei daro yn rhyfedd. Cofio pan oedd y tywydd wedi bod yn boeth iawn rai dyddiau, a dyma rhyw gawod bach iawn o wlaw yn dod i lawr, am ychydig o funudau, a dywedodd fy mam wrth Tom a finnau "Wel, mae yn ddigon i oeri dipyn ar drwyn y fuwch yn y cae". Meddyliais na fuasai Tom byth yn stopio chwerthin. Mi fyddai yn gweld pethau'n ddigrif, pan fyddai neb arall yn sylwi rhywsut.[57]

★ ★ ★

Byddai'n gryn ryddhad i Henry ac Ann Parry-Williams i'r teulu agos oroesi'r Rhyfel Mawr heb gael ei fylchu. Fel arwydd o'u diolchgarwch am gael eu harbed rhag y gwaethaf, cyflwynodd y rhieni a'r plant set o lestri cymun i'r capel yn Rhyd-ddu. Gellid dweud i dri o'r meibion, fel yr holl filwyr a oroesodd y rhyfel, fynd i uffern ac yn ôl. Profasant frwydr wahanol iawn i'w brawd Tom, yr heddychwr, a ddioddefodd bangfeydd arteithiol yn ei uffern

---

56   Dechreuodd Arthur Hughes weini yn Oerddwr yn 1940 pan oedd yn bymtheg oed, a bu yno am ryw bum mlynedd.
57   Llythyr diddyddiad gan Eleri Jones at Amy Parry-Williams yn archif deuluol Ann Meire.

ei hun. Pan oedd pawb arall yn edrych ymlaen am gael ailafael yn eu bywydau mewn cyfnod o heddwch, yr oedd y brawd hynaf yn wynebu brwydr o fath gwahanol pan ddychwelodd i'r Coleg at dymor yr haf yn 1919.

Problemau prifysgol a 'geiriau'r eithafwyr oll'

WEDI I'R RHYFEL MAWR ddod i ben, wynebai Coleg Prifysgol Cymru, Aberystwyth, sawl her wrth iddo gynllunio ar gyfer y flwyddyn academaidd newydd a fyddai'n cychwyn ym mis Hydref 1919. I ddechrau, yr oedd iechyd bregus y Prifathro'n creu ansicrwydd ynghylch cadernid y llaw wrth y llyw. Bu T. F. Roberts adref o'i waith am rai misoedd oherwydd salwch, a chymerwyd ei le dros dro gan y Dirprwy Brifathro J. W. Marshall. Bu farw'r Prifathro ddechrau mis Awst 1919 ac aed ati i chwilio am olynydd iddo. Yr oedd medru'r Gymraeg yn gymhwyster hanfodol, a'r tri a roddwyd ar y rhestr fer oedd J. H. Davies, Cofrestrydd profiadol a thra dylanwadol y Coleg, Thomas Jones (1870-1955), Dirprwy Ysgrifennydd y Cabinet yn Llundain, a J. E. Lloyd, yr hanesydd mawr ei barch o Goleg Bangor a oedd hefyd yn Gofrestrydd y Coleg hwnnw.

Yng ngholofn y 'Random Leaves from a Welshman's Diary' yn y *South Wales News* ym mis Hydref, cyfeiriodd y gohebydd at y gystadleuaeth am swydd y Prifathro gan awgrymu, gyda pheth coegni, fod y Coleg yn mwynhau sylw na fu ei debyg ar gorn y drafodaeth gyhoeddus ynghylch y math o ddyn yr oedd ar y sefydliad ei angen i'w arwain. Awgrymodd fod talcen caled yn wynebu pwy bynnag a benodid:

> To put it plainly, Aberystwyth College to-day is in parlous condition, rent by petty jealousies, beset by cliquism, worried by personal ambitions which have sapped much of its strength … The new Principal, if he is to succeed, if he is to restore public confidence in, and re-establish the prestige of the

college, must be a man strong enough in mind and character to assume and maintain the supreme control …[1]

Yr oedd hynny'n ddweud go fawr, ac yn adlewyrchu peth o'r canfyddiad cyhoeddus o'r Coleg mewn rhai cylchoedd, boed wir neu beidio, nad oedd pethau fel y dylent fod. Mae'n werth nodi y byddai'r helynt ynghylch llenwi'r Gadair Gymraeg yn 1919, a'r holl sylw a fu yn sgil hynny yn y wasg leol a chenedlaethol, wedi ychwanegu at y canfyddiad, gan fod yr un math o gyhuddiadau ynghylch clicyddiaeth a chenfigen ac uchelgais bersonol yn cael eu taflu hwnt ac yma wrth drafod y penodiad hwnnw hefyd.

Pan gyfarfu'r Cyngor i ethol Prifathro newydd ym mis Tachwedd, J. H. Davies a benodwyd, ond bu tipyn o ymgiprys y tu ôl i'r llenni a thipyn o drafod hefyd yn y wasg. Ni allai Thomas Jones guddio'i siom am iddo roi ei holl fryd ar gael arwain ei hen Goleg, ac am fod ganddo dystlythyron gan lawer o gefnogwyr dylanwadol, a'r Prif Weinidog, David Lloyd George, yn eu plith. Credai cyfeillion Thomas Jones fod penodi'r Cofrestrydd yn Brifathro ar ei draul ef yn arwydd o'r 'mentaliti pwmp y llan' a geid yn Aberystwyth.[2]

Diau mai'r broblem ddwysaf a wynebid gan y Coleg oedd sut i letya'r nifer cynyddol o fyfyrwyr a fyddai'n ymuno ar ôl y rhyfel, llawer ohonynt yn gyn-filwyr a oedd am ailafael yn eu hastudiaethau. Paratowyd datganiad mewnol ar gyfer Cyngor y Coleg yn ystod Tymor yr Haf yn crynhoi beth oedd yr anawsterau ynglŷn â'r paratoadau y byddai'n rhaid eu gwneud erbyn blwyddyn academaidd 1919-20.[3] Yn Nhymor yr Hydref 1918, yr oedd 400 o fyfyrwyr yn y Coleg, 248 ohonynt yn ferched a 152 yn ddynion. Rhwng Ionawr 1919 a Thymor y Pasg, yr oedd 217 o fyfyrwyr yn ychwanegol wedi cyrraedd ar ôl cael eu rhyddhau o'r fyddin, ac yn Nhymor yr Haf ymaelododd 98 eto fyth, ac o gyfrif y 24 o ferched a fynychai'r cwrs ar laethyddiaeth y tymor hwnnw, yr oedd cyfanswm y myfyrwyr wedi cynyddu i 740 erbyn diwedd y sesiwn. Achosodd y cynnydd brinder llety. Yr oedd rhai myfyrwyr yn talu pris dwbl am rentu ystafell mewn tai preifat yn y dref, ac oherwydd

---

1   'Random Leaves from a Welshman's Diary', *South Wales News*, 10 Hydref 1919, t. 7.
2   E. L. Ellis, *T.J.: A Life of Dr Thomas Jones, CH* (Cardiff, 1992), t. 209. Ar hanes y penodiad, gw. hefyd T. I. Ellis, *John Humphreys Davies (1871-1926)*, tt. 127-30.
3   'Statement Concerning Present Position as Regards Students and Accommodation', ym mhapurau J. H. Davies sy'n ymwneud â'r Coleg yn llawysgrif LlGC Cwrt-mawr 1384E.

yr angen am gadw lle i ymwelwyr aros yn ystod dechrau'r tymor gwyliau, rhagwelid y byddai'n mynd yn argyfwng yn fuan iawn.

Ar wahân i sicrhau lletty ar gyfer y myfyrwyr, rhagwelid hefyd y byddai prinder lle ar gyfer eu dysgu. Bu pethau'n go fain yn yr adrannau gwyddonol yn ystod sesiwn 1918-19 am nad oedd digon o le yn y darlithfeydd na'r labordai. Er nad oedd pethau cynddrwg yn adrannau'r celfyddydau, byddai'n rhaid sicrhau ystafelloedd ar gyfer yr Athrawon newydd a benodwyd i ddwy gadair a waddolwyd gan y chwiorydd Margaret a Gwendoline Davies o blas Gregynog yn 1919, sef Alfred Zimmern yr Athro mewn Gwleidyddiaeth Ryngwladol, a Walford Davies yr Athro Cerddoriaeth. Gan fod lletty'r myfyrwyr benywaidd yn Neuadd Alecsandra yn llawn, a chan fod y Coleg eisoes wedi gorfod prynu tri thŷ yn Nheras y Môr i letya 60 o fyfyrwragedd yn ychwanegol yn ystod 1918, yr oeddid yn argymell peidio â derbyn mwy o ferched ar gyfer y sesiwn ddilynol am y tro gan na fyddai lle ar eu cyfer yn neuaddau'r brifysgol. At ei gilydd, felly, rhagwelid y byddai'n agos i 1,000 o fyfyrwyr yn y Coleg erbyn dechrau'r flwyddyn academaidd newydd ym mis Hydref.[4] Sefydlwyd pwyllgor yn benodol i drafod prinder yr adnoddau lletty, ac roedd hwnnw eisoes wedi argymell y dylai'r Coleg brynu adeiladau neu lesio tai er mwyn cartrefu'r holl fyfyrwyr. Eisoes, yr oedd yr hen ffowndri yng nghanol y dref wedi'i phrynu er mwyn cartrefu'r Adran Amaeth, a byddai ei symud hi yn caniatáu mwy o le ar gyfer yr Adran Ffiseg ym mhrif adeilad y Coleg. Pwysleisiai'r datganiad mai problemau llwyddiant oedd y rhain, ond problemau serch hynny y byddai'n rhaid eu goresgyn ar fyrder.

Rhywbeth arall a bwysai ar reolwyr y Coleg yn y cyfnod hwnnw oedd yr angen am lenwi'r cadeiriau a adawyd yn wag mewn sawl pwnc ac adran yn ystod y rhyfel, gan gynnwys Ffiseg, Cemeg, Lladin, Amaethyddiaeth a Mathemateg Bur. I raddau helaeth, yr oedd datrys y broblem hon damaid yn haws na'r lleill oherwydd cynllun punt am bunt y Trysorlys a fyddai'n atgyfnerthu unrhyw fuddsoddiad a wneid gan y Coleg ei hun. Erbyn hynny, yr oedd y sefyllfa ariannol yn fwy diogel nag y bu ers blynyddoedd, diolch i'r rhodd hael a ddaeth fel manna o'r nefoedd yn Rhagfyr 1916 pan gyflwynodd

---

4   Erbyn Tymor yr Hydref 1919 yr oedd 1,100 o fyfyrwyr yn y Coleg, yn cynnwys 502 o gyn-filwyr, gw. Archifdy Prifysgol Aberystwyth, CRT/1/1, *Cofnodion Llys y Llywodraethwyr, 1911-24*, tt. 36-7.

chwiorydd Gregynog rodd ddienw o £100,000, sef £20,000 y flwyddyn dros bum mlynedd, er mwyn galluogi'r Coleg i benodi i gadeiriau. Byddai'r swm hwnnw yn werth ymhell dros chwe miliwn o bunnoedd yn arian heddiw.

Fel y gwyddom, bu'r Gadair Gymraeg yn wag oddi ar farwolaeth Edward Anwyl yn 1914, ac erbyn 7 Mawrth 1919 dechreuodd pethau ymystwyrian pan sefydlwyd pwyllgor penodol i ddewis ymgeiswyr ar ei chyfer.[5] Aelodau'r pwyllgor hwnnw, a gadeirid gan y Prifathro Gweithredol J. W. Marshall, oedd E. Vincent Evans (1851-1934) a D. Lleufer Thomas, y ddau yn gynrychiolwyr enwebedig Cyngor y Coleg, Edward Edwards yn cynrychioli Senedd y Coleg – yr oedd hefyd erbyn hynny yn bennaeth gweithredol yr Adran Gymraeg – John Morris-Jones yn arbenigwr pynciol allanol, ac W. J. Gruffydd a oedd yn Gadeirydd Pwyllgor Penodiadau Prifysgol Cymru ar faterion Cymreig.[6]

Yr oedd y ddau a gynrychiolai'r Cyngor ar y Pwyllgor Penodi yn ffigurau amlwg ym mywyd addysgol a diwylliannol y genedl, E. Vincent Evans yn Ysgrifennydd Anrhydeddus Gymdeithas y Cymmrodorion ac yn un o swyddogion Cymdeithas yr Eisteddfod Genedlaethol[7] – yr oedd trafodion Cymdeithas y Cymmrodorion, sef ei chylchgrawn blynyddol, yn gyfrwng i gyhoeddi llawer o ffrwyth ysgolheictod Cymraeg a Cheltaidd y cyfnod hwnnw, ac yr oedd Cymdeithas yr Eisteddfod hithau'n cyhoeddi astudiaethau llenyddol – a D. Lleufer Thomas a oedd â'i fys mewn sawl brywes, gan gynnwys y Cymmrodorion, Cyngor Prifysgol Cymru a'r Llyfrgell Genedlaethol.[8]

Cyfarfu'r Pwyllgor Penodi am y tro cyntaf ar 22 Mai a phenderfynwyd bwrw ymlaen i hysbysebu Cadair y Gymraeg gan wahodd ceisiadau gan arbenigwyr ar iaith a llenyddiaeth. Pan adroddwyd wrth Gyngor y Coleg ar 27 Mehefin beth oedd penderfyniad y Pwyllgor Penodi, fodd bynnag, mae'n amlwg i rai godi cwestiynau ynghylch a ddylai hon fod yn Gadair Gymraeg ai peidio, ynteu a ddylid penodi ieithydd Celtaidd a chyfarwyddwr Astudiaethau Celtaidd. Gan fod Gwenogvryn Evans yn aelod o Gyngor y Coleg ac yn bresennol ym mhob cyfarfod a gynhaliwyd yn ystod y misoedd hynny, synhwyro y mae rhywun mai ef oedd fwyaf taer o blaid penodi ysgolhaig Celtaidd yn hytrach

---

5   Archifdy Prifysgol Aberystwyth, CNL/1/A2, *Cofnodion Cyngor Coleg Prifysgol Cymru Aberystwyth 1916-19*, t. 358 eitem 11.
6   Gw. Chapman, *W. J. Gruffydd (Dawn Dweud)*, t. 72.
7   Gw. erthygl David Williams arno yn *Y Bywgraffiadur Cymreig hyd 1940*, tt. 217-18.
8   Gw. erthygl Thomas Jones arno, ibid., tt. 881-2.

nag ysgolhaig Cymraeg, a chofiwn hefyd iddo fod yn aelod o'r pwyllgor a fu'n trafod y posibilrwydd o sefydlu Ysgol Astudiaethau Celtaidd ac a arweiniodd at lunio'r 'Memorandwm ar Astudiaethau Celtaidd' yn 1915. Ar ôl 'trafodaeth hirfaith' fel y dywedwyd yn y cofnodion, penderfynwyd yn unfrydol fwrw ymlaen i hysbysebu swydd Athro'r Gymraeg ar gyflog o £600 y flwyddyn.

Gan fod gwrthwynebiad i fwriad gwreiddiol y Pwyllgor Penodi, a bod rhai o hyd yn gweld rhinwedd mewn cael Athro mewn Celteg, aed ati i baratoi adroddiad dros dro ar gyfer y Cyngor yn crynhoi'r drafodaeth a fu ymhlith aelodau'r Pwyllgor Penodi. Yn yr adroddiad hwnnw, a luniwyd gan W. J. Gruffydd, esboniwyd bod y gair 'Celtaidd' braidd yn gamarweiniol am fod y syniad o Gelteg fel iaith yn un damcaniaethol, yn seiliedig ar yr hyn a wyddai pobl am yr ieithoedd unigol, y Gymraeg, yr Aeleg, yr Wyddeleg, y Llydaweg a'r Gernyweg, ac yr oedd ystyried bod ysgolheictod Celtaidd fel petai'n fwy uwchraddol nag ysgolheictod Cymraeg yn ffwlbri noeth. A rhag ofn fod unrhyw aelod o'r Cyngor yn dadlau y dylid ceisio denu ysgolhaig Celtaidd o'r tu allan i Gymru i gynnig am y swydd, fe wnâi'r adroddiad hi'n gwbl glir na allai unrhyw un nad oedd yn siaradwr Cymraeg brodorol fyth ragori ar y sawl a oedd wedi siarad yr iaith fyw o'i blentyndod. Barn bendant y pwyllgor oedd na ellid gwerthfawrogi nac iaith na llenyddiaeth y Gymraeg, nac ychwaith eu dysgu a chyfleu eu hysbryd a'u hanian, heb fedru'r iaith fel siaradwr brodorol. Dyna paham yr oedd yn rhaid i ba ysgolhaig bynnag a oedd yn gymwys i lenwi'r Gadair fedru'r Gymraeg fel ei famiaith.

Cyfarfu'r pwyllgor ar 1 Awst i drafod y ceisiadau, a lluniwyd rhestr fer o bedwar, sef T. Gwynn Jones, a oedd, fe gofir, wedi'i benodi'n Ddarllenydd yn yr Adran yn 1913; Timothy Lewis, a benodwyd yn ddarlithydd cynorthwyol yn 1910, ac a oedd bellach wedi dychwelyd ar ôl ei gyfnod yn y fyddin; T. H. Parry-Williams, a benodwyd yn ddarlithydd cynorthwyol yn 1914; a Morgan Watkin, a oedd yn Athro Ffrangeg yn Ysgol Mwynfeydd a Thechnoleg Johannesburg yn Ne'r Affrig er 1917. Penderfyniad unfrydol y pwyllgor oedd y dylid penodi T. Gwynn Jones i Gadair mewn Llenyddiaeth Gymraeg. Gan nad oedd yr aelodau wedi penderfynu beth i'w wneud yn achos swydd Athro'r Gymraeg, y bwriad oedd iddynt gyfarfod yn Eisteddfod Genedlaethol Corwen ar 8 Awst i drafod ymhellach, ond gan mai hwnnw oedd dyddiad angladd T. F. Roberts y Prifathro, bu'n rhaid gohirio a threfnu cyfarfod arall ar gyfer 18 Awst. Yn y cyfamser anfonwyd adroddiad i'r Cyngor a oedd yn cyfarfod ar 15 Awst, yn cynnwys argymhelliad unfrydol y Pwyllgor Penodi ynghylch penodi T. Gwynn Jones.

Yn y cyfarfod hwnnw o'r Cyngor ar 15 Awst fodd bynnag, heriwyd penderfyniad y Pwyllgor Penodi am nad oedd yn ymddangos fod aelodau'r Cyngor wedi pleidleisio'n ffurfiol dros unrhyw gynnig a oedd yn awdurdodi gwneud dau benodiad yn yr Adran Gymraeg. Arweiniodd yr ymyrraeth honno at yr hyn sy'n cael ei ddisgrifio drachefn yn y cofnodion fel 'trafodaeth hirfaith'. Yn y cyfarfod hwnnw y penderfynwyd unwaith ac am byth y dylid creu dwy Gadair yn yr Adran, y naill yn y Gymraeg a'r llall mewn llenyddiaeth Gymraeg. Dyfynnir yn y cofnodion ran o ddatganiad Is-Lywydd y Coleg, David Davies AS (1880-1944), a gadeiriai'r cyfarfod y pnawn hwnnw, yn dweud iddo gael sêl bendith y noddwyr dienw a gyflwynodd y rhodd ariannol i'r Coleg yn 1916, i neilltuo cyfran o'r arian i gyflogi Athro yn yr Adran Gymraeg. Fe wyddai David Davies, wrth gwrs, mai ei chwiorydd oedd y noddwyr, ond y tebyg yw mai Thomas Jones a berswadiodd y ddwy i ganiatáu defnyddio'r arian i benodi T. Gwynn Jones, yn ogystal â gwaddoli cadair i H. J. Fleure (1877-1969), yr anthropolegydd a'r daearyddwr nodedig.[9] Tra oedd y drafodaeth honno'n mynd rhagddi yng nghyfarfod y Cyngor, cadwyd T. Gwynn Jones ar bigau'r drain hyd nes y cafodd ei alw gerbron a chael cynnig y swydd.

Buasai hynny'n gryn ryddhad iddo ar ôl wythnosau lawer o ansicrwydd a phryder, oherwydd gwyddai ers tro y byddai'n wynebu brwydr galed i gael ei benodi i'r Gadair. Dywedodd hynny mewn llythyr a anfonodd ddiwedd Mai 1919 at ei gyfaill E. Morgan Humphreys (1882-1955), y golygydd a'r newyddiadurwr o Gaernarfon:

> Yr wyf fi yn bur agos, mi gredaf, i'r frwydr fwyaf, ond odid, yn fy hanes eto, ac os collaf hon, bydd ar ben arnaf, mae'n ddiau … Yn awr, y mae'r bwriad ar droed i sefydlu cadair mewn Llenyddiaeth Gymraeg. Y mae cryn syniad ar led yma ac yn y wlad mai myfi yw'r dyn am dani o bob ysgolhaig a geir.[10]

---

9   Ellis, *T.J.: A Life of Dr Thomas Jones CH*, t. 208.
10   Llythyr T. Gwynn Jones at E. Morgan Humphreys, 27 Mai 1919, LlGC 'Papurau E. Morgan Humphreys', A/2009 (i).

Cafodd sicrwydd, meddai, na fyddai dim yn rhwystro'r penodiad, ond yr oedd 'rhai yn ceisio fy nhaflu allan' ac fe ohiriwyd y penodiad tan ddechrau Gorffennaf. Derbyniasai delegram ym mis Mai gan aelod o'r Pwyllgor Penodi, Edward Edwards, o Lundain lle'r oedd y Cyngor yn cyfarfod, yn dweud bod y penodiad wedi ei ohirio am y tro, ond bod popeth yn iawn fel nad oedd raid iddo boeni: 'Appointment postponed. Everything All-right.' Pan ddangosodd Gwynn Jones y telegram hwnnw i un o'i gyfeillion, ymateb Gwynn Jones oedd: 'Pwy all right a gohirio'r dewis?'[11] Yr oedd ganddo reswm da dros fod yn amheus, oherwydd gwyddai'n iawn fod rhai pobl am geisio rhwystro'r penodiad, a bron na allai fynd ar ei lw mai Gwenogvryn Evans oedd ei brif elyn. Dyma'r hyn a ddywedodd yn ei lythyr at Morgan Humphreys: 'Y dyn sy'n gweithio yn f'erbyn yw Gwenogfryn am na fedrwn i dderbyn ei ffwlbri am Daliesin.'

Fe greodd y gwrthwynebiad hwn fath o groendeneurwydd yn Gwynn Jones, oherwydd yr oedd wedi clywed bod rhywun neu rywrai wedi bod yn ymosod arno yng nghyfarfodydd y Cyngor, ac anfonodd lythyr ar 11 Gorffennaf at un o aelodau'r Cyngor, Ruth Lewis (1871-1946), ail wraig John Herbert Lewis (1858-1933), Aelod Seneddol Sir y Fflint ac Ysgrifennydd Seneddol y Bwrdd Addysg, yn holi beth a ddywedwyd amdano.[12] Gan na fu hi'n bresennol yn nau gyfarfod diwethaf y Cyngor, meddai, ni chlywsai unrhyw ymosodiadau arno. Y cyfan a wyddai hi yr adeg honno oedd fod pwyllgor wedi'i sefydlu i ystyried holl fater y Gadair Gymraeg. Gofynnodd Gwynn Jones hefyd i Morgan Humphreys wneud popeth a fedrai drosto fel golygydd *Y Genedl Gymreig* a'r *North Wales Observer and Express* i hybu ei achos yn gyhoeddus. Ofni yr oedd fod ei farn onest a llafar ar faterion y dydd yn ystod y rhyfel wedi gwneud drwg i'w achos, ac nid oedd am dynnu gormod o sylw at ei safbwyntiau gwleidyddol. Doethach, yn hytrach, oedd llunio ysgrif yn canmol ei waith, ac er mor groes i'r graen ganddo oedd y math hwnnw o ymgyrchu, yr oedd yn rhaid ei wneud, meddai, am y gwyddai'n dda fod carfan arall o bobl wrthi'n ddygn iawn yn rhedeg ymgyrch i hyrwyddo achos ymgeisydd arall, sef Timothy Lewis.

---

11 'Atgofion Dewi Morgan' yn rhifyn coffa T. Gwynn Jones o *Y Llenor*, 28 (1949), t. 94.
12 Llythyr Ruth Lewis at T. Gwynn Jones, 11 Gorffennaf 1919, LlGC 'Papurau T. Gwynn Jones', G3675.

Drannoeth anfon ei gais i mewn am y Gadair, gyrrodd T. Gwynn Jones lythyr at E. Morgan Humphreys:

> Aeth y cais i mewn ddoe, a bellach nid oes ond aros. Clywais fod cad o blaid Timotheos yn y papurau Saesneg. Ni wna lawer o ddrwg i P[arry] W[illiams] na minnau, na llawer o les iddo yntau, canys gŵyr pobl o ble y daw. Dywedwyd celwyddau am P.W. Ac am danaf fi, ni wn beth a ddywedwyd.[13]

Ymddangosodd erthygl ddienw yn y *Carnarvon and Denbigh Herald* ym Mehefin yn honni mai gradd MA er anrhydedd a oedd ganddo, ac yr oedd hynny'n anwiredd am iddo dderbyn y radd am ei draethawd ymchwil 'Welsh Bardism and Romance'. Yr hyn a ddywedwyd am Parry-Williams oedd ei fod yn 'good scholar and chaired bard, who, however we believe, has produced no scholarly work of outstanding merit.'[14] Mae'n amlwg fod T. Gwynn Jones yn gwybod i Gwenogvryn Evans geisio defnyddio'i safle a'i ddylanwad fel aelod o Gyngor y Coleg i geisio'i rwystro rhag cael ei ystyried yn ymgeisydd am y Gadair, a'i fod wedi cyfeirio at Timothy Lewis fel olynydd naturiol i Syr John Rhŷs fel ysgolhaig, oherwydd anogodd Morgan Humphreys i achub ar bob cyfle i dynnu blewyn o drwyn Gwenogvryn: 'Pe caech gyfle ar ergyd i'r llyffant gwyrdd byth, na chollwch ac nad arbedwch er dim.'[15]

Addawodd Morgan Humphreys wneud yr hyn a allai i hybu ymgais ei gyfaill, ac ymddangosodd paragraffau ganddo yn y golofn 'O Ddydd i Ddydd' yn *Y Genedl Gymreig* lle'r oedd yn canu ei glodydd fel arbenigwr ar lenyddiaeth Cymru, nid yn unig oherwydd helaethrwydd rhyfeddol ei wybodaeth am lenyddiaeth ym mhob cyfnod, ond hefyd oherwydd ei allu i gyfleu'r wybodaeth honno.[16] Wythnos yn ddiweddarach, yn ei golofn 'Wrth Fynd Heibio' yn yr un papur, cyhoeddodd druth yn canmol awdl T. Gwynn Jones, 'Ymadawiad Arthur', a chyfeiriodd at gyflwr llewyrchus llenyddiaeth Gymraeg dan ofal rhai o wŷr llên Prifysgol Cymru:

---

13 Llythyr T. Gwynn Jones at E. Morgan Humphreys, 26 Gorffennaf 1919, LlGC 'Papurau E. Morgan Humphreys', A/2013 (i).

14 *The Carnarvon and Denbigh Herald*, 20 Mehefin 1919, t. 4.

15 Llythyr T. Gwynn Jones at E. Morgan Humphreys, 10 Gorffennaf 1919, LlGC 'Papurau E. Morgan Humphreys', A/2012. Gelwid Gwenogvryn gan rai yn 'Greenfrog', a dyna pam y'i henwir yn 'llyffant gwyrdd' yma.

16 'O Ddydd i Ddydd gan Sylwedydd', *Y Genedl Gymreig*, 10 Mehefin 1919, t. 2.

> Da gennyf feddwl fod Syr John Morris-Jones a Mr Ivor Williams ym
> Mangor, Mr Gwynn Jones a Dr Parry-Williams yn Aberystwyth, Mr W.
> J. Gruffydd, Gwili ac ereill yng Nghaerdydd. Braint Prifysgol Cymru yw
> rhwymo dynion fel hyn wrthi.[17]

Yn dilyn cyhoeddi'r truth hwnnw, fel y datgelodd Morgan Humphreys wrth
T. Gwynn Jones mewn llythyr, galwodd Beriah Gwynfe Evans (1848-1927)
heibio i swyddfa'r *Genedl* i gwyno am gynnwys y golofn am nad oedd Morgan
Humphreys wedi sôn gair am Timothy Lewis:

> Yr oedd yn amlwg, meddai … mai eisiau eich gwthio i le Anwyl yr oeddwn
> ac y gwyddai pawb mai T.L. ydyw gwir olynydd John Rhys fel ysgolhaig
> Celtaidd! … Ond yn y "Carnarvon and Denbigh" am ddydd Gwener yr
> oedd ysgrif arweiniol yn moli T.L., ac yn dywedyd fod yn angenrheidiol
> galw sylw at ei gymhwysterau oherwydd "an organized campaign in a
> selection of the Welsh press in favour of another candidate."[18]

Fe wyddai Gwynn Jones a Morgan Humphreys yn iawn beth oedd achos
diddordeb ysol Beriah Evans yn nhynged y Gadair Gymraeg yn Aberystwyth,
gan mai ef oedd tad yng nghyfraith Timothy Lewis. Priododd Timothy â'i
ferch, Nellie Myfanwy, ym mis Medi 1911. Yn yr erthygl arweiniol y cyfeirid
ati gan Morgan Humphreys yn y dyfyniad uchod, pwysleisiai'r awdur fod
y gwladgarwch a ddangoswyd gan W. J. Gruffydd drwy ei wasanaeth yn y
llynges adeg y rhyfel wedi bod o les i'w benodiad i'r Gadair Gymraeg yng
Nghaerdydd, ac na ddylai'r gwladgarwch brwd a ddangoswyd gan Timothy
Lewis drwy gyfrwng ei wasanaeth hunanaberthol yntau ddim ei rwystro
rhag cael ei ddyrchafu i swydd yr oedd ganddo'r cymwysterau ar ei chyfer.[19]
Honnid hefyd mai W. J. Gruffydd a Timothy Lewis oedd yr unig ddau o
blith staff adrannau Cymraeg y colegau a wirfoddolodd i wasanaethu yn ystod
y rhyfel. Fel y mae'n digwydd bod, nid oedd y ffaith honno'n gwbl gywir,
oherwydd treuliodd Henry Lewis (1889-1968) gyfnod yng ngwasanaeth y
Gwarchodwyr Cymreig yn Ffrainc cyn cael ei anafu'n ddifrifol a threulio

---

17   'Wrth Fynd Heibio gan E.M.H', ibid., 17 Mehefin 1919, t. 2.
18   Llythyr E. Morgan Humphreys at T. Gwynn Jones, 23 Mehefin 1919, LlGC 'Papurau T.
     Gwynn Jones', G2242.
19   'Welsh College Appointments', *Carnarvon and Denbigh Herald*, 20 Mehefin 1919, t. 4.

wythnosau'n orweiddiog mewn ysbyty. Cyn iddo gael ei ryddhau'n swyddogol o'r fyddin yn 1918, fe'i penodwyd yn ddarlithydd cynorthwyol yn yr Adran Gelteg yng Nghaerdydd.[20] Nid gormod o gyd-ddigwyddiad oedd fod cynnwys yr erthygl honno yn yr *Herald* Saesneg yn cyd-fynd i'r dim â barn Beriah a'i ddiddordeb yn y penodiad yn Aberystwyth.

Y gwir amdani yw fod Beriah wedi bod wrthi'n ceisio denu cefnogaeth i ymgais ei fab yng nghyfraith am gael llenwi'r Gadair byth oddi ar iddo glywed fod Edward Anwyl yn gadael Aberystwyth i fynd yn Brifathro'r Coleg Hyfforddi yng Nghaerllion. Ym mis Rhagfyr 1913, ysgrifennodd at E. T. John (1857-1931), Aelod Seneddol Rhyddfrydol Dwyrain Dinbych rhwng 1910 a 1918, i ofyn am ei gymorth i ganfasio o blaid Timothy. Yr oedd E. T. John a Beriah yn gyfeillion am iddynt ymwneud tipyn â'i gilydd fel swyddogion y Gyngres Geltaidd a chefnogwyr Cymdeithas Genedlaethol y Cymdeithasau Cymreig.[21] Gobaith Beriah yr adeg honno oedd y byddai ei gyfaill yn anfon at Brifathro a Chofrestrydd y Coleg, yn ogystal ag at rai o aelodau'r Cyngor, er mwyn eu darbwyllo mai Timothy oedd yr ymgeisydd mwyaf teilwng am y Gadair. Darparodd grynodeb o'i gyraeddiadau a'i gymwysterau gan ei ganmol i'r cymylau, fel y gallai E. T. John dynnu sylw at ei ragoriaethau. Nid oedd amheuaeth, ym marn Beriah, beth oedd y rheini:

> He is the coming man in Celtic learning and granted life will succeed and surpass Sir John Rhys in the estimation of Celtic Scholars the world over ... he is a strong Nationalist. His moral influence is recognized in Aberystwyth to be most beneficial. His *one* failing is an excessive modesty which prevents him advertising his own merits and honours.[22]

Os na theimlai fod gan ei fab yng nghyfraith ddigon o hyder i ganu ei glodydd ei hun, yr oedd gan Beriah fwy na digon o hyfdra i hybu'i achos oherwydd pan oedd enw Timothy ar y rhestr fer yn haf 1919, bu wrthi'n ddiwyd yn cyfrannu erthyglau a cholofnau i rai o'r papurau Cymreig yn trafod y gystadleuaeth am

---

20   Ceir ei hanes yn y rhyfel yn ei gais am Gadair Gymraeg Abertawe yn 1921 yn LlGC 'Papurau Henry Lewis' (heb eu catalogio), blwch 9.

21   Gw. *The Celtic Who's Who* (Kirkaldy, 1921), tt. 39, 67. E. T. John oedd Llywydd y Gyngres Geltaidd yn 1918-20, a Llywydd y Cymdeithasau Cymraeg yn 1916-20.

22   Llythyr Beriah Gwynfe Evans at E. T. John, 2 Rhagfyr 1913, LlGC 'Papurau E. T. John', 1086.

y Gadair, yn ogystal â cheisio annog E. T. John mewn gohebiaeth bersonol i wneud ei orau dros Timothy.

Pan benodwyd T. Gwynn Jones i'r Gadair mewn Llenyddiaeth Gymraeg ym mis Awst, anfonodd Beriah epistol at E. T. John yn tynnu ei sylw at y newyddion fod y Coleg wedi rhuthro i benodi i Gadair newydd sbon er gwaethaf protestiadau Owen Prys, Prifathro'r Coleg Diwinyddol, ac eraill o blith aelodau'r Cyngor, a gredai fod rhai anghysonderau wedi bod ynghylch y penodiad.[23] Cyfeiriad oedd hynny yn ddi-os at yr amheuaeth a godwyd yn un o gyfarfodydd y Cyngor ynghylch dilysrwydd y penderfyniad i benodi i ddwy Gadair yn yr Adran. Gan mai hysbyseb am un Gadair yn unig a ymddangosodd yn y wasg, yr oedd rhai yn amheus fod pethau'n cael eu trefnu yn y dirgel a bod rhyw gynllwyn ar droed. Mae'n rhaid fod Beriah wedi clywed yr hanes gan rywun a oedd yn bresennol yn y cyfarfod hwnnw o'r Cyngor ar 15 Awst (Gwenogvryn Evans yn fwy na thebyg), oherwydd dywedodd na allai neb rwystro'r penodiad am fod dylanwad y Cofrestrydd, J. H. Davies, yn rhy gryf, a bod David Davies wedi rhoi sicrwydd fod yr arian ar gael i noddi'r Gadair. Rhoddodd wybod i E. T. John y byddai'r ail Gadair yn cael ei llenwi ym mis Medi, ac ofnai y byddai mwy o'r hyn a alwai yn 'hocus pocus' yn digwydd yr adeg honno yn ogystal. Pwysodd arno i geisio dylanwadu ar aelodau'r Pwyllgor Penodi drwy eu hargyhoeddi mai Timothy oedd yr ymgeisydd cryfaf. Credai ei fod ben ac ysgwyddau'n uwch o ran ei allu a'i gymhwyster ar gyfer y swydd na neb arall, ac ofnai fod perygl y digwyddai'r un camgymeriad yn achos Timothy ag a ddigwyddodd yn achos Henry Jones pan fethodd hwnnw â chael ei benodi'n Brifathro Coleg Bangor yn 1884; penodwyd ef wedyn i Gadair Athroniaeth Prifysgol St Andrews, ac wedi hynny i Gadair Athroniaeth Prifysgol Glasgow, a châi ei ystyried gan amryw o Gymry fel 'yr alltud mawr'.[24] Pe methid â phenodi Timothy i'r Gadair, a bod T. H. Parry-Williams yn ei chael, gallai fod yn dewis gadael Cymru, a byddai hynny'n golled. Ystyriai Beriah fod Parry-Williams yn 'obviously much inferior man.'

Gohebiaeth breifat oedd hon, ond mae tystiolaeth ddigamsyniol ar gael fod Beriah wedi bod wrthi'n ddiwyd yn dal ar bob cyfle a gâi drwy gyfrwng

---

23   Llythyr Beriah Gwynfe Evans at E. T. John, 18 Awst 1919, ibid., 2248.

24   Gw. E. Morgan Humphreys, 'Syr Henry Jones, 1852-1922', *Gwŷr Enwog Gynt (Yr Ail Gyfres)* (Aberystwyth, 1953), tt. 30-9.

colofnau'r wasg i dynnu sylw at yr hyn a ystyriai yn anghyfiawnder â'i fab yng nghyfraith, yn enwedig yn ystod y cyfnod rhwng mis Gorffennaf a dyddiad y cyfweliad am yr ail Gadair ym mis Medi. Cafodd gydweithrediad Gwenogvryn Evans hefyd, a oedd yr un mor bleidiol i Timothy, ac a oedd am geisio gwneud popeth a fedrai i rwystro ymgais Parry-Williams.

Gosodwyd y cywair ar gyfer yr holl drafodaeth a fu yn y wasg rhwng mis Mehefin a mis Tachwedd 1919 ynghylch teilyngdod ac annheilyngdod yr ymgeiswyr ar gyfer Cadair Gymraeg Aberystwyth mewn erthygl olygyddol a ymddangosodd yn y *Carnarvon and Denbigh* ar 11 Gorffennaf. Cyflwyno dadl o blaid ystyried pa wasanaeth a gyflawnodd dynion o'u gwirfodd yn ystod y Rhyfel Mawr wrth gloriannu ceisiadau ar gyfer swyddi yng ngholegau Cymru a wneid. Cyfeiriai'n benodol at esiampl glodwiw W. J. Gruffydd a ddyrchafwyd o fod yn ddarlithydd i fod yn Athro ar ôl cyflawni ei wasanaeth i'w wlad. Ar ôl gwneud ymholiadau, cafodd y papur ar ddeall fod rhai prifysgolion yn Lloegr yn ystyried record ryfel ymgeiswyr wrth benodi i swyddi gweigion, a bod disgwyl i bob ymgeisydd nodi ar ei ffurflen gais pa fath o wasanaeth a gyflawnodd a sut yn union y cyfrannodd at y fuddugoliaeth. Yr oedd disgwyl hefyd i bob ymgeisydd nodi pa un a aeth i'r fyddin yn wirfoddol ai ynteu a gafodd ei gonsgriptio, ac a wnaeth gais am gael ei eithrio ai peidio. Ac os bu'r ymgeisydd yn gwasanaethu, yr oedd disgwyl iddo gynnwys yr holl fanylion perthnasol. Yr oedd honno'n ffordd resymol a theg o drin ceisiadau ym marn yr awdur, ac anogai golegau Cymru i efelychu esiampl ragorol rhai o brifysgolion Lloegr. Dangosai'r agwedd ddraconaidd hon ragfarn go eithafol y papur yn erbyn y rhai a wrthododd wasanaethu, a'r eironi yw fod y dull o weithredu a argymhellai yn cael ei gynnig fel ffordd o wneud cyfiawnder â phawb:

> It enables the appointing authority to know each applicant's record, and by that record to gauge the measure of his patriotism and of his conception of public duty in the greatest crisis this country and the world have ever seen. On the other hand it enables those who failed to volunteer, or who were unavoidably prevented from taking part in defence of the country in whose public institutions they seek appointment or advancement, to explain why they apparently shirked an obvious public duty. Thus equal justice is done all round.[25]

---

25 'Welsh College Appointments', *Carnarvon and Denbigh Herald*, 11 Gorffennaf 1919, t. 4.

Byddai trefn o'r fath, pe mabwysiedid hi, yn amlwg yn ffafrio ymgeisydd fel Timothy Lewis, a oedd wedi mynd i'r fyddin o'i wirfodd ac wedi gwneud ei ddyletswydd dros ei wlad, ond byddai'n anfanteisiol i ymgeisydd fel Parry-Williams a fu'n wrthwynebydd cydwybodol, ac i T. Gwynn Jones a eithriwyd rhag ymladd. Pan basiwyd y Ddeddf Orfodaeth a orchmynnai fod dynion rhwng deunaw a deugain ac un mlwydd oed yn cael eu consgriptio, yr oedd T. Gwynn Jones dair blynedd yn rhy hen i gael ei alw. Er ei fod yn heddychwr, y mae'n amheus a fyddai wedi cael ei wysio i'r fyddin beth bynnag am nad oedd ei iechyd yn ddigon da. Pan basiwyd Deddf Orfodaeth arall yn 1918 i godi'r oedran gwasanaeth i hanner cant oed, fe gafodd T. Gwynn Jones, a oedd yn ddeugain a chwech oed erbyn hynny, ei eithrio'n barhaol oherwydd iddo fethu'r prawf meddygol.[26]

Gan ei fod yn un o'r cymeriadau canolog yn helynt y Gadair Gymraeg yn 1919 ac yn 1920, mae'n rhaid manylu mwy ar yrfa Timothy Lewis.[27] Brodor o'r Efail-wen ar y ffin rhwng hen siroedd Caerfyrddin a Phenfro ydoedd, a dderbyniodd ei addysg gynradd yn y pentref hwnnw cyn i'r teulu cyfan symud i ganlyn y tad i Aberdâr lle'r oedd yn gweithio mewn pwll glo. Mab i'w frawd ieuengaf, Thomas John, oedd y bardd Eingl-Gymreig, Alun Lewis (1915-1944), a laddwyd yn ystod yr Ail Ryfel Byd. Bu Timothy ei hun yn gweithio yn un o byllau glo Cwmaman am tua naw mlynedd cyn ymuno â Choleg Coffa'r Annibynwyr yn Aberhonddu i hyfforddi i fod yn weinidog. Aeth wedyn yn fyfyriwr i Academi Pontypridd gan ymbaratoi ar gyfer mynd i Goleg Prifysgol Caerdydd, lle y graddiodd mewn Celteg dan yr Athro Thomas Powel yn 1904. Tra oedd yn dal yn un o fyfyrwyr y Coleg Coffa, enillodd ysgoloriaeth i fynd ar gwrs haf yr 'Irish School of Learning' yn Nulyn yn 1906 er mwyn parhau â'i ddiddordeb yn yr ieithoedd Celtaidd, a chafodd gyfle i ddarlithio ar y Gymraeg yno dan gyfarwyddyd yr Athro Kuno Meyer (1858-1919) a'r Athro John Strachan (1862-1907). Enillodd ysgoloriaeth ymchwil wedyn mewn Celteg i fynd i Brifysgol Victoria Manceinion yng nghwmni

---

26 Gwelir y dystysgrif swyddogol, ddyddiedig 6 Gorffennaf 1918, yn ei eithrio rhag unrhyw fath o wasanaeth milwrol oherwydd cyflwr ei iechyd yn LlGC 'Papurau T. Gwynn Jones', G6970.

27 Gw. Beynon Davies, 'Timothy Lewis (1877-1958)', tt. 145-58; idem, 'Timothy Lewis' yn *Y Bywgraffiadur Cymreig 1951-1970* (Llundain, 1997), tt. 128-30. Dibynnais hefyd ar grynodeb Timothy Lewis ei hun o'i yrfa yn y copi o'i gais am y Gadair a gedwir yn Archifdy Prifysgol Aberystwyth, blwch C/C.S.CH/2.

John Strachan, lle bu hefyd yn ddarlithydd cynorthwyol. Yn ystod sesiwn academaidd 1906-07, bu'n astudio palaeograffeg yn yr Ysgol Geltaidd ym Manceinion dan Gwenogvryn Evans, a thebyg mai dyna pryd y daethant ill dau yn gyfeillion agos.

Yr oedd John Strachan yn awyddus iddo fynd i Ferlin i astudio wrth draed yr Athro Heinrich Zimmer, a llwyddodd i drefnu ei fod yn derbyn nawdd ariannol i'w alluogi i fynd yno ym mis Medi 1907. Ond cyn iddo gael cyfle i blwyfo ym Merlin, fodd bynnag, bu farw'r Athro Strachan yn annisgwyl ac yntau ond yn bump a deugain oed, a chafodd Timothy wahoddiad i gynorthwyo Kuno Meyer o Adran Geltaidd Prifysgol Lerpwl i gwblhau'r llyfr y bu Strachan yn gweithio arno, *An Introduction to Early Welsh* (1909), a'i lywio drwy'r wasg. Cafodd gyfle i fynd i Brifysgol Freiburg am un semester i weithio ar Gelteg ac ieitheg gymharol dan Rudolf Thurneysen, ac yna ail gyfle i fynd am gyfnod i Ferlin at Heinrich Zimmer i astudio Hen Wyddeleg a Gwyddeleg Canol, ieitheg Geltaidd, ieitheg gymharol, a llenyddiaeth ganoloesol. Yn Rhagfyr 1909 derbyniodd wahoddiad i fynd i Aberystwyth yn ddarlithydd cynorthwyol i Edward Anwyl o fis Ionawr 1910 ymlaen.

Tra gweithiai ar lyfr Strachan ar Hen Gymraeg, tynnwyd Timothy Lewis i mewn i'r ddadl a fu rhwng Gwenogvryn Evans a Kuno Meyer a T. F. Tout (1855-1929), a oedd yn gadeirydd pwyllgor cyhoeddiadau Prifysgol Manceinion, ynghylch peth o gynnwys y llyfr, dadl a ddatblygodd yn y pen draw yn gynnen gyfreithiol. A thorri stori hir yn fyr, yr oedd Strachan wedi cael benthyg proflenni terfynol testun Gwenogvryn o'r Mabinogion yn Llyfr Gwyn Rhydderch, *White Book Mabinogion* (1907), a oedd fin cael ei gyhoeddi. Cafodd ganiatâd gan Gwenogvryn i ddyfynnu o'r testun yn y rhan o'i lyfr ar Hen Gymraeg a drafodai ramadeg, ond yr oedd Gwenogvryn yn amharod i dalpiau helaeth o ddyfyniadau o'i gyfrol arfaethedig ymddangos yn yr adran a gynhwysai ddarnau darllen rhag i hynny amharu ar werthiant ei lyfr ef. Wedi marw Strachan, penderfynwyd y byddai Gwasg Prifysgol Manceinion yn cyhoeddi'r llyfr fel teyrnged iddo. Cynigiodd Gwenogvryn ei gymorth i lywio'r llyfr drwy'r wasg, ond ni fynnai T. F. Tout mo hynny am ei fod yn awyddus i Kuno Meyer ymgymryd â'r gwaith yn ogystal â'i olygu. Gan fod hen elyniaeth rhwng Gwenogvryn a Meyer, gofynnodd Gwenogvryn i Tout anfon proflenni'r

White Book Mabinogion a fenthyciasai i Strachan ato rhag i Meyer gael ei fachau arnynt, ond dywedodd Meyer wrth ei gynorthwyydd, Timothy, am ddal ei afael yn y proflenni rhag i Gwenogvryn eu cael. Cyfrifoldeb Timothy Lewis oedd gwirio darlleniadau, llunio geirfa a mynegai, a lluniodd Kuno Meyer Ragair gan ddweud mai bwriad Strachan oedd cyflwyno'r llyfr i Gwenogvryn Evans fel arwydd o barch i'w gyfraniad i ysgolheictod Cymraeg, ond crybwyllodd Meyer mewn drafft o'i ragair yr anghydweld a fu ynghylch cynnwys dyfyniadau o destun Gwenogvryn o'r Llyfr Gwyn, a oedd eisoes mewn proflenni terfynol, a phan welodd T. F. Tout hynny gofynnodd i'r argraffwyr anfon copi o broflenni'r gyfrol at Gwenogvryn heb y Rhagair. Mae'n debyg i Timothy anfon copi o broflenni'r Rhagair at Gwenogvryn yn wrthgefn i Tout a Meyer, ac i hynny beri i Gwenogvryn fynd i gyfraith er mwyn ceisio rhwystro'r llyfr rhag ymddangos am ei fod yn torri ei hawlfraint ef ar y testunau a ddyfynnid. Gofynnodd i Timothy lunio datganiad dan lw y gellid ei gyflwyno i'r llys fel tystiolaeth gefnogol, a chydsyniodd yntau. Daeth y ddwy ochr i setliad y tu allan i'r llys drwy gytuno ar rai amodau, gan gynnwys diwygio'r Rhagair (dienw erbyn hynny) drwy ddileu'r cyfeiriadau beirniadol at Gwenogvryn a geid yn y fersiwn o'r Rhagair a luniodd Meyer.[28] Yr oedd Gwenogvryn yn edmygydd mawr o Timothy fel ysgolhaig, ac oherwydd i Timothy ei gefnogi yn yr achos llys, mae'n debyg fod Gwenogvryn yn teimlo y dylai dalu'r pwyth drwy fod yn gefn iddo yn ei gais am y Gadair yn Aberystwyth.

Gohebai'r ddau ohonynt yn gyson yn ystod y misoedd pan oedd Timothy yn ymgeisydd am y Gadair, ac yn yr ohebiaeth gellir gweld sut yr oedd pethau yng ngwersyll ei gefnogwyr. Y llythyr cynharaf sydd yn y bwndel o lythyrau Timothy at Gwenogvryn a gadwyd yng nghasgliad 'Papurau Timothy Lewis' yn y Llyfrgell Genedlaethol yw hwnnw a ddyddiwyd 29 Rhagfyr 1913, lle y mae'n diolch iddo am ei sylwadau caredig ar ei lyfr a oedd newydd ymddangos o Wasg Prifysgol Manceinion, sef *A Glossary of Medieval Welsh Law*. Mae'r sylwadau personol sydd ganddo'n dangos mai Gwenogvryn oedd ei gynheiliad mwyaf cefnogol a thriw: '... never passess

---

28   Gw. llyfryn electronig Emrys Evans, *John Strachan and the University of Manchester School of Celtic* (Rochester, 2015), <http://www.germanstudies.org.uk/john_strachan.pdf>, tt. 32-4 (cyrchwyd Mehefin 2017).

a day of my life in which I do not feel a gratitude to you beyond the power of words to express.'[29] Erbyn y llythyr nesaf sydd yn y bwndel, yr oedd Timothy yn y fyddin ac yn ysgrifennu o wersyll Morn Hill, Caer-wynt.[30] Ymuno â'r fyddin o dan y Cynllun Derby yn 1915 a wnaeth, sef y cynllun recriwtio milwyr-wrth-gefn a ragflaenai Ddeddf Orfodaeth 1916.[31] Pan ddaeth yr alwad i Timothy, fe aeth o'i wirfodd gan ymrestru ar 9 Hydref 1916 yng Nghatrawd y Gynnau Mawr, 'Royal Garrison Artillery', fel 'Gunner 123722', cyn cael ei ddyrchafu'n Fagnelydd ('Bombardier'). Fe'i hanfonwyd gyntaf i un o wersylloedd hyfforddi'r gatrawd yng nghaer Brockhurst yn Gosport ger Portsmouth, ac yna i Carrickfergus yng Ngogledd Iwerddon. Ar ôl hyfforddi gyda magnelau'r llynges, treuliodd gyfnod yn hyfforddi fel signalydd, a llwyddo i gymhwyso'n hyfforddwr signalau dosbarth cyntaf ac yn hyfforddwr gynnau mawr, cyn symud erbyn diwedd Medi 1917 i wersyll Morn Hill yng Nghaer-wynt, lle y bu'n ymarfer gosod magnel trigain pwys.[32] Yr oedd Morn Hill yn un o'r prif wersylloedd lle'r ymgynullai gwahanol gatrodau cyn croesi i Ffrainc o borthladd Southampton, ac yno yr oedd pan gyfarfu R. Williams Parry ag ef, fel y dywedodd 'Bardd yr Haf' mewn llythyr at E. Morgan Humphreys:

> Nid oes yma neb i gyfeillachu ag ef, oddieithr y Bombardier Timothy Lewis, oedd yn gyd-ddarlithydd a Gwynn Jones a Tom yn Aberystwyth. Byddaf yn ei weld ef yn achlysurol: yn "Y" Battery mae ef, a minnau yn "X". Son am wreiddiau geiriau y bydd yr hen gyfaill pan welwyf ef. Y mae yn fachgen clen, ac yn un pur *sincere*.[33]

Fe allai Timothy Lewis yn hawdd fod wedi osgoi derbyn comisiwn i'r gatrawd, oherwydd fe gafodd ddewis ymuno â'r heddlu milwrol. Penderfynodd, yn hytrach, wynebu'r un peryglon ag a wynebid gan rai o'i

---

29 Llythyr Timothy Lewis at J. Gwenogvryn Evans, 29 Rhagfyr 1913, LlGC 'Papurau Timothy Lewis', ffeil 1(d), 977.

30 Llythyr Timothy Lewis at J. Gwenogvryn Evans, diddyddiad [tua mis Hydref 1917], ibid., 978.

31 Gellir gweld cofnodion gwasanaeth milwrol Timothy Lewis yn 'British Army WW1 Service Records, 1914-1920', dogfennau 317-50: <http://interactiveancestrylibrary.com> (cyrchwyd Mehefin 2017).

32 Gwelir y llyfr nodiadau a gadwodd yn yr ysgol hyfforddi signalwyr yn Iwerddon rhwng 6 a 20 Mawrth 1917 yn llawysgrif LlGC 13939A.

33 Llythyr R. Williams Parry at E. Morgan Humphreys, 11 Hydref 1917, LlGC 'Papurau E. Morgan Humphreys', A/2733.

gyn-fyfyrwyr, meddai mewn llythyr a yrrodd at Gwenogvryn o wersyll Morn Hill yn Hydref 1917:

> I felt last year that I could not stay at home when so many of my students were in k[h]aki. I had often told them that I thought I really loved Wales and when the time to put it to the test came I had no doubt as to what I should do.[34]

Cafodd gyfle hefyd i ymuno â staff newydd yr ysgol hyfforddi signalwyr a magnelwyr a sefydlwyd yn Spike Island ger Corc yn Iwerddon, ond ymdeimlai gymaint â'i ddyletswydd, meddai, fel y dewisodd fynd i faes y gad yn Ffrainc, er bod ganddo wraig a phlentyn gartref yn Aberystwyth.[35] Ganwyd ei ferch, Enfys, ar 29 Gorffennaf 1916, ac mae'n amlwg i'w wraig, Nellie, gael amser caled wrth roi genedigaeth, a bu Enfys hefyd yn wael am rai misoedd nes yr ofnai Timothy'n fawr y gallai fod yn colli'r naill neu'r llall ohonynt.[36] Gan ei fod wedi'i benodi yn arholwr allanol mewn Celteg ym Mhrifysgol Genedlaethol Iwerddon, gwnaed cais gan swyddogion y Brifysgol am ei ryddhau am wythnos yn Hydref 1916 i fynd i Gorc a Dulyn i arholi, a mynnai Timothy ei hun mai hwy a ddylai wneud y cais am ei fod ef eisoes wedi cael peth amser i ffwrdd o'r fyddin tra bu ei wraig a'r baban yn sâl. Y mae darn o lythyr yn ei gofnodion milwrol lle y mae'n diolch i swyddogion y fyddin am y gefnogaeth garedig a gafodd yng nghanol ei drybini teuluol: 'I was already too much your debtor for the very considerate way you had treated me in my domestic trouble.'[37]

Bu Timothy yn ymladd yng ngwres rhai o frwydrau'r Somme. Yr oedd yn un o'r llefydd peryclaf oll ar y Cyfandir yn 1917, sef yn 'Hell Fire Corner' ychydig i'r gogledd-orllewin o'r ffordd beryglus ddrwg-enwog honno rhwng Ypres a Menin, fel y dywedodd mewn erthygl yn *Y Ford Gron* flynyddoedd

---

34   Llythyr Timothy Lewis at J. Gwenogvryn Evans, diddyddiad [tua mis Hydref 1917], LlGC 'Papurau Timothy Lewis', ffeil 1(d), 978.

35   Gw. y copi o gais Timothy Lewis am y gadair yn 1919, Archifdy Prifysgol Aberystwyth, blwch C/C.S.CH/2.

36   Gw. llythyr Timothy Lewis at J. Gwenogvryn Evans, diddyddiad [tua mis Hydref 1917], LlGC 'Papurau Timothy Lewis', ffeil 1(d), 978.

37   Gw. y copïau difrodedig o'r ohebiaeth yng ngofnodion ei wasanaeth milwrol yn 'British Army WW1 Service Records, 1914-1920', dogfennau 329-30, ar <http://interactiveancestrylibrary. com> (cyrchwyd Mehefin 1917).

yn ddiweddarach.[38] Fe welodd bethau gwirioneddol erchyll yn Ffrainc, ac un o'r profiadau mwyaf dirdynnol a gafodd oedd derbyn gorchymyn i drefnu sgwad saethu i ddienyddio milwr a gafodd ei gyhuddo o lwfrdra yn wyneb y gelyn:

> In answer to a question in parliament some time ago it was said 55 men
> were shot during the 1914–18 war for something like cowardice in face
> of the enemy. I slept on my first night outside Ypres between the graves
> of two such people, and one of the last things I had to do was to arrange a
> contingent of men as a 'firing squad' for some poor infortunate. I shall never
> outlive it, nor will the members of the 'firing squad'.[39]

Er i'w dad yng nghyfraith ddweud amdano yn 1913, fel y gwelsom, mai ei unig fai oedd ei wyleidd-dra eithafol a'i rhwystrai rhag canu ei glodydd ei hun, mae tystiolaeth yn ei ohebiaeth â Gwenogvryn Evans nad oedd mor ddiniwed ag y tybid. Yn wir, mor gynnar â dechrau Mai 1919, pan oedd y trefniadau eisoes yn eu lle ar gyfer dechrau ar y gwaith o lenwi'r Gadair Gymraeg, a phan oedd yn wybyddus ymhlith rhai pobl fod cynlluniau ar droed i greu ail Gadair hefyd, holodd Timothy farn Gwenogvryn ynghylch y priodoldeb o ddefnyddio'r wasg er mwyn dwyn pwysau ar J. H. Davies, a oedd yn amlwg yn ceisio gwthio'r syniad o benodi i ddwy Gadair yn yr Adran. Clywsai Timothy si fod J. H. Davies yn ystyried ei gynnig ei hun yn ymgeisydd seneddol yn Sir Aberteifi pan fyddai'r aelod ar y pryd, Matthew Vaughan-Davies, yn ymddeol. Gan nad oedd J. H. Davies, meddai, yn or-hoff o gael sylw yn y wasg, awgrymai y gellid manteisio ar hynny er mwyn cyhoeddi rhyw lythyr yr oedd Gwenogvryn wedi awgrymu ei gyfansoddi. Y tebyg yw eu bod ill dau erbyn hynny'n ddrwgdybus o'r cynlluniau a oedd ar y gweill y tu ôl i ddrysau caeedig yn swyddfa'r Cofrestrydd. Os gwir oedd y byddai dwy gadair yn cael eu hysbysebu, meddai Timothy, efallai y byddai'n ddoethach peidio â gwneud dim yn gyhoeddus am y tro rhag gwneud drwg i'w achos. Awgrymodd y gallai gael cefnogaeth go ddylanwadol gan y wasg, ond gan na wyddai'n union beth oedd yn digwydd yn y cefndir, a rhag troi'r drol cyn cychwyn, gwyddai fod Gwenogvryn fel aelod o Gyngor y Coleg yn

---

38 Timothy Lewis, 'Haws lladd dyn na lladd mochyn', *Y Ford Gron*, Mai 1934, tt. 148, 168.
39 Llythyr Timothy Lewis at J. Cowper Powys, 1 Mawrth 1954, llawysgrif LlGC 21873C.

gwybod cymaint â neb am yr hyn a oedd yn debyg o ddigwydd, ac y gallai ddibynnu arno ef am arweiniad:

> I think that I could get some very influential backing in the press and elsewhere but I am in the dark as to what is done and I know you know more than anybody of what is done or what the next move is likely to be and I trust you implicitly and will pursue any course suggested by you.[40]

Diau mai meddwl am gysylltiadau ei dad yng nghyfraith â'r wasg a wnâi, gan mai ef i bob pwrpas oedd rheolwr ei ymgyrch a'i brif swyddog propaganda, yn ogystal ag am gysylltiad Beriah ag E. T. John. Mewn llythyr at Gwenogvryn ar 2 Gorffennaf, cyfeiriodd at y cyfarfod stormus o'r Cyngor yr oedd ei gyfaill yn bresennol ynddo, a gynhaliwyd ar 27 Mehefin, lle heriwyd y penderfyniad i benodi ysgolhaig Cymraeg yn hytrach nag ysgolhaig Celtaidd i'r Gadair. Defnyddiodd gymhariaeth a dynnai ar ei brofiad fel milwr yn Ffrynt y Gorllewin:

> As it happened often at the front the shell had exploded before I heard the whistle – so last week's meeting was over and the storm gone before I was aware that a meeting of the Council was to be held. I have heard since that there was at least one member present who enjoyed it immensely.[41]

Yr aelod a fwynhaodd geisio siglo'r cwch oedd Gwenogvryn ei hun. Fe glywodd Timothy fod y Sanhedrin yn bwriadu camu ymlaen yn ofalus am y tro oherwydd gwrthwynebiad rhai aelodau o'r Cyngor i'r ffordd yr oedd pethau'n cael eu gweithredu, ac mae'n amlwg ei fod yn hynod ddrwgdybus o'u cymhellion. Yr oedd yn argyhoeddedig fod rhywrai yn ddibris ohono ac yn ceisio'i rwystro rhag cael ei benodi:

> … I should go out west for some of these people who did nothing but scheme and sulk and who had nobody belonging to them on any front – they look upon me as if I had no business to have returned alive![42]

---

40   Llythyr Timothy Lewis at J. Gwenogvryn Evans, 7 Mai 1919, LlGC 'Papurau Timothy Lewis', ffeil 1(d), 981.

41   Llythyr Timothy at J. Gwenogvryn Evans, 2 Gorffennaf 1919, ibid., 983.

42   Ibid.

Diau i brofiadau Timothy yn y rhyfel ei galedu. Nid oedd mor wylaidd ag y mynnai dyn gredu, oherwydd yr oedd yn wleidyddol effro ac yn barod ei awgrymiadau ynghylch y ffordd orau o weithio pethau er mwyn hybu ei ymgeisyddiaeth. Yr oedd am gael gwybod gan Gwenogvryn pa aelodau o'r Cyngor a fyddai'n debyg o fod yn lleisiau dylanwadol pan drafodid y penodiad. Gan fod David Davies, Is-Lywydd y Coleg, yn un o sylfaenwyr Cymdeithas Cymrodyr y Rhyfel Mawr, yr oedd Timothy'n holi tybed na ddylai fod yn anfon manylion i brif swyddfa'r Gymdeithas am ei fod yntau'n aelod ohoni.[43] Honno oedd y gymdeithas a sefydlwyd i warchod buddiannau'r dychweledigion a gofalu na fyddai'r cyn-filwyr o dan unrhyw anfantais pan gynigient am swyddi ar ôl gadael y fyddin.

Erbyn mis Awst, a diwrnod y penodiad i'r Gadair yn dod yn nes, yr oedd cryn lythyru rhwng Timothy a Gwenogvryn, gyda'r blaenaf yn rhoi gwybod i'r olaf am y sïon diweddaraf a gylchredai yn y Coleg, ac nid oedd dim prinder o'r rheini. Clywodd, er enghraifft, si fod John Morris-Jones yn mynd i ymgeisio am y Gadair, a'i fod ef, Timothy, am gael ei symud i'r Llyfrgell Genedlaethol. Clywodd gan un ffynhonnell ar staff y Coleg – rhywun a wyddai lawer ond a ddywedai ychydig – fod T. Gwynn Jones yn gwneud popeth o fewn ei allu – 'moving heaven and earth' – er mwyn cael ei benodi, ac nad oedd gan Parry-Williams obaith mul o gael y Gadair. Yr oedd y si yn dew mai T. Gwynn Jones a'i câi.[44] Clywodd fod Thomas Jones yn ystod cyfarfod y cyn-fyfyrwyr ym mis Ebrill y flwyddyn honno wedi bod yn ceisio braenaru'r tir ar gyfer ymgais T. Gwynn Jones am y Gadair, a'r awgrym oedd fod Thomas Jones yn ei ffafrio am ei fod yn heddychwr. Barn Timothy oedd y byddai Thomas Jones ar y pryd yn niweidio'i achos ei hun os oedd yn bwriadu cynnig am brifathrawiaeth y Coleg drwy ei gysylltu ei hun â'r hyn a alwai yn 'little pacifist group'.[45] Ymhlith y rhai y buasid yn debyg o'u hystyried yn aelodau o'r grŵp heddychol hwn, mae'n debyg, yr oedd D. Lleufer Thomas, a oedd yn ffigur go ddylanwadol.[46] Gan y byddai pwyllgor cenedlaethol

43   Ibid. Cyfrannodd David Davies £1,000 tuag at sefydlu'r Gymdeithas, gw. Graham Wooton, *The Politics of Influence* (ail arg., Abingdon, 1998), tt. 102-3.

44   Llythyrau Timothy Lewis at J. Gwenogvryn Evans, 22 a 25 Gorffennaf 1919, LlGC 'Papurau Timothy Lewis', ffeil 1(d), 984 a 985.

45   Llythyr Timothy Lewis at J. Gwenogvryn Evans, 11 Gorffennaf 1919, ibid., 986.

46   Yr oedd D. Lleufer Thomas yn heddychwr; 'avowed pacifist' yw disgrifiad un hanesydd ohono, gw. David Williams, *Thomas Francis Roberts 1860-1919* (Cardiff, 1961), t. 44.

Cymdeithas Cymrodyr y Rhyfel Mawr yn cyfarfod yn Aberystwyth ym mis Medi, bwriadai Timothy fanteisio ar y cyfle i hyrwyddo'i achos gyda rhai o'r cynrychiolwyr.[47]

Erbyn diwedd Awst, fodd bynnag, cadarnhawyd ofnau Timothy y byddai'r 'arch-blotiwr', chwedl yntau am J. H. Davies, wedi cael ei ffordd, gan fod T. Gwynn Jones wedi'i benodi i'r Gadair a bod y Pwyllgor Penodi, a gynhwysai W. J. Gruffydd a John Morris-Jones – dau o gas bobl Timothy a Gwenogvryn – wedi llunio adroddiad yn cloriannu cymwysterau'r ymgeiswyr ac wedi llunio rhestr fer ar gyfer yr ail Gadair. Clywodd Timothy gan aelod dienw o'r staff y byddai'r Pwyllgor Penodi yn llunio adroddiad anffafriol arno, a hynny cyn i'r pwyllgor hyd yn oed gyfarfod.[48] Clywodd hefyd fod W. J. Gruffydd yn Eisteddfod Corwen yn chwifio copi o geisiadau'r ymgeiswyr o dan drwynau pobl ac iddo ddweud wrth rai o'i ffrindiau sut y bwriadai rwystro ymgeisyddiaeth Timothy. Nid rhyfedd, felly, fod yr ymgyrch gyhoeddus egnïol o'i blaid yn y wasg yn rhoi'r argraff ei fod yn cael cam, oherwydd gobeithid medru dylanwadu ar farn y cyhoedd ac ar aelodau'r Cyngor yn y ffordd honno er mwyn cael y maen i'r wal.

Yn fuan ar ôl i T. Gwynn Jones gael ei benodi i'r Gadair mewn Llenyddiaeth Gymraeg, ymddangosodd erthygl mewn colofn yn y *Western Mail* yn trafod y penodiad. Yr oedd David Davies, Is-Lywydd y Coleg, yn ôl 'Pererin', awdur yr erthygl, i'w longyfarch am waddoli'r Gadair newydd, ond nid oedd croeso diwahân i'r penodiad am ei fod yn un mor anarferol. Dyn hunanaddysgiedig oedd Gwynn Jones heb dderbyn hyfforddiant academaidd ffurfiol a heb lwyddo mewn arholiadau academaidd. Cyhoeddwyd eto fyth mai gradd er anrhydedd oedd ei MA, ac nid gradd ymchwil, honiad nad oedd yn gywir fel y gwelsom eisoes. Yr oedd ei ddoniau fel bardd a'i wybodaeth o'r Wyddeleg yn amlwg yn gymwysterau addas, ond credai 'Pererin' nad oedd Gwynn Jones wedi ennill ei blwyf ymhlith y gymuned o ysgolheigion Celtaidd cydwladol i lwyr hawlio'i le: '... he has yet to establish his reputation outside the narrow confines of the Principality.' Edrychai'r awdur ymlaen at y penodiad i Gadair Gymraeg Edward Anwyl a fu'n wag am bum mlynedd, ond ofnai y byddai'n

---

47   Llythyr Timothy Lewis at J. Gwenogvryn Evans, 25 Gorffennaf 1919, LlGC 'Papurau Timothy Lewis', ffeil 1(d), 985.

48   Llythyr Timothy Lewis at J. Gwenogvryn Evans, 22 Medi 1919, ibid., 987.

rhaid i'r cyhoedd fod yn amyneddgar a disgwyl tan gyfarfod nesaf y Cyngor cyn y digwyddai hynny. Yna fe gododd thema a fyddai'n dod yn amlycach mewn sawl llythyr a cholofn yn y wasg rhwng hynny a diwedd mis Medi, sef nad oedd arbenigwyr Celtaidd o'r tu allan i Gymru yn aelodau o'r Pwyllgor Penodi, rhywbeth a ystyriai yn wendid mawr:

> The authorities of the college have only themselves to blame for the ugly rumours to which their dilatoriness and their startling procedure have given rise. To be quite frank, a feeling of intense uneasiness prevails among Celtic scholars at the departure from recognised custom taken in appointing the committee of reference for the Welsh chair. For all the other chairs vacant at Aberystwyth the highest authorities on those subjects in the other universities – e.g. Oxford and Cambridge – were added to the reference committee to consider the applications and testimonials. No outside experts were added to the committee reporting on the Welsh chair ...[49]

Yr oedd angen penodi i swydd Athro'r Gymraeg ddyn a fedrai ysbrydoli myfyrwyr, a chanddo'r gallu i wneud diwrnod caled o waith o werth arhosol yn lle cynhyrchu 'alliterative jingles to fan a fleeting fitful fancy into flame!'[50] Gan i awdur y geiriau gyfleu ei groeso llugoer i'r newydd am benodi T. Gwynn Jones, mae'n debyg mai ef yn hytrach na Pharry-Williams a gâi'r swadan fach honno.

Fe bostiodd Lucy, gwraig Morgan Watkin, gopi o'r erthygl o'r *Western Mail* mewn llythyr at ei gŵr, a oedd yn Ne'r Affrig, gyda'r sylw canlynol: 'gwaith tylwyth Tim Lewis bid sicr i chwi.'[51] Gwyddai Lucy'n dda am ymdrechion glew aelodau o deulu Timothy yng Nghaernarfon ac yn Aberdâr i dynnu sylw at yr anghysonderau yn null Coleg Aberystwyth o weithredu, cyn belled ag yr oedd penodi i'r ddwy Gadair Gymraeg yn bod. Adleisiwyd cynnwys yr erthygl honno drachefn yn y *South Wales News* ar 20 Medi, lle y cynghorid awdurdodau'r Coleg i osgoi rhoi'r argraff i'r cyhoedd fod rhai arbenigwyr wedi peidio â chael eu gwahodd i fod ar y Pwyllgor Penodi yn fwriadol er

---

49 'A Weekly Talk on Welsh Topics by Pererin', *The Western Mail*, 22 Awst 1919, t. 4.
50 Ibid.
51 Llythyr Lucy Watkin at Morgan Watkin, 24 Awst 1919, LlGC 'Papurau Morgan Watkin' (heb eu catalogio). Yn ei ateb i'r llythyr hwn, yr oedd Morgan yn tybio efallai mai Timothy Lewis ei hun oedd awdur yr erthygl, gw. llythyr Morgan Watkin at Lucy Watkin, 24 Medi 1919, ibid.

mwyn llywio'r penderfyniad a ffafrio ambell ymgeisydd yn fwy na'i gilydd.[52]

Efallai mai dyma'r lle mwyaf addas inni ddod â Morgan Watkin i mewn i'r drafodaeth, oherwydd mai ef oedd y pedwerydd ymgeisydd ar y rhestr fer am y Gadair. Ar yr olwg gyntaf, tipyn o ddirgelwch yw sut a pham yn y byd y daeth Athro Ffrangeg, a ddaliai un o gadeiriau cyfoethocaf yr Ymerodraeth Brydeinig yn Johannesburg, De'r Affrig, yn ymgeisydd am Gadair Gymraeg Aberystwyth. Mae'r esboniad i'w gael yn yr ohebiaeth gyfareddol rhwng Lucy a Morgan Watkin rhwng mis Ionawr 1917 a Thachwedd 1919.

Graddio mewn Cymraeg a Ffrangeg yng Nghaerdydd yn 1910 a wnaeth Morgan, cyn mynd i Brifysgol Paris yn y Sorbonne wedi i'r Athro Joseph Vendryes roi cyfle iddo ddysgu Cymraeg yn y brifysgol; yr oedd hefyd yn astudio Cymraeg Canol dan Joseph Loth a oedd yn Athro Celteg yn y Collège de France.[53] Yr oedd Morgan yn ieithydd eithriadol alluog ond rhannol hunanaddysgiedig, oherwydd bu'n gweithio am gyfnod mewn pwll glo ar ôl ymadael â'r ysgol gynradd, a bu hefyd yn gweithio fel saer maen. Mynychai ddosbarthiadau nos lle y dysgodd Ffrangeg, Almaeneg ac Eidaleg. Dysgodd Ladin hefyd yn ei amser hamdden cyn mynd yn fyfyriwr i Goleg Caerdydd. Enillodd ei MA am ei olygiad diplomatig o'r cyfieithiad Cymraeg Canol o'r testun Hen Ffrangeg 'La Geste de Boun de Hamtone', a bu'n astudio ym Mhrifysgol Zürich lle'r enillodd ei ddoethuriaeth.[54] Gwyddys erbyn hyn iddo hefyd weithredu fel ysbïwr ar ran David Lloyd George tra oedd yn y Swistir.[55]

Yr oedd Morgan a Lucy wedi gadael Paris, lle y buont yn cymdeithasu â Parry-Williams tra bu ef yn fyfyriwr yno, ac wedi cyrraedd Caerdydd erbyn Medi 1916, pan benodwyd Morgan yn ddarlithydd cynorthwyol dros dro yn yr Adran Gelteg tra oedd W. J. Gruffydd yn y llynges; yr oedd hefyd yn cynnig peth cymorth yn yr Adran Ffrangeg.

Erbyn Ionawr 1917 yr oedd Morgan wedi'i benodi i Gadair Iaith

---

52 'Random Leaves from a Welshman's Diary', *South Wales News*, 20 Medi 1919, t. 7. Mae'r erthygl yn cloi gyda'r geiriau hyn: 'There are sinister rumours of contemplated action at the meeting of the Council on Friday next.'

53 Gw. erthygl Edouard Bachellery yn *Y Bywgraffiadur Cymreig 1950-1971*, tt. 220-1.

54 Cyhoeddwyd *Ystorya Bown de Hamtwn* gan Wasg Prifysgol Cymru yn 1958 ar ôl i Morgan Watkin ymddeol.

55 Gw. y rhaglen 'Ysbïwr Lloyd George' a ddarlledwyd gyntaf ar BBC Radio Cymru, 6 Tachwedd 2017: <www.http://bbc.co.uk/programmes/bo9d96ys>. Gw. hefyd Nia Watcyn Powell, 'O Gwmtawe i'r Corfflu Cyfrin', *Golwg*, 9 Tachwedd 2017, t. 13.

a Llenyddiaeth Ffrangeg yn Ysgol Mwynfeydd a Thechnoleg Prifysgol Johannesburg ar gyflog o £1,000 y flwyddyn, sef £200 yn fwy nag a gynigid am gadeiriau newydd yng Nghaer-grawnt. Un stori a gadwyd hyd ein dyddiau ni yw i Morgan Watkin gael ei berswadio i anfon cais am y Gadair Gymraeg er mwyn rhoi esgus i awdurdodau Coleg Aberystwyth ohirio llenwi'r Gadair am y tro oherwydd maint y gwrthwynebiad i'r bwriad i benodi Parry-Williams: gallent ddadlau nad oedd modd i'r pedwerydd enw ar y rhestr fer fod yn bresennol ar gyfer ei gyfweld am ei fod yn byw ac yn gweithio chwe mil o filltiroedd i ffwrdd.[56] Faint o wirionedd sydd yn y stori hon? Mae modd olrhain y camau yn niddordeb Morgan Watkin am y swydd drwy ddarllen yr ohebiaeth rhyngddo a Lucy ei wraig.

Yr oedd rhai yn awgrymu ar y pryd iddo gael dihangfa ffodus a digon cyfleus rhag gorfod ymuno â'r fyddin pan gafodd y swydd yn Johannesburg, er iddo adael ei wraig a'i blentyn ar ôl yng Nghaerdydd.[57] Er gwaetha'r pellter rhyngddynt a'i hiraeth amdano, cyfrifai Lucy ei bendithion:

> … gwenodd Rhagluniaeth yn dyner iawn arnom – a rhaid peidio anghofio hynny. Meddyliais pwy nos wrth droi'r blinds i edrych ar y newydd loer – a'm calon rhywsut yn brudd wrth feddwl fod fy Un anhwylaf [*sic*] mor bell o gartref. Beth pe bawn yn gorfod meddwl amdani yn gwenu ar groes o bren yn Ffrainc neu fan arall o'r byd – ac yna codais fy nghalon.[58]

Yr oedd Morgan a J. H. Davies yn gydnabyddus â'i gilydd er 1913, pan fuont yn trafod cyhoeddi ffrwyth ymchwil Morgan yn ei draethawd MA yn rhan o'r gyfres o destunau Cymraeg o dan nawdd Urdd Graddedigion Prifysgol Cymru yr oedd J. H. Davies yn olygydd arni.[59] Fel y gwelsom mewn pennod flaenorol, cynigiodd J. H. Davies estyn ei gymorth i geisio cael Morgan i mewn i Swyddfa'r Sensor yn Llundain ym Mehefin 1916.[60] Ac mewn llythyr â'r gair 'cyfrinachol' ar ei frig ym mis Medi'r flwyddyn honno, cyfeiriodd J. H. Davies at y cynlluniau a oedd ar droed i sefydlu Ysgol Astudiaethau

---

56 Fe glywais y stori hon gan Gerald Morgan, Aberystwyth, ym mis Ebrill 2017.
57 Ganwyd eu mab, Iestyn, ar 20 Mai 1916.
58 Llythyr Lucy Morgan at Morgan Watkin, 19 Awst 1919, LlGC 'Papurau Morgan Watkin' (heb eu catalogio).
59 Gw. Watkin gol., *Ystorya Bown de Hamtwn*, t. xii.
60 Gw. yr ail bennod uchod, 'Adeg ddiflas a gofidus erchyll', t. 84.

Celtaidd yn Aberystwyth, a Morgan ar y pryd newydd ei benodi'n ddarlithydd cynorthwyol dros dro yng Nghaerdydd:

> Y mae rhagolygon da yma am School of Celtic Studies a hynny heb fod yn faith iawn. Cewch glywed eto pan ddaw pethau i gwlwm. Does bosib cael trefn ar bethau ynghanol twrw rhyfel.[61]

Yn Ebrill 1917, pan oedd Morgan ei hun ymhell iawn o dwrw'r rhyfel, dywedodd Lucy mewn llythyr iddi weld J. H. Davies mewn seremoni raddio yng Nghaerdydd ac nad drwg o beth fyddai i Morgan gadw mewn cysylltiad ag ef, gan ddweud wrtho nad oedd hi, Lucy, yn awyddus i fynd allan at Morgan i Dde'r Affrig ac i'w holi pa argoelion a oedd am swydd ar ôl y rhyfel. Yr oedd yn amlwg erbyn hynny fod Morgan â'i fryd ar ddychwelyd i Gymru ac ar gael ei benodi i swydd o safle ac o werth ariannol, a chael Cadair naill ai yng Nghaerdydd, Aberystwyth, neu yn wir yn Abertawe gan fod cynlluniau ar y gweill i sefydlu prifysgol yno, a chlywsai Lucy si fod Morgan eisoes yn cael ei enwi gan rai o bobl Abertawe fel darpar Brifathro'r Coleg. Erbyn mis Mai 1919, gwyddai Lucy am ei 'awydd diwala' am gael dychwelyd i Gymru ac fel yr oedd yn llygadu Cadair Ffrangeg Caerdydd gan fod ei hen Athro, Paul Barbier, yn tynnu at oedran ymddeol.

Ddechrau mis Gorffennaf y rhoddodd Lucy wybod i Morgan fod y Gadair Gymraeg yn Aberystwyth yn cael ei hysbysebu yn *The Times*, rhag ofn y byddai arno awydd cynnig amdani. Dywedodd wrtho fod ei frawd, y Parchedig William Rhys Watkin (1875-1947), wedi bod yn siarad â J. H. Davies y Cofrestrydd, a'i fod yn meddwl y byddai gan Morgan 'siawns ardderchog' o'i chael, ond iddo lwyddo i gael J. H. Davies a Gwenogvryn Evans o'i blaid. Ailadroddodd Lucy yr hyn a ddywedodd William wrthi:

> Dwedai Wm fod J.H. yn dweyd nad oedd Parry Wms yn gweithio – Gwyn Jones heb fod o ddigon o status a Tim, wn i ddim. Mae Parry Wms yn C.[onscientious] O.[bjector] hefyd fel y gwyddoch a theimlad cryf gan rhai [*sic*] yn ei erbyn.[62]

---

61 Llythyr J. H. Davies at Morgan Watkin, 22 Medi 1916, LlGC 'Papurau Morgan Watkin' (heb eu catalogio).
62 Llythyr Lucy Morgan at Morgan Watkin, 6 Gorffennaf 1919, ibid.

Mae'n ddiddorol fod sôn yn y fan hon am y gwrthwynebiad i safiad Parry-Williams fel heddychwr. Sylwn na ddywedodd Lucy fod J. H. Davies wedi annog William Watkin i bwyso ar ei frawd i gynnig am y gadair; y cyfan a ddywedodd oedd fod William yn tybio y byddai gan Morgan obaith go dda o'i chael.

Daeth un tro i ran Lucy yn ystod mis Gorffennaf a'i cynddeiriogodd yn fawr oherwydd iddi deimlo i'w brawd, John G. Jenkins (Gwili, 1872-1936) gael cam gan arholwyr ei draethawd MA, sef Parry-Williams a J. Lloyd-Jones (1885-1956) o Adran Gymraeg Prifysgol Dulyn. Yr oedd Gwili ar staff yr Adran Gymraeg yng Nghaerdydd lle y bu'n bennaeth gweithredol yn ystod absenoldeb W. J. Gruffydd adeg y rhyfel, ac yr oedd wedi gobeithio y câi ei benodi i'r Gadair. Gan mai Gruffydd a hawliodd y Gadair yn y diwedd, a'i fod yn fuan ar ôl hynny wedi cynnig am brifathrawiaeth Caerdydd, synhwyrir oddi wrth ohebiaeth Lucy at ei gŵr nad oedd Gruffydd yn un o'i hoff bobl. Pan glywodd Lucy gan ei brawd iddo fethu â chael ei radd MA gan Parry-Williams am na theimlai fod ei draethawd yn deilwng, yr oedd ganddi ei syniad ei hun ynghylch gwir gymhellion yr arholwr, a digiodd yn arw wrtho. Yn ôl ei barn hi, fe fethodd y traethawd yn fwriadol er mwyn ceisio niweidio siawns Gwili o gael Cadair Aberystwyth. Gan na chafodd Gwili'r Gadair yng Nghaerdydd, yr oedd yn debygol y byddai'n ymgeisydd am y Gadair yn Aberystwyth:

> Na, na Morgan annwyl peth arall oedd gan Dr Parry-Wms – gwyddom
> yn iawn. Swydd Abertawe, Aberystwyth etc yn dod a neb yn deilwng ond
> gogleddwyr, yr hen *snifs mean*. Yr wyf yn ynfyd pan feddyliaf fod cythreuliaid
> fel hyn a'r chwip yn eu llaw … Neithiwr pan oeddwn yn rhedeg drwodd
> i dŷ Mam gwelwn hen gewcyn bach yn mynd heibio i mi yn City Rd a
> methwn am funyd gofio pwy – mae yn bosib iddo fe fy nabod i – ac wedi
> edrych ar ei ôl gwelais mai Parry Wms oedd.[63]

Yr oedd hi'n wirioneddol siomedig ynddo, os gwir iddo ymddwyn mewn ffordd mor dan din: 'I am very sorry that I entertained a man of such meanness. Why, that is dishonest – give the devil his due.' Gofid a gofal chwaer am fuddiannau ei brawd a gyfrifai am ei hymateb ffyrnig. Ond pan gafodd Gwili

---

63   Ibid.

ei hun air â W. J. Gruffydd am y traethawd yn y man, fe glywodd nad Parry-Williams oedd â'r gair olaf ynghylch y dyfarniad wedi'r cyfan, ac mai'r ail arholwr, J. Lloyd-Jones, a fynnodd fod y traethawd yn methu am nad oedd y nodiadau ynddo'n ddigon manwl na'r eirfa'n ddigon helaeth. Nid oedd hynny'n mennu dim ar Lucy. Yr oedd yn grediniol i'w brawd gael cam gan bobl yr oedd hi'n argyhoeddedig fod ganddynt eu cymhellion hunanol eu hunain.

Profiad rhwystredig i Morgan Watkin oedd ceisio dal i fyny â'r datblygiadau diweddaraf yng Nghymru, ac yntau filoedd o filltiroedd i ffwrdd ar gyfandir arall. Gallai gymryd hyd at fis weithiau i lythyrau Lucy gyrraedd pen eu taith, a rhwng tair a phedair wythnos wedyn i'w atebion yntau gyrraedd Cymru: er enghraifft, cyrhaeddodd llythyr a ysgrifennodd Lucy ato ar 27 o Orffennaf 1919 Johannesburg ar 19 o Awst. Gan i'w frawd ddweud wrtho fod ganddo siawns go dda o gael Cadair Edward Anwyl, fe ganiataodd Morgan iddo gyflwyno cais ar ei ran. Cadwyd copi o'r cais hwnnw ynghyd â llythyr, dyddiedig 31 Gorffennaf, gan William R. Watkin wedi'i gyfeirio at J. H. Davies yn cyflwyno enwau'r canolwyr, yn y ffeil ar y Gadair Gymraeg sydd yn archifdy Prifysgol Aberystwyth. Fe gyflwynwyd ei gais yn ffurfiol, felly.

Yr oedd modd anfon brysnegeseuon rhwng De'r Affrig a Chymru trwy gyfrwng cêbl neu wifren, ac fe anfonodd Lucy neges o'r fath at ei gŵr i'w hysbysu am y Gadair Gymraeg. Nid ymatebodd Morgan i'r neges wifren honno, meddai ar 28 Gorffennaf, 'gan nad wyf yn chwennych cadair Gymraeg yng Nghymru', ond dywedodd y byddai ganddo ddiddordeb yn y Gadair Geltaidd a adawyd yn wag yn Rhydychen ar ôl marwolaeth John Rhŷs. Mewn llythyr arall ychydig ddyddiau'n ddiweddarach, dywedodd eto na charai gael y swydd yn Aberystwyth am fod yno 'ormod o "hen fenywod" fel J. H. Davies. Gwyddoch ym mha ystyr yr arferaf y gair. Yn ôl eu barn hwy mae bai ar bawb.'[64] Nid da ganddo ddull ffyslyd a ffwdanus J. H. Davies o weithio, a dywedodd na fyddai'n hir cyn mynd yn ffrae rhwng y ddau pe bai'n mynd i Aberystwyth. Ond pan ddeallodd fod William ei frawd wedi anfon y cais am y Gadair i mewn ar ei ran, am y credai fod ganddo obaith o'i chael, fe gododd ei galon. Rhoddodd wybod i Lucy ar 19 Awst iddo gael yr anrhydedd

---

64   Llythyr Morgan Watkin at Lucy Watkin, 2 Awst 1919, LlGC 'Papurau Morgan Watkin' (heb eu catalogio).

o'i wneud yn 'Cavalire Della Corona D'Italia', yn Farchog o Goron yr Eidal, am ei gyfraniad i'r iaith Eidaleg. Gwobr oedd honno a gyflwynid i bobl a wnaeth gyfraniad nodedig i Weriniaeth yr Eidal, a Morgan a gyflwynodd yr Eidaleg i gwricwlwm Prifysgol Johannesburg. Yr oedd am i Lucy hysbysu J. H. Davies ynghylch y newydd er mwyn iddo gael, yn ei eiriau ef ei hun, 'yr oruchafiaeth'.

Mae'n amlwg fod Morgan yn ceisio swcro Lucy ar ôl iddi gael y fath siom i'w brawd fethu ei draethawd MA, ac yna methu â chael dim swydd barhaol yng Ngholeg Caerdydd, ac yr oedd yntau'n flin os gwir oedd i'w frawd yng nghyfraith gael cam:

> I ddywedyd y gwir, carwn yn awr gael y swydd, pe dim ond i mi gael "sychu trwyn" Parry-Williams. Ac os caf hi, bydd yn llawen gennyf ddweud wrtho iddo gael ei dalu'n ôl ynghynt nag y disgwyliodd. Peidiwch chwi â malio, fe drafodaf i'r diawliaid yn iawn eu gwala … Mi wrantaf fi i chwi y bydd Parry-Wms yn deall yn glir beth fyddaf i'n feddwl ar ôl i mi gael un ymgom â'r cachgi bach.[65]

Yr oedd ei angerdd yn gryfach na'i reswm. Rhaid cofio mai gŵr a thad a glywai am y digwyddiadau hyn o bellter oedd Morgan ac nid dyn yn y fan a'r lle a allai bwyso a mesur pethau'n bwyllog a gwrthrychol drosto'i hun. Clywai am bryderon a thristwch Lucy trwy lythyrau, ac yr oedd hi wedi cyfaddef wrtho fod y sefyllfa'n dechrau dweud ar ei nerfau. Yr oedd arno eisiau codi ei chalon drwy gyfleu ei fod o ddifrif am ddychwelyd i gael swydd yng Nghymru.

Erbyn diwedd Awst, a'r cyhoeddiad wedi'i wneud i Gwynn Jones gael ei benodi i'r Gadair gyntaf, anfonodd William Watkin air at Lucy yn ei chyfarwyddo i alw heibio i gartref D. Lleufer Thomas yn yr Eglwys Newydd, Caerdydd, a oedd, fe gofir, yn aelod o'r Pwyllgor Penodi. Yr wybodaeth a geisiai Lucy ganddo oedd pwy a gafodd ei gymeradwyo gan y pwyllgor ar gyfer derbyn yr ail Gadair, a chafodd glywed yn gyfrinachol mai Parry-Williams oedd hwnnw. Bu Lleufer yn ddigon cwrtais a charedig ei agwedd tuag ati, gan ddangos diddordeb yng nghais Morgan. Fe ddywedodd wrthi, er enghraifft,

---

65 Llythyr Morgan Watkin at Lucy Watkin, 19 Awst 1919, ibid.

ei fod yn edmygu doniau Morgan 'fel un o'n dynion ifanc goreu'. Sylwodd ar y crynodeb o'r cais fod Morgan yn gallu darllen Llydaweg a Gwyddeleg, ond awgrymodd y byddai angen mwy na hynny ar gyfer y swydd, ac y byddai'n addasach ymgeisydd ar gyfer Cadair yn y Ffrangeg. Ond un peth arwyddocaol a ddywedodd Lleufer Thomas oedd yr hoffai weld gohirio penodi i'r ail Gadair Gymraeg hyd nes y deuai Morgan adref at y Nadolig. Ar ôl deall sut yr oedd y gwynt yn chwythu, penderfynodd Lucy a'i brawd yng nghyfraith, William, dynnu cais Morgan yn ôl. Serch hynny, parhâi'n ddirgelwch iddi pam nad oeddid wedi gwneud y penodiad os mai Parry-Williams a oedd wedi'i enwebu gan y Pwyllgor Penodi.

Erbyn canol mis Medi daeth llythyr at Lucy gan Lleufer Thomas, ac yn ôl yr hyn a gesglir, yr oedd am gael gwybod mwy am wybodaeth Morgan o'r Wyddeleg. Credai John ei brawd, sef Gwili, mai J. H. Davies a anogodd Lleufer i gysylltu â hi, ac efallai fod gobaith eto pe gohirid y penodiad tan y Nadolig. Yn y cyfamser, yr oedd Gwili wedi gweld W. J. Gruffydd a bu'r ddau yn trafod y sefyllfa yn Aberystwyth. Cafodd glywed o ben Gruffydd ei hun mai Parry-Williams a fyddai'n cael y Gadair 'wedi i bethau oeri', ac nad oedd gan Timothy Lewis obaith yn y byd am nad oedd yn fawr o addysgwr. Aeth i drafod cais Morgan hefyd, gan ddweud mai cais am gadair Ffrangeg a oedd ganddo ac nad oedd wedi gwneud ei farc yn y byd Celtaidd. Erbyn canol Hydref, yr oedd Lucy wedi clywed gan John Rowland, a oedd ar Gyngor Coleg Caerdydd, fod W. J. Gruffydd wedi 'gwneyd *popeth* er mwyn sicrhau Aberystwyth i Parry Wms'.[66]

Daw'n amlwg wrth ddarllen llythyrau Morgan Watkin ei hun yn ystod y misoedd ar ôl dydd y Cadoediad mai ei fwriad oedd dychwelyd i Gymru i lenwi cadair Ffrangeg. Er bod rhai pobl yn ei weld yn ymgeisydd addas am brifathrawiaeth Abertawe, gwyddai'n iawn beth oedd ei gryfderau a'i gyfyngiadau ei hun. Ysgolhaig Ffrangeg ydoedd yn y bôn, er iddo am gyfnod lygadu Cadair Geltaidd Rhydychen. Fe ddaeth yn amlwg iddo erbyn diwedd Awst nad oedd ganddo obaith o gael Cadair Edward Anwyl am na fyddai arbenigwyr fel John Morris-Jones a W. J. Gruffydd o'i blaid, er y gallai J. H. Davies fod yn ei ffafrio. Yr oedd ganddo ei hunan-barch, ac ni fynnai gael ei

---

66   Llythyr Lucy Watkin at Morgan Watkin, 12 Hydref 1919, ibid.

wneud yn destun gwawd.[67] Dyna pam y cymeradwyai benderfyniad Lucy
a William i dynnu'r cais yn ôl. Wedi i hynny roi pen ar yr holl ansicrwydd
o'i safbwynt ef, gallod edrych ar y sefyllfa ychydig yn fwy gwrthrychol.
Gan fod Gwili wedi cyflwyno'r traethawd yr enillodd radd BLitt amdano
yn Rhydychen ar gyfer MA Prifysgol Cymru, credai nad oedd yn deg iddo
ddisgwyl fod ei safon yn deilwng o'r radd; yr oedd Gwili hefyd wedi cyfaddef
fod y nodiadau yn ei draethawd yn ddigon tenau. Ni allai Morgan farnu'n
derfynol, meddai, hyd nes y byddai wedi darllen y traethawd a gweld drosto'i
hun. Hyd hynny, yr oedd yn dal i ystyried fod Parry-Williams yn euog o
'wneuthur anghyfiawnder':

> Dyna ddull Ffrainc o edrych ar ddynion a gyhuddir, ac am i mi fod yno
> cyhyd gallaf innau wneuthur yr un modd; sef yw hynny, edrych ar P.W. fel
> drwgweithredwr hyd oni brofer [sic] ei fod yn ddieuog...[68]

Pan dderbyniodd y toriad o'r *Western Mail* a yrrodd Lucy ato yn cynnwys
erthygl 'Pererin', yr oedd ganddo bethau go hallt i'w dweud am Timothy
Lewis hefyd: 'Tim Lewis has done a good deal of work characterized equally
by great industry and great lack of *brains*.' Gradd ail ddosbarth yn y Gymraeg
oedd gan Tim, meddai, a gwaredai at yr awgrym yn yr erthygl y dylid bod
wedi ceisio rhoi ysgolheigion pennaf y Cyfandir ar y Pwyllgor Penodi i
gloriannu'r ymgeiswyr, oherwydd nid oedd yn ffyddiog y byddai hynny wedi
ffafrio Timothy o gwbl. Y gwir amdani ydyw, po fwyaf y clywai Morgan
Watkin am helynt y Gadair yn Aberystwyth, mwyaf y teimlai nad oedd arno
eisiau cynnig am yr un swydd o fewn yr adrannau Cymraeg byth![69] Ac er
gwaethaf ei amheuaeth fod Parry-Williams yn 'llencyn dan-dîn anonest', yr
oedd yn ddigon hirben i sylweddoli nad oedd ganddo fawr o obaith yn ei
erbyn:

> ... nid oeddwn hyd yn oed *ar fy ngoreu'n well dyn* na Parry-Williams yn y
> Gymraeg. Deil ef *First* yn y Gymraeg lle daliaf i *Second*; bu o dan Rhys am
> ddwy flynedd ac ysgrifennodd draethawd gwych am M.A. Aeth wedyn i'r

---

67 Llythyr Morgan Watkin at Lucy Watkin, 31 Awst 1919, ibid.
68 Llythyr Morgan Watkin at Lucy Watkin, 12 Medi 1919, ibid.
69 Llythyr Morgan Watkin at Lucy Watkin, 21 Medi 1919, ond ysgrifennwyd rhannau ohono ar
    24 a 27 Medi 1919 hefyd, ibid.

Dosbarth Anrhydedd olaf yr Athro Edward Anwyl, haf 1914. Mae'r aelodau eraill o staff yr Adran yn yr ail res, T. Gwynn Jones, Timothy Lewis a Parry-Williams y tu ôl iddo. Yn y rhes flaen ar y dde ymhlith y myfyrwyr eistedd D. J. Williams, a thu ôl i T. Gwynn Jones saif Griffith John Williams.

(O archif deuluol Ann Meire)

Yr Athro Edward Anwyl (1866-1914).

(O archif Prifysgol Aberystwyth)

J. H. Davies (1871-1926), Cofrestrydd ac, yn ddiweddarach, Prifathro Coleg Prifysgol Cymru, Aberystwyth.

(Trwy ganiatâd Llyfrgell Genedlaethol Cymru)

Dosbarth Anrhydedd yr Adran Gymraeg 1915-16, a'r tri aelod o staff yn eistedd yn y canol, cyn i Timothy Lewis fynd i'r fyddin.

(O archif deuluol Ann Meire)

Pwyllgor gwaith olaf cylchgrawn *Y Wawr*, 1918, o dan gadeiryddiaeth Ambrose Bebb, sy'n eistedd yn y canol. Yn sefyll yn union y tu ôl iddo mae Griffith John Williams. Ar y chwith yn y rhes flaen mae Cassie Davies, a thu ôl iddi hi mae Parry-Williams, cynrychiolydd y staff ar y pwyllgor. Mae pawb wedi'u gwisgo yn eu 'du galarus'.

(O archif deuluol Ann Meire)

Dosbarth Ysgol Sul y myfyrwyr yng Nghapel Siloh, Aberystwyth, 1917, a'r athro ifanc, Parry-Williams, yn pwyso ar y golofn ar y dde.

(O archif deuluol Ann Meire)

Aelodau Coleg Aberystwyth o'r OTC yn Rhagfyr 1915. Oscar Parry-Williams yw'r trydydd o'r chwith sy'n dal reiffl yn y rhes flaen.

(O archif deuluol Ann Meire)

Oscar yn yr OTC yn 1915.

(O archif deuluol Ann Meire)

Wynne Parry-Williams yn sarsiant yng Nghatrawd y Ffiwsilwyr Cymreig, Chwefror 1918, a'r cyfarchiad i Oscar ei frawd.

(O archif deuluol Ann Meire)

UNIVERSITY COLLEGE OF WALES,
ABERYSTWYTH,

PRINCIPAL:
T. F. ROBERTS,
REGISTRAR:
J. H. DAVIES,

TELEPHONE NO. 108.

Nov 25th 1915

Mr Oscar Parry-Williams has been a clerk at the College office since Sept 1909, when he entered as junior.

He has worked his way up to the position which he now holds, of general clerk and cashier. During this time he has had a great deal of experience, both with regard to correspondence and accounts, while his general duties have enabled him to get a thorough knowledge of office organization.

Of his personal character I can speak in the highest terms. In the first place he is thoroughly reliable, a characteristic on which too much stress cannot be laid. He is also tactful & willing, and can

be trusted to carry out the any duties deputed to him.

He has been for a long time anxious to do his share to help his country, but hitherto his work has been indispensable to the College. We now feel that we should place no obstacle in his way, but I think he would be employed with the best results if he were to obtain a position in the army where his skill in clerical & financial work could be fully utilized.

He has been a member of the officer's Training Corps for some time, and is highly spoken of by the acting adjutant, Lieut. F. C. James.

He has a thorough knowledge of the Welsh Language & is a native of Carnarvonshire.

J. H. D.

Y geirda a luniodd J. H. Davies yn Nhachwedd 1915 i gael Oscar i mewn i adain weinyddol yr RAMC.

(O archif deuluol Ann Meire)

Eurwen, Wynne, Oscar a Tom yn Aberystwyth yn Hydref 1917.

(O archif deuluol Ann Meire)

Llun Tom Parry-Williams yn eistedd ar gefn y drol yng nghwmni ei deulu yn y cynhaeaf gwair yn Oerddwr yn haf 1916. Gwelir ei gefndryd Frank a William, ei ewythr John Hughes, ei gyfnither Mofi a'i fodryb Betsi.

(Trwy ganiatâd Heddwyn Hughes)

Blodwen Parry-Williams (1885-1933)
'…Ymgeledd am ffawd ein teulu ni / Oedd unig angerdd ysol ei byw a'i marw hi.'

(O archif deuluol Ann Meire)

Llyfr lloffion 'The Great War' a oedd yn eiddo i Blodwen Parry-Williams.

(Trwy ganiatâd Elen Wade)

Rhai o'r lluniau yn llyfr lloffion Blodwen.
(Trwy ganiatâd Elen Wade)

Cardiau Nadolig gan Wynne ac Oscar o Ffrainc yn llyfr lloffion eu chwaer.
(Trwy ganiatâd Elen Wade)

Tom Parry-Williams yw'r un sy'n cribinio gwair yn ei wasgod a'i het nesaf at gefn y drol.

(Trwy ganiatâd Heddwyn Hughes)

Ffotograff yn Llyfr Melyn Oerddwr o Tom Parry-Williams farfog yn haf 1917.

(Trwy ganiatâd Heddwyn Hughes)

Y gyfnither hoff a ffyddlon, Morfudd Mai Hughes ('Mofi'), Oerddwr, yn 1915.

(Trwy ganiatâd Heddwyn Hughes)

William Oerddwr gartref ar *leave* o'r fyddin yng nghwmni ei fam a'i dad a'i chwaer, Mofi.

(Trwy ganiatâd Heddwyn Hughes)

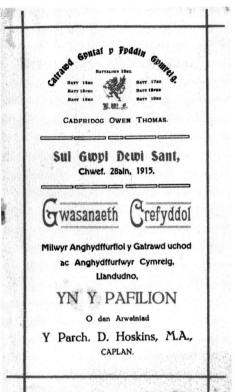

Lluniau cefndryd Tom Parry-Williams yn eu lifrai yn Llyfr Melyn Oerddwr, William, Alun Ellis a William Morris.

(Trwy ganiatâd Heddwyn Hughes)

Taflen gwasanaeth crefyddol a gynhaliwyd yn Llandudno yn 1915 a gadwyd gan Blodwen Parry-Williams.

(Trwy ganiatâd Elen Wade)

Llun priodas Gwladys a Thomas Roberts, Borth-y-gest, ym Medi 1917. Y gweinidog ar y dde yw tad y briodferch, y Parchedig R. R. Morris.

(Trwy ganiatâd Heddwyn Hughes)

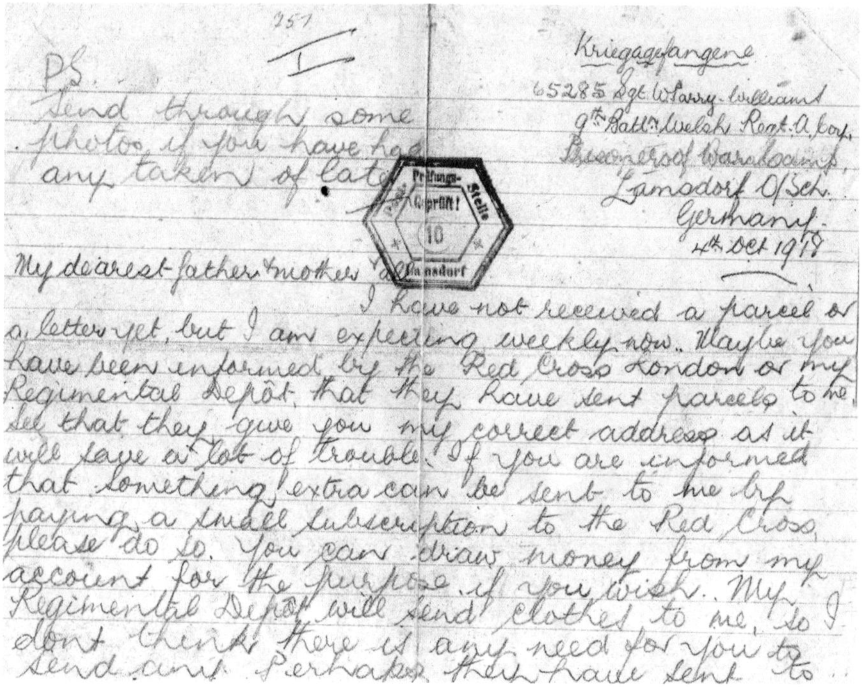

[Handwritten letter:]

P.S.
Send through some photos if you have had any taken of late

Kriegsgefangene
65285 Sgt. W Parry-Williams
9th Batt. Welsh Regt. A Coy.
Prisoners of War Camp
Lamsdorf O/Sch.
Germany
4th Oct 1918

My dearest father & mother
I have not received a parcel or a letter yet, but I am expecting weekly now. Maybe you have been informed by the Red Cross London or my Regimental Depôt that they have sent parcels to me. See that they give you my correct address as it will save a lot of trouble. If you are informed that something extra can be sent to me by paying a small subscription to the Red Cross please do so. You can draw money from my account for the purpose if you wish. My Regimental Depôt will send clothes to me, so I don't think there is any need for you to send any. Perhaps they have sent to...

Un o lythyrau Wynne Parry-Williams o garchar rhyfel yr Almaenwyr yn Lamsdorf, Hydref 1918.
(Trwy ganiatâd Elen Wade)

This is the boat we are on
The old Kaiser Wilhelm II
S. S. Agamemnon

This is where we sleep, writing this card

Greetings from the Jewish Welfare Board
to Soldiers and Sailors of the U. S. Army and Navy

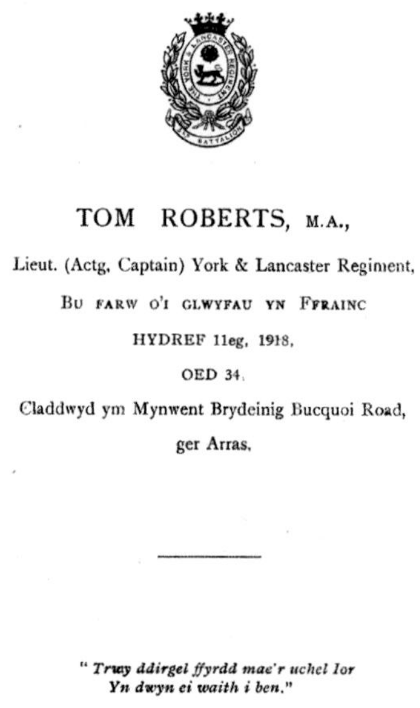

TOM ROBERTS, M.A.,

Lieut. (Actg. Captain) York & Lancaster Regiment,

BU FARW O'I GLWYFAU YN FFRAINC

HYDREF 11eg, 1918,

OED 34.

Claddwyd ym Mynwent Brydeinig Bucquoi Road,
ger Arras,

"Trwy ddirgel ffyrdd mae'r uchel Ior
Yn dwyn ei waith i ben."

Taflen angladdol Thomas Roberts, Hydref 1918, flwyddyn a mis ar ôl ei briodas.
(Trwy ganiatâd Elen Wade)

June 10th 1919
8. p. m.

POST CARD

CORRESPONDENCE

ADDRESS

SOLDIER'S MAIL
NO POSTAGE NECESSARY IF MAILED ON BOAT OR DOCK

Dear Parents
Sailed from Brest at 9 a.m. this morning, and are heading for New York. Best love to all. Willie
Going to Camp
Co.   Reg.   Div.

Mr Parry-Williams
Rhyd-ddu
Carnarvonshire
North Wales
Great Britain

Y cerdyn post a yrrodd Willie Parry-Williams at ei rieni oddi ar fwrdd yr SS Agamemnon ar ei ffordd yn ôl i'r Unol Daleithiau ym Mehefin 1919.
(Trwy ganiatâd Elen Wade)

Teulu Tŷ'r Ysgol heb y bechgyn: Eurwen a Blodwen yng nghwmni eu rhieni. Y dyddiad ar gefn y llun yw 1915.

(O archif deuluol Ann Meire)

Teulu Tŷ'r Ysgol yn gyflawn, gartref yn Rhyd-ddu yng ngwanwyn 1919.

(O archif deuluol Ann Meire)

Teulu Tŷ'r Ysgol a'r Wyddfa yn y cefndir yng ngwanwyn 1919.

(O archif deuluol Ann Meire)

Richard David ar y chwith a Wynne ar y dde mewn ysbryd chwareus, a Henry Parry-Williams yn y canol rhyngddynt yng ngwanwyn 1919.

(O archif deuluol Ann Meire)

Willie a Tom yn gwisgo coronau Eisteddfodau Cenedlaethol Wrecsam a Bangor, ac Oscar yn mwynhau'r hwyl, yng ngardd Tŷ'r Ysgol yng ngwanwyn 1919.

(O archif deuluol Ann Meire)

Y pedwar brawd gartref yn Rhyd-ddu yng ngwanwyn 1919.

(O archif deuluol Ann Meire)

Wynne ac Oscar yn gwisgo dwy goron eisteddfodol Tom, yng ngardd Tŷ'r Ysgol yng ngwanwyn 1919.

(O archif deuluol Ann Meire)

Willie, Tom, Richard David, Wynne, Eurwen ac Oscar yn Rhyd-ddu a'r Wyddfa yn y cefndir yng ngwanwyn 1919.

(O archif deuluol Ann Meire)

Brodyr Tŷ'r Ysgol yng nghwmni eu tad yn Rhyd-ddu yng ngwanwyn 1919.

(O archif deuluol Ann Meire)

Y teulu cyfan, cytûn yn Rhyd-ddu yng ngwanwyn 1919.

(O archif deuluol Ann Meire)

Y teulu diolchgar yng ngardd Tŷ'r Ysgol yng ngwanwyn 1919.

(O archif deuluol Ann Meire)

Tom, Willie, Dora Ellis ac Oscar yn Aberystwyth yn 1919.

(O archif deuluol Ann Meire)

The War of 1914-1918.

Royal Army Medical Corps
81779 Pte. J. O. Parry-Williams

was mentioned in a Despatch from

Field Marshal Sir Douglas Haig, K.T. G.C.B. O.M. G.C.V.O. K.C.I.E.

dated 16th March 1919

for gallant and distinguished services in the Field.

I have it in command from the King to record His Majesty's

high appreciation of the services rendered.

Winston Churchill

War Office,
Whitehall, S.W.
1st July 1919.

Secretary of State for War.

Copi o gais Parry-Williams am y Gadair Gymraeg yng Ngholeg Prifysgol Cymru, Aberystwyth, Mehefin 1920.

(O archif Prifysgol Aberystwyth)

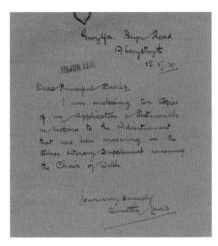

Copi o gais Timothy Lewis am y Gadair Gymraeg yng Ngholeg Prifysgol Cymru, Aberystwyth, Mehefin 1920.

(O archif Prifysgol Aberystwyth)

Tystysgrif Oscar pan gafodd ei grybwyll mewn datganiad gan Syr Douglas Haig, Mehefin 1919.

(O archif deuluol Ann Meire)

Amlinelliad o yrfa T. H. Parry-Williams yn ei lawysgrifen ei hun.

(O archif deuluol Ann Meire)

Yr heddychwr a'i dad a'r motor-beic enwog, KC 16, yn Rhyd-ddu, 1920. Yr hyn a ysgrifennwyd ar gefn y llun yw: 'Fy nhad a myfi o flaen yr ysgol yn Rhyd-ddu, Aug 1920'.

(O archif deuluol Ann Meire)

Yr Athro Cymraeg a'i fotor-beic, KC 16, ym Mhenrhyndeudraeth yn Ebrill 1921.

(O archif deuluol Ann Meire)

Yr Athro T. H. Parry-Williams ifanc. Ar gefn y llun hwn yn ei law ei hun ysgrifennodd: 'Dwyflwydd oed yn Athro Cadeiriog. Haf 1922'.

(O archif deuluol Ann Meire)

Llun o dudalen cyntaf y gyfrol rwymedig 'O Bapurau Newydd', y llyfr lloffion er cof am Henry Parry-Williams.

(O archif deuluol Ann Meire)

Dosbarth Anrhydedd Cymraeg 1921-22 yng nghwmni'r Athro Parry-Williams, y Pennaeth Adran, a'r Athro T. Gwynn Jones. Y myfyriwr ar y chwith yn y rhes flaen yw Gwenallt.

(O archif deuluol Ann Meire)

Llun priodas Rhiannon, merch Syr John Morris-Jones, a Dr Ernest Jones yn Awst 1926. Dr Martyn Lloyd-Jones oedd y gwas priodas ar y chwith i'r briodferch. Saif Tom Parry-Williams ar y dde y tu ôl i Syr John a'i wraig.

(O archif deuluol Ann Meire)

Tom Parry-Williams ym mhriodas Rhiannon a Dr Ernest Jones yn Awst 1926. Y priodfab sydd ar y dde, a Rhiannon a'i chwiorydd – ei morynion priodas – ar y chwith iddo.

(O archif deuluol Ann Meire)

Timothy Lewis (1877-1958).

(Trwy ganiatâd Llyfrgell Genedlaethol Cymru)

Dr Gwen Williams (1902-1985).

(Trwy garedigrwydd Heulwen Humphreys)

Dosbarth Anrhydedd
Cymraeg 1927-28, a thri
aelod o'r staff, yn cynnwys y
darlithydd newydd, Gwenallt.

(O archif deuluol Ann Meire)

Yr Athro T. H. Parry-Williams
aeddfed.

(O archif deuluol Ann Meire)

Cerdyn post gan Tom at Dr Gwen Williams o Chicago, Awst 1935: 'Fy nghofion serchog iawn atoch'.

(Trwy garedigrwydd Heulwen Humphreys)

Cerdyn post gan Tom at Dr Gwen Williams o'r Grand Canyon, Medi 1935: 'Newydd weld (a chlywed) Indian Ceremonial Dance rŵan!'

(Trwy garedigrwydd Heulwen Humphreys)

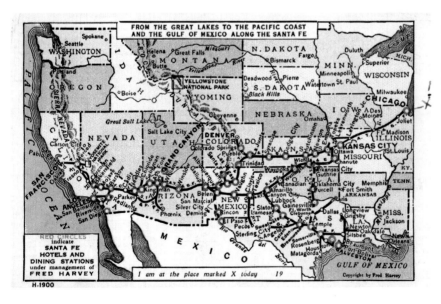

Cerdyn post Tom at Dr Gwen Williams yn dangos llwybr ei daith ar y trên o Chicago i San Fransisco, Awst 1935.

(Trwy garedigrwydd Heulwen Humphreys)

Almaen o dan Thurneysen a gwnaeth ail draethawd ar bwnc Celtaidd eto. Heblaw hyn oll (ac fe saif gyfuwch â'r gorau ohonom yn y peth cyntaf) fe wnaeth orchest ar ddeutro yn yr Eisteddfod Genedlaethol fel y gwyddoch. Nid oes neb arall erioed, yn ôl pob tebyg, wedi ennill y ddwy wobr ddwywaith o restr yr ŵyl fawr.[70]

Yr oedd yn falch iawn i'w frawd William dynnu ei gais yn ôl, yn enwedig ar ôl deall 'mai i chwarae ei chwarae ei hun yr anogai J. H. Davies fi i gadw ymlaen neu'n hytrach Wm i gadw ymlaen trosof.'[71] Dengys y sylwadau hyn fod Morgan erbyn hynny'n teimlo iddo gael ei gamarwain a'i ddefnyddio i raddau helaeth, felly nid syndod fod rhai hyd heddiw'n cofio'r stori i'w gais ef am y Gadair gael ei ddefnyddio fel esgus dros ohirio penodi yng nghyfarfod Cyngor Coleg Aberystwyth ar 26 Medi 1919. Yr oedd Morgan yn galw J. H. Davies a Lleufer Thomas yn 'ddau gadno braf', ond yr oedd nam ar eu cynllun. Os oeddynt am weld gohirio'r penodiad a defnyddio ei ymgeisyddiaeth ef o Dde'r Affrig bell fel esgus, ni fyddai hynny'n dal dŵr, meddai, am iddynt benodi Gwilym Owen (1880-1940) a oedd yn gweithio yn Auckland, Seland Newydd, i'r Gadair Ffiseg heb iddo orfod ymddangos gerbron y Cyngor. Soniai Morgan am 'gynllwyn', ac yr oedd wedi cael llond bol ar yr holl fusnes erbyn hynny. Nid oedd am fod dan fawd neb. Pan glywodd beth oedd penderfyniad terfynol y Cyngor, sef gohirio penodi i'r Gadair tan fis Mehefin 1920, oherwydd eu bod yn ofni 'teimlad y wlad am … fod [Parry-Williams] yn C.O.', nid oedd yn fwriad ganddo gynnig am y swydd eto, hyd yn oed pe deuai pwysau arno i wneud. Ei obaith mawr oedd y byddai yn y cyfamser wedi ei benodi i'r Gadair Ffrangeg yn Abertawe neu yng Nghaerdydd. Pan ddaeth ei gytundeb tair blynedd yn Johannesburg i ben, dychwelodd i Gymru erbyn diwedd Rhagfyr 1919 ar fwrdd llong y Balmoral, ac erbyn Mai 1920 yr oedd wedi ei benodi'n Athro Ffrangeg a Ffiloleg Romáwns yng Ngholeg Caerdydd.

Yr oedd yn werth oedi gyda gohebiaeth Lucy a Morgan Watkin am ei bod yn taflu cryn oleuni ar y digwyddiadau a'r symudiadau y tu ôl i'r llenni, ac ar rai agweddau ar y gystadleuaeth am y Gadair Gymraeg nad oeddynt yn wybyddus cyn hyn.

---

70   Llythyr Morgan Watkin at Lucy Watkin, 5 Hydref 1919, ibid.
71   Ibid.

Ar ôl i T. Gwynn Jones gael ei benodi i'r Gadair mewn llenyddiaeth ar 15 Awst, trowyd golygon at yr ail Gadair y bwriedid ei llenwi. Cyfarfu'r Pwyllgor Penodi ar 18 Awst a phenderfynu'n unfrydol ei fod yn enwebu T. H. Parry-Williams am y Gadair mewn iaith. Penderfynwyd hefyd y byddai W. J. Gruffydd yn llunio adroddiad manwl ar gymwysterau'r ymgeiswyr i'w gylchredeg ymhlith aelodau'r pwyllgor, ac i'w gyflwyno fel gohebiaeth i'r Cyngor pe bai raid.[72] Dengys cofnodion y cyfarfod o Gyngor y Coleg ar 26 Medi i'r adroddiad hwnnw gael ei gylchredeg ymhlith ei aelodau.[73] Yr hyn sy'n ddiddorol yn ei gylch yw ei fod yn cyfiawnhau llenwi'r ail Gadair, nid yn unig am y dylai fod gan Athro'r Gymraeg wybodaeth ieithegol a gramadegol gadarn am yr iaith, yn ogystal ag ymwybyddiaeth o'r defnydd o'r iaith fel cyfrwng diwylliant, ond am fod disgwyl iddo gyflawni swyddogaeth ehangach o fewn y bywyd cenedlaethol yng Nghymru. Ni ddisgwylid i Athro'r Gymraeg ei gyfyngu ei hun i du mewn i furiau'r Coleg yn unig. Yr oedd disgwyl iddo fod yn ffigur cyhoeddus a gyfrannai at y bywyd diwylliannol ehangach, yn enwedig trwy gyfrwng yr Eisteddfod Genedlaethol, ac oherwydd y wedd dra chyhoeddus honno ar y swydd, yr oedd ar dir i gael ei ganmol am ei ragoriaethau neu ei feirniadu am ei ddiffygion. Yn sicr, nid oedd angen perswadio aelodau'r Cyngor o'r diddordeb cyhoeddus yn y swydd, gan fod hwnnw wedi cynyddu cymaint nes iddo begynnu barn o fewn y Cyngor hyd yn oed.

Âi'r adroddiad ati wedyn i gloriannu cymwysterau'r tri ymgeisydd ar y rhestr fer, sef Parry-Williams, Timothy Lewis a Morgan Watkin, ar sail eu gwybodaeth am ieitheg a gramadeg yn gyntaf, ac yn ail, ar sail eu dealltwriaeth o arwyddocâd diwylliannol yr hyn yr oeddent yn ei ddysgu. Cydnabyddid bod Timothy Lewis wedi cynhyrchu cyfrolau a gwaith digon sylweddol, sef golygiadau testunol llawysgrifol, a ystyrid gan y pwyllgor yn rhai ardderchog, a geirfâu nad oeddynt lawn cystal, er eu bod yn ddefnyddiol ar gyfer ymchwilwyr eraill. Cyhoeddodd destun ffacsimili o Gyfraith Hywel Dda yn llawysgrif Llansteffan 116, sef y llyfr cyntaf yng nghyfres Urdd y Graddedigion o destunau Cymraeg yn 1912, geirfa'r Gyfraith Gymreig yn seiliedig ar destun o Gyfraith Hywel Dda yn Llyfr Du'r Waun, a gyhoeddwyd gan Wasg Prifysgol

---

72   Cedwir copi carbon o'r adroddiad yn y ffeil sy'n cynnwys papurau ynghylch y Gadair yn Archifdy Prifysgol Aberystwyth, blwch C/C.S.CH./2.

73   Gw. Archifdy Prifysgol Aberystwyth, CNL/1/A2, *Cofnodion Cyngor Coleg Prifysgol Cymru Aberystwyth, 1916-19*, t. 416.

Manceinion yn 1913, a thestun meddygol a gyhoeddwyd yn Lerpwl yn 1914, *A Welsh Leech Book*. Yr oedd hefyd, fel y gwyddom eisoes, wedi cynorthwyo Kuno Meyer i gwblhau llyfr John Strachan ar Gymraeg Cynnar. Cydnabyddir hyd heddiw fod y rhain yn gyfraniadau safonol ganddo, ac o safbwynt ei gyhoeddiadau o leiaf, yr oedd ganddo fantais amlwg ar y ddau ymgeisydd arall gan nad oeddynt hwy eto wedi cael cyfle i gynhyrchu cymaint o waith nac i'w gyhoeddi. Yr unig lyfr ysgolheigaidd a gyhoeddwyd gan Parry-Williams erbyn hynny oedd ei *Some Points of Similarity in the Phonology of Welsh and Breton* a gyhoeddwyd gan Wasg Honoré Champion ym Mharis yn 1913, sef ffrwyth ei ymchwil ar gyfer ei ddoethuriaeth.

Yr oedd y sylwadau ar Morgan Watkin yn nodi fod ganddo gymwysterau rhagorol fel ysgolhaig, ond mai ysgolhaig Ffrangeg ydoedd yn y bôn, gan mai dyna ei bwnc cryfaf o ddigon o ran maes ei arbenigedd. Ni chawsai gyfle i gyhoeddi llawer o ffrwyth ei ymchwil, ac yr oedd yn ymddangos mai ffoneteg yn hytrach na ffiloleg oedd ei gryfder. Yr ymgeisydd cryfaf o ddigon o safbwynt y Gymraeg oedd Parry-Williams. Er na lwyddasai i wneud cymaint o waith ar yr ochr ieithegol ac ieithyddol ag a wnaethai Timothy Lewis, yr oedd wedi gwneud enw iddo'i hun ym maes llenyddiaeth:

> Dr Parry-Williams's career, on its Welsh side, is by far the most striking of the three. The work which he has produced in philology and pure linguistics is smaller in amount than that of Mr Lewis, but in the field of literature he made himself a name, after he had finished his formal studies in Welsh philology. It is to be noticed, however, that all the research work for his degrees was philological. Neither of the other two candidates can equal him in two respects – in experience of University teaching of Welsh, in examining work, and in his wider relation to the social and literary life of the Principality.[74]

Wrth dafoli'r ymgeiswyr, cafwyd un sylw beirniadol ar Timothy Lewis: yr oedd ei waith ysgolheigaidd hyd hynny wedi'i ganoli ar waith copïo llawysgrifol a llunio rhestrau, heb ddangos llawer o wybodaeth am yr ieithoedd Celtaidd eraill. Yn ei nodiadau esboniadol ac yn ei eirfâu, ynghyd ag yn ei ysgrif 'Philoreg' a gyhoeddodd yn *Y Wawr*, fe allai fod wedi profi'i wybodaeth ieithegol, ond ym marn y Pwyllgor Penodi: '… his knowledge of those

---

74   Copi o'r adroddiad yn Archifdy Prifysgol Aberystwyth, blwch C/C.S.CH./2

matters is by no means up to the standard required of a Professor of Welsh at Aberystwyth.' Byddai'r dyfarniad hwnnw wedi bod yn ddamniol yn ei erbyn.

Mae'r erthygl y cyfeirir ati yn *Y Wawr* yn un ddigon pryfoclyd ei naws sy'n ceisio cywiro beth a gredai'r awdur a oedd yn gamddeongliadau o ystyron geiriau gan Edward Anwyl ac Ifor Williams. Lluniodd yr ysgrif honno tra oedd yng ngwasanaeth y fyddin ac wedi'i leoli yng Ngogledd Iwerddon yn ystod gaeaf 1916. Cyfeiria ato'i hun fel milwr yn cael y fraint o 'geisio glanhau Ewrop o wahanglwyf yr Almaen', ac at wisgo lifrai milwrol i 'geisio cadw Cymru'n ddiogel'.[75] Gan iddo roi 'Philoreg', sef ffwlbri a gwag-siarad, yn hytrach na 'Philoleg', sef gwyddor ieitheg, astudiaeth gymharol o ieithoedd, yn deitl i'w ysgrif, synhwyrir mai rhwng difrif a chwarae y'i lluniwyd. Ond gan iddo gambriodoli diffiniad o air gan Ifor Williams, cafodd yr ieithydd o Fangor wahoddiad gan un o 'reolwyr' *Y Wawr* (ai Parry-Williams, tybed?) i ymateb, ac fe wnaeth mewn ysgrif ac iddi'r teitl 'Gwrthffiloreg' a gyhoeddwyd yn y rhifyn dilynol.[76] Cywirodd Ifor Williams gamau gweigion Timothy, gan daro ar un o'i brif wendidau, sef cymysgu cyfnodau datblygiad cyffredin seiniau 'i ateb i'w bwrpas ei hun.' Byddai'r feirniadaeth honno ar ei waith yn dod yn llawer amlycach yn ystod y degawd wedi'r rhyfel.

Wrth grynhoi cryfderau Parry-Williams yn yr adroddiad, credid bod ei waith ieithegol yn wreiddiol ac yn rhagori ar amryw o gyfraniadau gan eraill, fel y gellid gweld oddi wrth ei erthyglau ar y Llydaweg a'r Gymraeg yn y *Revue Celtique*.[77] O safbwynt y wedd lenyddol ar astudiaethau Cymraeg, yr oedd yn rhagori ar y ddau arall, ac o safbwynt astudiaethau ieithegol, yr oedd wedi profi ei wybodaeth ddofn o'r Gymraeg a'r ieithoedd Celtaidd cytras. Ef oedd yr unig un o'r tri a oedd yn adnabyddus y tu allan i'r ystafell ddarlithio, a hynny ar gorn ei orchestion llenyddol eisteddfodol. Yr oedd hefyd wedi cael y profiad o fod yn bennaeth yr Adran am gyfnod ac yr oedd llwyddiannau'r myfyrwyr o dan ei ofal wedi dangos nad oedd dim llacio wedi bod o ran ymdrech nac egni yn yr Adran oddi ar gyfnod Edward Anwyl. Nid oedd unrhyw amheuaeth, ar sail cynnwys yr adroddiad, nad Parry-Williams oedd yr ymgeisydd cryfaf a mwyaf teilwng.

---

75 'Philoreg', *Y Wawr*, cyfrol iv, rhif 3, Haf 1917, tt. 102-6.
76 'Gwrthffiloreg', *Y Wawr*, cyfrol v, rhif 1, Gaeaf 1917, tt. 15-19.
77 T. H. Parry-Williams, 'Some points of familiarity in the phonology of Welsh and Breton', *Revue Celtique*, xxxv (1914), tt. 40-84, 317-56.

Cafodd yr adroddiad a luniwyd gan W. J. Gruffydd ei feirniadu gan un o golofnwyr y *South Wales News* am roi'r argraff iddo osod gorchestion eisteddfodol Parry-Williams yn uwch na'i gyflawniadau ysgolheigaidd a pheri bod gwobrau llenyddol yn pwyso mwy yn y glorian na gwaith academaidd. Mentrodd y colofnydd ddyfalu i awdur yr adroddiad wneud hynny er mwyn cyfiawnhau ei benodiad ei hun i'r Gadair yng Nghaerdydd![78]

Cadarnheir dyfarniad terfynol y Pwyllgor Penodi ar addasrwydd a rhagoriaeth Parry-Williams i raddau helaeth gan y cais a gyflwynodd am y swydd.[79] Cofnododd yn fanwl ei yrfa fel myfyriwr ymchwil mewn tair prifysgol lle y bu wrth draed rhai o ysgolheigion Celtaidd amlycaf y dydd, a rhestru'r pynciau a astudiodd. Fel myfyriwr israddedig yn Aberystwyth astudiodd Iaith a Llenyddiaeth Gymraeg, Lladin ac Ieitheg Glasurol, Ffrangeg, Groeg a Mathemateg. Yn ystod ei wyliau haf yn 1909 ac yn 1910 bu'n astudio Hen Wyddeleg dan Osborn Bergin a Carl Marstrander yn y 'School of Irish Learning' yn Nulyn. Yn Rhydychen, bu'n astudio Celteg, Hen Wyddeleg, Gwyddeleg Modern a Chymraeg dan John Rhŷs, Saesneg dan yr Athrawon Arthur Napier a Henry Sweet, Ffoneteg dan Sweet, ac Almaeneg dan Dr Willoughby.

Yn Freiburg, bu'n astudio Celteg, Hen Wyddeleg, Llydaweg ac Ieitheg Glasurol dan Rudolf Thurneysen, Hen Almaeneg, Almaeneg Canol a Gotheg dan yr Athrawon Kluge a Dr Schulz, Hen Slafoneg ac Ieitheg Indo-Almaeneg dan Dr Kieckers, Sanscrit a Llenyddiaeth Saesneg. Yna yn y Sorbonne, bu'n astudio Celteg dan Joseph Vendryes, ac yn yr École Pratique des Hautes Études, bu'n astudio Hen Slafoneg dan yr Athro Antoine Meillet, ac yn y Collège de France, Seineg drachefn dan yr Athro Meillet. Yr oedd yr arfogaeth ieithegol drawiadol hon yn gwbl ddiymwad. Ac yntau erbyn diwedd Medi 1919 yn ddeuddeg ar hugain oed, yr oedd ganddo'r cymwysterau i fwy na llenwi'r Gadair Gymraeg.

Yn nhrefn naturiol pethau, byddai'r penodiad wedi ei wneud yn ddigon diffwdan a di-lol, ond oherwydd y gwrthwynebiad personol i'w ymgeisyddiaeth oherwydd ei heddychiaeth, a'r ymdeimlad o du cefnogwyr Timothy Lewis

---

78   'Random Leaves from a Welshman's Diary', *South Wales News*, 18 Hydref 1919, t. 8.

79   Ceir copi o'i gais cyntaf am y swydd yng Ngorffennaf 1919 yn LlGC 'Papurau E. Morgan Humphreys', A/3674. Fe'i hanfonwyd at E. Morgan Humphreys gan Henry Parry-Williams, gw. ibid., A/3430.

fod popeth wedi ei drefnu ymlaen llaw, a bod ymgais fwriadol i'w gadw ef allan o'r Gadair, daeth ton o brotestiadau a rwystrodd y penodiad gan greu drwgdeimlad pur annymunol.

Gwelsom eisoes fel yr oedd ambell golofn ac erthygl yn y wasg wedi bwrw amheuaeth ar briodoldeb penodi T. Gwynn Jones i'r Gadair mewn llenyddiaeth, ac yr oedd Timothy yn ei ohebiaeth â Gwenogvryn Evans wedi awgrymu bod ôl bysedd J. H. Davies ar y cyfan. Cafodd y Cofrestrydd ei ffordd gyda'r penodiad hwnnw, ond yr oedd rhai'n mynnu creu cymaint o helynt gyda'r ail benodiad fel na allai gael ei ffordd ei hun yr eildro. Barn cefnogwyr Timothy Lewis, a Beriah a Gwenogvryn Evans yn fwy na neb, oedd fod rhyw ystryw wedi bod ar waith fel bod y Pwyllgor Penodi wedi ei lwytho â phobl gyfaddas a fyddai'n ffafrio T. H. Parry-Williams, sef ymgeisydd dewisol y sefydliad. Crëwyd yr argraff mai ef oedd y ffefryn a bod Timothy wedi cael cam, ac aed ati gyda chryn ddycnwch, nid yn unig i ganfasio cefnogaeth ymhlith aelodau'r Cyngor, ond hefyd i gorddi'r dyfroedd a cheisio llywio barn y cyhoedd drwy gyfrwng y wasg brintiedig.

Cydiodd Beriah yn ei ysgrifbin ac anfon llythyr at ei gyfaill E. T. John ar 16 Medi 1919, gan gyfeirio at dynged ei fab yng nghyfraith:

> There is a dead set being made against him by the official clique at
> Aberystwyth to prevent him being appointed to Anwyl's Chair – altho he
> is really the *only* candidate qualified by record of work and standing among
> Celtic scholars for the post.[80]

Cyfeiriodd at aelodau'r Pwyllgor Penodi a chyhuddo dau o'i aelodau o fod â fendeta personol yn erbyn Timothy. Honnai fod John Morris-Jones â'i gyllell yn ei gefn oherwydd iddo ddweud pethau beirniadol am ei ramadeg gan dynnu sylw at gamgymeriadau ynddo, ac yr oedd W. J. Gruffydd yn dal dig am iddo gynnig am Gadair Gelteg Caerdydd pan benodwyd Gruffydd. Clywsai Beriah fod y Pwyllgor wedi argymell enwebu Parry-Williams:

> ... who has no record of scholarly work to show, whose testimonials are
> from Lloyd Jones Dublin, and Ivor Williams, a Lecturer at Bangor. Prof
> Vendryes, Parry Williams's old teacher, altho asked for a testimonial by P.W.

---

80   Llythyr Beriah Gwynfe Evans at E. T. John, 16 Medi 1919, LlGC 'Papurau E. T. John', 2312.

refused to give it; he preferred it to Timothy Lewis, who is also supplied
by testimonials from Loth, Quiggin, O'Connell, Powel, and others of high
standing in Celtic Scholarship.[81]

Yr oedd Beriah, mae'n amlwg, yn bur sicr o'i ffeithiau, a chan fod ambell
thema sy'n codi yn ei ohebiaeth bersonol at E. T. John yn cael ei hailadrodd
mewn colofnau dienw yn y wasg, ni raid inni ddyfalu pwy oedd y tu cefn
i'r colofnau hynny. Y mae un golofn benodol bur nodedig a ymddangosodd
ar dudalennau'r *Carnarvon and Denbigh Herald* ar yr union ddiwrnod yr oedd
disgwyl i Gyngor y Coleg wneud y penodiad, sef ar ddydd Gwener, 26
Medi. Cyn hynny yr oedd Beriah wedi gofyn i E. T. John a fedrai gael gair
yng nghlust David Davies, Is-Lywydd y Coleg, a fyddai'n debygol o fod yn
cadeirio'r cyfarfod, er mwyn dweud gair da dros Timothy. Nid oedd am
golli'r un cyfle i ddylanwadu ar y penodiad, hyd yn oed ar yr unfed awr ar
ddeg.

Cyfeiriodd gohebydd dienw'r *Carnarvon and Denbigh* at gynnwys erthygl
a ymddangosodd yn y *Liverpool Daily Post and Mercury* ar ddydd Mawrth yr
wythnos honno, sef 23 Medi, yn adrodd pwy yr oedd y pwyllgor wedi'i
enwebu ar gyfer y Gadair, a hynny, meddir, drwy gyngor John Morris-Jones
ac W. J. Gruffydd.[82] Byddai hynny fel cadach coch i darw i Beriah. Yr oedd
y gath bellach allan o'r cwd, meddai gohebydd y *Carnarvon and Denbigh*, cyn
bwrw ati'n ddiymdroi i bledio achos Timothy Lewis gyda chryn goegni:

Mr Parry Williams's rival is Mr. Timothy Lewis, who … sinned against
the Pacifist clique at Aberystwyth by volunteering for the war. He went
through the hottest corners of the Somme and the Salient battlefields, and
is now being rewarded by being kicked out to make room for Mr. Parry
Williams.[83]

Yr oedd yn gwbl amlwg ar ochr pwy yr oedd y 'gohebydd' hwn. Yr hyn

---

81   Ibid.

82   Gw. 'Celtic Chair at Aberystwyth: Nominee of Advisory Board', *Liverpool Daily Post and
Mercury*, 23 Medi 1919, t. 7: 'We understand that the Celtic Advisory Board, acting on the
advice of Sir John Morris-Jones and Professor W. J. Gruffydd, is recommending Mr. Parry
Williams for the Celtic Chair …'

83   Gw. 'Sir Edward Anwyl's successor: Who Shall it be? Remarkable allegations', *The Carnarvon
and Denbigh Herald*, 26 Medi 1919, t. 8.

sy'n cadarnhau'r amheuon mai Beriah oedd awdur yr erthygl yw i'r 'gohebydd' lwyddo i gael cyfweliad arbennig â Gwenogvryn Evans, a fyddai, wrth gwrs, yn bresennol yng nghyfarfod y Cyngor pan gadarnheid y penodiad. Yr oedd Gwenogvryn yn arllwys ei galon ac yn dweud iddo fethu â pherswadio Cyngor y Coleg i ymestyn allan y tu hwnt i derfynau plwyfol astudiaethau ar y Gymraeg, a chreu Cadair yn yr Ieithoedd Celtaidd gan ddyrchafu safonau dysg yn Aberystwyth. Yr oedd gan y Coleg fwy o fantais ym maes yr ieithoedd Celtaidd na Bangor a Chaerdydd am fod y Llyfrgell Genedlaethol wedi'i lleoli ar garreg y drws, ond drwy gyfyngu aelodaeth y Pwyllgor Penodi i bobl o'r tu allan yn hytrach na gwrando ar ei gyngor ef, yr oedd y Coleg wedi methu â manteisio ar y fantais a oedd ganddo. Er nad enwodd yr aelodau allanol o'r Pwyllgor Penodi, gwyddid yn iawn pwy oedd ganddo mewn golwg. Gweithiodd hynny fel bachyn i'r gohebydd ofyn cwestiwn i Gwenogvryn ynghylch cyfansoddiad y Pwyllgor Penodi, a bwriodd yntau ati i drafod y prif wendid, sef nad oedd arbenigwyr o'r tu allan i Gymru wedi eu gwahodd i wasanaethu arno. Ailadroddodd un o themâu canolog pleidwyr Timothy Lewis, sef fod aelodaeth y Pwyllgor Penodi wedi peri i bobl anniddigo ac amau fod y cyfan wedi'i drefnu ymlaen llaw, gan fod y ddau a gafodd eu hargymell gan y Pwyllgor ar gyfer llenwi'r ddwy Gadair yn rhan o'r clic a enwid fel darpar Athrawon cyn i'r Pwyllgor Penodi gyfarfod am y tro cyntaf!

Yr oedd peth sail i'r hyn a ddywedodd, oherwydd ymddangosodd llythyr yn y *Cambrian News* yn gynharach yn y mis gan rywun a'i galwai ei hun yn 'Cwmystwyth' yn cwyno am ei bod yn ymddangos fod penodiadau'n cael eu gwneud yng Ngholeg Aberystwyth cyn i'r swyddi gael eu hysbysebu hyd yn oed, a bod hynny'n tanseilio ffydd pobl yn y sefydliad. Yr oedd yn lled hysbys yn Aberystwyth mai T. Gwynn Jones a fyddai'n cael ei benodi, a hynny wythnosau cyn i'r Pwyllgor Penodi gyfarfod.[84] Yr oedd y cyfan yn drewi, meddid. Ychwanegodd Gwenogvryn fod amryw o ysgolheigion o'r tu allan i Gymru y dylid bod wedi galw ar eu gwasanaeth fel arbenigwyr y ddisgyblaeth er mwyn bwrw'r rhwyd mor eang â phosibl. Nid cyd-ddigwyddiad yw fod dau o'r ysgolheigion a enwai ymhlith canolwyr Timothy Lewis, sef E. C. Quiggin o Gaer-grawnt a Joseph Vendryes o Baris.

Yn ogystal â dyfynnu o'r cyfweliad arbennig â Gwenogvryn Evans, fe

---

84   *The Cambrian News*, 12 Medi 1919, t. 8.

gyhoeddodd y gohebydd lythyr a dderbyniwyd gan Gymrodyr y Rhyfel Mawr, dyddiedig 23 Medi 1919, wedi'i lofnodi gan J. Griffiths a P. Brynmor Jones. Curad mewn gofal ym mhlwyf Blaenau Ffestiniog oedd y Parchedig John Griffiths, a bu'n gwasanaethu yn y rhyfel. Fe'i clwyfwyd ym mrwydr Loos.[85] Penodwyd y Parchedig Phylip Brynmor Jones o Benrhyndeudraeth yn drefnydd cangen gogledd Cymru o Gymrodyr y Rhyfel Mawr ym mis Ionawr 1919. Bu am gyfod cyn y rhyfel yn weinidog yn y Wladfa, ond dychwelodd adref ac ymuno â Chorfflu Meddygol y Fyddin. Cafodd ei ryddhau'n gynnar o'r fyddin oherwydd anaf.[86] Anfonodd amryw o ganghennau'r Cymrodyr lythyrau at aelodau o Gyngor y Coleg yn gwrthwynebu enwebiad Parry-Williams am y Gadair. Er na chadwyd mo'r llythyrau hynny, diau fod y llythyr hwn yn adlewyrchu cynnwys rhai ohonynt. Cwyno a wneid fod y gwrthwynebydd cydwybodol wedi'i enwebu ar gyfer ei benodi yn hytrach na'r cyn-filwr, a oedd, yn eu barn hwy, yn fwy cymwys beth bynnag:

> … The Comrades of the Great War desire most emphatically to protest against the nomination of Dr. Parry Williams to the Chair by the Celtic Board, the above applicant being a conscientious objector … Undoubtedly the successful applicant should be Mr. Timothy Lewis, Senior Lecturer, who not only being better qualified, but whose patriotic action in volunteering for the war and going through the Somme is a direct reflection upon those who remained at home sheltering under various camouflagings.[87]

Byddai'r gefnogaeth honno i Timothy a'r feirniadaeth gignoeth ar Parry-Williams yn fêl ar fysedd Beriah, ac fe fanteisiodd y 'gohebydd' ar garedigrwydd Gwenogvryn Evans yn rhoi ei ganiatâd iddo ddyfynnu o'r ateb a anfonodd fel aelod o'r Cyngor i lythyr y Cymrodyr. Dywedodd Gwenogvryn ei bod yn arwyddocaol na chaniataodd Joseph Vendryes o'r Sorbonne i Parry-Williams ddefnyddio'i enw fel canolwr. Honnid gan rai mai oherwydd fod ei gyn-fyfyriwr yn wrthwynebydd cydwybodol y gwnaeth hynny, ond cafodd Gwenogvryn glywed o enau'r dyn ei hun nad oedd hynny'n wir, ac mai oherwydd ei fod yn meddwl fod Timothy Lewis yn well ysgolhaig

---

85   Gw. *Yr Haul*, Medi 1919, t. 50. Derbyniodd guradaeth Llanwnda ym Medi 1919.
86   Gw. *Y Dinesydd Cymreig*, 29 Ionawr 1919, t. 2.
87   *Carnarvon and Denbigh Herald*, 26 Medi 1919, t. 8.

na Parry-Williams yr estynnodd ei gefnogaeth iddo. Honnodd i Vendryes ddweud wrtho, 'Dr Parry-Williams has published nothing to interest a scholar.' Aeth yn ei flaen wedyn i ymosod ar John Morris-Jones, am fod hen gynnen rhyngddynt, gan honni nad oedd Syr John yn hoffi ysgolheigion a allai feddwl drostynt eu hunain. Dychwelodd eto at yr hen gŵyn nad oedd arbenigwyr eraill mwy cymwys wedi eu cyfethol ar y Pwyllgor Penodi er mwyn ffafrio'r naill ymgeisydd yn hytrach na'r llall. Galwodd ar y Cymrodyr i roi pob cymorth i rwystro'r anfadwaith, a dangosodd yn glir pa ymgeisydd a gâi ei gefnogaeth ef:

> … I have no love of that 'conscience' that refuses to defend the State that protects it, and is eager to snatch the bread out of the mouth of a better man who was first in occupation.[88]

Drannoeth cyhoeddi'r erthygl hon, ymddangosodd dau baragraff cryno yn y *South Wales Weekly Post* a adleisiai rannau ohoni bron air am air. Gan fod Beriah Evans yn gyn-olygydd, yr oedd ganddo'i gysylltiadau â'r papur hwnnw o hyd, a diau iddo wneud yn fawr ohonynt.[89]

Pan glywodd Timothy Lewis ei fod ar y rhestr fer a bod disgwyl iddo fod ar gael i'w gyfweld, anfonodd lythyr at Gwenogvryn Evans.[90] Tybiasai na fyddai'n cael ei wahodd gerbron, meddai, ond credai fod yr holl sylw i afreoleidd-dra penodiad T. Gwynn Jones yn y wasg wedi peri i'r awdurdodau fod yn fwy gochelgar. Yr oedd wedi ceisio dyfalu pa gwestiynau a ofynnid iddo gan gefnogwyr Parry-Williams ar y Cyngor, a lluniodd restr o'r cwestiynau yr hoffai yntau eu derbyn gan ryw aelod o'r Cyngor na fyddai'n cael ei amau o fod yn ffrind iddo, a dyma grynodeb Cymraeg ohonynt:

1. Paham y lluniodd y Pwyllgor Penodi adroddiad anffafriol yn ei erbyn?

Byddai'n medru ateb y cwestiwn hwn drwy ddweud wrth aelodau'r Cyngor sut rai oedd John Morris-Jones ac W. J. Gruffydd.

---

88 Ibid.
89 Gw. E. Morgan Humphreys, 'Profiadau Golygydd', *Trafodion Cymdeithas Hanes Sir Gaernarfon*, 11 (1950), tt. 81-92.
90 Llythyr Timothy Lewis at J. Gwenogvryn Evans, 23 Medi 1919, LlGC 'Papurau Timothy Lewis', ffeil 1(d), 988 (i) a (ii).

2. Paham y dewisodd ymrestru yn y fyddin ac yntau'r aelod hynaf ei law yn yr Adran?

3. Paham y rhoddodd Joseph Vendryes dystlythyr iddo ef ar ôl gwrthod rhoi un i Parry-Williams?

4. Paham yr adroddwyd wrtho gan Lleufer Thomas fod y Pwyllgor Penodi wedi ei ystyried fel yr un mwyaf abl i gyflawni tasg o bwys, ond pan ddaeth yr amser i lenwi'r Gadair iddynt benderfynu fod un arall yn fwy cymwys nag ef?

Hoffai hefyd petai modd trefnu gofyn cwestiwn neu ddau i Parry-Williams:

Gan mai Timothy Lewis oedd yr aelod hynaf ei law, a'i fod yn ŵr priod, a bod Nellie ei wraig yn disgwyl babi, ac mai ond tri aelod oedd ar y staff, paham na ddewisodd Parry-Williams gyflawni gwaith o bwysigrwydd cenedlaethol yn y fyddin nad oedd yn golygu ymladd er mwyn galluogi Timothy i gael aros yn y Coleg?

Mae hon yn ddadl newydd na soniwyd dim amdani yn y wasg, ac i raddau yr oedd yn gwestiwn digon rhesymol, yn enwedig am fod modd i wrthwynebwyr cydwybodol dan y Ddeddf Orfodaeth gyflawni rhai swyddogaethau yn y fyddin heb godi arfau – gwasanaethu yn y Corfflu Meddygol oedd yr enghraifft amlwg. Cwestiwn arall yr hoffai Timothy i rywun ei ofyn i Parry-Williams oedd hwn:

Gan ei fod yn cwyno na chafodd ddigon o amser i wneud ymchwil, sut y llwyddodd i gael amser i fynychu cyfarfodydd dirgel i drafod propaganda pasiffistaidd? Ac os oedd mor gydwybodol yn eu cylch, paham yr oedd angen iddynt fod yn gyfrinachol?

Unwaith eto, dyma godi rhywbeth na welwyd cyfeiriad ato mewn unrhyw ffynhonnell arall. Cyfeirio yr oedd, wrth reswm, at bresenoldeb Parry-Williams yn y gynhadledd a gynhaliwyd gan yr heddychwyr yn y Bermo ddiwedd Mawrth 1916 lle buwyd yn trafod sefydlu'r *Deyrnas*. Gan nad oedd sôn yn y papurau newydd lleol na chenedlaethol am y gynhadledd honno, mae'n amlwg nad oedd y trefnwyr yn awyddus i gael cyhoeddusrwydd iddi. Rhaid cofio i'r 'No-Conscription Fellowship' yn Lloegr ddechrau cyhoeddi'r wythnosolyn *The Tribunal* ym mis Mawrth 1916, ac iddo wynebu gwrthwynebiad chwyrn gan sensoriaid y Swyddfa Ryfel. Ceisiodd yr awdurdodau atal ei argraffu fwy nag unwaith drwy atafaelu'r llythrennau teip a dinistrio'r peiriant argraffu.[91]

Hoffai Timothy hefyd petai modd i rywun ofyn i Parry-Williams paham y gadawodd i'r *Wawr* bregethu annheyrngarwch a gwrthryfelgarwch, ac yntau'n aelod o'r pwyllgor golygyddol?[92] Ei obaith oedd y byddai'r aelodau o Eglwys Loegr a'r militarwyr ar y Cyngor yn ymbresenoli yn y cyfarfod, a phetai rhyw saith neu wyth arall y credai a oedd yn gefnogol iddo yn pleidleisio o'i blaid, byddai'n sicr o fynd â hi. Enwai ddau o weinidogion Methodistaidd y dref fel rhai a oedd yn gefnogol iddo, sef y Parchedig R. J. Rees, gweinidog capel y Tabernacl y cerddodd T. Gwynn Jones a'i deulu allan ohono ar ôl clywed y gweinidog yn cefnogi'r rhyfel, a'r Parchedig R. Hughes, gweinidog capel y Methodistiaid Saesneg yn Stryd y Baddon. Mae'n amlwg ei fod yn bwriadu i Gwenogvryn ddosbarthu rhai o'r cwestiynau hyn i'w gefnogwyr fel y gallent eu gofyn yn y cyfweliadau. Ni wyddai sut y byddai'r blaid arall yn ei gweithio hi: 'I cannot find anything of their probable line of attack,' meddai, gan ddefnyddio ieithwedd a wna inni feddwl am ddylanwad ei gyfnod yn Ffrynt y Gorllewin arno unwaith yn rhagor.[93]

Un o'r bobl y llwyddwyd i'w berswadio i ymyrryd â'r penodiad oedd yr Esgob John Owen o Dyddewi. Y tebyg yw i Gwenogvryn Evans ddwyn perswâd arno i anfon llythyr at aelodau'r Cyngor yn mynegi ei wrthwynebiad i ymgeisyddiaeth Parry-Williams. Brodor o Lanengan yn Llŷn ydoedd, ac yr oedd ef a Gwenogvryn yn hen lawiau. Pan ddadorchuddiwyd cofeb ar dalcen hen gartref yr Esgob yn Llŷn ar ôl ei farw, yr oedd Gwenogvryn yn un o'r rhai a wahoddwyd i annerch.[94]

Beth oedd hanes Parry-Williams tra oedd yr holl ymgecru'n digwydd yn y wasg ac mewn gohebiaethau personol? Go dawedog ydoedd ef a'i gyfeillion. Treuliodd y rhan fwyaf o'i wyliau haf yn Rhyd-ddu, ac yno yr oedd pan glywodd am benodi T. Gwynn Jones i'r Gadair ar 15 Awst. Anfonodd air ato drannoeth y penodiad i'w longyfarch:

---

91   Gw: <http://www.ppu.org.uk/nomoreNews/tribunal/tribunalindex.html> (cyrchwyd Gorffennaf 2017).
92   Llythyr Timothy Lewis at J. Gwenogvryn Evans, 23 Medi 1919, LlGC 'Papurau Timothy Lewis', ffeil 1(d), 988 (i) a (ii).
93   Ibid., 988 (iii).
94   Gw. *Yr Herald Cymraeg*, 16 Hydref 1928, t. 8.

Gwelais mewn regsyn o bapur Saesneg sy'n dyfod i'r lle yma iddynt eich apwyntio'n Athro llenyddiaeth Gymraeg yn y Coleg ddoe o'r diwedd. Llongyfarchiadau calonnog.[95]

Nid yw'n amhosibl mai yn rhifyn dydd Sadwrn, 16 Awst, o'r *Western Mail* y gwelodd yr hysbysiad, oherwydd ceid yn hwnnw adroddiad ar y penodiad a wnaed y diwrnod cynt. Er y gallai'n hawdd fod yn cyfeirio at bapur lleol y *Carnarvon and Denbigh Herald* fel rhecsyn, o gofio i sylwadau personol sarhaus amdano ymddangos ynddo rai wythnosau ynghynt,[96] nid ymddangosodd hysbysiad am y penodiad yn hwnnw tan yr wythnos ganlynol. O'i ran ef ei hun, yr oedd Cyngor y Coleg i gyfarfod ar 18 Awst i drafod yr ail Gadair, ond ni chlywsai beth a ddigwyddodd, 'os digwyddodd rhywbeth o gwbl,' meddai mewn llythyr arall at T. Gwynn Jones.[97] Yr oedd erbyn hynny wedi dod i ddisgwyl y byddai mwy o lusgo traed, a swniai braidd yn ddifater fel petai wedi hen ddiflasu ar yr holl helynt:

Yr wyf mor bell o faes y drin y dyddiau hyn, fel na wn beth sy'n digwydd nac ychwaith beth sy'n debyg o ddigwydd. Gwyddoch chwi'n well na mi ym mha fodd y gellwch daro hoelen drosof. Diolch yn fawr ichwi am addo gwneuthur.[98]

Dymunai weld T. Gwynn Jones yn gallu mwynhau gweddill ei wyliau ar ôl yr 'holl bryder ac ansicrwydd', ac o'i ran ef ei hun, ni allai ond gobeithio'r gorau. Er gwaetha'r awgrym o ddiflastod yn ei lythyr, yr oedd yn dal i obeithio y byddai'n cael ei benodi, ond ni ddaliai ei anadl: 'Credaf, pe caem rwyddineb, y gallem "wneuthur rhywbeth ohoni" y flwyddyn nesaf. Ond pwy ŵyr feddwl dyn?'[99] Fel y mae'n digwydd, yr oedd yn llygad ei le yn peidio â gobeithio gormod, oherwydd bu'n rhaid iddo ddisgwyl am bum wythnos arall cyn y byddai Cyngor y Coleg yn trafod y penodiad, ac yr oedd natur ymosodol yr erthyglau a gyhoeddid yn y wasg yn dangos fod pleidwyr

---

95   Llythyr T. H. Parry-Williams at T. Gwynn Jones, 16 Awst 1919, LlGC 'Papurau T. Gwynn Jones', G4467.
96   *The Carnarvon and Denbigh Herald*, 20 Mehefin 1919, t. 4.
97   Llythyr T. H. Parry-Williams at T. Gwynn Jones, 19 Awst 1919, LlGC 'Papurau T. Gwynn Jones', G4468.
98   Ibid.
99   Ibid.

Timothy Lewis am wneud popeth a fedrent i atal yr heddychwr rhag cael ei benodi.

Pan gyfarfu Cyngor y Coleg ar 26 Medi, darllenwyd ar goedd lythyrau gan yr Esgob John Owen o Dyddewi, amryw ganghennau o Gymrodyr y Rhyfel Mawr, a deiseb a lofnodwyd gan nifer o drigolion tref Aberystwyth yn gwrthwynebu penodi T. H. Parry-Williams. O ganlyniad i'r gwrthwynebiad hwn, cyflwynodd Walter J. Evans, Prifathro'r Coleg Presbyteraidd yng Nghaerfyrddin, gynnig ffurfiol fod y penodiad yn cael ei ohirio tan fis Mehefin 1920, ac fe'i heiliwyd gan Lleufer Thomas. Penderfynwyd y byddai'r Gadair yn cael ei hailhysbysebu, a diolchwyd i aelodau'r Pwyllgor Penodi am eu gwasanaeth. Wedi'r cyfan, yr oeddynt wedi bod wrthi ers pedwar mis yn trafod y cadeiriau Cymraeg, a theimlid eu bod wedi gwneud eu gwaith, er bod hen Gadair Edward Anwyl yn dal heb ei llenwi.

Ymddangosai'r penderfyniad i ohirio fel petai'r Coleg wedi ildio i bwysau'r farn gyhoeddus, ond oherwydd nerth y gwrthwynebiad a'r ymwybyddiaeth fod y wasg a'r cyhoedd yn craffu ar benodiadau'r Coleg, yr oedd yn rhaid troedio'n ofalus. Ni fuasai J. H. Davies, o bawb, ddim eisiau gadael i'r sgandal hon hofran uwch ei ben ac yntau'n ymgeisydd am swydd y Prifathro yn ystod yr wythosau a oedd i ddod.[100] Yr oedd hen ddigon o gyhuddiadau wedi bod ynghylch dylanwad y 'clic pasiffistaidd' yn y Coleg fel ag yr oedd, heb sôn am yr honiadau ynghylch ffafriaeth, a gallai penodi Parry-Williams yn nannedd gwrthwynebiad mor gyhoeddus fod wedi ffyrnigo pethau ymhellach. Tynnwyd y sosban oddi ar y tân a diffodd y gwres am y tro, gan obeithio y byddai pethau wedi tawelu ymhen y flwyddyn.

---

100 Ar 7 Tachwedd 1919 y penodwyd J. H. Davies yn Brifathro, gw. Ellis, *John Humphreys Davies (1871-1926)*, t. 127.

Pennod 5

'Y flwyddyn honno'

O<small>S OEDD POBL YN</small> meddwl fod T. H. Parry-Williams yn mynd i ddychwelyd at ei ddesg yn yr Adran Gymraeg ac ailgydio yn ei waith fel cynt, fe wnaethant gamgymeriad mawr. Yr oedd wedi bod trwy gyfnod arteithiol y rhyfel, wedi gorfod adnewyddu ei gytundeb o flwyddyn i flwyddyn heb gael y sicrwydd a ddeisyfai, wedi gorfod byw â'r diflastod o gael ei drafod yn y wasg tra oedd yn ymgeisydd am y Gadair ac wynebu cyhuddiadau maleisus fel nad oedd ganddo stumog i ddychwelyd am y tro. Gwelodd ei gyfle i ymddiswyddo a newid cwrs ei yrfa. Yn ei eiriau ef ei hun flynyddoedd lawer wedi'r digwyddiad, penderfynodd '[d]aflu popeth i'r gwynt' a chofrestru fel myfyriwr blwyddyn gyntaf yng Ngholeg Aberystwyth gyda'r bwriad yn y pen draw o astudio meddygaeth yn un o ysgolion meddygol Prifysgol Llundain. Cefnodd gan adael yr Adran Gymraeg mewn tipyn o argyfwng, gan nad oedd ond dau aelod o'r staff ar ôl bellach i ganlyn arni â'r holl waith, sef T. Gwynn Jones a Timothy Lewis. Yn ystod sesiwn 1919-20 yr oedd 128 o fyfyrwyr ar lyfrau'r Adran.

Pan glywodd Beriah Gwynfe Evans am ei ymadawiad, anfonodd air i hysbysu E. T. John:

> You will be elated to learn that Parry Williams has relinquished his post as Lecturer at Aberystwyth, and enrolled as a student at the College for a course in medicine! … Meanwhile the work which was formerly done by three is now divided between two, – Gwynn Jones who gets £600 a year for taking the lighter half, as *he is not qualified* to take the work of Old Welsh, Old Irish, and Research, and Timothy Lewis who gets £250 for performing double duty and undertaking work which Gwynn is not qualified to undertake![1]

---

[1] Llythyr Beriah Gwynfe Evans at E. T. John, 11 Hydref 1919, LlGC 'Papurau E. T. John', 2358.

Pawb â'i fys lle bo'i ddolur, ond nid penderfyniad sydyn a difeddwl oedd hwn gan Parry-Williams. Fel y gwyddom eisoes, mynegodd ei fwriad i astudio meddygaeth wrth Syr John Williams bedair blynedd cyn hynny, ac er i Lywydd y Coleg ei gynghori i beidio â bod mor ffôl â chefnu ar faes ei arbenigedd cysefin mewn ieitheg, yr oedd yr ysfa, yn amlwg ddigon, yn dal yno. Ond i rai sylwebyddion ar y pryd, cefnu a wnaeth Parry-Williams am iddo bwdu am na chafodd ei benodi i'r Gadair. Fe'i disgrifiwyd fel 'a dissappointed candidate for the Chair of Welsh' gan un o golofnwyr y *South Wales News*,[2] ac ymddangosai'r penderfyniad i sawl un fel grawnwin surion.

Er iddo ef ei hun ddweud flynyddoedd wedyn am ei benderfyniad, 'mi sorrais innau – ac ymddeol,'[3] nid oes sail dros gredu mai penderfyniad a wnaed dros nos oedd ymddiswyddo a chofrestru fel myfyriwr. Mae'r dystysgrif gofrestru a gafodd gan y Cyngor Meddygol Cyffredinol wedi'i chadw yn ei archif bersonol yn y Llyfrgell Genedlaethol, a dyddiad y diwrnod y cofrestrodd yn swyddogol fel myfyriwr arni, sef 13 Hydref 1919.[4] Ond y mae ail ddyddiad ar y dystysgrif, sef 6 Hydref 1917, a hwnnw yw'r dyddiad a nodir fel diwrnod cychwyn ei astudiaethau yng Ngholeg Aberystwyth, a oedd yn un o'r sefydliadau cydnabyddedig gan y Cyngor Meddygol lle gellid gwneud y flwyddyn ragbaratoawl drwy astudio'r pedwar pwnc gwyddonol, sef Ffiseg, Cemeg, Bywydeg a Swoleg, cyn mynd ymlaen i un o'r ysgolion meddygol. Bwriad Parry-Williams ar ôl cwblhau ei flwyddyn ragbaratoawl oedd mynd i goleg meddygol Ysbyty Sant Bartholomew (Barts) yn Llundain. Gan fod dau ddyddiad ar y dystysgrif, tybed a yw'n bosibl iddo eisoes gychwyn astudio rhai o'r cyrsiau'n answyddogol yn Aberystwyth yn 1917? Posibilrwydd mwy tebygol yw mai rhag-gofrestru a wnaeth yn 1917, a'r hyn sy'n garn iddo ystyried gadael yr Adran ac astudio meddygaeth yr adeg honno yw iddo ysgrifennu cyfeiriad cofrestrydd y Cyngor Meddygol Cyffredinol yn y brif swyddfa yn Llundain ar du mewn clawr llyfryn cofnodi presenoldeb myfyrwyr mewn darlithoedd yn sesiwn golegol 1917-18.[5] Rhaid oedd i bawb a fwriadai

---

2   'Random Leaves from a Welshman's Diary', *South Wales News*, 18 Hydref 1919, t. 8.
3   Copi yn llaw T. H. Parry-Williams o'r sgript radio ar 'ddarnau hunangofiannol', LlGC 'Papurau T. H. Parry-Williams', G83, t. 19.
4   LlGC 'Papurau T. H. Parry-Williams', M10.
5   Gw. ibid., B15, cofrestr y myfyrwyr yn ystod sesiwn 1917-18.

hyfforddi fel meddyg gofrestru â'r Cyngor Meddygol. A bwrw fod y cyfeiriad a ysgrifennwyd ar y clawr yn gyfoes â dyddiad y gofrestr fyfyrwyr (ac nid oes reswm dros gredu nad yw), yn 1917 y cofrestrodd gyntaf, a dyna pam y ceir 6 Hydref 1917 ar y dystysgrif. Awgryma hynny iddo fwriadu astudio meddygaeth y flwyddyn honno, ond i'r amgylchiadau ansicr yn ystod y rhyfel ei rwystro. Pe bai wedi gadael yr Adran Gymraeg yn Hydref 1917, ni fuasai neb ond T. Gwynn Jones ar ôl i ddysgu'r myfyrwyr. Ond unwaith y cafodd gefn y rhyfel, ac unwaith y gwelodd nad oedd gobaith o gael ei benodi i'r Gadair ym Medi 1919, trodd ei olygon at wyddoniaeth.

Y mae'r llythyron cyfrinachol a anfonodd ei dad at E. Morgan Humphreys yn ystod mis Hydref 1919 – llythyron y clywn fwy amdanynt yn y man – yn dangos yn eglur beth oedd ym meddwl Parry-Williams ar y pryd. Parodd y penderfyniad i ohirio llenwi'r Gadair am flwyddyn iddo wrthod derbyn swydd fel darlithydd ar yr un amodau ag o'r blaen, a olygai y byddai'n rhaid iddo ddioddef byw am flwyddyn ychwanegol mewn ansicrwydd, ac yntau wedi bod felly am y pum mlynedd flaenorol. Golygai hefyd y byddai erbyn hynny'n rhy hen i ystyried troi ei olygon at alwedigaeth arall. Yr oedd yn ddeuddeg ar hugain oed, ac mae'n amlwg iddo gael llond bol ar fynd o flwyddyn i flwyddyn heb gael cynnig cytundeb parhaol. Nid tacteg i droi braich y Coleg oedd cefnu ar yr Adran, felly.

Y gwir amdani yw na ellir byth amau ei ddiddordeb mewn meddygaeth, nac ychwaith ddifrifoldeb ei fwriad i gefnu ar yrfa fel darlithydd iaith a llên, gan fod yr hyn a gyflawnodd fel myfyriwr gwyddonol blwyddyn gyntaf yn brawf o ymroddiad diymatal. Tystia'r tri llyfr ar ddeg o nodiadau a gadwodd wrth ddilyn darlithoedd a dosbarthiadau ymarferol yn y labordy, nid yn unig i swmp y gwaith a gyflawnodd, ond hefyd i'w ddiwydrwydd ac i fanylder ei waith cofnodi.[6] Ymdaflodd i'w astudiaethau gydag egni a gwir ddiddordeb, fel y tystiodd pobl a oedd yn fyfyrwyr yr un pryd ag ef. Un o'r rheini oedd Iorwerth Peate a ymunasai â'r Coleg yn lasfyfyriwr yn Hydref 1918.[7] Pan oedd yn ei ail flwyddyn, gwelai Parry-Williams yn darllen yn Llyfrgell y Coleg yn gyson yn ystod y boreau, ac eisteddai'n aml wrth yr un bwrdd ag ef. Fe'i gwelai weithiau'n cyfansoddi sonedau, ond yr hyn a

---

6 Gwelir ei lyfrau nodiadau yn LlGC 'Papurau T. H. Parry-Williams', B18-30.
7 Iorwerth C. Peate, 'Atgofion Myfyriwr II', *Y Traethodydd*, Hydref 1975, tt. 263-6.

wnaeth yr argraff fwyaf arno oedd gweld y rhestrau canlyniadau ar ddiwedd y flwyddyn:

> ... a chofiaf weld y rhestrau yn arholiadau pen-tymor y Coleg, wedi'u gosod yn un o'r casiau ar fur y *quad* a'r enw 'T. H. Parry-Williams' yn gyson ar ben pob rhestr gyda 99% anhygoel.[8]

Gwnaeth Parry-Williams argraff hefyd ar ei gyd-efrydwyr gwyddonol, ac un o'r rheini oedd Dr William Evans (1895-1988), brodor o Dregaron a ddaeth wedi hynny yn arbenigwr ar y galon yn Harley Street, Llundain.[9] Yr oedd Dr Evans yn gardiolegydd blaenllaw ac yn awdur sawl llyfr arbenigol ar ei faes, gan gynnwys *A Student's Handbook of Clinical Electrocardiography* (1934) a *Diseases of the Heart and Arteries* (1964). Cyhoeddodd hefyd ei hunangofiant, ac yn hwnnw yr adroddodd sut yr aeth yn fyfyriwr tair ar hugain oed i Goleg Aberystwyth ym mis Hydref 1919 ar ôl gwasanaethu yn y fyddin; bu'n ymladd yng nghyffiniau Ypres ac ym Mhasschendaele. Yr oedd yn un o'r fflyd o gyn-filwyr a ddychwelodd o'r fyddin i ailafael mewn gyrfa academaidd a chael fod rhai agweddau ar fywyd y Coleg yn eithaf annioddefol ar ôl eu profiad yn y ffosydd:

> ... the band of co-aspirants for a medical degree numbered sixteen, but only four were to finish the course. The others probably found a satisfying niche in life, but at the moment of time they found resettlement to the toil of studentship after a period of soldiering too exacting and intolerant.[10]

Nid anghofiodd Dr Evans am orchestion un o'i gyd-fyfyrwyr ar y cwrs yn ystod ei flwyddyn gyntaf, oherwydd ysgrifennodd lythyr at Parry-Williams ar ôl darllen y cyfraniadau yn y gyfrol deyrnged a gyhoeddwyd iddo yn 1967.[11] Erbyn hynny yr oedd yn ystyried ymddeol i fro ei febyd yn

---

8   Idem, 'Teyrnged i Athro', *Y Genhinen*, 22/2 (1972), t. 63.
9   Ar ei yrfa, gw: <http://munksroll.rcplondon.ac.uk/Biography/Details/1469> (cyrchwyd Gorffennaf 2017). Ŵyr ydoedd i Joseph Jenkins, Trecefel, Tregaron a ymfudodd i Awstralia. Cyhoeddodd ddetholion o ddyddiadur ei daid, *Diary of a Welsh Swagman 1869-1894* (Melbourne, 1974).
10 William Evans, *A Journey to Harley Street* (London, 1968), t. 135.
11 Idris Foster gol., *Cyfrol Deyrnged Syr Thomas Parry-Williams* (Llys yr Eisteddfod Genedlaethol, 1967).

Nhregaron, ac er bod ei Gymraeg ysgrifenedig yn ddigon clapiog, yn ei dyb ef ei hun, ar ôl treulio hanner canrif yn alltud, yr oedd yn mwynhau sgwrsio yn ei famiaith â rhai o'r brodorion. Rhyfeddai at yr hyn a gyflawnodd Parry-Williams, ac ar ôl darllen y gyfrol, yr hyn a'i trawai fwyaf oedd y dystiolaeth am allu meddyliol ac ymenyddiol gwrthrych y teyrngedau: 'It is awsome to read, dealing as it does with such applied and high mental ability and power, coupled with continuous and continued assiduity.'[12] Gwyddai Dr Evans yn dda am y gallu eithriadol a oedd ganddo oherwydd iddo weld drosto'i hun fel y rhagorai Parry-Williams mewn pynciau a oedd yn lled ddieithr iddo yn 1919:

> Of course you stood out in subjects so instantly foreign to you, for I well remember Dr Lloyd-Williams reading to us a "pattern answer" in the terminal examination in Botany, given by one of the class (obviously it was your good self), to a question on the transpiration of leaves. You had described the contented cows breathing easily under the heavy-leafed oak tree on the farmer's field scorched by the sun on a summer's day.[13]

J. Lloyd Williams (1854-1945) oedd yr Athro Botaneg, ac mae'n rhaid fod disgrifiad y llenor-wyddonydd yn Parry-Williams wedi cydio yn nychymyg yr Athro a'r efrydwyr fel ei gilydd. Yn y wers gyntaf yn y labordy Bioleg gosodasai'r Athro un meicrosgop ar bymtheg ar y byrddau, ac fe eisteddodd pob myfyriwr wrth ei feicrosgop. Bwriad J. Lloyd Williams oedd eu cyflwyno i'r pwnc drwy ofyn iddynt edrych ar bedwar peth a arddangosid o dan lens y teclyn. Y cyntaf o'r pedwar peth oedd *amoeba*, yr organeb un gell. Gofynnwyd i'r myfyrwyr roi gronyn bychan o siwgr o dan lygad y meicrosgop, a phan wnaethant fe welsant yr *amoeba*'n traflyncu'r carbohydrad yn llwyr. Creodd hynny gryn gyffro ymysg y myfyrwyr, a Parry-Williams, cofier, yn eu plith. Organeb un gell arall oedd yr ail beth yr oedd gofyn iddynt graffu arno, sef *paramaecium*, hanner planhigyn a hanner anifail gwyrdd o ran lliw, a wibiai o gwmpas mewn cylchoedd ar y plât archwilio. Unwaith eto, cyffrowyd y dosbarth. Y trydydd peth i'w weld yn agos oedd wy gwymon y môr, a

---

12   Llythyr William Evans at T. H. Parry-Williams, 21 Awst 1967, ymhlith llythyron a thoriadau o bapurau newydd heb eu catalogio a gedwir mewn blwch yn llyfrgell bersonol T. H. Parry-Williams yn y Llyfrgell Genedlaethol.

13   Ibid.

sbermau cynffonnog yn gwibnofio o'i gwmpas hyd nes y byddai'r cyfan ohonynt ond un yn diffygio ac yn ei ffrwythloni. Gwefreiddiwyd aelodau'r dosbarth drachefn. A'r pedwerydd rhyfeddod a welsant o dan y meicrosgop oedd trawstoriad o goes rhedyn a ddangosai batrymwaith o liwiau gwahanol wrth i'r celloedd amsugno'r noddion a gludid o'r gwreiddyn i'r ddeilen. Pan gerddodd yr Athro Lloyd Williams yn ôl at y ddarllenfa ym mhen blaen yr ystafell, dywedodd wrth ei fyfyrwyr iddynt gael eu gwers fach bwysig gyntaf mewn Bioleg, sef bod yna Dduw.[14]

Yr oedd sesiwn golegol 1919-20 a dreuliodd Parry-Williams yn lasfyfyriwr drachefn yn flwyddyn ogoneddus iddo, blwyddyn a ddisgrifiwyd yn yr ysgrif enwog a gyhoeddwyd yn *O'r Pedwar Gwynt* yn 1944 fel *annus mirabilis*. 'Y Flwyddyn Honno' yw teitl yr ysgrif, ond nid dyna'r tro cyntaf iddo grybwyll ei brofiad fel myfyriwr gwyddonol mewn print. Gwnaeth hynny gyntaf mewn ysgrif Saesneg ac iddi'r teitl 'Genius Loci' mewn casgliad o ysgrifau atgofus gan wahanol awduron am y Coleg ger y Lli a gyhoeddwyd yn 1928.[15] Ystyr y teitl a roes i'r ysgrif honno yw 'ysbryd gwarchodol y lle', ac ynddi mynegodd ei serch a'i anwyldeb tuag at ei hen Goleg trwy gyfrwng argraffiadau'r synhwyrau, yn arbennig felly'r teimlad. Cyfleodd y profiad o gyffwrdd plastr ymylon onglog balconi'r Pedrongl yn adeilad y Coleg, a theimlo'r wyneb briwsionog yn cydio yng nghledr y llaw, a'r profiad o gydio yn y belen gron, lefn sydd ar frig y piler ar ben y grisiau canol. Cofiai hefyd gyffyrddiad garw-lyfn wyneb byrddau'r Llyfrgell, a chyffyrddiad meingefn y geiriaduron ar y silffoedd. Anwyldeb atgofion ac argraffiadau synhwyrus a ddatblygodd yn adnabyddiaeth a feithriniwyd dros gyfnod o amser a oedd ganddo, adnabyddiaeth a oedd yn ddieithr i'r myfyriwr-newydd-gychwyn. Ond cafodd ef y wefr o fod yn lasfyfyriwr yn ei hen Goleg am yr eilwaith, a chael cyfle i weld a theimlo'r lle o'r newydd:

> ... I had the unique experience of becoming a kind of fresher *redivivus* at my first College. It was most remarkable and fascinating. There never was such a commingling of sensations. Things were new and strange, as they naturally would be to a fresher, but at the same time old and familiar. To my delight,

---

14 Evans, *A Journey to Harley Street*, tt. 136-7.
15 Iwan Morgan gol., *The College by the Sea (A Record and a Review)* (Aberystwyth, 1928), tt. 124-6.

I discovered new touch-sensations during that most rapturous year of my
life, when, in a Faculty new to me, I consorted with a crowd of irresponsible
medicals. It was refreshing to make contact with new kinds of benches, to
handle implements and instruments other than the wonted pen and pencil
and inkpot, to run up and down new staircases, and to brush against new
walls and balustrades. Some day, I shall make a secret tour of those labs and
lecture-rooms in order to try to re-capture the thrills that I, a revenant from
another world, felt then.[16]

Newydd-deb y profiad synhwyrus a roddodd y cyffro hwnnw iddo. Er ei
fod yn nes at 'y flwyddyn honno' yn 1928 nag yr oedd yn 1944, ni phallodd ei
frwdfrydedd na'i orawen wrth ddwyn i gof ei brofiadau yn y cyfnod hwnnw
yn yr ysgrif a gyhoeddodd yn *O'r Pedwar Gwynt*. Yr argraff a geir yw i'r
profiad o ymgolli mewn pynciau newydd, ac o ymddihatru oddi wrth ofalon a
dyletswyddau colegol gan ymroi o'r newydd i rywbeth cwbl wahanol i'r arfer,
fod yn ddihangfa lesol iddo:

Do, y flwyddyn honno, wedi'r hir ystod, mi ddechreuais ar gwrs caled o
astudio pedwar o bynciau gwyddonol, a rhai ohonynt yn bur fygythiol i
ymennydd oedd wedi hen arfer gyda phethau gwahanol; ond mi ddeuthum
drwyddi yn syndod ar syndod o lwyddiannus.[17]

Ni fynegodd ei fam unrhyw wrthwynebiad i'w benderfyniad, ac yr
oedd hynny'n cadarnhau iddo wneud y peth iawn. Yr oedd hi'n 'flwyddyn
ogoneddus', yn 'flwyddyn fawr' ac yn 'flwyddyn iachawdwriaethol':

Ni fu'r fath ffresni i ben a chalon neb; ymddiddori'n frwysg a chwilfrydig
mewn problemau bywyd yn ei wahanol agweddau mewn dyn ac anifail,
ymdaflu'n llwyr i feistroli dyrys bynciau deddfau a chyfrinion Natur. Beth
oedd athroniaeth – beth oedd llenyddiaeth – beth oedd ieitheg o'u cymharu
â'r wybodaeth "naturiol" a gwefreiddiol hon?[18]

Er mai dewis cefnu ar yrfa wyddonol a wnaeth pan ddychwelodd i'r Adran
ym Mehefin 1920, ni laciodd y diddordeb chwilfrydig mewn gwyddoniaeth

---

16   Ibid., t. 126.
17   T. H. Parry-Williams, *O'r Pedwar Gwynt* (Dinbych, 1944), t. 58.
18   Ibid., t. 59.

ei afael, a pharhaodd i ddarllen llyfrau a drafodai bynciau gwyddonol drwy gydol ei oes.

Tra ymdaflai'r myfyriwr gwyddonol i'w waith a mwynhau'r pleser o astudio pynciau newydd mewn darlithfa a labordy, a thra oedd â'i drwyn yn ei lyfrau, yr oedd y drafodaeth ynghylch helynt y Gadair yn dal i rygnu ymlaen yn y wasg. Os oedd awdurdodau'r Coleg wedi gobeithio y byddai'r cyfan yn tawelu ac y byddai pobl yn colli diddordeb yn yr helynt gyda chyhoeddi'r penderfyniad i ohirio penodi am flwyddyn, gwnaethant gamgymeriad. Ac nid oedd penderfyniad Parry-Williams i ymddiswyddo drwy beidio ag adnewyddu ei gytundeb wedi helpu i dawelu'r dyfroedd ychwaith, oherwydd rhoddodd hynny wedd annisgwyl o flasus i'r sylwebyddion gnoi cil arni. 'Aberystwyth Surprise' oedd y pennawd uwchben colofn yn y *Western Mail* a adroddai'r newydd,[19] ac i ohebydd y *South Wales News* yr oedd gweld myfyriwr yn dod yn Athro yn ei hen goleg yn beth digon arferol, ond yr oedd gweld Athro yn cofrestru fel myfyriwr yn ei *alma mater* yn herio'r wireb nad oes dim newydd dan yr haul.[20]

Chwithdod yn hytrach na syndod a fynegwyd gan ambell golofnydd, megis Euroswydd (sef Prosser Rhys, 1901-1945), yn *Y Darian*. Dywedodd fod myfyriwr o Goleg Aberystwyth wedi anfon gair ato yn mynegi ei dristwch pan glywodd am fwriad Parry-Williams i adael ei swydd fel darlithydd:

> Tro trist fu ymddiswyddiad y Dr. Parry Williams. Daeth yn ôl fel myfyriwr, a gwelir ef yn awr yn ymadael o'r darlithiau a'i bac llyfrau dan ei fraich megis newyddian. Cwyn y myfyrwyr eu colled, yn enwedig y rhai a wyneba eu "finals" y flwyddyn hon, oblegid fe ystyrid y Doctor yn ben darlithydd.[21]

Cyfetyb y teimlad hwn o chwithdod a cholled, a thristwch hyd yn oed, i'r sylwadau gan Henry Parry-Williams mewn llythyr at E. Morgan Humphreys, lle y datgelodd fod rhai o'r cyn-filwyr a oedd bellach yn fyfyrwyr yn y Coleg yn trefnu deiseb er mwyn pwyso ar Gyngor y Coleg 'ar wynt gael Tom yn

---

19   *The Western Mail*, 17 Hydref 1919, t. 7.
20   Gw. 'Random Leaves from a Welshman's Diary', *South Wales News*, 18 Hydref 1919, t. 8.
21   'Chwaon o Geredigion' gan Euroswydd, *Y Darian*, 30 Hydref 1919, t. 7. Bu'n rhaid i olygydd y papur ymddiheuro yr wythnos ganlynol wedi i rywun gwyno fod Euroswydd yn ei golofn ar 25 Hydref wedi rhoi'r argraff mai unig gymhwyster Timothy Lewis am y Gadair oedd ei fod yn gyn-filwr, gw. ibid., 6 Tachwedd, t. 5.

ôl at ei waith yn ddiymdroi.'[22] Gan Eurwen ei ferch, a oedd erbyn hynny yn fyfyrwraig yn ei thrydedd flwyddyn, y clywodd y newydd hwnnw, a phwysleisiai nad oedd a wnelo ei fab ddim â'r ddeiseb ac mai symudiad ymhlith y myfyrwyr eu hunain ydoedd – ofnai Tom ei hun y byddai pobl yn ei amau ef o'u hannog i ddeisebu'r Cyngor. Yn ôl Henry Parry-Williams, yr oedd cefnogaeth gref i'w fab ymhlith y cyn-filwyr o fyfyrwyr a lofnododd y ddeiseb a gedwid yn ddiogel gan un o Athrawon y Coleg hyd nes y byddid ei hangen.[23]

Pan glywodd rhai o ddarlithwyr Coleg Bangor y newydd am ymadawiad Parry-Williams o'r Adran, yr oedd sawl un yn flin gydag awdurdodau Coleg Aberystwyth am ildio i'r pwysau a pheidio â'i benodi i'r Gadair. Ysgrifennodd R. Alun Roberts, Athro Amaeth y Coleg ar y Bryn, air ato i'w longyfarch ar ei ddewis dewr yn ymddiswyddo ac astudio gwyddoniaeth, ac i ddweud fod pawb ym Mangor yn melltithio 'y giwed di asgwrn cefn [*sic*].'[24] Nid oedd dim cymhariaeth rhwng Parry-Williams a Timothy Lewis, meddai: '… un yn first class man with a first class training a'r llall with a bubble reputation whose bubble has been long pricked and is very flabby indeed.' Yr oedd Ifor Williams yn 'glafoerio fel lluwch ac yn chwythu bygythion ac anathemau' oherwydd y cam a wnaed ag ef. Ychwanegodd R. Alun Roberts yn ddigon athronyddol: 'Hwyrach ryw ddydd y bydd yn dda gan drigolion Aberystwyth eich cael yn feddyg corph wedi gwrthod eich cymeryd yn feddyg enaid'.[25] Daeth gair calonogol hefyd mewn llythyr gan ei gyfaill Dewi Morgan o Aberystwyth. Beirniadai yntau'r 'llyfrgwn' a oedd ar y Cyngor am ildio i'r ymgyrchwyr, ond yr oedd wedi amau mai felly y byddai hi am nad oedd 'llawer o'n pobol fawr ni heb gwbl sobri eto' ar ôl y rhyfel. Ceisiodd godi ei galon drwy ddweud ei fod yn ffyddiog y byddai'n llwyddo yn ei yrfa newydd:

Nid wyf yn petruso na phryderu dim na bydd ichwi ragori yn yr hospital, ac y byddwch yn feddyg cyflawn ymhen ychydig. Y mae'r ymennydd gennych,

---

22 Llythyr Henry Parry-Williams at E. Morgan Humphreys, 11 Hydref 1919, LlGC 'Papurau E. Morgan Humphreys', A/3428. Gw. hefyd ibid., 16 Hydref 1919, A/3429.
23 Llythyr Henry Parry-Williams at E. Morgan Humphreys, 25 Hydref 1919, ibid., A/3431.
24 Llythyr R. Alun Roberts at T. H. Parry-Williams, diddyddiad [Hydref 1919], LlGC 'Papurau T. H. Parry-Williams', CH516.
25 Ibid.

a pheth arall sy lawn mor bwysig, y mae gennych gorff cadarn. Chwi eich hun yn unig a ŵyr eich hoffter at y gwaith newydd; beth bynnag a ddêl, ni ellwch byth beidio â bod yn llenor.[26]

Derbyniodd gydymdeimlad cyhoeddus ei natur yn ogystal. Daeth geiriau o gefnogaeth ddisgwyliadwy gan olygydd *Y Deyrnas* pan gyfeiriodd at yr enghraifft waethaf y gwyddai amdani o rywun cymwys ar gyfer swydd yn cael ei wrthod oherwydd iddo gofrestru ei wrthwynebiad cydwybodol i'r rhyfel. Yr oedd yn ddeifiol ei feirniadaeth ar anghyfiawnder y sefyllfa lle'r oedd gwrthwynebiad 'militariaid gwyllt' a 'Hwliganiaid enwog Aberystwyth' wedi llwyddo i atal 'un o'r meddyliau disgleiriaf a mwyaf ysgolheigaidd' rhag cael y swydd yr oedd yn gymwys amdani ac yn deilwng ohoni, a galwai ar Gyngor y Coleg i ymwroli a gwrthsefyll y fath hwliganiaeth.[27] Ffieiddiai golygydd *Y Cymro* yntau at yr hyn a ddioddefodd y darlithydd, a chyhoeddodd fod 'erlid dyn am ei fod yn wrthwynebydd cydwybodol yn gymaint o warth ar y wlad ag ydyw erlid Protestaniaid yn Spaen neu erlid Ymneilltuwyr yng Nghymru.'[28]

Er nad oedd erioed wedi cyd-fynd â safbwyntiau'r heddychwyr ar y rhyfel, ac er ei fod wastad yn gefnogol i'r mudiadau hynny a warchodai fuddiannau'r cyn-filwyr, cyfeiriodd golygydd *The Welsh Outlook* yn rhifyn Tachwedd 1919 o'r cylchgrawn at y newyddion pryderus fod Coleg Aberystwyth wedi ildio i'r pwysau o du Cymrodyr y Rhyfel Mawr ac wedi gohirio'r penodiad, er i'r Pwyllgor Penodi, a gynhwysai ddynion tra pharchus ym myd addysg yng Nghymru, argymell y dylid penodi Parry-Williams i'r swydd yn ddiymdroi. Yr oedd y fath ymddygiad yn annerbyniol, a holai tybed a oedd yn rhy hwyr i aelodau staff y colegau drefnu rhyw brotest er mwyn gallu cadw gwasanaeth ieithydd y cytunai'r Pwyllgor Penodi mai ef oedd yr ymgeisydd mwyaf cymwys am y swydd.[29]

Ni chafwyd protest, ond yr oedd digon o ohebu ymfflamychol yn digwydd yn y wasg o hyd i gadw'r drafodaeth i fynd tan ddiwedd Rhagfyr 1919. Taniwyd ergyd gan un a'i galwai ei hun yn 'Aberystwythian' mewn

---

26   Llythyr Dewi Morgan at T. H. Parry-Williams, 8 Hydref 1919, ibid., CH347.
27   Nodion golygyddol, 'Hwliganiaeth ac Addysg', *Y Deyrnas*, Hydref 1919, t. 3.
28   *Y Cymro*, 5 Tachwedd 1919, t. 1.
29   *The Welsh Outlook*, cyfrol 6, rhif 11 (Tachwedd 1919), t. 271.

llythyr yn y *Carnarvon and Denbigh* ar 10 Hydref, yn ymateb i'r sylwadau lled gefnogol i achos Parry-Williams a'r feirniadaeth ar Gymrodyr y Rhyfel Mawr a Ffederasiwn y Cyn-filwyr a'r Cyn-forwyr a ddarllenodd yn y *North Wales Observer* a'r *Genedl*, dau bapur a olygid gan E. Morgan Humphreys. Yr oedd y llythyrwr am osod yr holl ffeithiau gerbron rhag i neb gael ei gamarwain. Dywedodd mai'r unig aelod o staff yr Adran Gymraeg yn Aberystwyth a gynigiodd fynd i'r fyddin o'i wirfodd oedd Timothy Lewis. Er ei fod yn ddyn priod, ac er y gallai fod wedi dewis comisiwn a fyddai wedi golygu ei fod wedi medru osgoi mynd i ganol gwres y brwydrau yn Ffrainc, ei ddewis ef oedd canlyn y bechgyn i faes y gad. Dewisodd yr aelod iau o'r staff, Parry-Williams, a oedd yn ddyn sengl, iach ac abl ei gorff, beidio â gwirfoddoli a cheisio cael ei eithrio o flaen y tribiwnlys yn Aberystwyth. Wedi i'w gais fethu yno, aeth â'i apêl i dribiwnlys ei sir enedigol yn y gobaith y câi well gwrandawiad yno. Gwyddom erbyn hyn nad oedd unrhyw sail i'r honiad hwnnw. Yn ychwanegol at hynny, meddai'r llythyrwr, yr oedd Parry-Williams fel cadeirydd pwyllgor golygyddol *Y Wawr* wedi caniatáu i'r cylchgrawn gyhoeddi deunydd a oedd yn annheyrngar ac yn anwladgarol. Pan ddaeth yn fater o ddewis rhwng y ddau ymgeisydd hyn am swydd Athro a Phennaeth Adran yn y brifysgol, pa ddewis amgen y gellid ei wneud na phenodi dyn a oedd yn fodlon aberthu ei fywyd ac wynebu pob math o beryglon enbyd er mwyn amddiffyn y wlad a'i haelwydydd? Nid oedd y llall yn deilwng o'r swydd, nac yn deilwng ychwaith o aberth y lliaws o gyn-filwyr a oedd bellach yn fyfyrwyr yn y Coleg. Gofynnai'r llythyrwr gwestiwn:

> … whether … a man who had declined to face the risks of war, or even to volunteer for work of national importance outside the College, could not be an acceptable teacher to those who had fought and bled, and by whose sacrifices his home and person had been protected from the horrors of war?[30]

Wythnos yn ddiweddarach yn yr un papur, ymddangosodd llythyr gan rywun a ddefnyddiai'r ffugenw 'Cardi' yn achub cam Parry-Williams. Y cwestiwn allweddol, meddai, yw pwy oedd yr ymgeisydd mwyaf cymwys a theilwng? Nid oedd yn amau cymwysterau Timothy Lewis, ond ystyriai

---

30 *Carnarvon and Denbigh Herald*, 10 Hydref 1919, t. 8. Ymddangosodd cyfieithiad Cymraeg o'r llythyr yn *Yr Herald Cymraeg*, 14 Hydref 1919, t. 8.

fod Parry-Williams yn well ysgolhaig, ac yn well addysgwr hefyd am fod canmoliaeth gan ei fyfyrwyr i'w ddarlithoedd. Byddai ei weld yn ymadael â Chymru yn golled aruthrol i'w wlad enedigol, a dylid bod yn gwneud popeth i'w gadw yn Aberystwyth.[31] Atebwyd llythyr 'Cardi' gan 'Another Cardi' yr wythnos ganlynol yn bwrw amheuaeth ar yr honiad mai Parry-Williams oedd yr ysgolhaig gorau o'r ddau ymgeisydd. Barn y Cardi arall oedd fod y llu o ysgolheigion Celtaidd a gefnogodd gais Timothy Lewis drwy gynnig tystlythyrau iddo yn gystal prawf â dim o'i ragoriaeth fel ysgolhaig Celtaidd. Yr oedd ei gyhoeddiadau hefyd yn tystio i ragoriaeth ei ysgolheictod. Gosododd her i'r 'Cardi' enwi cymaint ag un darn o waith cyhoeddedig o bwys gan Parry-Williams.

Loes calon i Henry Parry-Williams oedd darllen y cyfraniadau a geid yn y wasg leol a chenedlaethol yn trafod ei fab, yn enwedig y sylwadau a ymylai ar fod yn enllibus. Cymaint oedd ei awydd am weld cyflwyno'r ffeithiau cywir gerbron y cyhoedd fel yr anfonodd gyfres o bedwar llythyr cyfrinachol at E. Morgan Humphreys rhwng 11 a 25 Hydref 1919, fel y gallai ddefnyddio'r wybodaeth ynddynt i oleuo'r wlad yn ei golofnau golygyddol yn *Y Genedl Gymreig* a'r *North Wales Observer and Express*.[32] Cyplysodd hefyd wrth un o'r llythyrau erthygl o'i eiddo ei hun ac iddi'r teitl 'Colled Genedlaethol [:] Achos Dr Parry-Williams'.[33] Fel y gwelsom yn y bennod flaenorol, yr oedd E. Morgan Humphreys wedi estyn ei gymorth i'w gyfaill T. Gwynn Jones ar ddechrau'r haf drwy gyhoeddi sylwadau ac erthyglau canmoliaethus amdano a fyddai wedi rhoi cyhoeddusrwydd ffafriol iddo cyn ei benodiad i'r Gadair yn Awst. Dywedodd T. Gwynn Jones wrtho mewn llythyr ar ôl y penodiad: 'Tebyg fod y siomedigion tua Chaernarfon ac Aberystwyth yn o ddig. Os gellwch rywfodd roi help llaw i T.H.P.W., gwnewch. Gobeithiaf mai efe a gaiff y gadair arall.'[34]

Gwyddai E. Morgan Humphreys yn dda am ymdrechion Timothy Lewis a'i dad yng nghyfraith, Beriah, i gynhyrfu'r dyfroedd trwy gyfrwng y wasg, ac

---

31 Ibid., 17 Hydref 1919, t. 5. Ymddangosodd cyfieithiad Cymraeg o'r llythyr yn *Yr Herald Cymraeg*, 21 Hydref 1919, t. 8.
32 LlGC 'Papurau E. Morgan Humphreys', A/3428-31.
33 Gw. Atodiad 1.
34 Llythyr T. Gwynn Jones at E. Morgan Humphreys, 26 Awst 1919, LlGC 'Papurau E. Morgan Humphreys', A/2018.

ni fyddai dim yn rhoi mwy o bleser iddo na thynnu blewyn o'u trwyn drwy sylwebu ar y sefyllfa ddiweddaraf. Ei farn ym mis Gorffennaf oedd nad oedd 'ymgyrch newyddiadurol' pleidwyr Timothy Lewis wedi gwneud unrhyw les i'w achos.[35] Yn ei golofn 'O Ddydd i Ddydd' yn *Y Genedl* ddiwedd wythnos gyntaf mis Hydref, beirniadodd ymyrraeth Cymrodyr y Rhyfel Mawr â'r penodiad i'r Gadair. Er nad oedd am bleidio'r un ymgeisydd yn fwy na'r llall, meddai, yr oedd yn bendant ei farn nad oedd yn gyfiawn ystyried gwrthwynebiad cydwybodol i wasanaeth milwrol fel cymhwyster nac anghymhwyster ar gyfer swydd Athro prifysgol.[36] Awgrymodd na fyddai Timothy Lewis yn cymeradwyo'r dull hwnnw o drin y penodiad ac y dylai ysgrifennu gair yn gyhoeddus i gondemnio'r ymgyrch a geid yn y wasg yn erbyn Parry-Williams.

Y mae'r llythyrau o'r eiddo Henry Parry-Williams a anfonwyd at E. Morgan Humphreys yn dystiolaeth hollbwysig am farn ei deulu cyfan ar yr anghyfiawnder a wnaed â'i fab oherwydd ei ddaliadau personol fel heddychwr. Taflant oleuni gwerthfawr ar safbwynt brodyr Parry-Williams a oedd wedi eu digio gan yr ymosodiadau personol arno: 'Aeth ei dri brawd *trwy waethaf* y rhyfel felltigedig, a theimlant yn *sore* iawn, oherwydd yr erlid sydd ar eu brawd hynaf.'[37]

Teimlai ei dad fod ei wrthwynebwyr yn rhoi mwy o bwys ar y penderfyniad i ryddhau Tom rhag gwasanaeth milwrol am ei fod yn cyflawni gwaith o bwysigrwydd cenedlaethol yn y Coleg nag ar ei wrthwynebiad cydwybodol i'r rhyfel. Yr oedd yn wir i'r tribiwnlys sirol ei ryddhau oherwydd i'r cadeirydd, J. E. Greaves, ddweud 'I consider Dr Parry-Williams doing better service to his country at Aberystwyth than he would ever do in the army', ond rhaid oedd cofio i Tom ei hun bledio'i achos hefyd fel gwrthwynebydd cydwybodol.[38] Teimlai'n ddig fod rhywrai'n ystumio'r gwirionedd, ac yn ddig hefyd am fod y papurau mor barod i gyhoeddi pethau 'bryntion, unochrog ac annheg' am ei fab. Yr oedd yn

---

35 Gw. llythyr E. Morgan Humphreys at T. Gwynn Jones, 28 Gorffennaf 1919, LlGC 'Papurau T. Gwynn Jones', G2244.

36 *Y Genedl Gymreig*, 7 Hydref 1919, t. 4.

37 Llythyr Henry Parry-Williams at E. Morgan Humphreys, 16 Hydref 1919, LlGC 'Papurau E. Morgan Humphreys', A/3429.

38 Ibid.

gywilydd wyneb i olygydd dau o bapurau'r Herald yng Nghaernarfon, meddai, 'ymostwng i ymosod ar *un o fechgyn Arfon* sydd wedi bod yn anrhydedd i'w Sir enedigol ... ac yntau'n gwybod yn amgen.'[39]

Gan fod Oscar yn aelod o staff swyddfa Cofrestrydd y Coleg ger y Lli, yr oedd mewn sefyllfa dda i glywed yr hyn a ddywedid yn nhrafodaethau'r Cyngor, naill ai'n uniongyrchol neu'n anuniongyrchol ac yn ail law. Mae'n dra thebygol mai gan Oscar y clywodd ei dad beth oedd yr ymateb yng nghyfarfod y Cyngor ar 17 Hydref pan ddarllenwyd llythyr Tom yn dweud nad oedd yn fodlon parhau â'i swydd fel darlithydd ar yr un telerau ag o'r blaen:[40]

> Bu distawrwydd. Nid wyf yn deall i neb ddyweyd dim, ond Mrs. Herbert Lewis "A great teacher of Welsh is lost, owing to public opinion" meddai. Y cwestiwn ydyw – a ydyw'r *public opinion* yn ei erbyn [?] ... Fy marn i ydyw fod y *public opinion* o blaid Tom, ac yn gryfach ymhlith yr *"ex-service men"* na'r un dosbarth arall. A beth am ei dri brawd aethant yn wirfoddol drwy'r ymgyrch i gyd? Clwyfwyd un, a bu'n garcharor wedi hynny yn yr Almaen am fisoedd. Aeth un yn wirfoddol i'r fyddin Americanaidd. Pwy wnaeth *lawer amgen* na ni fel teulu dros y wlad yn yr argyfwng diweddar? Ond nid oes neb yn sôn am hyn.[41]

Y mae modd gweld i E. Morgan Humphreys ddefnyddio peth o'r deunydd a gafodd gan Henry Parry-Williams mewn erthygl yn *Y Genedl Gymreig*, lle'r oedd yn cyfeirio at sylwadau Arglwydd Raglaw Sir Gaernarfon yn y tribiwnlys sirol ac at y tri brawd a aethai i'r rhyfel,[42] ac mewn erthygl yn y *North Wales Observer and Express*, lle'r oedd yn dweud ei fod yn ymwybodol o ddicter y brodyr wrth weld eu brawd hynaf yn cael ei erlid.[43]

Gwyddai Henry Parry-Williams yn iawn pwy a fwydai'r wasg ag

39 Llythyr Henry Parry-Williams at E. Morgan Humphreys, 11 Hydref 1919, ibid., A/3428.
40 Pasiwyd yn y cyfarfod hwnnw o'r Cyngor i ddiolch i Parry-Williams am ei wasanaeth yn ystod y pum mlynedd a hanner a aethai heibio, gw. Archifdy Prifysgol Aberystwyth, CNL/1/A2, *Cofnodion Cyngor Coleg Prifysgol Cymru Aberystwyth 1916-19*, t. 424. Yr oedd Ruth Herbert Lewis a Gwenogvryn Evans yn bresennol.
41 Llythyr Henry Parry-Williams at E. Morgan Humphreys, 18 Hydref 1919, LlGC 'Papurau E. Morgan Humphreys', A/3430.
42 Gw. 'Dr Parry Williams [:] Symud o'r Adran Gymraeg', *Y Genedl Gymreig*, 21 Hydref 1919, t. 5. Diolchodd Henry Parry-Williams iddo am gyhoeddi'r erthygl hon yn ei lythyr ato ar 25 Hydref.
43 Gw. 'Spectator's Letter', *North Wales Observer and Express*, 24 Hydref 1919, t. 8.

ymosodiadau ar ei fab, a phwy a oedd wedi ymbleidio ar y Cyngor i rwystro'r penodiad:

> Y gwir ydyw nad oes neb, yn y gwraidd, yn cynhyrfu o gwbl ond *Beriah* a *Gwenogfryn*, ac wedi cael *Esgob Ty ddewi* – i'w picil a'u cynllwyn. Hwnnw'n dylanwadu ar aelodau Eglwys Loegr ar y Cyngor – yntau'n esgob yn Eglwys Crist! Ac yn pleidio rhyfel!!
>
> Y mae miloedd o'r dynion ieuaingc fu yn Ffraingc a mannau eraill o'r rhyfel yn gymaint (a mwy) gwrthwynebwyr cydwybodol na Tom heddyw.[44]

Y mae modd ymdeimlo â'i angerdd yn y geiriau hyn, a hawdd deall iddo gael ei frifo gan yr ensyniadau a'r cyhuddiadau maleisus yn erbyn ei fab yn y papurau. Datgelodd rywbeth arall hefyd a grybwyllwyd gan Gwenogvryn Evans mewn llythyr a gyhoeddwyd yn y wasg, sef i Joseph Vendryes o'r Sorbonne wrthod bod yn ganolwr i Tom am na wirfoddolodd i fynd i gynorthwyo'r Ffrancwyr yn awr eu hangen.[45] Mynnai ei dad nad oedd Tom ei hun wedi cysylltu â neb yn y wasg nac ychwaith wedi dweud dim byd cas am ei wrthwynebydd, Timothy Lewis. Ymddygodd yn foneddigaidd heb dramgwyddo neb drwy gydol yr helynt. Hyd y gellir gweld, yr oedd hynny'n berffaith wir am nad oes unrhyw dystiolaeth i wrthbrofi hynny, nac unrhyw dystiolaeth ychwaith iddo chwerwi, er iddo gael digon o reswm dros wneud.

Er bod Henry Parry-Williams yn dechrau gweld arwyddion fod y papurau newydd yn dechrau newid eu cân ar fater y Gadair, ac yn edrych yn fwy ffafriol ar sefyllfa'i fab, yr oedd y drafodaeth yn dal i rygnu ymlaen ar dudalennau'r *Herald Cymraeg* yn dilyn sylwadau a wnaed yng ngholofn 'Llith y Llew'. Yr oedd y colofnydd o'r farn fod angen mwy o gydbwysedd yn y ddadl ynghylch y Gadair Gymraeg am mai'r cymwysterau gorau ar gyfer cyflawni'r swydd a oedd eu hangen, nid ystyried a wasanaethodd rhywun yn y rhyfel ai peidio. Wrth gyfeirio at Parry-Williams, gofynnodd: 'A fuasai ef yn well athro petasai wedi tywallt gwaed?'[46] Yr oedd 'Y Llew' yn ffafrio T. H. Parry-Williams am na ellid cael neb gwell i lenwi'r Gadair.

Enynnodd y llith honno ddau ymateb gan lythyrwyr yr wythnos ganlynol,

---

44   Llythyr Henry Parry-Williams at E. Morgan Humphreys, 18 Hydref 1919, LlGC 'Papurau E. Morgan Humphreys', A/3430.

45   Gw. Atodiad 1.

46   'Llith y Llew', *Yr Herald Cymraeg*, 28 Hydref 1919, t. 8.

y naill o blaid a'r llall yn erbyn. 'Ex-Service' oedd ffugenw'r gohebydd pleidiol, ac mae ei sylwadau'n adleisio mewn mannau gynnwys y llythyrau a anfonodd Henry Parry-Williams at E. Morgan Humphreys, nes peri inni amau mai'r tad oedd gwir awdur y llythyr hwn, neu efallai un o'r brodyr. Mae'r wybodaeth am amgylchiadau'r tri brawd yn ystod cyfnod eu gwasanaeth yn fanwl, fanwl, ac yn awgrymu na allai neb ond un â chysylltiad teuluol agos fod yn berchen arni. Cyfeiria hefyd at wybodaeth fanwl ynghylch penderfyniad y Pwyllgor Penodi a'u sylwadau ar yr ymgeiswyr, ac at resymau Parry-Williams dros beidio ag adnewyddu'i gytundeb, sylwadau eto sy'n cyfateb i'r hyn a anfonwyd gan y tad at Morgan Humphreys. Gan fod yr awdur yn cloi ei lythyr drwy gyfeirio ato'i hun yn 'dwyn yn fy nghorff nodau shrapnels y German', a'i fod yn dweud na allai oddef 'gweld annhegwch yn cael ei wneyd ag un o'r meddyliau cryfaf, ac un o'r ysgolorion disgleiriaf a fagodd Cymru erioed', nid yw'n amhosibl mai ei gefnder Alun Ellis, Oerddwr, oedd gwir awdur y llythyr, am iddo gael ei anafu gan arfau tân yr Almaenwyr, ac am y byddai wedi gallu ymgynghori â'i ewythr, Henry, cyn ei lunio er mwyn cael yr holl ffeithiau. Nid yw'n amhosibl ychwaith, wrth gwrs, na fyddai William Oerddwr am achub cam ei gefnder. Pwy bynnag oedd awdur llythyr 'Ex-service', yr oedd perthynas rhyngddo a'r teulu yn ddi-os. Ceir blas ar beth o'r cynnwys yn y dyfyniad hwn:

> Da oedd gennyf ddarllen Llith y Llew o enau'r Ffau yn eich newyddiadur yr wythnos ddiweddaf. Rhad ar ei galon am yr hyn a draethodd. Nid yw ef ond un ymhlith miloedd dynion ieuainc Cymru sydd yn ferw gwyllt oherwydd yr annhegwch â Dr Parry-Williams. Gwnaeth y Doctor byd enwog y gwasanaeth cenedlaethol a ofynnodd y tribiwnal sirol iddo ei wneyd, a mynasant ei ryddhau fel un yn gwneyd gwasanaeth cenedlaethol gwell yn y coleg nag a wnai byth yn y fyddin, er iddo ef ddadleu cydwybod ...
>
> Aeth tri o'i frodyr yn wirfoddol i'r fyddin ... dau yn y fyddin Brydeinig ac un yn yr Americanaidd, ac yr oedd dau ohonynt yn swyddogion. Yn y rhuthr mawr gan y Germaniaid yng ngwanwyn 1918 aeth un yn wirfoddol drosodd i Ffrainc, er nad oedd raid iddo, ac efe oedd yr unig un o'r staff a aeth. Ni fu ond deg diwrnod yn y ffrynt na chafodd ei daflu gan ffrwdbelen, a bu yn yr ysbyty am amser. Yn ddiweddarach, wedi myned trwy beryglon embyd, cymerwyd ef yn garcharor, a bu mewn caledi mawr yn ystod 1918 yn yr Almaen. Bu'r brawd o America yn swyddog o'i adran o'r fyddin

Americanaidd yn ymladd am flwyddyn yn Ffrainc. Am y llall, yr oedd yn
perthyn i'r R.A.M.C. Yr oedd yng nghanol y rhyferthwy yn Ypres amser yr
encilio mawr. Galwyd amdano i'r headquarters a gwnaed sylw o'i wasanaeth
("mentioned in despatches") fwy nag unwaith i'r Swyddfa Ryfel.

Ond pwy sydd yn son am wasanaeth fel hwn ynglyn a theulu Dr
Parry Williams? … Beia rhai y Doctor am gilio oddiar staff y Coleg. Yr
eglurhad ydyw mai o flwyddyn i flwyddyn y codid ef yn ddarlithydd ac
yr oedd ei flwyddyn ar ben. Wedi ei ethol yn unfrydol a chalonog gan y
Pwyllgor Dethol i'r Gadair Geltaidd buasai'n ddiraddiad arno fyned yn ol
fel "darlithydd am dymor". Heblaw hyn pe na chodid ef ymhen y flwyddyn
i'r Gadair byddai wedi colli blwyddyn o'i amser gwerthfawr i droi i gylch
newydd. Yn yr ansicrwydd yma ymrestrodd yn adran feddygol y Coleg.[47]

Mae mwy o wybodaeth yn y fan hon nag a fuasai gan unrhyw ddieithryn
neu sylwebydd annibynnol, ac mae'r frawddeg ymholgar, 'Ond pwy sydd
yn sôn am wasanaeth fel hwn ynglŷn â theulu Dr Parry Williams?' yn adlais
pendant o'r cwestiwn a'r sylw sy'n ei ddilyn a geir yn llythyr Henry Parry-
Williams at E. Morgan Humphreys a ddyfynnwyd yn gynharach: 'Pwy wnaeth
lawer amgen na ni fel teulu dros y wlad yn yr argyfwng diweddar? Ond nid oes
neb yn sôn am hyn.' Cyfeiriai'r llythyrwr hefyd at yr ymdrechion 'diorffwys'
gan rai i geisio dwyn pwysau ar y cynghorau cyhoeddus i leisio protest wrth
Gyngor y Coleg. Dichon mai lledgyfeiriad oedd hynny at weithgarwch cangen
Sir Gaernarfon o Gymrodyr y Rhyfel Mawr a leisiodd bryderon bod amryw
o gyn-filwyr yn cael cam am fod dynion a gafodd eu hesgusodi rhag ymladd
yn ystod y rhyfel bellach yn cael blaenoriaeth arnynt wrth gynnig am swyddi.
Penderfynodd swyddogion y Cymrodyr yn Sir Gaernarfon ddiwedd Hydref
anfon dirprwyaeth i bwyso ar reolwyr Coleg Aberystwyth i roi blaenoriaeth i
ddynion a wasanaethodd yn y fyddin pan fyddent yn penodi i swyddi addysgol,
cyn belled â'u bod yn gymwys.[48]

Adroddwyd mewn rhifyn o'r *North Wales Observer and Express* ym mis
Tachwedd, fod llythyr agored gan rywun a ddefnyddiai'r ffugenw 'Cynlas'
wedi'i gyfeirio at David Davies AS, Is-Lywydd Coleg Aberystwyth, yn cwyno
am fod natur gwasanaeth milwrol unigolion yn rhan o'r drafodaeth ynghylch

---

47 *Yr Herald Cymraeg*, 4 Tachwedd 1919, t. 5.
48 Adroddiad 'Cymrodyr y Rhyfel Fawr' yn *Y Dinesydd Cymreig*, 29 Hydref 1919, t. 2.

y Gadair Gymraeg, ac na ddylai hynny fod yn ystyriaeth o gwbl.[49] Pwysleisiai 'Cynlas' fod Parry-Williams wedi cael ei ryddhau o dan yr amodau a ganiateid gan ddeddf gwlad er cyflawni gwaith o bwysigrwydd cenedlaethol. Yr oedd dyletswydd ar y Brifysgol i gynnig swydd Athro iddo am iddi ei feithrin a rhoi cyfle iddo ymgymhwyso ar ei chyfer. Yr oedd ganddo ddeng mlynedd o hyfforddiant academaidd yn gefn iddo, a byddai'n golled aruthrol i ysgolheictod Cymraeg pe byddid yn gwrando ar farn 'a few noisy so-called patriots' drwy beidio â'i benodi, a gadael iddo fwrw ymlaen i astudio meddygaeth. Dymunai awdur y llythyr agored ar i David Davies ailystyried y mater cyn y byddai'n rhy hwyr i atal y Coleg rhag cael ei amddifadu o wasanaeth Parry-Williams.

Ar ddudalennau'r *Herald Cymraeg* ganol mis Tachwedd, datblygodd ffrae rhwng pleidwyr Parry-Williams a phleidwyr Timothy Lewis, a chafwyd sylwadau ffraeth gan rywrai a wyddai gryn dipyn am gefndir yr holl achos ar y ddwy ochr. Ymatebodd 'Yr Oen' i'r sylwadau cefnogol i Parry-Williams a geid yng ngholofn 'Llith y Llew' ddiwedd Hydref, drwy edliw mai dau ganolwr yn unig a gefnogodd gais Parry-Williams am y Gadair, sef Ifor Williams a J. Lloyd-Jones.[50] Llwyddodd Timothy Lewis i gael llawer mwy o gefnogaeth gan ysgolheigion o fri fel J. Gwenogvryn Evans ac E. C. Quiggin o Gaer-grawnt, a phum enw arall. Er nad oedd gan 'y Llew' fawr o olwg ar Gwenogvryn na Quiggin fel ysgolheigion, mynnai 'Yr Oen' fod y ddau yn awdurdodau ar y Gymraeg a bod prawf o hynny yng Ngramadeg John Morris-Jones am iddynt gael eu cydnabod yno fel 'awdurdodau'.

Atebwyd llythyr 'Yr Oen' yn bryfoclyd gan y 'Llew' yn ei golofn bythefnos yn ddiweddarach, a dywedodd fod 'Yr Oen' yn llawer tebycach i lwynog am ei fod yn ceisio twyllo.[51] Cywirodd y camargraff a roddwyd fod Gwenogvryn a Quiggin ymhlith ffynonellau awdurdodol Gramadeg John Morris-Jones, am na chyfeirir at eu gwaith yn y rhestr fyrfoddau ond yn hytrach at eu gwaith ymhlith y testunau a ddyfynnir neu y cyfeirir atynt. Cyfeiriodd hefyd at yr hyn a ddywedodd John Morris-Jones am Gwenogvryn, sef na wyddai ddim oll am y Gymraeg ac na allai ei hysgrifennu yn debyg i ddim. Am Quiggin wedyn, yr oedd 'Yr Oen' wedi dweud iddo gael ei benodi'n sensor gan y llywodraeth

---

49   *North Wales Observer and Express*, 14 Tachwedd 1919, t. 4.
50   'Llith y Llew', *Yr Herald Cymraeg*, 4 Tachwedd 1919, t. 5.
51   Ibid., 18 Tachwedd 1919, t. 5.

yn ystod y rhyfel oherwydd ei allu i ddarllen Cymraeg, Gwyddeleg, Llydaweg a Gaeleg yr Alban. 'Pa gymeradwyaeth i neb yw penodiad y Llywodraeth?' gofynnodd yn frathog cyn ychwanegu, 'Gŵyr pawb mai annheilyngdod amlwg i'r swydd yw'r gymeradwyaeth oreu gan y Llywodraeth.' Honnai'r 'Llew' ei fod yn gwybod yn dda am hyd a lled gwybodaeth Dr Quiggin o'r Gymraeg, a heriodd ef i ysgrifennu cymaint ag un tudalen o Gymraeg heb gymorth neb arall. Trodd ei sylw wedyn at ganolwyr Parry-Williams, sef Ifor Williams a J. Lloyd-Jones, sef yr unig ganolwyr ar dir y byw y gallai ofyn iddynt am eu cefnogaeth. Yr oedd y ddau ysgolhaig Cymraeg arall o fri y gallai droi atynt am gefnogaeth, sef W. J. Gruffydd a John Morris-Jones, ar y Pwyllgor Penodi! Pwysleisiodd i'r pwyllgor hwnnw a gloriannodd y ceisiadau bleidleisio'n unfrydol o blaid enwebu Parry-Williams. Rhywbeth arall a gelodd 'Yr Oen' rhag ei ddarllenwyr, meddai'r 'Llew', yw i Parry-Williams gynnwys tystlythyrau gan John Rhŷs ac Edward Anwyl yn ei gais, ac i'r Athro Anwyl ddweud yr hoffai weld Parry-Williams yn ei olynu.

Fel y gwelir, yr oedd mwy na digon o ddifyrrwch yng ngholofnau'r wasg i gadw pobl yn ddiddig, ond nid oedd yr ymgecru wrth fodd pawb. Cafodd yr hanesydd o Rostryfan, W. Gilbert Williams, fwy na llond ei fol ar yr holl ymdaeru ynghylch y pwnc, a'r hyn a'i poenai fwyaf oedd tuedd gohebwyr i guddio o dan gochl ffugenwau, am fod hynny'n rhoi rhwydd hynt iddynt ddweud pethau na fyddent yn eu dweud petai raid iddynt ddatgelu eu henwau iawn. Er nad oedd yn gymwys i farnu p'run o'r ddau ymgeisydd a oedd fwyaf teilwng o'r Gadair, meddai, gwyddai'n iawn pwy a enillodd ei gydymdeimlad ef, sef Parry-Williams, a hynny oherwydd 'y malais a'r diffyg cydwybod a ddangosodd ei feirniaid dienw yn eu hymgyrch i'w erbyn.'[52]

Yn fuan wedyn, trodd colofn 'Llith y Llew' ei sylw i gyfeiriad pryddest 'Y Ddinas',[53] gan fod 'Un o Aberystwyth' yn herio'r sylwadau beirniadol a wnaed gan 'Y Llew' ar y bryddest honno a enillodd i Parry-Williams Goron Eisteddfod Genedlaethol Bangor yn 1915. Credai 'Un o Aberystwyth' fod i'r gerdd ragoriaethau amlwg er gwaethaf beirniadaeth ddeifiol Eifion Wyn arni.[54] Atebwyd sylwadau 'Un o Aberystwyth' gan y 'Llew' drwy ymhelaethu

52   *Y Genedl Gymreig*, 18 Tachwedd 1919, t. 5.
53   'Llith y Llew', *Yr Herald Cymraeg*, 9 Rhagfyr 1919, t. 8.
54   Llythyr gan 'Un o Aberystwyth', ibid., 16 Rhagfyr 1919, t. 5.

ar natur realaeth a chwaeth mewn barddoniaeth a dwyn i mewn i'r drafodaeth gyfeiriadau at waith John Masefield a Walt Whitman. Yr oedd yntau, fel Eifion Wyn, wedi gweld yr aflendid yn 'Y Ddinas' a'r elfennau a oedd yn estron i farddoniaeth Gymraeg a geid ynddi, nes mai hi o'r herwydd oedd y fwyaf 'anghymreig o bob pryddest yn ein hiaith.'[55]

★ ★ ★

Bu'r flwyddyn academaidd a dreuliodd Parry-Williams yn fyfyriwr gwyddonol yn gyfnod cynhyrchiol iddo fel bardd. Lluniodd nifer o sonedau Saesneg a'u cyhoeddi am dâl o ddwy gini yr un yn y *Western Mail*. I fyfyriwr a fwriadai hyfforddi i fod yn feddyg, byddai'r arian yn werth ei gael. Fe gadwodd un o'i chwiorydd doriadau o'r sonedau a gyhoeddwyd yn y papur newydd heb yn wybod iddo, a phenderfynodd yntau gyhoeddi'r casgliad o ugain soned yn breifat yn y gyfrol *Sonnets (1919-1920)* yn 1932. Dywedodd mewn sgwrs radio a ddarlledwyd yn 1970 iddo fynegi yn rhai o'r sonedau hynny,

> ... rywfaint o brofiadau ac ysgogiadau dyfnaf gwaelod fy nghalon – rhyw gyffroadau oedd yn dod i'r golwg ac yn fy llethu yn awr ac yn y man, er gwaethaf yr ysgafnder a'r rhyddhad a deimlwn wedi troi fy ngyrfa gynt â'i hwyneb i lawr yn llwyr.[56]

Un o'r sonedau hynny, a gyhoeddwyd ym mis Hydref 1919, pan oedd eisoes wedi dechrau ar ei gwrs gwyddonol, oedd 'Change'. Cyfeiriodd ei dad at ei hymddangosiad yn un o'i lythyrau at E. Morgan Humphreys, a thybiai fod penderfyniad Tom i fynegi ei deimladau mor gyhoeddus yn brawf ei fod yn ymddangos 'ddewred ag erioed dros ei ryddid barn a pherson.'[57] Er mor ddiflas a phoenus iddo fu'r wythnosau cyn ac ar ôl y cyfweliad am y Gadair, ni chiliodd oddi ar y llwyfan cyhoeddus fel bardd:

---

55   'Llith y Llew', ibid., 30 Rhagfyr 1919, t. 8.
56   'Llenydda ac Ymlaesu', LlGC 'Papurau T. H. Parry-Williams', G94.
57   Llythyr Henry Parry-Williams at E. Morgan Humphreys, 16 Hydref 1919, LlGC 'Papurau E. Morgan Humphreys', A/3429.

If I can court the courage of those hills
That in the stillness of my native glen
Store the wise calm of ages, while their wills,
Cast in a monster mould unknown to men,
Lend of their stiffening essence to my own,
To stand the storm and brave the batterings
Of every thwarting chance, to face alone
The fateful forms of unawaited things;
Changing, as they do, but the outer hue
At the sad bidding of a sun that sets,
Or melting in a mist-birth out of view
To seeming nothingness; – then, what regrets
Will dare to taunt me with a vanished fame,
If, spite of outward change, I rest the same [?][58]

Os yw'r tinc hunangofiannol a geir yn y soned hon yn debyg i'r tinc a geir yn llawer o'r cerddi a gyhoeddwyd ganddo yn ystod y Rhyfel Mawr, yna mae pob cyfiawnhad dros ei dehongli fel ymateb agored-bersonol i'w amgylchiadau ar y pryd. Felly y'i dehonglwyd gan olygydd *Y Cymro* pan ddarllenodd hi, a chyhoeddi mai 'dweud ei brofiad' a wnâi'r bardd ynddi.[59] Cadwyd toriad o'r papur newydd yn cyfeirio at y dehongliad hwnnw ym mhapurau Parry-Williams.[60]

Mae'n demtasiwn cymryd bod teitl y gerdd yn lled-gyfeirio'n gynnil at gyfnod o newid yn ei amgylchiadau pan drodd o fod yn ddarlithydd i fod yn fyfyriwr, ac o fod yn goleddwr y dyniaethau i fod yn astudiwr y gwyddorau. Ond cyfeirio at ddymuno gallu newid rhan o'i gymeriad neu ei gyfansoddiad mewnol y mae, sef y ffordd y'i gwnaed. Dyhea am gael peth o ddewrder a nerth a chadernid oesol mynyddoedd bro ei febyd yn Eryri – mynyddoedd a all newid eu gwedd allanol adeg machlud haul neu mewn caddug – i wynebu'r byd a'i dreialon, i oroesi ergydion y storm a phob rhyw gyfle a rwystrwyd, a phethau tynghedus heb eu disgwyl. Ond pa wahaniaeth a wnâi cael y dewrder a'r cryfder allanol os oedd, yn ei hanfod, yn parhau'n ddigyfnewid

58   Yn y golofn 'Wales day by day', *The Western Mail*, 14 Hydref 1919, t. 4. Gw. hefyd T. H. Parry-Williams, *Sonnets (1919-1920)* (Aberystwyth, 1932), t. 13.
59   *Y Cymro*, 22 Hydref 1919, t. 1.
60   Toriad o'r *Herald Cymraeg*, 28 Hydref 1919, yn cyfeirio at yr hyn a ymddangosodd yn *Y Cymro*, LlGC 'Papurau T. H. Parry-Williams', N108.

y tu mewn? Yr oedd cystal â chyfaddef ei fod yn greadur bregus nad oedd ganddo'r math o gadernid a dewrder a ddeisyfai i wrthsefyll y storm. Cerdd sy'n bwrw amheuaeth ar natur math o newid damcaniaethol a ddeisyfir am na all y trawsffurfiad hwnnw newid dim yn derfynol yw hon, ac o'i chymhwyso at amgylchiadau'r bardd, ac yntau newydd fod trwy ryferthwy storm y Gadair yn ystod wythnosau haf a hydref 1919, gellir dweud ei fod yn derbyn mai creadur teimladwy a chroendenau ydoedd yn y bôn.

Er mor ingol ac anodd oedd cyfnod y rhyfel a'i adlald iddo, ac er i'r cyfan adael creithiau seicolegol go ddwfn, ni chollodd ei awen. Dichon, a dweud y gwir, i'w gynneddf greadigol ei alluogi i roi mynegiant i'w deimladau dyfnaf yr adeg honno, ac iddo ddewis cyhoeddi ffrwyth y mynegiant hwnnw mewn cylchgronau a newyddiaduron fel nad ymgiliodd o lygad y cyhoedd fel bardd. Ymdriniodd Dyfnallt Morgan ac Angharad Price yn fanwl a thrylwyr â'r cerddi a'r ysgrifau rhyfeddol ganddo a berthyn i gyfnod y Rhyfel Mawr, sef y cynnyrch a welodd olau dydd yng nghylchgronau colegol *Y Wawr*, *The Dragon* a'r *Greal*, ac yn *Y Traethodydd*. Ond y mae ambell gerdd fel petai wedi llithro trwy'r rhwyd fel nad yw wedi derbyn cymaint o sylw. Un ohonynt yw'r soned a anfonodd ddechrau Ebrill 1918 at E. Morgan Humphreys i'w chyhoeddi yn *Y Goleuad*, sef newyddiadur wythnosol y Methodistiaid Calfinaidd. Gan i chwe wythnos fynd heibio heb ddim golwg fod y gerdd wedi ymddangos, anfonodd air at y golygydd i ofyn a gâi hi yn ôl, os gallai daro'i law arni.[61] Gan fod copi o'r soned yng nghasgliad papurau E. Morgan Humphreys, ynghyd â'r llythyr a yrrodd Parry-Williams i holi amdani, mae'n amlwg nas dychwelwyd ac nas cyhoeddwyd yn *Y Goleuad* ychwaith:

> Gweddi
>
> Gwn beth yw'r ias sy'ng ngwynder bysedd bun
> Pan bwyso'i llaw'n ddifeddwl ar f'un i,
> A gwn beth yw cynhesrwydd llyfiad ci
> Pan bwyso'i ên yn llonydd ar fy nghlun:
> Gwn beth yw caru llais a lliw a llun
> Rhyw dalp o glai a fu'n bob peth i mi

---

61 Llythyr T. H. Parry-Williams at E. Morgan Humphreys, 17 Mai 1918, LlGC 'Papurau E. Morgan Humphreys', A/3666.

Cyn gweld mai clai yn unig ydoedd hi,
A gwn beth yw fy ngharu i fy hun;
Ond od oes lecyn yn fy mhriddyn tlawd
A ddeil ddiferyn o'r eneiniad byw,
O tywallt ynddo gariad nad yw gnawd, –
Mi wn mai cariad ydwyt Ti, fy Nuw;
Rho deimlo'i rin yn angerddoli'm serch
At beth a garwyf i, boed gi, boed ferch.[62]

Ysgrifenasai'r bardd ei hun gopi o'r gerdd yn Llyfr Melyn Oerddwr, a'r dyddiad wrthi yno yw Gorffennaf 1917. Yn ystod ei wyliau haf a dreuliwyd yn Oerddwr y flwyddyn honno y cyfansoddodd hi, felly. Yr hyn sy'n ddiddorol yw ei fod yn trafod natur cariad, a hynny adeg y rhyfel pan wynebai lawer o gasineb. Gwyddai am deimladau serchus mab a merch, ac am anwyldeb ci. Teimladau o serch at bethau cnawdol oedd y rheini a gyfleid trwy gyffyrddiadau corfforol, ond dyheai am fath arall o gariad, sef yr 'eneiniad byw', am gariad ysbrydol dwfn a diderfyn. Yr hyn a gyfleir gan y ddwy soned hyn, 'Change' a 'Gweddi', yw ymdeimlad o anghyflawnder ac o annigonolrwydd am nad oedd ganddo'r math o wydnwch cymeriad a dewrder y deisyfai amdano nac ychwaith ddyfnder teimlad y cariad hollgynhwysol a ddeisyfai.

Mae'r cyfeiriad at gynhesrwydd llyfiad y ci sy'n pwyso'i ben ar ei glun yn 'Gweddi' yn ein hatgoffa o gerdd arall ganddo a berthyn i gyfnod y rhyfel, sef 'I Gi', a gyhoeddwyd yng nghylchgrawn yr heddychwyr, Y Deyrnas. Mynega yn honno y profiad o weld ci ar y stryd yn Aberystwyth yn ysgyrnygu'i ddannedd arno a gwneud iddo deimlo'n wrthodedig. Ymgomia â'r ci a sôn wrtho am gŵn cyfeillgar a adwaenai 'ar fryniau'r gogledd draw' ac y mwynhâi eu mwythau a'u cwmni. Ar yr olwg gyntaf, bron na ellid dweud mai trosiad anthropomorffig yw ci bygythiol y dref a chŵn cyfeillgar y wlad am ddynion a allai gasáu a dynion a allai garu. Mae ymddygiad cŵn yn ddrych o ymddygiad dynion. Ac eto yn y fan hon cyflea'r bardd iddo gael ei siomi am fod anifail yr oedd wedi arfer meddwl amdano fel creadur cyfeillgar a ffyddlon, sy'n ymddwyn yn wahanol i ddyn am nad yw'n ei gollfarnu, yn dangos ei ddannedd

---

62 Ibid., A/3667. Cyhoeddwyd y soned hon ganddo yn *The Welsh Outlook*, cyfrol 5, rhif 10 (Hydref 1918) t. 303.

iddo. Yr hyn sy'n arwyddocaol yn y gerdd yw ei fod yn cyferbynnu 'cas', sef gelyniaeth a chwerwder, ag 'ysgornio', sef dirmyg a gwawd. Gallai 'oddef cas / Tipyn o ddyn ac ymhyfrydu ynddo', ond yr oedd cael ei ddirmygu gan gi yn ei frifo. Galwa ar y ci ysgyrnyglyd i estyn ei bawen iddo mewn ystum cymodlon:

> Tyrd, hengi'r heol, hedd! Ac o cheir hedd,
> Addawaf ddwedyd wrth dy frodyr draw
> Ar y mynyddoedd, fod i minnau ffrynd
> Yn strydoedd dinas daear, a faidd mwy
> Garu, fel hwythau, wrthodedig un
> A ŵyr ei wfftio gan ddynolryw'r byd.[63]

Ym mis Chwefror 1919 yr ymddangosodd y gerdd honno mewn print, er mai Medi 1918 yw'r dyddiad wrth ei godre; cyfieithiad ydoedd o'r gerdd Saesneg a gyfansoddodd, 'To a Dog', a oedd wedi'i chyhoeddi ymhell cyn hynny yn y cylchgrawn colegol *The Dragon* ym Mehefin 1917.[64] Os teimlai'n wrthodedig cyn i'r rhyfel ddod i ben, ac os gwaredai at ddirmyg dynion tuag ato y pryd hynny, ni ellir ond dychmygu sut y teimlai pan fu'n rhaid iddo oddef yr holl ddirmyg a ddangoswyd tuag ato pan gynigiodd am y Gadair.

Y mae un soned arall y tâl inni roi ein sylw iddi am ei bod yn un o'r cerddi a ymddangosodd yn ystod 'Y Flwyddyn Honno' yn 1919 sy'n adlewyrchu cyflwr ei feddwl. Un o'r ddwy soned Gymraeg a ymddangosodd yn rhifyn Rhagfyr 1919 o *The Welsh Outlook* dan y teitl unigol 'Dau Deimlad' ydyw. Erbyn cyhoeddi ei gasgliad cyhoeddedig cyntaf, *Cerddi*, ddeuddeng mlynedd yn ddiweddarach, mae'r ddwy yn ymddangos fel sonedau annibynnol ac ar wahân, y naill dan y teitl 'Ofn' a'r llall dan y teitl 'Nef'.[65] Dyma'r un y rhoddwyd y teitl 'Nef' iddi fel yr ymddangosodd gyntaf yn 1919:

---

63 *Y Deyrnas*, Chwefror 1919, t. 37.
64 *The Dragon*, Mehefin 1917, t. 179. Ceir copi o'r gerdd Saesneg yn Llyfr Melyn Oerddwr, t. 82, a gofnodwyd gan Parry-Williams yng Ngorffennaf 1917. Ceir copi o'r cyfieithiad Cymraeg ohoni, a'r dyddiad 26 Medi 1917 wrtho, yn Llyfr Melyn Oerddwr, t. 84.
65 *Cerddi [:] Rhigymau a Sonedau*, 'Nef', t. 40; 'Ofn', t. 42.

'Dau Deimlad, II'

Suddais i'r gwaelod isaf, am fod pwys
Yr anghyfiawnder am fy ngwddf yn drwm,
Ac yn nhywyllwch rhyw ddistawrwydd dwys
Arhosaf heddyw fel petawn ynghlwm,
Ym mhydew du'r Anobaith 'r wyf heb ias
O ofid calon na chywilydd chwaith,
Yn gwybod garwedd y cornelau cras,
A hen gynefin â'r parwydydd llaith.
Ac eto nid oes gwenwyn yn fy ngwaed,
Ond rhyw farweidd-dra melys: nid oes cri
O'm genau'n galw am ddial fy sarhaed,
Nac ofn Anobaith yn fy mynwes i:
Am fod mwynhad tu hwnt i'w gyrraedd ef,
Ac uffern ddigon dofn i fod yn nef.[66]

Tinc hunangofiannol sydd i lawer o gerddi Parry-Williams o gyfnod y Rhyfel Mawr. Llais yn adrodd profiad personol a glywn ni, a hynny weithiau yn syndod o onest. Ac er nad oes raid tybio bob amser fod pob tinc personol yn ernes o brofiad hunangofiannol gwirioneddol, y mae cysondeb y traethu uniongyrchol gan un a ymhyfrydai yn ei ryddid i fynegi teimladau tra phersonol yn ystod y rhyfel yn ychwanegu at ei ddilysrwydd. Fel y dywedodd ef ei hun am y ddawn i lenydda a barddoni, y mae'r un sy'n creu 'yn cael cyfle i'w adnabod ei hun wrth draethu'n greadigol onest amdano'i hun, ac am y byd a'i bethau hefyd.'[67] Er iddo fod yn hynod dawedog ynghylch ei brofiad yn cael ei erlid fel gwrthwynebydd cydwybodol drwy gydol ei oes, fe ymddengys mai traethu'n greadigol onest am y profiad o suddo i'r gwaelod eithaf a wna yn y soned hon am fod yr 'anghyfiawnder' yn pwyso arno. Awgryma hynny mai disgrifio pwl o iselder ysbryd a wna. Cyfeirir at 'dywyllwch distawrwydd dwys' un sydd naill ai'n fud mewn myfyrdod neu â'i ben yn ei blu. Mae'n ymddangos fel petai ym mhydew du'r 'Anobaith', gair sy'n ymddangos ddwywaith â phriflythyren. Y mae 'heb ias', yn ddiffrwyth ddigyffro o ddim gofid calon na chywilydd. Yn union fel rhywun yn ymbalfalu mewn ogof dywyll, mae wedi dod i arfer â'r 'cornelau cras' a'r 'parwydydd llaith'. Mae cornelau cras y

---

66   *The Welsh Outlook*, cyfrol 6, rhif 12 (Rhagfyr 1919), t. 300.
67   Gw. 'Llenydda ac Ymlaesu', LlGC 'Papurau T. H. Parry-Williams', G94.

pydew du yn awgrymu'n drosiadol boen a gorbryder, a lleithder y parwydydd yn cyfleu lleithder dagrau, efallai. Y mae hwn yn brofiad cyfarwydd iddo.

Ond mae fel petai'n rhyfeddu nad oes gwenwyn yn ei waed: 'Ac eto,' meddai, fel petai'i ymateb yn ei synnu. Nid oes dim drwgdeimlad nac atgasedd na dim chwerwder yn ei waed, ond 'marweidd-dra melys', rhyw ddiffrwythder dymunol, boddhaus. Nid yw'n crochlefain am gael dial y sarhad. Nid yw am gael unioni'r cam a wnaed ag ef, nac yn ofni 'Anobaith', er mai dyna'r bwgan mawr. Cyflwr o ddiymadferthedd sydd yma gan un sy'n ymfoddhau yn ei gyflwr am fod y trallod mor eithafol nes ei fod yn oddefadwy. Mae'n brofiad goddefadwy am nad yw'r awdur wedi cael ei lwyr lorio gan yr anghyfiawnder nac ychwaith gan 'Anobaith'. Gwrthddywediad eironig cwbl nodweddiadol ohono sy'n cyfleu'r cyflwr goddefadwy ar y diwedd, sef 'uffern ddigon dofn i fod yn nef.'

Os gellir cymryd fod y llais personol, hunangofiannol sydd yn y gerdd hon yn debyg i gerddi eraill ganddo o gyfnod y rhyfel, yna gellir cynnig mai ymateb a wna i'w brofiad pan ymgeisiodd am hen Gadair Edward Anwyl. Fel llawer o'i gyfoeswyr a fu trwy burdan y Rhyfel Mawr, cafodd y profiad o suddo i'r dyfnderoedd eithaf. Bu'n rhaid iddo ymgodymu â'i gydwybod a gwrthsefyll pob math o bwysau. Mewn sgwrs radio a luniwyd ar gyfer ei ddarlledu yn 1946 ar derfyn yr Ail Ryfel Byd, cyfeiriodd at 'ing a phangfeydd bod yn wrthwynebydd cydwybodol' yn ystod y rhyfel cyntaf.[68] Fel y gwelsom, cafodd ei boenydio a'i drin yn anghyfiawn yn y cyfnod yn dilyn y rhyfel gan bobl elyniaethus a geisiai ei rwystro rhag cael yr hyn a deimlai llawer – ac a deimlai ef ei hun yn ogystal – ei fod yn ei deilyngu. Gan nad oes dim tystiolaeth yn unman iddo ddal dig at neb am y gamdriniaeth na chwerwi ychwaith, fe all fod y soned hon yn adlewyrchu'r fendith a gafodd yn sgil y rhyddhad a'r pleser o fod yn lasfyfyriwr drachefn.

★ ★ ★

Ar ôl cwblhau ei flwyddyn fel myfyriwr, llwyddodd yn rhyfeddol yn ei arholiadau ac ennill ysgoloriaeth feddygol Tom Jones yn y Coleg a oedd yn

---

68   'Y Dyn a'i Dylwyth', LlGC 'Archifau BBC Cymru', blwch 24.

werth £20. Ysgoloriaeth oedd honno a ddyfernid i fyfyriwr a gwblhaodd o leiaf ddau dymor yn astudio pynciau gwyddonol fel rhagbaratoad ar gyfer mynd ymlaen i astudio ar gyfer graddio mewn meddygaeth neu lawfeddygaeth mewn coleg neu ysgol hyfforddi gydnabyddedig, dan amod i ddychwelyd yr arian pe na bai'r myfyriwr yn mynd i'r proffesiwn meddygol.[69]

Erbyn cyfnod y Rhyfel Byd Cyntaf yr oedd fframwaith y cwrs addysg israddedig mewn meddygaeth ym Mhrydain wedi sefydlogi. Parhâi am gyfnod o leiafswm o bum mlynedd wedi i'r myfyriwr ymadael â'r ysgol, a rhaid oedd astudio'r pynciau gwyddonol sylfaenol, Ffiseg, Cemeg a Bioleg yn y flwyddyn gyntaf cyn treulio'r ddwy flynedd ddilynol yn dilyn cyrsiau wedi eu lleoli mewn labordy, ac yna flwyddyn o astudiaeth glinigol cyn treulio'r flwyddyn olaf yn derbyn hyfforddiant ymarferol mewn ysbyty.[70]

Pe bai Parry-Williams wedi mynd i Barts fe fyddai wedi ymuno ag un o'r ysgolion meddygol israddedig gorau ym Mhrydain, a hynny ar adeg o dwf yn ei hanes fel canolfan ymchwil glinigol. Yr oedd yn yr ysbyty ei hun 757 o welyau, a derbyniai gynifer ag 8,000 o gleifion mewnol bob blwyddyn, heb sôn am y 75,000 o gleifion allanol a ddôi drwy'r drysau'n flynyddol.[71]

Arweiniodd sefydlu'r Cyngor Ymchwil Meddygol yn 1912, ynghyd â'r gefnogaeth a geid gan gyrff fel y Sefydliad Rockefeller, at gynnydd y gwaith ymchwil clinigol, yn enwedig ym maes bacterioleg a phatholeg. Yn sgil sefydlu Pwyllgor Grantiau'r Prifysgolion wedi'r rhyfel, rhoid mwy o nawdd i hybu gwyddoniaeth ac ehangu'r ddarpariaeth mewn labordai. Cryfhaodd y rhyfel a'i ganlyniadau apêl ymchwil glinigol, a daeth y syniad o gyfuno astudiaethau mewn labordai â'r gwaith o drin clefydau wrth erchwyn y gwely yn greiddiol i weithgarwch cyllido'r Cyngor Ymchwil Meddygol. Gelwid am ddatblygiadau chwyldroadol ym maes meddygaeth ar ôl y rhyfel, ac er mwyn ymateb i'r galw hwnnw y sefydlodd y llywodraeth y Bwrdd Iechyd yn 1919.[72]

Buddsoddwyd yn Barts trwy godi adeiladau i gartrefu'r labordy cemegol newydd a oedd eisoes yn barod erbyn 1919, a labordy arall ar gyfer ymchwil

69 Archifdy Coleg Prifysgol Aberystwyth, SEN/1/A7, *Cofnodion Senedd Coleg Prifysgol Cymru Aberystwyth, 1916*, tt. 5-7.
70 Thomas Neville Bonner, *Becoming a Physician: Medical Education in Britain, France, Germany and the United States, 1750-1945* (Baltimore, 2000), pennod 13.
71 *The Lancet*, 30 Awst 1919, tt. 360-1.
72 Keir Waddington, *Medical Education at St Bartholomew's Hospital 1123-1995* (Rochester, N.Y., 2003), t. 8.

i iechyd y cyhoedd. Codwyd adain newydd ar gyfer patholeg a gynhwysai ystafell bost-mortem a labordai bacterioleg a phatholeg glinigol.[73] Pe bai Parry-Williams wedi ymuno yn Hydref 1920, byddai wedi gallu manteisio ar yr adnoddau dysgu a hyfforddi mwyaf blaengar yn holl ysgolion meddygol y deyrnas, gan fod yno dair darlithfa helaeth, ystafell fawr ar gyfer dadelfennu a datgymalu, yn ogystal â llyfrgell helaeth yn cynnwys tair mil ar ddeg o lyfrau. Yr oedd yno hefyd amgueddfa ac ynddi arddangosfeydd anatomi, *materia medica*, botaneg ac anatomi patholegol. Yr oedd yr amgueddfa batholegol gyda'r orau yn y wlad, ac yn ychwanegol at hynny ceid labordai Cemeg, Ffiseg, Ffisioleg, Ffarmacoleg a Bioleg, gyda digonedd o le ymhob un.

Er bod nifer y myfyrwyr wedi gostwng yn Barts yn y cyfnod wedi'r Rhyfel Mawr, yr oedd egni newydd yno, a gwnaed meddygaeth academaidd arbrofol yn ffordd o ddenu myfyrwyr drwy gyfrwng unedau clinigol o dan ofal Athro, cynllun a gafodd sêl bendith llywodraethwyr yr ysbyty ym mis Mawrth 1919.[74] Sefydlwyd tair uned glinigol mewn meddygaeth, llawfeddygaeth a gynaecoleg, ac Athro'n gyfarwyddwr ar bob un. Yr oedd i bob uned 50 gwely a chlinig cleifion allanol yn ogystal â labordy clinigol a theatr ar gyfer llawdriniaethau. Ystyrid y patrwm hwnnw'n llwyddiant a chynyddodd nifer y myfyrwyr. Yr oedd dwy o'r unedau clinigol eisoes yn weithredol erbyn Hydref 1919, a byddai Parry-Williams wedi bod mewn sefyllfa i fanteisio ar y bwrlwm newydd mewn astudiaethau meddygol yn Barts ac ym Mhrifysgol Llundain petai wedi cychwyn fel myfyriwr yno y flwyddyn honno.

Cynigid graddau MB a BS gan y Brifysgol, sef Baglor mewn Meddygaeth a Baglor mewn Llawfeddygaeth. Yn ôl tystiolaeth ei dad, bwriad Tom oedd gwneud gradd MD (Medical Doctor) yn Llundain, sef y term cyffredinol am radd feddygol. Ni wyddys pa gangen y byddai wedi ei dewis yr adeg honno, ai Baglor mewn Meddygaeth ynteu a fyddai wedi mentro cynnig am Faglor mewn Llawfeddygaeth. Yr oedd Cyfadran Feddygol Prifysgol Llundain hefyd yn cynnig graddau uwch ar wahân, sef MD (Doctor of Medicine) ac MS (Master of Surgery). Nid yw'n amhosibl mai dyna oedd ei fwriad, wrth gwrs, ond byddai gofyn treulio mwy na'r pum mlynedd sylfaenol yn gweithio tuag at hynny, ac fe fyddai'r gost ariannol yn llawer mwy.

---

73   Ibid.
74   Ibid., tt. 172–80.

Golygai'r cwricwlwm israddedig fod rhaid sefyll arholiad mewn Cemeg anorganaidd, Ffiseg a Bioleg ar derfyn y flwyddyn gyntaf; yn yr ail a'r drydedd, byddai'n rhaid sefyll papurau mewn dwy ran, yn gyntaf mewn Cemeg gymhwysol, ac yn ail mewn anatomi, ffisioleg, ffarmacoleg, a *materia medica*; yn y bedwaredd flwyddyn ceid trydydd arholiad ar gyfer y radd mewn meddygaeth a llawfeddygaeth, a'r pynciau a arholid oedd bydwreigiaeth ac anhwylderau merched, patholeg, meddygaeth fforensig a hylendid.[75]

Gan nad yw cofnodion ceisiadau a derbyniadau myfyrwyr Coleg Meddygol Barts yn y cyfnod hwnnw wedi goroesi, nid oes modd inni wybod pa bryd yn union yr ymgeisiodd Parry-Williams am le. Yr unig gofnodion sydd ar gael fel tystiolaeth am bresenoldeb efrydwyr yn y Coleg yw Llyfrau Llofnod y Myfyrwyr y trawai'r myfyrwyr eu llofnodion arnynt wedi cyrraedd er mwyn ymrwymo i ufuddhau i reolau'r Coleg, a'r Cofrestri Myfyrwyr a gynhwysai fanylion am y darlithoedd a'r arddangosfeydd a fynychid ynghyd â'r arholiadau a sefid ganddynt, a chofnodion am wobrau a enillid, ynghyd â dyddiadau eu penodiadau clinigol cyntaf. Gan nad aeth Parry-Williams i'r Coleg Meddygol o gwbl, ofer chwilio ymhellach.[76]

Erbyn mis Mai 1920 yr oedd yr hysbyseb am swydd Athro'r Gymraeg i lenwi'r Gadair a ddelid ddiwethaf gan y diweddar Syr Edward Anwyl wedi'i chyhoeddi, ac yr oedd y ceisiadau i fod i law erbyn 18 Mehefin. Cadwyd copi o'r hysbyseb wreiddiol a gyhoeddwyd ym Mai 1919 yn y ffeil ar y Gadair yn Archifdy Prifysgol Aberystwyth, gyda nodiadau yn llaw'r Prifathro J. H. Davies, fwy na thebyg erbyn hynny, yn ei diwygio ac yn ei diweddaru ar gyfer amgylchiadau Mai 1920.[77] Yn wreiddiol, yr oedd galw am ymgeiswyr a oedd wedi arbenigo mewn iaith a llenyddiaeth Gymraeg, ond rhoddwyd llinell drwy'r 'llenyddiaeth Gymraeg' gan fod T. Gwynn Jones bellach yn gyfrifol am hynny. Swydd Athro yn arbenigo ar yr iaith oedd hon. Yr oedd hefyd yn swydd Pennaeth Adran, a disgwylid i'r sawl a benodid fod yn gyfrifol am weinyddu ac arwain yr Adran. Byddai'r Athro a'r Pennaeth newydd hefyd yn aelod o Senedd y Coleg a'i bwyllgorau, ac yn cymryd rhan lawn yng ngwaith

---

75 *The Lancet*, 30 Awst 1919, t. 360.

76 Yr wyf yn ddiolchgar i Kate Jarman, Dirprwy Archifydd Ysbyty ac Amgueddfa Barts, am edrych yng nghofnodion y Coleg Meddygol i weld a oes unrhyw gofnod am T. H. Parry-Williams yno, ac nid oes dim. Gohebiaeth bersonol, 14 Awst 2015.

77 Archifdy Prifysgol Aberystwyth, blwch C/C.S.CH./2.

addysgol y sefydliad. Byddai hefyd yn cael ei benodi gan Gyngor y Coleg yn arholwr mewnol ar gyfer y Gymraeg, gwaith a fyddai'n golygu gweinyddu a chadeirio bwrdd arholi'r Adran a mynychu cyfarfodydd arholi Prifysgol Cymru a gynhelid gan amlaf yn y cyfnod hwnnw yn Amwythig. Yr oedd cydnabyddiaeth ychwanegol o tua £30 am gyflawni'r swyddogaeth honno. Gan fod Parry-Williams eisoes wedi bod yn arholwr mewnol yn y Gymraeg am bedair blynedd cyn hynny, ni fyddai'r gwaith hwnnw'n ddieithr iddo.

Bu'n rhaid iddo droi ei sylw at ei gais cyn cwblhau'r flwyddyn fel myfyriwr gwyddonol. Buasai'n rhaid iddo ddiwygio'r cais a gyflwynasai flwyddyn ynghynt ac ymorol am gyflwyno deg copi ohono a sicrhau tystlythyrau erbyn y dyddiad cau ym Mehefin 1920. Cynhwysodd y tystlythyrau a gynhwysodd y tro cynt gan John Rhŷs ac Edward Anwyl, oherwydd y parch a oedd iddynt fel ysgolheigion Celtaidd o fri. Oherwydd i'w wrthwynebwyr ei feirniadu am fod ei restr o ganolwyr y tro cynt mor denau, ymdrechodd yn galetach y tro hwn i ganfod canolwyr eraill. Yn annisgwyl, ni chynhwysodd lythyr o gefnogaeth gan Ifor Williams fel o'r blaen. Mae'n ymddangos fod Ifor Williams wedi awgrymu wrtho y gallai ef fod yn cynnig am y Gadair hefyd, er na wnaeth yn y diwedd. Y mae un peth yn sicr, ni allod ddefnyddio enw J. Lloyd-Jones y tro hwn am ei fod ef yn ymgeisio am y swydd. Cafodd dystlythyr gan Rudolf Thurneysen o Bonn erbyn 30 Mai yn cadarnhau ei fod yn fwy nag addas ar gyfer derbyn Cadair mewn Philoleg Geltaidd, er nas cynhwyswyd gyda'r cais.[78] Y tystlythyron a gynhwysodd oedd y rhai a dderbyniwyd gan J. W. Marshall, yr Athro Groeg a oedd yn Is-Brifathro'r Coleg ac, fe gofir, a oedd wedi cadeirio'r Pwyllgor Penodi flwyddyn ynghynt yn rhinwedd ei swydd fel Prifathro Gweithredol; Ernest Weekley (1865-1954), Pennaeth yr Adran Ieithoedd Modern ym Mhrifysgol Nottingham, a J. Glyn Davies (1870-1953) o Brifysgol Lerpwl.

Ei dri chanolwr oedd D. R. Harris, Prifathro'r Coleg Normal ym Mangor, G. Prys Williams yr Arolygwr Ysgolion o Lanelli, a'r Athro Thomas Powel, cyn-Athro Celteg Caerdydd, a oedd erbyn hynny wedi ymgartrefu yn Aberystwyth, ac un a oedd ymhlith y rhai a roes dystlythyr i Timothy Lewis. Y mae modd gweld mwy o ymdrech y tro hwn gan Parry-Williams i

---

78   Gw. y cyfieithiad Saesneg o dystlythyr Thurneysen, LlGC 'Papurau T. H. Parry-Williams', B32/1.

gyflwyno cefnogwyr lletach eu hapêl na'r tro cynt. Etholwyd Parry-Williams yn brif arholwr yn y Gymraeg ar gyfer y Bwrdd Canol Cymreig yn 1919, a pharhâi'n brif arholwr yn 1920, felly mae'n bosibl i'w ymwneud ag addysgwyr ar y lefel honno ei gymell i geisio enwau ffigurau amlwg ym myd addysg yn genedlaethol. Fe geisiodd gael cefnogaeth O. M. Edwards flwyddyn ynghynt, ond gwrthod a wnaeth ef. Nid gwrthod ar ei ben, efallai, ond dweud na chaniateid iddo o dan reolau'r Bwrdd Canol i ysgrifennu 'un math o dystysgrif', a oedd braidd yn gamarweiniol, oherwydd fe gytunodd yn llawen i gefnogi cais W. J. Gruffydd am brifathrawiaeth Coleg Caerdydd yn 1919.[79] Mewn llythyr at Parry-Williams yn Awst 1919, dywedodd O. M. Edwards:

> Nid oes yr un lle gyda llenyddiaeth Cymru na fuasai'n llawenydd i mi feddwl eich bod ynddo. Ac y mae pob llafur, yn y dyddiau hyn, yn dod â ffrwyth toreithiog. Y mae'r meysydd yn gyfoethog, onid ydynt [?] ac mor newydd.[80]

Sôn am ddiffyg ymrwymiad. Dyna ffordd lednais o beidio â gwrthod ar ei ben. Tybed nad oedd yn dal rhywfaint o ddig oherwydd ei anghymeradwyaeth o'r hyn a gyhoeddwyd yn *Y Wawr*, ac o safiad Parry-Williams fel gwrthwynebydd cydwybodol?

Y cwestiwn allweddol yw hwn: pam yn y byd y dewisodd Parry-Williams newid ei feddwl ac ystyried ailgynnig am y Gadair, ac yntau fel petai wedi cefnu am byth ar ddysgu iaith a llên trwy wneud penderfyniad ymddangosiadol ddiwrthdro i hyfforddi'n feddyg? Ni ellir am eiliad gredu iddo gael gwaith y cyrsiau gwyddonol yn anodd, oherwydd iddo lwyddo mor ysgubol yn ei arholiadau. Nid oedd y gwaith ychwaith wedi ei siomi mewn unrhyw fodd, gan iddo ddatgan mewn print flynyddoedd wedyn pa mor orfoleddus fu'r flwyddyn a pha mor wironeddol gyffrous oedd ymroi i astudio pynciau mor wahanol.

Y tebyg yw iddo fod dan bwysau gan rai i gynnig amdani, a diau hefyd y byddai synnwyr dyletswydd a theyrngarwch wedi gwasgu arno, yn enwedig o gofio geiriau a dymuniad Edward Anwyl am ei gael yn olynydd. Heb

---

79 Llythyr W. J. Gruffydd at O. M. Edwards, 21 Mawrth 1919, LlGC 'Archifau Urdd Gobaith Cymru', L17/3; llythyr W. J. Gruffydd at O. M. Edwards, 28 Mawrth 1919, ibid., L17/4.
80 Llythyr O. M. Edwards at T. H. Parry-Williams, 18 Awst 1919, LlGC 'Papurau T. H. Parry-Williams', B17.

amheuaeth, byddai ei dad wedi ei gynghori i ddwysystyried ailgynnig, a byddai John Morris-Jones ac W. J. Gruffydd yn sicr o fod wedi rhoi awgrym clir iddo mai yn yr Adran Gymraeg yr oedd ei le. Nid yw'n amhosibl ychwaith i J. H. Davies bwyso arno i gynnig, er nad oes dim tystiolaeth uniongyrchol o hynny. Buasai ailgynnig heb gael unrhyw fath o sicrwydd mai ef a'i câi wedi gallu arwain at wneud cam gwag dybryd. Gallai fod wedi ymddangos i bobl fel cymeriad anwadal ac annibynadwy, a byddai ymgeisio am y Gadair yr eildro a methu â'i chael wedi rhoi testun siarad i wŷr y wasg, a byddai'n cael ei weld fel tipyn o bric pwdin. Mae'n rhaid ei fod yn go siŵr o'i bethau cyn mentro newid ei feddwl eto a dychwelyd.

Newidiwyd ychydig ar gyfansoddiad y Pwyllgor Penodi erbyn Mehefin 1920. Y cadeirydd oedd y Prifathro J. H. Davies, ac yr oedd tri o'r aelodau a oedd ar y pwyllgor blaenorol yn parhau, sef W. J. Gruffydd a John Morris-Jones, y ddau arbenigwr pwnc allanol, ac Edward Edwards fel cynrychiolydd Senedd y Coleg. Bu'r Athro Edwards yn bennaeth dros dro ar yr Adran wedi i gyfarfod arbennig o'r Senedd gael ei alw ym mis Ionawr 1919 i drafod y sefyllfa mewn rhai adrannau oherwydd y dylifiad o fyfyrwyr ychwanegol a gyrhaeddodd ar ôl i'r milwyr adael y lluoedd. Buasai hynny'n ddiau wedi ysgafnhau beichiau gweinyddol Parry-Williams a T. Gwynn Jones. Bu'r Athro Edwards yn y swydd tan fis Hydref 1919, pan benodwyd T. Gwynn Jones yn Bennaeth Adran.[81] Yr aelodau newydd ar y Pwyllgor Penodi oedd J. E. Lloyd o Fangor, fel cynrychiolydd y Bwrdd Gwybodau Celtaidd, y Canon J. Fisher a'r Canon Robert Williams, y ddau olaf yn cynrychioli Cyngor y Coleg.

Mae'n amlwg fod Timothy Lewis yn cadw golwg manwl ar bethau, oherwydd anfonodd air at Gwenogvryn Evans yn tynnu ei sylw at benodi'r ddau Ganon yn aelodau o'r Pwyllgor Penodi: yr oedd ganddo fwy o ffydd ynddynt hwy nag a oedd ganddo yn y ddau y cymerasant eu lle arno, sef Vincent Evans a Lleufer Thomas. Mae'n debyg nad oedd ar Lleufer ddim awydd bod yn aelod, ac nid enwebwyd Vincent Evans. Efallai i Lleufer Thomas gael digon ar yr ymrafaelio a fu ynghylch y Gadair y flwyddyn cynt. Yr hyn sy'n ddiddorol, fodd bynnag, yw fod Timothy'n dweud iddo glywed

---

81 Archifdy Prifysgol Aberystwyth, SEN/1/A7, *Cofnodion Senedd Coleg Prifysgol Cymru Aberystwyth, 1910-25*, t. 297. Gweler y cofnod o'r argymhelliad i benodi T. Gwynn Jones yn Bennaeth Adran, ibid., t. 440.

fod Parry-Williams yn bwriadu cynnig. Yr oedd hynny yn Ebrill 1920. Sylwasai hefyd fod ei enw ym Mhrosbectws y Coleg am 1920-21 fel un o ddarlithwyr y dosbarthiadau allanol. Pan ymddangosodd yr hysbyseb erbyn diwedd Mai, anfonodd Timothy lythyr arall at Gwenogvryn: 'I have heard all along that Dr P.W. had not given up the idea of being elected'.[82] Gan fod Athrawon Cymraeg Caerdydd a Bangor yn aelodau o'r Pwyllgor Penodi, amheuai Timothy'n fawr a fyddai ganddo unrhyw obaith o gwbl o gael ei benodi, ac ni welai fod pwrpas iddo gynnig. Yr oedd yn chwarae â'r syniad o gynnig am ysgoloriaeth i gyn-filwyr er mwyn mynd i astudio Cyfraith yr Oesoedd Canol a dilyn trywydd gwahanol.

Yn ystod yr wythnosau dilynol, parhaodd Timothy i hysbysu Gwenogvryn am bob datblygiad y clywai amdano, er mor anodd ydoedd hynny o achos nad oedd pobl yn dweud fawr ddim. Casglu a dyfalu beth a allai fod yn digwydd a wnâi, a gwneud hynny gydag awgrym o baranoia. Oherwydd ei brofiad y flwyddyn cynt, a'i gred ef a'i gefnogwyr fod popeth wedi cael ei drefnu ymlaen llaw yn y dirgel, yr oedd ei glustiau a'i lygaid yn agored ac yn barod i ganfod yr awgrym lleiaf o ystryw. Anfonodd air at ei gyfaill Gwenogvryn yn dweud bod ymgais T. Gwynn Jones i'w erlid wedi gwneud mwy o les nag o ddrwg i'w achos. Mae'n amlwg nad oedd y berthynas rhwng y ddau yn esmwyth. Yr oedd T. Gwynn Jones wedi dweud wrth ddosbarth anrhydedd y flwyddyn honno fod eu gwaith yn yr arholiadau yn llawer gwell nag eiddo myfyrwyr Bangor, ac yr oedd merch y 'learned knight', chwedl Timothy, yn eu plith, sef Rhiannon Morris-Jones. Ym marn Timothy, yr oedd hynny'n glod i'r gwaith a wneid yn yr Adran.

Un arwydd o baranoia Timothy erbyn hynny, a'i amheuaeth fod cynllwyn yn llechu ar bob trofa, oedd y sylwadau hyn ganddo:

I heard last night that some of P.W.s friends had been trying to put the screw on to stop the Ex-servicemen to take part as early as last Christmas! Another item shows how they are evidently trying every means.

P.W. has a sister in College this year and the Rev R.J. Rees' daughter spent a part of the vacation up there! Far be it from me to even dream that that would modify Mr Rees' position one hairbreadth, even if it had been

82 Llythyr Timothy Lewis at J. Gwenogvryn Evans, 31 Mai 1920, LlGC 'Papurau Timothy Lewis', ffeil 1(d), 992.

191

meant to do it, but when one hears of business pressure etc people here notice things somehow.[83]

Yr awyrgylch o ddiffyg ymddiriedaeth a grewyd gan yr holl helynt fïsoedd ynghynt a gyfrifai am yr amheuon hyn. Er nad oedd yn rhy ffyddiog o'i obeithion, bwriodd Timothy ati i baratoi ei gais a'i gyflwyno mewn pryd.

Ni ddiwygiodd fawr ddim ar ei gais ym Mehefin 1920 rhagor na'r haf cynt. Cynhwysodd yr un sylwadau yn ei lythyr o gyflwyniad yn cyfeirio at ei barodrwydd i wasanaethu yn y Gadair fel y bu mor barod i wasanaethu yn y fyddin:

> Now having come through without greater bodily harm than a broken arm, and with greater confidence in entering the new world and a clearer vision of its possibilities, and a greater faith in the youth of the Country, I beg to submit my claim to your suffrage, promising that should you elect me to the Chair I shall devote all my energies to develop the department in a manner worthy of Wales and of the men that responded in the hour of danger ...[84]

Mae ôl peth diofalwch ar ei gais hefyd am iddo gynnwys y tystlythyr a ysgrifennodd Gwenogvryn i gefnogi ei gais am y Gadair Geltaidd yng Nghaerdydd ym Mehefin 1918, heb ei gymhwyso at Gadair Aberystwyth yn 1919 nac yn 1920. Yn wahanol i gais Parry-Williams, a gafodd ei argraffu'n broffesiynol, dalennau ffwlsgap teipiedig a oedd gan Timothy. Yr unig beth gwahanol a gynhwysodd wrth gyflwyno'i gais o'r newydd oedd sylw yn cyfeirio at amgylchiadau'r flwyddyn cynt:

> ... although certain members of that Selection Committee were known to be determinedly hostile to my candidature for reasons which are by this time fairly well known, I have the satisfaction of knowing as your Council also knows, that those generally regarded as the best Celticists in Europe differed emphatically from the adverse views taken by some Members of that Committee for that occasion.[85]

---

83   Llythyr Timothy Lewis at J. Gwenogvryn Evans, diddyddiad [Mehefin 1920], ibid., 1030.
84   Copi o ail gais Timothy Lewis am y Gadair, 18 Mehefin 1920, a gedwir yn y ffeil yn Archifdy Prifysgol Aberystwyth, blwch C/C.S.CH./2.
85   Ibid.

Byddai'r sylw annoeth hwnnw wedi bod yn hynod niweidiol i'w achos. Gwyddai W. J. Gruffydd a John Morris-Jones yn dda pwy oedd y 'certain members' a oedd yn wrthwynebus i'w gais. Os oeddynt yn gwrthwynebu yr adeg honno, yna yr oedd eu gwrthwynebiad yn debycach o fod yn ganmil cryfach y tro hwn. Dichon y gwyddai Timothy nad oedd ganddo obaith o gael ei benodi a dweud y gwir, ac mai o ran diawlineb yn unig y cyflwynodd ei gais: 'We'll let them do their worst – they may knock me down but they can't keep me down,' meddai'n herfeiddiol wrth Gwenogvryn.[86]

Yr oedd y cais a luniodd Parry-Williams yn un cryf, ac mae ôl cryn dipyn o gynllunio bwriadus a gofalus arno. Nododd iddo gael ei benodi'n Bennaeth yr Adran yng Ngorffennaf 1918, a'i fod yn ystod sesiwn golegol 1919-20 wedi parhau fel tiwtor dosbarthiadau allanol mewn iaith a llenyddiaeth Gymraeg y Brifysgol, a hynny yn ystod y flwyddyn yr oedd yn lasfyfyriwr gwyddonol. Os yw'r hyn a ddywedodd Timothy Lewis yn wir, nid oedd, felly, wedi llwyr roi'r gorau i obeithio y câi ei benodi: er iddo ddewis cefnu ar yr Adran, yr oedd yn dal â'i lygaid ar y Gadair. Yn ogystal â chael canolwyr ehangach eu hapêl na'r tro cynt, gan apelio at yr elfen leol a chenedlaethol er mwyn creu argraff, yr oedd hefyd wedi dewis cynnwys tystlythyrau a fyddai'n cadarnhau ei addasrwydd ar gyfer y swydd fel ieithydd.

Paragraff byr yn unig a gynhwysodd gan Ernest Weekley. Er byrred ydoedd, yr oedd yn taro'r nod am ei fod yn mynegi ei ddiolchgarwch i Parry-Williams am ei gyngor arbenigol ar yr elfen Geltaidd mewn Saesneg Modern, ac er nad oedd Weekley yn ôl ei gyfaddefiad ei hun yn ysgolor Celtaidd o fath yn y byd, yr oedd yn arbenigwr ar ieitheg gymharol ac yn gallu gwerthfawrogi ehangder a chywirdeb ysgolheictod Parry-Williams. Yn wir, pan gyhoeddodd Weekley ei *fagnum opus* yn 1921, *An Etymological Dictionary of Modern English*, diolchodd yn llaes yn ei Ragair i Parry-Williams am ei gymorth diflino.[87]

Canmol ei ddawn fel ieithydd a wnâi J. Glyn Davies hefyd. Dywedodd fod

---

86   Llythyr Timothy Lewis at J. Gwenogvryn Evans, diddyddiad [Mehefin 1920], LlGC 'Papurau Timothy Lewis', ffeil 1(d), 1030.

87   Ernest Weekley, *An Etymological Dictionary of Modern English* (London, 1921), t. xii. Cyflwynodd Weekley gopi cyfarch o'i eiriadur i Parry-Williams, copi sydd i'w weld yn y rhan o'i lyfrgell bersonol a gedwir yn Ystafell y Llywydd yn y Llyfrgell Genedlaethol.

Edward Anwyl wedi dweud wrtho mai Parry-Williams oedd ei ddisgybl gorau a'i fod yn awyddus i'w weld yn ei olynu. Dywedodd fod ganddo lythyrau gan Syr John Rhŷs yn canmol ei waith i'r cymylau. Yna, mae fel petai'n cyfeirio ergyd i gyfeiriad Timothy Lewis, o gofio'r sylwadau ar ei erthygl ar 'Philoreg' yn *Y Wawr* y cyfeiriwyd ati yn yr adroddiad yn cloriannu'r ymgeiswyr yn 1919, a'r math o feirniadaeth a fyddai'n cael ei lleisio am ei ddeongliadau ieithyddol amheus yn ystod y degawd a oedd i ddod:

> Welsh would-be Philologists have earned a bad name for pot-shot work, which, though effective enough in playing to the gallery, would be ruinous to the reputation to any seat of learning; but Parry-Williams is immune from that sort of foolishness.[88]

Yr hyn a bwysleisiodd y Dirprwy Brifathro J. W. Marshall – gŵr a edmygid am ei ddull pragmataidd a doeth o weinyddu materion colegol – oedd fod Parry-Williams, byth er pan ddychwelodd i'r Coleg yn ddarlithydd yn 1914, wedi cyflawni ei waith gydag egni a brwdfrydedd, a'i fod yn addysgwr rhagorol a enillodd ffydd ac ymddiriedaeth ei fyfyrwyr. Ar sail yr hyn a welodd ac a glywodd yn ystod ei aelodaeth o'r Pwyllgor Penodi flwyddyn ynghynt, nid oedd ganddo amheuaeth nad Parry-Williams oedd yr ymgeisydd cryfaf a mwyaf addas.[89]

Pwy arall a ddenwyd i'r maes? Fe wyddom yn barod fod J. Lloyd-Jones, brodor o Ddolwyddelan, a oedd yn Athro Cymraeg ym Mhrifysgol Genedlaethol Iwerddon yn Nulyn, yn ymgeisydd y tro hwn. Er bod enw Ifor Williams a Henry Lewis yn ymddangos ar waith papur yn y ffeil ynghylch y Gadair a gedwir yn Archifdy'r Brifysgol, am iddynt ddangos diddordeb yn y swydd ac ymholi am fanylion, ni wnaethant gais.[90] Yn 1920 y dyrchafwyd Ifor Williams i gadair bersonol, a'r tebyg yw i John Morris-Jones wneud popeth o fewn ei allu i gadw ei gyd-weithiwr ym Mangor. Mae'n debygol hefyd y byddai W. J. Gruffydd wedi cynghori Henry Lewis, a oedd yn ddarlithydd parhaol yng Nghaerdydd oddi ar fis Hydref 1919, i ddisgwyl hyd nes y byddai

---

88 Copi o gais T. H. Parry-Williams am y Gadair ym Mehefin 1920 a gedwir yn y ffeil yn Archifdy Prifysgol Aberystwyth, blwch C/C.S.CH./2.

89 Copi o'r tystlythyr a gynhwyswyd yng nghais Parry-Williams, ibid.

90 Ceir llythyr gan Henry Lewis, dyddiedig 5 Mehefin 1920, yn holi am fwy o fanylion yn y ffeil, ibid.

Coleg Abertawe yn llenwi'r Gadair Gymraeg; pan ddigwyddodd hynny ym mis Mai 1921, Henry Lewis a benodwyd yn Athro Cymraeg cyntaf y Coleg.[91]

Y ddau arall a gyflwynodd geisiadau oedd y Parchedig John Jenkins (Gwili), brawd yng nghyfraith Morgan Watkin, a oedd, fel y gwelsom yn y bennod flaenorol, wedi methu â chael swydd barhaol yn Adran Gymraeg Caerdydd, a'r Parchedig W. H. Harris (1884-1956), a raddiodd yn y Gymraeg yng Ngholeg Dewi Sant, Llanbedr Pont Steffan, cyn mynd i Rydychen a gwneud traethawd BLitt ar Hywel Dda, a throi wedyn at ddiwinyddiaeth. Fe'i hordeiniwyd yn offeiriad, ac yr oedd ar y pryd yn ddarlithydd mewn diwinyddiaeth yng Ngholeg Dewi Sant.[92] Cafodd Gwili gefnogaeth gan y cyn-Aelod Seneddol W. Llewelyn Williams (1867-1922), a ddywedodd y byddai croeso mawr yn ne Cymru i'r newydd pe penodid ef i'r Gadair. Yr oedd T. Gwynn Jones hefyd ymhlith ei ganolwyr, ond digon cefnogol heb fod yn eithriadol frwd oedd ei sylwadau ef wrth gyfeirio at brofiad Gwili fel addysgwr ac fel bardd.[93]

Pan gyfarfu'r Pwyllgor Penodi i gloriannu'r ceisiadau, dau enw yn unig a roddwyd ar y rhestr fer, sef J. Lloyd-Jones a T. H. Parry-Williams. Ond yng nghyfarfod Cyngor y Coleg a gynhaliwyd ar 6 Gorffennaf 1920, cyflwynwyd deiseb a lofnodwyd gan rai o'r cyn-filwyr ym Mwrdeistref Aberystwyth, a darllenwyd negeseuon telegram a anfonwyd o bencadlys Cymrodyr y Rhyfel Mawr, yn ogystal â neges gan y Cadfridog-Frigadydd Owen Thomas yn cynnig sylwadau ar y penodiad.[94] Er na ddatgelir yng nghofnodion y Cyngor beth oedd cynnwys y gohebiaethau hynny, hawdd dyfalu mai ailadrodd yr un gwrthwynebiad i ymgeisyddiaeth y gwrthwynebwr cydwybodol a wnaent ag a fynegwyd ym Medi 1919.

Ar ôl yr hyn sy'n cael ei ddisgrifio'n ogleisiol unwaith eto yn y cofnodion fel 'trafodaeth hirfaith', cytunwyd yn unfrydol i ychwanegu enw Timothy Lewis at y rhestr o ymgeiswyr i'w cyfweld y diwrnod hwnnw. Diau i rai o aelodau'r Cyngor ffyrnigo pan glywsant nad oedd bwriad i gyfweld Timothy

91 Ar ei yrfa, gw. T. J. Morgan, 'In Memoriam: Dr Henry Lewis', *Journal of the Welsh Bibliographical Society*, x (Gorffennaf 1968), tt. 1-2.
92 Gw. *Y Bywgraffiadur Cymreig 1951-1970*, tt. 70-1.
93 Ceir copïau o geisiadau Gwili ac W. H. Harris yn y ffeil yn Archifdy Prifysgol Aberystwyth, blwch C/C.S.CH./2.
94 Archifdy Prifysgol Aberystwyth CNL/1/A3, *Cofnodion Cyngor Prifysgol Cymru Aberystwyth, 1920-23*, t. 36.

ar y cynnig cyntaf, a rhag ennyn mwy o lid ynghylch penodiad a oedd eisoes wedi creu llawer o ddrwgdeimlad a chasineb, callaf peth oedd cyfaddawdu. Cyfwelwyd y tri ymgeisydd, ac ar ôl cynnal pleidlais etholwyd Parry-Williams ar gyflog o £600 y flwyddyn. Mewn nodyn a gyhoeddwyd ym mhapur *The Times*, adroddwyd iddo gael ei ethol ar y bleidlais gyntaf, ac i un aelod o'r Cyngor ddweud ei bod yn groes i Siarter y Brifysgol gosbi neb am ei ddaliadau personol.[95]

Flynyddoedd lawer wedyn, wrth ddwyn i gof ddiwrnod y penodiad hwnnw, dywedodd Parry-Williams ei fod yn paratoi ar gyfer ei arholiadau Prifysgol Llundain yn un o labordai'r Coleg yn y bore ac erbyn diwedd y prynhawn wedi ei benodi'n Athro cadeiriog.[96] Erbyn diwedd yr wythnos honno yng Ngorffennaf, dychwelodd gartref i Ryd-ddu, gan mai oddi yno yr atebodd y llythyr a dderbyniodd gan T. Gwynn Jones yn ei longyfarch. Diolchodd iddo am ei gyfarchion llawen, 'ac am bob cymorth yn nhymor yr hir aros, gallwn wneuthur rhywbeth ohoni bellach.'[97] Lluniodd ei gefnder, R. Williams Parry, englyn pryfoclyd i'w longyfarch, englyn 'Victoraidd iawn,' chwedl yntau:

> I'r gadair wag drwy wiw (!) hawl – er gwaethaf
> Brygawthwyr uffern*awl*
> Y dringaist yn dra ing*awl*;
> Mwynhâ dy hun 'rwan, myn coblyn!![98]

'Myn diawl' yw'r llw sy'n ateb y brifodl, wrth reswm, a hawdd dychmygu'r cefnder yn cilwenu wrth ddarllen y cyfarchiad. Byddai aelodau'r teulu yn fwy na neb arall yn ymwybodol o straen yr holl helynt a'r effaith a gafodd ar Parry-Williams. Byddai'n rhyddhad mawr iddo fod y cyfan ar ben, ac yn

---

95   *The Times*, 13 Gorffennaf 1920, t. 4.

96   Sgwrs radio ar 'Y Coleg ger y Lli' a ddarlledwyd gyntaf yn y gyfres 'Cywain' yn 1972, ac a ailddarlledwyd ar raglen John Hardy, 'Cofio', ar 9 Hydref 2016: <http://www.bbc.co.uk/programmes/b07ypmzt>. Gw. hefyd 'Gyrfa' yn LlGC 'Papurau T. H. Parry-Williams', G85.

97   Llythyr T. H. Parry-Williams at T. Gwynn Jones, 9 Gorffennaf 1920, LlGC 'Papurau T. Gwynn Jones', G4469. Ar 13 Gorffennaf, ysgrifennodd T. Gwynn Jones at E. Tegla Davies: 'Cafodd Dr Parry-Williams fuddugoliaeth o'r diwedd, a diolch i'r nefoedd am hynny. Yr wyf yn deall fod "Dychweledigion" wedi cynhyrfu holl garedigion moes anwybod a chuddio'r gwir drwy'r wlad', gw. llawysgrif LlGC 21672C.

98   Gw. Llythyr R. Williams Parry at T. Gwynn Jones, 13 Gorffennaf 1920, LlGC 'Papurau T. Gwynn Jones', G4442.

gryn ryddhad i'r Prifathro J. H. Davies hefyd fod disgybl disgleiriaf Edward Anwyl o'r diwedd yn llenwi'r Gadair. Brawddeg i'r perwyl hwnnw a geid yn adroddiad y Cyngor i Lys Llywodraethwyr y Coleg y flwyddyn honno wrth adrodd am benodiadau newydd, ac ni synnem nad J. H. Davies ei hun a'i lluniodd:

> The Chair of Welsh, vacant since the lamented death of Sir Edward Anwyl in 1914, has now been filled by the appointment of his most distinguished pupil, Dr T. H. Parry-Williams.[99]

Byddai'r frawddeg honno'n ddiweddglo ar un o'r penodiadau cadeiriol mwyaf helbulus yn holl hanes y Coleg ger y Lli, os nad y mwyaf helbulus ohonynt i gyd.

---

99   Archifdy Prifysgol Aberystwyth, CRT/2/3, *Adroddiadau Llys Llywodraethwyr Coleg Prifysgol Aberystwyth, 1916-23*, t. 83. Cymharer geiriau Owen Prys, Prifathro'r Coleg Diwinyddol, wrth gyflwyno adroddiad Cyngor y Coleg i Lys y Llywodraethwyr, ibid., t. 54: 'The staff at Aberystwyth now amounted to 100, and Dr Parry-Williams, a very distinguished student of Wales, had succeeded to the Chair occupied by the late Sir Edward Anwyl, and was likely to make it a great success.'

Cysgod hir y rhyfel

P AN DDYCHWELODD YR ATHRO T. H. Parry-Williams i'r Coleg i
lenwi'r Gadair ar gyfer y flwyddyn academaidd newydd, gyda'r bwriad
'o wneuthur rhywbeth ohoni' ys dywedodd wrth T. Gwynn Jones, gwelodd
yn go fuan nad oedd y dasg yn mynd i fod yn hawdd. Y gwir yw i'r Rhyfel
Mawr fwrw'i gysgod hir dros ei yrfa yn yr Adran am flynyddoedd lawer
wedyn. Ar wahân i brysurdeb arferol Pennaeth Adran a chanddo faich dysgu
trwm a dyletswydd i ymchwilio a chyhoeddi, yr oedd holl helynt y Gadair
wedi gadael ei ôl, ac yr oedd un mater heb ei ddatrys, sef beth i'w wneud
â Timothy Lewis. Sut yn union y byddai ef yn ffitio i fywyd a gwaith yr
Adran?

Mae'n ymddangos fod ymgyrch pleidwyr Timothy Lewis wedi hen
chwythu'i phlwc erbyn haf 1920 gan fod pethau wedi tawelu yn y wasg. Diau
i Beriah a Gwenogvryn benderfynu y dylent ganolbwyntio'u hymdrechion
ar sicrhau statws a safle i Timothy o fewn yr Adran a'r Coleg yn hytrach na
cheisio cynhyrfu'r farn gyhoeddus. Yr hyn a benderfynwyd yn unfrydol yng
nghyfarfod y Cyngor ar 6 Gorffennaf 1920 oedd y dylai Timothy gael swydd
o fewn yr Adran Gymraeg ac y dylai'r Pwyllgor Staffio ystyried pa deitl i'w roi
iddo a beth yn union fyddai ei ddyletswyddau.[1] Ym mis Medi, argymhellwyd
y dylai gael teitl 'Athro cynorthwyol mewn Ffiloleg a Phalaeograffeg Geltaidd'
ar gyflog o £500 y flwyddyn, ac y dylid trefnu ei fod yn dysgu dosbarthiadau
Anrhydedd a chyfarwyddo myfyrwyr ymchwil.[2]

Pan glywodd Timothy ei hun am y penderfyniad, gofynnodd i'r Prifathro

---

1   Archifdy Prifysgol Aberystwyth, CNL/1/A3, *Cofnodion Cyngor Prifysgol Cymru Aberystwyth,*
     1920-23, t. 36.
2   Ibid., tt. 49-50.

i bwy y byddai'n 'Athro cynorthwyol', a thybiai mai i Parry-Williams y byddai. Er ei fod, chwedl yntau, yn awyddus i 'weithio mewn harmoni' â Parry-Williams, credai mai bwriad gwreiddiol y Cyngor oedd sicrhau swydd annibynnol ar ei gyfer. Mae'n amlwg nad oedd am fod yn was bach i neb. Awgrymwyd wedyn ei wneud yn 'Athro ymchwil mewn Ffiloleg a Phalaeograffeg Geltaidd', ond yr oedd rhai o aelodau'r Pwyllgor Staffio yn amharod i roi iddo'r teitl 'Athro ymchwil' am y gallai hynny awgrymu mai ef yn unig o blith staff yr Adran a oedd yn gyfrifol am wneud gwaith ymchwil. Er mwyn dod i drefniant derbyniol, awgrymodd y Prifathro y dylid gohirio'r penderfyniad terfynol tan y cyfarfod nesaf o'r Cyngor.[3]

Mae'n amlwg fod y Pwyllgor Cyllid yn y cyfamser wedi trafod y mater hefyd, a bod hwnnw wedi argymell teitl gwahanol ar ei gyfer, sef 'Darllenydd mewn Ffiloleg a Phalaeograffeg Geltaidd' ar gyflog o £500 y flwyddyn. Nid oedd yn teilyngu Cadair, felly. Yr oedd i ddysgu myfyrwyr Anrhydedd ac ymchwil, a rhoi hyd at chwe awr o gymorth i'r Adran Gymraeg. Pan gyflwynwyd adroddiadau'r ddau bwyllgor i gyfarfod y Cyngor ar 29 Hydref, nodwyd i ohebiaeth gael ei derbyn gan Gwenogvryn Evans yn awgrymu y dylid sefydlu Cadair mewn Celteg, ac y byddai ef yn fodlon cyfrannu £100 o'i boced ei hun tuag at y cyflog am gyfnod o dair blynedd, os cytunid i lynu wrth rai amodau na ddywedir yn y cofnodion beth oeddynt. Yr oedd y Cyngor yn ddiolchgar am y cynnig, ond ni allai weld ei ffordd yn glir i'w dderbyn oherwydd yr amodau a gysylltwyd wrtho.[4]

Aed yn ôl at argymhellion y pwyllgorau staffio a chyllid, a chytunwyd mai'r hyn a gynigid i Timothy Lewis oedd swydd 'Darllenydd mewn Ffiloleg a Phalaeograffeg Geltaidd' ac y dylai gyfrannu hyd at chwe awr yr wythnos o gymorth i'r Adran Gymraeg, yn ôl cyfarwyddyd y Prifathro. Erbyn cyfarfod nesaf y Cyngor ym mis Rhagfyr, yr oedd Timothy Lewis wedi derbyn yr amodau a'r telerau hynny. Mae'n ddiddorol fod y cofnod swyddogol yn nodi mai'r Prifathro a oedd yn gyfrifol am bennu'i ddyletswyddau yn ystod y chwe awr wythnosol a ddarparai ar gyfer yr Adran Gymraeg yn hytrach na Parry-

---

3   Gw. Llythyr Timothy Lewis at J. Gwenogvryn Evans, 25 Medi 1920, LlGC 'Papurau Timothy Lewis', ffeil 1(d), 997.

4   Archifdy Prifysgol Aberystwyth CNL/1/A3, *Cofnodion Cyngor Prifysgol Cymru Aberystwyth, 1920-23*, tt. 66-7.

Williams fel Pennaeth yr Adran.[5] Bu'r trefniant hwnnw'n ddechrau gofidiau i bawb.

Er bod pobl a'i hadwaenai yn dweud bod Timothy Lewis yn ddyn hawddgar a dymunol, mae'n rhaid fod methu â chael ei benodi i'r Gadair wedi bod yn siom ac yn ergyd eithriadol iddo. Un arwydd o'r tensiwn a fodolai rhyngddo a'i gyd-weithwyr ar ôl iddo ddychwelyd o'r fyddin oedd iddo fynegi ei anfodlonrwydd pan benodwyd T. Gwynn Jones yn Bennaeth yr Adran yn Hydref 1919 wedi i Parry-Williams ymadael. Ni chredai y gallai fod yn benodiad parhaol am fod Gwynn Jones yn mynnu ei anwybyddu o hyd a chadw ei fab Arthur ap Gwynn, a oedd yn fyfyriwr yn yr Adran, rhag mynychu ei ddosbarthiadau.[6] Mae'n amlwg i'r berthynas rhyngddynt suro, ac mae rheswm yn dweud na allai pethau fyth fod yr un fath ag oeddynt cyn iddo ymrestru yn y fyddin, oherwydd yr holl ddrwgdeimlad. Yr oedd ei roi yn atebol i'r Prifathro yn hytrach nag i bennaeth yr Adran yn 1920 yn awgrym pellach o'r tyndra yn y berthynas. Tra oedd y gwahanol bwyllgorau yn ceisio taro ar deitl addas ar gyfer ei swydd a phennu natur ei gyfrifoldebau, derbyniodd Timothy nodyn gan Parry-Williams a wnaeth iddo deimlo ei fod yn gynorthwyydd iddo ef, sef nodyn tebyg i'r math o nodiadau yr arferai eu derbyn gan Edward Anwyl pan benodwyd ef yn ddarlithydd cynorthwyol iddo. Er i J. H. Davies geisio'i berswadio nad oedd yn gynorthwyydd i Parry-Williams, gwnaed iddo deimlo ei fod.[7]

Er, efallai, nad oedd yn ddyn croes o ran ei natur, y tebyg yw i holl fater y Gadair wneud i Timothy Lewis deimlo fel dihiryn yng ngolwg rhai, ac iddo deimlo ei fod wastad ar y tu allan ac nad oedd yn rhan o'r 'clic swyddogol'. Mae'n debyg ei fod yn teimlo bod rhagfarn yn ei erbyn ac na allai cyn-löwr a chyn-filwr fel efô fyth ddal Cadair yn y Gymraeg.[8] Fel y crybwyllwyd eisoes, yr oedd pobl a'i hadwaenai'n dweud ei fod 'yn gymeriad

---

5   Ceir adroddiadau'r ddau bwyllgor ar y mater ibid., tt. 49-50 a 66.

6   Llythyr Timothy Lewis at J. Gwenogvryn Evans, 27 Tachwedd 1919, LlGC 'Papurau Timothy Lewis', ffeil 1(d), 989.

7   Llythyr Timothy Lewis at J. Gwenogvryn Evans, diddyddiad [cyn 28 Hydref 1920], LlGC 'Papurau Timothy Lewis', ffeil 1(d), 1004.

8   Beynon Davies, 'Timothy Lewis (1877-1958)', t. 153: 'Teimlai TL fod llawer o ragfarn yn ei erbyn fel "na allai hen lowr mwy na hen filwr gael ei ddyrchafu i Gadair Athro yn y Gymraeg."'

hoffus ac annwyl', yn ôl tystiolaeth Bobi Jones,[9] ac meddai hanesydd o'r Alban amdano wrth Henry Lewis, Abertawe: 'Everyone says he is awfully nice but awfully unreliable.'[10] Pan oedd Iorwerth Peate yn fyfyriwr yn yr Adran Gymraeg yn ystod blwyddyn wyddonol Parry-Williams, câi ei ddysgu gan Timothy, ond nid oedd yn or-hoff ohono: 'yr oedd darlithiau hwnnw yn fwrn arnaf,' meddai.[11] Ddwy neu dair blynedd yn ddiweddarach, pan oedd yn fyfyriwr ymchwil, dilynai yn wirfoddol gwrs mewn palaeograffeg yng ngofal Timothy, a'r cyfan a wnâi'r darlithydd, yn ôl tystiolaeth Peate, oedd dilorni John Morris-Jones ac Ifor Williams. Ond bu Ambrose Bebb, un arall o gyn-fyfyrwyr Timothy Lewis yn y cyfnod hwnnw, yn gohebu ag ef yn ystod 1928-29 gan fynegi ei barch tuag ato fel darlithydd.[12] Ond fel yr âi'r blynyddoedd heibio, âi ei ysgolheictod a'i gyhoeddiadau yn odiach ac yn fwyfwy ecsentrig.

Sut oedd hi, ynteu, ar yr Athro Cymraeg newydd? I rai o'i fyfyrwyr a oedd yno ar y pryd, yr hyn a gofient oedd ei brysurdeb a'i allu diamheuol i ddarlithio ar agweddau astrus ym maes ieitheg mewn modd eglur a dealladwy. Cofiai J. Tysul Jones, a fu wrth ei draed rhwng 1920 a 1923, gymaint o faich dysgu a ysgwyddid ganddo ef a T. Gwynn Jones i fyfyrwyr y pedair blynedd, fel yr oedd y cwrs yr adeg honno, heb sôn am gyfarwyddo gwaith myfyrwyr ymchwil.[13] Rhyfeddai at ei feistrolaeth ar yr amrywiol bynciau y darlithiai arnynt, a chofiai ei weld 'yn cerdded yn fân ac yn fuan' i gyfeiriad y Coleg, a'r darlun cartŵn ohono a ymddangosodd yn *The Dragon*, yn cerdded â'i fag yn ei law a'r geiriau hyn oddi tano: 'Dr. P.-Williams with less time at his disposal.'[14]

Ei lwyth gwaith beichus yn ystod y dauddegau a gofiai E. D. Jones hefyd, pan ymunodd â'i ddosbarthiadau yn 1923: 'Yn yr ugeiniau, yr oedd llafur beunyddiol yr ystafell ddarlithio yn gwneud ymchwil academaidd yn gwbl amhosibl iddo.'[15] Ond er mor brin oedd ei hamdden ar gyfer ymchwilio, fe

9   R. M. Jones, *Llenyddiaeth Gymraeg a Phrifysgol Cymru*, Darlith Eisteddfodol y Brifysgol, Eisteddfod Genedlaethol Cymru, Llanelwedd, 1993, t. 7.
10 Llythyr Dr T. F. Wainwright at Henry Lewis, 17 Mawrth 1948, LlGC 'Papurau Henry Lewis (rhodd a gyflwynwyd gan Indeg Lewis yn 1979)', blwch heb ei rifo.
11 Peate, 'Teyrnged i Athro', t. 63.
12 Llythyrau Ambrose Bebb at Timothy Lewis, 18 Mehefin 1928 a 10 Mai 1929, 'LlGC 'Papurau Timothy Lewis', 3/20.
13 Foster gol., *Cyfrol Deyrnged Syr Thomas Parry-Williams*, tt. 113-6.
14 Gwelir y cartŵn yn *The Dragon*, Mai 1924, t. 172.
15 Ibid., t. 120.

lwyddodd i droi ei draethawd MA ar fenthyciadau o'r Saesneg yn y Gymraeg yn llyfr, a'i gyhoeddi yn 1923. O ystyried haeriad ei wrthwynebwyr yn 1919 nad oedd ganddo ddim cyhoeddiadau academaidd o werth i'w enw, byddai'n awyddus i wrthbrofi'i feirniaid drwy ddangos iddo gyflawni gwaith ymchwil ieithyddol teilwng o Athro prifysgol. Ac eto, yn ei Ragair i *The English Element in Welsh*, yr hyn sy'n dra arwyddocaol yw iddo gyfeirio'n ymddiheurol at brinder amser. Gan mor awgrymog ddadlennol yw'r sylwadau am yr amgylchiadau ar y pryd, y maent yn werth eu dyfynnu:

> As I have been unable, during the last few years, owing to the pressure of other duties, to devote as much time as I would have wished to making the study more presentable, and as there is little prospect of greater leisure in the near future, I have persuaded myself to let it appear as it is, with all its shortcomings, consoling myself with the hope that this beginning will induce some scholar, after seeing my mistakes, to pursue the study with more care and greater fullness. The material collected and used by me was finally moulded into its present shape at one of the busiest periods of the College Session. It, therefore, naturally presents clear traces of intermittent attention. I offer no further excuses in the attempt to extenuate the defects of the work.
>
> My original intention was to work the English element in Cornish side by side with that in Welsh, but that project had to be abandoned.[16]

Ar sail yr wybodaeth am niferoedd y myfyrwyr a oedd ar y llyfrau yn ystod y dauddegau, sef y niferoedd a nodir yn yr adroddiadau a gyflwynid gan y Prifathro i Lys y Llywodraethwyr yn flynyddol, yr oedd cyfanswm o 87 o fyfyrwyr ar gyfartaledd yn yr Adran Gymraeg, yn cyfrif yr holl lefelau, o'r flwyddyn 'Intermediate' i'r flwyddyn Anrhydedd, yn ogystal â myfyrwyr ymchwil.[17] Cyflwyno'r nifer o fyfyrwyr a gofrestrodd ar ddechrau pob sesiwn a wneid, a dichon, felly, fod rhai ohonynt yn gadael cyn cwblhau'r flwyddyn academaidd. Hyd yn oed a chaniatáu hynny, yr oedd cael dros bedwar ugain o fyfyrwyr yn faich go drwm i dri darlithydd, ac yn arbennig o drwm i'r Athro iaith, gan mai dilyn y cwrs gradd mewn iaith a wnâi'r mwyafrif llethol

---

16 T. H. Parry-Williams, *The English Element in Welsh: A Sudy of Loan-words in Welsh* (London, 1923), t. vii.
17 Gw. Atodiad 2.

ohonynt. Er enghraifft, yn ystod ail flwyddyn yr Athro newydd, sef sesiwn 1921-22, yr oedd 96 o fyfyrwyr yn dilyn y radd mewn iaith yng nghwmni Parry-Williams a 13 yn dilyn y radd mewn llenyddiaeth yng nghwmni T. Gwynn Jones.

Yr oedd pob Pennaeth Adran, neu'r sawl a oedd yn gyfrifol am bob cynllun gradd o fewn y Coleg, yn llunio adroddiad blynyddol ar waith eu hadrannau neu eu pynciau ac yn ei gyflwyno i Lys y Llywodraethwyr. Yn 1916 lluniodd y tri aelod o staff yr Adran adroddiadau ar eu gwaith, ond eiddo Timothy Lewis oedd yr un hwyaf, fel petai'n ei weld ei hun yn cymryd rhan arweiniol. Ef hefyd oedd y mwyaf mentrus ei sylwadau, oherwydd dywedodd fod mawr angen gwneud rhai newidiadau yn yr Adran – heb fanylu yn eu cylch – ond nad oedd yn teimlo'n ddigon eofn i'w gwneud. Ef oedd yr unig un i fynegi'i farn fel hyn. A oedd, tybed, yr adeg honno, cyn cael ei alw i'r fyddin, yn ei osod ei hun yn barod ar gyfer llenwi'r Gadair pan ddeuai'r adeg?

Erbyn cyfnod yr adroddiad ar waith blwyddyn golegol 1918-19, yr oedd Timothy Lewis yn ôl yn y tresi wedi iddo gael ei ryddhau o'r fyddin ddiwedd Ionawr 1919, a lluniodd bedwar paragraff byr ar ei waith. Ceir un cymal ganddo sy'n cyfeirio at anhawster ailymaddasu mewn cyfnod o heddwch: '… though the settling down to work under peace conditions was not conducive to undisturbed study …'[18] A oedd ergyd slei yn y fan hon, tybed, i'r ddau aelod o staff yr Adran a lwyddodd i barhau yn eu swyddi gydol y rhyfel?

T. Gwynn Jones yn unig a luniodd yr adroddiad ar flwyddyn academaidd 1919-20, yn absenoldeb Parry-Williams, a'r flwyddyn ganlynol, yn 1920-21, adroddiadau gan Parry-Williams a T. Gwynn Jones yn unig a geid. Nid oedd dim gan Timothy Lewis. Erbyn y flwyddyn wedyn yn 1921-22, fodd bynnag, ymddangosodd adroddiadau gan y tri, a dyna'r patrwm am weddill y degawd. Adroddai Parry-Williams am y radd Gymraeg, T. Gwynn Jones am y radd mewn llenyddiaeth Gymraeg, a Timothy Lewis am yr ymchwil mewn Celteg a Phalaeograffeg. Ond mae byd o wahaniaeth rhwng adroddiadau'r ddau Athro ac adroddiadau'r Darllenydd.

Arferai Parry-Williams a T. Gwynn Jones gyfeirio at ei gilydd yn gyson ddi-feth, a'r naill yn diolch yn llaes i'r llall am bob cydweithrediad a chymorth,

---

18   Archifdy Prifysgol Aberystwyth, CRT/2/3, *Reports Submitted to the Court of Governors, 1916-23*, tt. 40-1.

nes i'r cyfan ddatblygu'n fformiwla. Er mwyn rhoi blas ar y sylwadau, dyma ddyfynnu'r hyn a ddywedodd T. Gwynn Jones yn ystod sesiwn 1921-22:

> Quite good work was done in the Literature part of the Language Course, and I have to acknowledge the ready and generous co-operation of my colleague, Dr Parry-Williams.[19]

Ac yn ei adroddiad yntau am yr un flwyddyn, dyma a ddywedodd Parry-Williams:

> I wish to express my gratitude to Prof. Gwynn Jones for the invaluable help which he has again rendered to the Department this session. He took classes every week throughout the session at all stages.[20]

Ni chyfeiriodd y naill na'r llall ohonynt at y trydydd aelod o'r Adran. Ond fe gafwyd adroddiad ganddo ef ar ei waith yng ngofal Ymchwil Geltaidd a Phalaeograffeg, ac mae'r frawddeg gyntaf ganddo yn ein taro yn ein talcen:

> There were no students taking Celtic Palaeography during Session 1921-22. Two students were doing research in Welsh Literature and Social History.[21]

Ochr yn ochr ag adroddiadau'r ddau Athro, ymddangosai baich gwaith y Darllenydd yn ysgafn. Dywedodd iddo allu bwrw ymlaen â'i ymchwil ei hun yn ystod y flwyddyn, er ei fod wedi cynnig cymorth i rai myfyrwyr a oedd yn awyddus i wneud rhywfaint o waith yn ystod gwyliau'r haf, ac i rai cyn-fyfyrwyr a oedd yn awyddus i gael help llaw ganddo yn ystod y tymor. Ond nid myfyrwyr mewnol a chyfredol yr Adran oedd y rheini. Yr oedd yn adrodd ar ei waith fel pe na bai'n aelod o'r Adran Gymraeg, ac fel petai mewn Adran ar ei ben ei hun, er ei fod yn cael ei enwi fel aelod o'r Adran Gymraeg yn y rhestr o aelodau staff y Coleg a geid yn adroddiadau blynyddol Llys y Llywodraethwyr.

Mae modd gweld yn adroddiadau Parry-Williams yn ystod y blynyddoedd nesaf rai sylwadau sy'n cynnil gyfleu ei anniddigrwydd a'i rwystredigaeth.

---

19   Ibid., t. 46.
20   Ibid., t. 48.
21   Ibid., t. 54.

Wrth adrodd am sesiwn golegol 1922-23, fe ddywedodd: 'The session was a strenuous one, but the work of all the students and the results of the examinations were gratifying.'[22] Diolchodd wedyn yn gynnes i T. Gwynn Jones am ei gymorth diflino yn traddodi darlithoedd i bob dosbarth ar bob lefel. Y frawddeg agoriadol yn adroddiad Timothy Lewis ar ei waith ef am y flwyddyn, ar y llaw arall, oedd: 'Only one student worked regularly with me at research during last session.'[23] Am weddill ei amser, yr oedd wedi gallu bwrw ymlaen â'i ymchwil bersonol a pharatoi at gyhoeddi.

Rhaid cofio y byddai darlithoedd yn cael eu cynnal ar foreau Sadwrn yn ystod y tymor colegol y dyddiau hynny, fel y gellir gweld oddi wrth amserlenni Parry-Williams a gedwir yn ei archif yn y Llyfrgell Genedlaethol.[24] Yr oedd ei amserlen bron yn llawn dop o ddarlithoedd, ac ar ei ysgwyddau ef y gorweddai pen trymaf y gwaith arholi a marcio yn ogystal.

Yn ystod 1923-24, mewn ymateb i gais gan y myfyrwyr, cytunodd T. Gwynn Jones i gynnal dosbarth wythnosol ar Wyddeleg Modern drwy gydol y sesiwn, a hynny ar ben ei feichiau eraill. Dywedodd Parry-Williams yn ei adroddiad ar y flwyddyn honno i waith yr Adran gael ei gyflawni yn ddigon boddhaol, 'in spite of some difficulties'.[25] Ychwanegodd hefyd i'w gyfrol ar yr elfen Saesneg yn y Gymraeg weld golau dydd yn ystod y flwyddyn. A beth gyflawnodd Timothy Lewis yn ystod yr un flwyddyn?: 'A course of two lectures a week was delivered on Palaeography, including Celtic Palaeography from the beginning up to the 13th century.' Dwy ddarlith yr wythnos yn unig, a phwyllgorau'r Coleg wedi datgan y dylai gyfrannu o leiaf chwe awr o ddysgu! Câi rwydd hynt i fwrw ymlaen â'i waith ymchwil tra oedd yr Athro Cymraeg a'r Pennaeth Adran yn gwegian dan y pwysau. Ni allai'r sefyllfa hon barhau'n hir heb i rywun neu rywrai ddechrau holi pam y câi'r Darllenydd lonydd i wneud cyn lleied o waith. Gan fod Parry-Williams yn ei ddiolchiadau fformiwläig i T. Gwynn Jones yn cyfeirio at ei ewyllys da a'i gefnogaeth, ac at ei barodrwydd bob amser i gynnig cymorth, synhwyrir mai

---

22 Ibid., t. 49.
23 Ibid., t. 56.
24 Llyfrau cofnodi presenoldeb myfyrwyr rhwng 1914-19 a gadwyd, ac yn y rheini ceir cofnod o'i amserlen ddysgu hefyd, gw. LlGC 'Papurau T. H. Parry-Williams', B12-16.
25 Archifdy Prifysgol Aberystwyth, CRT/2/3, *Reports Submitted to the Court of Governors, 1916-23*, tt. 48-50.

pwrpas hynny oedd tynnu sylw at gyndynrwydd Timothy Lewis i gynnig y nesaf peth i ddim cymorth na chefnogaeth.

I ychwanegu at drafferthion yr Adran erbyn 1925, yr oedd prinder lle yn y Coleg ar gyfer cynnal dosbarthiadau fel bod rhaid i T. Gwynn Jones ddefnyddio'i ystafell bersonol a rannai ar y cyd â'i Bennaeth Adran. Er bod Timothy Lewis yn 1924-25 wedi cyflwyno dau gwrs o ddarlithoedd i fyfyrwyr ymchwil, a chynnal cwrs cyflwyniadol ar balaeograffeg i ddau aelod o staff y Llyfrgell Genedlaethol, yr oedd cwrs arall ar balaeograffeg ar gael yn y Coleg, sef yr un a gynigid gan yr Athro E. A. Lewis, yn bennaf ar gyfer myfyrwyr yr Adran Hanes, a bu ef yn ystod y flwyddyn honno yn dysgu pum myfyriwr, gan gynnwys dau o fyfyrwyr yr Adran Gymraeg, a dynnodd allan ymhen ychydig am fod y cwrs Anrhydedd yn y Gymraeg yn mynd â chymaint o'u hamser.[26]

Erbyn mis Hydref 1926, yr oedd T. Gwynn Jones wedi cael ystafell iddo'i hun y gallai ei defnyddio ar gyfer ei waith dysgu, ac edrychai pethau'n fwy addawol. Ond y flwyddyn honno, saith myfyriwr yn unig a oedd ar y cwrs gradd mewn llenyddiaeth, tra oedd 80 ar y cwrs gradd mewn iaith. Yr oedd beichiau Parry-Williams cyn drymed ag y buont erioed. Ni allai'r sefyllfa honno barhau'n hir heb i rywbeth roi o dan y pwysau. Mae'n amlwg fod yr anfodlonrwydd â llwyth gwaith Timothy Lewis a'i amharodrwydd i gynnig cymorth i'w gyd-weithwyr wedi cyrraedd penllanw erbyn 1925. Gan nad oedd yn uniongyrchol atebol i Bennaeth yr Adran, ni allai Parry-Williams ei orfodi i ymgymryd â mwy o waith, ond mae'n amlwg iddo gwyno am nad oedd yn tynnu ei bwysau.

Ym mis Mehefin 1925, gofynnodd y Pwyllgor Staffio i Timothy Lewis gyflwyno adroddiad ar y gwaith a gyflawnodd yn ystod y pedair blynedd flaenorol, ac ymddangosodd nodyn i'r perwyl yng nghofnodion y Cyngor. Aeth yn fis Tachwedd ar y Pwyllgor Staffio yn cael cyfle i drafod cynnwys adroddiad Timothy ar ei waith. Awgrymodd D. Lleufer Thomas y dylid sefydlu is-bwyllgor bychan i drafod dyletswyddau'r Darllenydd mewn Palaeograffeg, a dyna a wnaed. Pwyllgor bychan o bedwar aelod ydoedd, sef Lleufer Thomas ei hun fel cadeirydd, John Ballinger, y Llyfrgellydd Cenedlaethol, yr Archddiacon Robert Williams (a oedd ar bwyllgor penodi'r

---

26   Ibid., t. 54.

Gadair yn 1920), a'r Prifathro J. H. Davies. Erbyn mis Ebrill 1926, adroddodd yr is-bwyllgor yn ôl wrth y Pwyllgor Staffio, ac fe gynhwyswyd yr adroddiad yn ei gyfanrwydd yng nghofnodion y Cyngor fel bod y byd a'r betws yn cael ei weld.[27] Derbyniodd Parry-Williams lythyr gan y Prifathro J. H. Davies, dyddiedig 26 Ebrill 1926, yn ei wahodd i'w gartref ym Mhlas Cwmcynfelyn am fod arno eisiau trafod amryw o faterion, a diau fod y sefyllfa staffio yn un ohonynt.[28]

Dywedodd Timothy wrth yr is-bwyllgor iddo bob amser fynegi ei barodrwydd i gydweithio a chynorthwyo'i gyd-aelodau yn yr Adran Gymraeg. Yr oedd yn arferiad ganddo osod nodyn ar hysbysfyrddau'r Coleg yn gwahodd myfyrwyr i gysylltu ag ef os oedd arnynt angen ei gyngor ynghylch eu gwaith, ac yr oedd amryw ohonynt wedi gwneud hynny, meddai.[29] Mae'n amlwg i'r pwyllgor gael ei fodloni:

> The Committee was fully convinced that Mr Lewis had in this respect carried out as far as possible for him to do so all the duties he was called upon to perform under the terms of his appointment.[30]

Ac yn y fan honno yr oedd y gwendid, sef yn y telerau a grewyd ac a osodwyd yn ôl yn 1920. Byddai deall fod y pwyllgor yn fodlon ar ei arfer o osod nodiadau ar hysbysfwrdd yn cynnig i fyfyrwyr ddod ato pan fynnent gymorth yn siŵr o fod wedi gyrru Parry-Williams a T. Gwynn Jones yn benwan.

Trodd yr adroddiad ei sylw wedyn at waith ymchwil Timothy, ac yr oedd yr adroddiad a gyflwynodd ef yn cyfeirio at ei lafur maith a manwl ar destunau o Lyfr Gwyn Rhydderch, Llyfr Coch Hergest a Brut Dingestow.

---

27   Gw. Archifdy Prifysgol Aberystwyth, copi heb ei rwymo, blwch C/MN/6, *Cofnodion Cyngor Coleg Prifysgol Cymru Aberystwyth*, 23 Gorffennaf a 9 Medi 1925, tt. 530, 585-7.
28   Llythyr J. H. Davies at T. H. Parry-Williams, 26 Ebrill 1926, LlGC 'Papurau T. H. Parry-Williams', CH80.
29   Cadwyd y ddau nodyn gwreiddiol a osodai Timothy ar yr hysbysfwrdd yn ei gasgliad o bapurau: 'Mr Timothy Lewis will be in his room in 12 Marine Terrace every morning from 10 to 12 and will be glad to see there any student desirous of pursuing the course in Palaeography or help in Celtic research'. Ar un ohonynt, yr oedd rhyw hen wàg wedi ysgrifennu 'bed' yn lle 'room' – mae'n amlwg fod gan rywun synnwyr digrifwch, a bod gan Timothy yntau hefyd am iddo ddewis cadw'r nodyn yn y bwndel o lythyrau 'U.C.W. Papers correspondence, etc.', LlGC 'Papurau Timothy Lewis', blwch 1.
30   Gw. Archifdy Prifysgol Aberystwyth, copi heb ei rwymo, blwch C/MN/6, *Cofnodion Cyngor Coleg Prifysgol Cymru Aberystwyth*, 9 Ebrill 1926, tt. 636, 637-8.

Darparasai Timothy enghreifftiau o'i waith i aelodau'r is-bwyllgor, ac yr oedd yr hyn a welsant yn ymddangos yn ddigon derbyniol: 'appeared to be quite satisfactory' yw'r geiriad yn y gwreiddiol. Yr unig anhawster a welent oedd fod ei raglen ymchwil mor helaeth ac uchelgeisiol fel y cymerai flynyddoedd lawer i'w chwblhau, a hyd yn oed ar ôl iddo'i chwblhau, gallai fod yn anodd mynd ynglŷn â chyhoeddi'r deunydd. Cyngor aelodau'r is-bwyllgor oedd y dylai geisio bwrw ati i gyhoeddi rhai testunau, ond â nodiadau cywasgedig, er mwyn ateb y galw yn yr ysgolion a'r colegau am werslyfrau. Ar wahân i hynny, nid argymhellent gymryd unrhyw gamau nad oeddynt eisoes wedi eu gwneud. Diau y byddai rhai wedi hoffi gweld argymell dwyn camau pellach yn erbyn Timothy, drwy ei orfodi i dorchi'i lewys a chyfrannu mwy at waith dysgu'r Adran Gymraeg.

Pan gwblhawyd adroddiad terfynol y Pwyllgor Staffio, yr oedd yn argymell bod llythyr yn cael ei anfon at y Bwrdd Gwybodau Celtaidd yn dweud bod Timothy Lewis yn barod i baratoi rhai testunau ar gyfer eu cyhoeddi, ac fe wnaeth un argymhelliad arall a fyddai wedi calonogi Parry-Williams yn fawr, sef fod penodiad rhan-amser i'w wneud yn yr Adran Gymraeg am gyfnod o flwyddyn. Yn y cyfamser, bu farw'r Llywydd, Syr John Williams, a adawsai swm o arian yn ei ewyllys fel gwaddol i'r Coleg. Ei ddymuniad oedd gweld yr arian yn cael ei ddefnyddio'n rhannol neu'n gyfan gwbl er mwyn cynnal swydd naill ai Athro neu Athrawon, neu ynteu ddarlithydd neu ddarlithwyr a oedd yn hyddysg mewn llenyddiaeth Gymraeg, hanes Cymru neu archaeoleg Cymru, ynghyd â darparu ysgoloriaethau ôl-raddedig mewn Astudiaethau Celtaidd. Yr arian hwnnw a'i gwnaeth hi'n bosibl i'r Coleg waddoli Cadair mewn Hanes Cymru, sef Cadair Syr John Williams sy'n dal i fodoli heddiw. Yn ogystal â hynny, penderfynodd y Cyngor benodi darlithydd cynorthwyol amser llawn yn y Gymraeg, a byddai'r cyhoeddiad hwnnw wedi cael cryn groeso gan Bennaeth yr Adran. Yr oedd y nodyn yng nghofnodion y Cyngor yn dra dadlennol:

> An Assistant Lecturer in Welsh will be provided to relieve the Professor of that language from part of his very arduous duties.[31]

---

31   Archifdy Prifysgol Aberystwyth, CRT/1/2, *Cofnodion Llys Llywodraethwyr Coleg Prifysgol Cymru Aberystwyth, 1925-34*, t. 360.

Cyn y cyhoeddiad hwnnw, yr oedd y Pwyllgor Staffio eisoes wedi ystyried trefniadau staffio'r Adran Gymraeg, ac wedi cydnabod bod pwysau aruthrol ar y Pennaeth. Union eiriau'r Pwyllgor oedd, 'an undue burden is placed on Professor Parry-Williams', a galwai ar y Pwyllgor Cyllid i wneud yr hyn a allai i ysgafnhau ei faich.[32] Dyna pryd y caniatawyd hysbysebu swydd darlithydd cynorthwyol, ac erbyn mis Medi 1927 yr oedd Mr David James Jones BA wedi'i benodi ar gyflog o £275 y flwyddyn. Y darlithydd hwnnw oedd Gwenallt.

Mae adroddiadau'r Athro Cymraeg ar ôl 1927 yn cynnwys ei ddiolchiadau i'r darlithydd newydd am ei gymorth gwerthfawr a'i gydweithrediad ffyddlon yn ogystal â'i frwdfrydedd. Diolchai hefyd i T. Gwynn Jones am ei gefnogaeth gyson yntau. Ni chyfeiriodd gymaint ag un waith at Timothy Lewis. Mae'n rhaid deall mai'r ddau Athro oedd yr arholwyr mewnol hyd at 1928. Eu henwau hwy yn unig a ymddangosai yng nghofnodion y Bwrdd Arholi adrannol fel y prif farcwyr, ac ychwanegwyd enw Gwenallt yn ddiweddarach pan oedd yntau'n gorfod gwneud ei siâr o farcio.[33] Bu ar ei draed tan oriau mân y bore adeg arholiadau haf 1928, ond pur ysgafn oedd baich marcio Timothy, fel y cyfaddefodd wrth Gwenogvryn Evans:

> It is exams exams now every day but I am very grateful that my share of them is as small as it is. The new assistant in Welsh had to work till 3 o'clock this morning after yesterday's papers – dreadful![34]

Trwy edrych ar gofnodion Senedd y Coleg, sef y corff yr oedd cynrychiolaeth arno o blith yr holl benaethiaid adrannau, y mae modd gweld sut y cynyddodd cyfrifoldebau gweinyddol Parry-Williams y tu allan i'w Adran ei hun ar ôl 1926-27, a sut y câi ei dynnu i mewn fwyfwy i weinyddiaeth y Coleg. Cyn hynny, prin iawn y gwelid ei enw yn dal unrhyw swydd ar wahân i fod yn bresennol yng nghyfarfodydd misol y Senedd yn rhinwedd ei swydd fel

32   Gw. Archifdy Prifysgol Aberystwyth, copi heb ei rwymo, blwch C/MN/6, *Cofnodion Cyngor Coleg Prifysgol Cymru Aberystwyth*, 22 Gorffennaf 1927, t. 143.
33   Tystiolaeth o lyfr cofnodion Byrddau Arholi'r Adran Gymraeg rhwng 1921 a 1952 a gedwir yn Archifdy Prifysgol Aberystwyth. Nid ymddengys enw Timothy Lewis gymaint ag unwaith fel aelod o'r bwrdd arholi.
34   Llythyr Timothy Lewis at J. Gwenogvryn Evans, 8 Mehefin 1928, LlGC 'Papurau Timothy Lewis', ffeil 1(d), 1015.

Pennaeth yr Adran Gymraeg. Unwaith y cafodd benodi darlithydd newydd, fe ysgafnhawyd rhywfaint ar ei faich a datblygodd yn fwy o bwyllgorddyn. Fe'i hetholwyd yn gynrychiolydd y Senedd ar Bwyllgor y Llyfrgell yn 1926-27; yn gynghorydd myfyrwyr ail flwyddyn Cyfadran y Celfyddydau yn 1927-28; yn gynrychiolydd y Senedd ar Lys y Llywodraethwyr yn 1928, ac yn gadeirydd Cyfadran y Celfyddydau yr un flwyddyn. Pan oedd Pwyllgor Grantiau'r Prifysgolion yn bwriadu ymweld ag Aberystwyth yn 1929, fe'i hetholwyd yn un o dri aelod o'r Senedd ar y pwyllgor a sefydlwyd i baratoi ar gyfer yr ymweliad; yr un pryd fe'i hetholwyd yn aelod o bwyllgor i lunio rheoliadau ar gyfer dyfarnu ysgoloriaethau teithio i staff a myfyrwyr. Daeth yn aelod o Bwyllgor Staffio'r Coleg yn 1929 am gyfnod o dair blynedd, ac erbyn dechrau'r tridegau yr oedd yn aelod o bwyllgor gwaith y Senedd. Ni allai fyth fod wedi ymgymryd â'r cyfrifoldebau ychwanegol hyn yn ystod y cyfnod cyn penodi Gwenallt.

Er gwaethaf yr argraff ei fod yn fwy rhydd i ymdaflu i waith gweinyddol ar raddfa golegol, mae'n amlwg mai pwyllgorddyn cyndyn ydoedd. Cyfeiriodd R. Geraint Gruffydd at yr hyn a ddywedasai Parry-Williams wrth ryw ddarlithydd ifanc a ymunodd â'r staff yn 1934, sef ei fod yn arfer mynychu cyfarfodydd y Senedd yn ffyddlon, ond nad oedd byth yn dweud yr un gair ynddynt. Drwy ymbresenoli, byddai'n llwyddo i warchod buddiannau'r Adran Gymraeg, a thrwy gadw'n dawel yn ystod y cyfarfodydd byddai'n llwyddo i osgoi cael ei gyfethol ar ormod o bwyllgorau. Barn R. Geraint Gruffydd oedd fod gwneud hynny'n 'rhyw fecanism amddiffyniad ... rhag iddo gael ei lethu'n llwyr gan ei faich dyletswyddau.'[35]

Ar wahân i brysurdeb yr Athro wrth ei waith bob dydd, y mae tystiolaeth i'w fywyd personol fod dan gryn dipyn o straen hefyd yn ystod hanner cyntaf y dauddegau. Fel y dangosodd R. Gerallt Jones, y mae'r tair cerdd a berthyn i'r blynyddoedd rhwng 1922 a 1924, 'Dwy Gerdd', 'Yr Esgyrn Hyn' a 'Celwydd', fel petaent yn ymateb i brofiad neu brofiadau chwerw serch.[36] Ymddengys fel petai wedi ei ddadrithio gan ryw ferch o ganlyniad i dwyll ac anwiredd, ac mae'r is-deitl rhwng cromfachau a roddwyd i un o'r cerddi,

---

35   R. Geraint Gruffydd, 'T. H. Parry-Williams, 21 Medi 1887 – 3 Mawrth 1975', *Taliesin*, 61 (Mawrth 1988), t. 11.

36   Jones, *T. H. Parry-Williams (Dawn Dweud)*, tt. 107-15.

'Awr ddu', fel petai'n ymgais i hanner ymddiheuro am y dôn sardonig sydd iddi. Ond os cafodd ei frifo a'i siomi i'r byw gan gariad yn y cyfnod hwnnw, yr oedd yn rhaid iddo allu mynegi hynny'n onest. Y tebyg yw na chawn fyth wybod pwy oedd y ferch neu'r merched a'i siomodd, nac ychwaith pwy oedd y ferch yr oedd yn ei chanlyn tua 1928 ac a fu farw, a hithau'n feichiog. R. Gerallt Jones unwaith yn rhagor a roddodd sylw i hyn gyntaf, gan dynnu ar wybodaeth a gafodd gan 'un yr oedd ei deulu'n agos iawn i'r digwyddiad'.[37] Athrawes dipyn yn ieuengach na Pharry-Williams oedd y ferch honno, a bu farw wrth erthylu'r plentyn. Yr oedd dyfalu mawr ar y pryd pwy oedd y tad, a châi Athro Cymraeg Aberystwyth ei enwi ymysg eraill, er nad efe ydoedd yn ôl ffynhonnell R. Gerallt Jones.

Y mae lle cryf i gredu erbyn hyn mai'r pwysau gwaith a'r gofalon a oedd arno fel Pennaeth yr Adran a ddilynodd yn dynn wrth sodlau cyfnod helynt y Gadair a barodd iddo fynd ar y fordaith enwog honno i Dde America ar ei wyliau haf rhwng dechrau Gorffennaf a dechrau Medi 1925. Ceir cip tra dadlennol ar ei benderfyniad i fentro hwylio'n ddigwmni mewn llythyr a ysgrifennodd ei dad at Wynne ei frawd ar y diwrnod yr hwyliodd o borthladd Lerpwl:

> Wel y mae Tom wedi hwylio er dau o'r gloch y prynhawn yma, ac y mae
> erbyn hyn yng nghanol yr Irish Sea, ac yn ddigon sâl mi wn. Hei lwc y
> gwna'r daith fawr les iddo, gorff a meddwl. Dyna oedd ei nod yn mynd.[38]

Cyfeirio at duedd ei fab i ddioddef gan salwch môr a wnâi, ac yn ôl y cofnod yn y dyddlyfr taith a gadwodd Tom ar y fordaith, ni ddioddefodd yn ormodol gan y salwch hwnnw. Ond y mae un peth na ellir ei wadu, sef iddo fod dan gryn straen yn ei fywyd proffesiynol a phersonol yn ystod y blynyddoedd yn arwain at haf 1925, nes bod antur fentrus y daith yn fath o ddihangfa ac yn therapi. Gwyddai'r tad yn iawn fod ar ei fab ddybryd angen seibiant a llonydd. Oedd, yr oedd mawr angen adfywhad arno, 'gorff a meddwl'.

Yr oedd Tom erbyn hynny yn berchen ar gar, ac yr oedd wedi'i gadw yn Rhyd-ddu a'i godi ar flociau oddi ar y llawr fel nad oedd dim pwysau ar y

---

37 Ibid., tt. 153–4.
38 Llythyr Henry Parry-Williams at Wynne Parry-Williams, 9 Gorffennaf 1925, yn archif deuluol Ann Meire.

teiars. Ond cyn mynd ar y fordaith, gwyddai'n dda fod iechyd ei dad braidd yn fregus. Dioddefai Henry Parry-Williams gan lid ar ei frest, a dywedodd wrth Wynne ei fod yn teimlo rywfaint yn well:

> Yr wyf yn dal i wella reit dda. Rhaid i mi ofalu i beidio cael annwyd eto, rhag ofn i mi gael ail ymosodiad gan hwn. Y mae Catarrh yn gwanhau rhywun yn ofnatsan.[39]

Yr argraff a geir yn y llythyr yw fod bywyd yn Nhŷ'r Ysgol yn llawn hwrlibwrli, gan fod Blodwen ar fin croesi i'r Unol Daleithiau ar ei gwyliau a'r rhieni'n meddwl ac yn poeni am bawb:

> A dyna Blod yn cychwyn eto ar yr 18th. Ni fu ffasiwn helynt a phryder er pan yr oedd tri ohonoch yn y rhyfel yn Ffraingc. Clywsom oddi wrth Blod. Eurwen a Oscar heddyw. Y mae ef yn rhyw fygwth dod adre dros y Sul. Y mae Dr Ernest Jones Aberystwyth yn dod yma ddydd Sadwrn, ac erys dros y Sul. Hefyd y mae hi'n ganmlwyddiant yr achos yma ddydd Sadwrn, a bydd yma gyfarfod y prynhawn a'r hwyr a the parti rhwng y ddau. Y mae'r Brodyr Francis yn dod yma i ganu yn y cyfarfodydd.[40]

Yr oedd Dr Ernest Jones, fel y cofir, yn un o ffrindiau Tom yn Aberystwyth, a diau y byddai'n gallu cynnig cyngor meddygol i Henry Parry-Williams. Addawodd y tad anfon negeseuon at ei fab drwy gyfrwng y wifren i bencadlys y cwmni mordeithio yn Lerpwl er mwyn iddo gael gwybod sut yr oedd pethau gartref.

Yn y dyddlyfr taith a gadwodd, mae modd gweld sut gyflwr a oedd ar feddwl Parry-Williams. Ar ddiwrnod cyntaf y daith ar fwrdd llong yr RMS Oropesa, lluniodd y nodyn hwn:

> Heddyw yr wyf yn unig iawn – ond yr wyf wedi arfer bod yn unig erioed. Credaf fy mod yn giamstar ar fod yn unig … Weithiau daw rhyw fflach o feddwl am fy rhieni – ond nid wyf am adael i'm teimladau fy llethu os gallaf beidio … Gyda llaw, gellais ymadael â chartref yn weddol ddibrofedigaeth; nid oedd fy nhad a'm mam na minnau, efallai, yn gadael i ni ein hunain

---

39 Ibid.
40 Ibid.

---

sylweddoli fy mod yn mynd ymhell nac am gyhyd o amser. Enghraifft arall o'r bod yn ddidaro rhyfedd hwn![41]

Didaro neu beidio, fe gafodd bwl sydyn o hiraeth, ond fe'i mygodd yn y fan, ac wythnos ar ôl cychwyn y daith, ac yntau yng nghanol Môr Iwerydd, yr oedd yn dal i geisio cadw rheolaeth ar ei feddyliau a'i deimladau: '... wedi cadw meddyliau a theimladau'n enwedig, dan reolaeth chwyrn – rhag ofn gormod cynnwrf yn y galon.'[42] Datblygodd dechneg o reoli'i feddyliau fel nad oeddynt yn ei lethu. Diau fod cyflwr iechyd ei dad yng nghefn ei feddwl, ond pan dderbyniodd neges delegram ar y llong yn dweud bod Dr Jones yn adrodd 'great improvement father', lleddfwyd peth ar ei bryder.

Ymddangosai fel petai wedi gallu dechrau ymlacio yn ystod gweddill y daith a chymdeithasu â rhai o'i gyd-deithwyr. Clywodd sŵn canu ar y dec un noson ac aeth i weld beth oedd yn digwydd. Gwelodd ddwy Ffrances a deithiai yn yr ail ddosbarth, a phedwar neu bump o Ffrancwyr a deithiai yn y dosbarth cyntaf yn yfed yn llawn rhialtwch. Sylwodd eu bod, rhyngddynt, wedi yfed o leiaf chwe photelaid o siampaen, ac yr oedd y 'ddwy ferch yn siaradus ac yn fudr-feddw'. Meddai wedyn mewn tôn braidd yn biwritanaidd:

> Dyna gychwyn da ar drip croesi'r Atlantig! Os gwn i a fydd twrw mwy i fyny yno heno – ac a fydd rhywbeth gwaeth cyn i ni gyrraedd Bermudas?[43]

Ai twt-twtian yr oedd fel Athro prifysgol yn tynnu at ei ddeunaw ar hugain oed, ynteu a oedd, yn dawel bach, yn cenfigennu wrth bobl a allai ymlacio'n llwyr a bod yn rhwydd dafotrydd? Nid yw'n amhosibl ei fod yn edmygu'r ymddygiad o hyd braich ac yn dyheu am allu ymollwng yn yr un ffordd. Cyfarfu ag offeiriad Pabyddol ar y llong, a nododd yn y dyddlyfr ei fod yn llawn hwyl: 'Nid yw'n gul ei feddwl o gwbl'.[44] Yma eto, yr oedd yn gweld ymddygiad croes i'r disgwyl ac fel petai'n cymeradwyo'r agwedd meddwl; yr oedd diffyg culni yn rhywbeth i'w groesawu. Diau fod gweld pobl eraill yn ymlacio yn ei annog yntau i ymlacio hefyd, er gwaethaf ei

---

41   'Dyddlyfr Taith (ar y llong RMS Oropesa)', LlGC 'Papurau T. H. Parry-Williams', C2, tt. 2–3.
42   Ibid., t. 17.
43   Ibid., t. 11.
44   Ibid., t. 12.

swildod. Erbyn chweched diwrnod y fordaith, fe nododd un ffaith gydag ebychnod: 'Yr wyf wedi dechreu cael lliw!'[45] Yr oedd cael lliw yn arwydd o weddnewidiad allanol o leiaf, hyd yn oed os na chafodd yn ystod ei daith drawsffurfiad mewnol llwyr.

Ar ddydd Nadolig y flwyddyn honno bu farw ei dad. Mae un o'r llythyrau olaf a ysgrifennodd at ei feibion, Tom ac Oscar, wedi'i gadw, dyddiedig 28 Tachwedd 1925. Erbyn hynny yr oedd Oscar wedi cyhoeddi ei fod am briodi â'i ddyweddi, Dora Ellis. Rhoddodd ei dad gyngor iddo, sef yr un cyngor tadol ag a gafodd ef ei hun pan briododd:

> Beth a ddywedaf wrth Siôn? "Am hyny [sic] y gad dyn ei dad a'i fam ac y glŷn wrth ei wraig." Pan soniais i'r un peth wrth fy nhad – "Nid wyf yn peri i ti wneud, ac nid wyf yn peri i ti beidio" medd yntau. Dull deheuig i gadw ei groen yn iach. Chwech ar hugain oed oedd dy fam a finnau'r pryd hynny. Yr wyt ti'n llawer hŷn ... Boed bendith ar eich uniad.[46]

Bwriad Oscar a Dora oedd rhentu tŷ ym Mhen-y-garn, Rhydypennau, ger Aberystwyth, ac Oscar cyn hynny wedi bod yn lletya yn y dref ac yn gwmni i'w frawd:

> Bydd yn chwith i Tom ar dy ôl. Pwy gaiff ef i wneud llu o fân betheuach iddo wedi i ti fynd? Y mae'n debig mai ym Mhen y Garn hefo chwi y bydd o'r rhan amlaf rwan.[47]

Er bod ei iechyd yn well nag y bu, yr oedd yn rhaid iddo fod yn ofalus o'r tywydd:

> ... gorfod bod yn y tŷ fel teiliwr. Lwc fy mod wedi treulio fy mywyd tan do, ynte?[48]

---

45   Ibid.
46   Llythyr Henry Parry-Williams at Oscar a Tom Parry-Williams, 28 Tachwedd 1925, yn archif deuluol Ann Meire. Ar 29 Rhagfyr 1925 y priodwyd Oscar a Dora, a chyhoeddwyd cadwyn o englynion gan R. R. Morris i gyfarch y ddau yn *Y Cymro*, 20 Ionawr 1926.
47   Llythyr Henry Parry-Williams at Oscar a Tom Parry-Williams, 28 Tachwedd 1925, yn archif deuluol Ann Meire.
48   Ibid.

Bu colli ei dad yn 1925, a cholli ei fam wedyn bron i flwyddyn yn ddiweddarach, yn ergyd fawr i Tom Parry-Williams. Yr oedd perthynas eithriadol agos rhyngddo a'i dad yn enwedig. Ef yn anad neb arall, fel y gwelsom, oedd y mwyaf triw a ffyddlon iddo yn ei safiad unig fel gwrthwynebydd yn ystod y rhyfel, a'r mwyaf brwd ei amddiffyniad ohono pan gafodd ei ymlid yn y wasg.

Un arwydd o barch a chariad y mab at ei dad a'i edmygedd mawr ohono yw i Parry-Williams gasglu nifer o doriadau papur newydd rhwng 1923 a 1926, a'u gludo mewn llyfr a gafodd ei rwymo gan rwymwr proffesiynol ar ffurf cyfrol glawr caled, 20 x 27 centimedr.[49] Y teitl mewn llythrennau euraid ar y clawr a'r meingefn yw 'O Bapurau Newydd', ac ar y tu mewn i'r clawr y mae ei enw a'i gyfeiriad yn Lyndhurst, Ffordd y Gogledd, sef y llety yr oedd yn byw ynddo cyn prynu'r Wern ar ôl iddo briodi ag Amy Thomas yn 1942. Llyfr lloffion oedd hwn i gadw ysgrifau o bapurau newydd ynghylch ei dad yn bennaf, ond hefyd rai ysgrifau coffa i'w fam. Casglwyd 96 o dorion i gyd, a rhifwyd pob un. Yn eu plith y mae ysgrif gan gyn-weinidog y teulu, D. Perry Jones, o'r *Goleuad* yn adrodd am y cyfarfod a gynhaliwyd yn ysgol Rhyd-ddu i anrhegu Henry Parry-Williams ar ei ymddeoliad ar ôl 44 o flynyddoedd o wasanaeth fel prifathro. Gludwyd toriadau a gasglwyd o'r *Herald Cymraeg*, y *Western Mail*, *Liverpool Daily Post*, a'r *Cambria Daily Leader*, yn adrodd am yrfa'i dad a dreuliodd 52 o flynyddoedd yn y proffesiwn. Mae'n arwyddocaol fod y pwt o'r *Cambria Daily Leader* ar 29 Rhagfyr 1923 yn cynnwys cyfeiriad at y mab: 'It is fitting that Mr. Parry Williams's son should be the successor of Sir Edward Anwyl', a hynny am fod cymaint o ysgolheigion y Cyfandir wedi bod wrth draed ei dad. Yn gynwysiedig hefyd y mae amryw o doriadau mawr a mân yn cyfeirio at farwolaeth Henry Parry-Williams, a rhai ysgrifau coffa iddo. Mae'n amlwg i Tom annog ei frodyr a'i chwiorydd i gywain darnau a'u hanfon ato, oherwydd y mae ymhlith y lloffion gopi o'r ysgrif gan ei dad ar ganmlwyddiant yr achos yn Rhyd-ddu a ymddangosodd yn *Y Goleuad* yn 1925, sef y copi a anfonwyd yn wreiddiol at Willie yn Chicago.

Byddai'n deg dweud i gyfnod y rhyfel a holl helynt y Gadair yn 1919-20 adael creithiau seicolegol ar Parry-Williams. Yn ôl sawl sylwebydd ar ei waith, ciliodd i'w gragen ac aeth yn greadur mwy anghymdeithasol. Dyna'r

---

49 Cyfrol 'O Bapurau Newydd' a gedwir yn archif deuluol Anne Meire.

argraff a oedd gan ei nith, Nanw, hefyd, flynyddoedd lawer ar ôl y rhyfel. Yn wahanol iawn i'w mam a'i thad, Oscar a Dora, a oedd yn llawer mwy allblyg a chymdeithasol, yr oedd fel petai ei hewythr 'yn ei gragen dipyn'.[50] Ac yntau wrth natur yn ddyn swil, mewnblyg a hanfodol groendenau, ni allai'r profiad o gael ei gam-drin a'i erlyn gan filitariaid lleol a chenedlaethol, a dioddef cael ei drafod ar dudalennau'r papurau newydd, ond effeithio arno. Ac eto, mae'n rhaid fod ganddo adnoddau mewnol digon gwydn i oroesi profiad felly heb dorri i lawr yn gyfan gwbl. Fe all fod cilio oddi ar y llwyfan cyhoeddus ac ymroi'n llwyr i'w waith fod wedi'i gynorthwyo i ddygymod â'r cyfan. Aeth pedair blynedd heibio er 'y flwyddyn honno' cyn iddo allu ymateb yn gyhoeddus mewn rhyddiaith i'w brofiad o ddelio â'r gwrthwynebiad iddo fel heddychwr, a hynny mewn modd anuniongyrchol. Yn ei ysgrif 'Y Pryf Genwair' a gyhoeddwyd yn *Y Llenor* yn 1923 y gwnaeth hynny.

Yr hyn a wna yn yr ysgrif yw tynnu ar y profiad a gafodd fel myfyriwr gwyddonol mewn labordy a darlithfa yn ystod blwyddyn academaidd 1919-20, pan ddysgodd bethau newydd am fywyd y pryf genwair. Mae dwy wedd ar y pryfyn yn hawlio'i sylw, sef y wedd wrthrychol, gorfforol, a'r wedd fwy goddrychol a haniaethol sy'n canolbwyntio ar ei gymeriad a'i ddull o fyw. Yn yr ysgrif hon yr arloesodd drwy lunio rhyddiaith ffeithiol wyddonol, mewn arddull glinigol wrth ddisgrifio'r weithred o dorri pryf genwair yn ei hanner er mwyn cael golwg fanylach ar ei berfedd:

> Piniaswn ef (wedi ei ladd yn ddi-boen) yn ei hyd ar wastad ei gefn ar ddarn
> o bren a ddelid gan blwm ar waelod dysgl oedd yn llawn o ddwfr oer, glân.
> Trychaswn ei blisgyn o gnawd o ben bwygilydd â siswrn, a phinio ymylon y
> toriad wedyn at allan, gan ei agor a dadlennu un o ryfeddodau gogoneddus y
> cread.[51]

Dyma ddwy frawddeg ddisgrifiadol amlgymalog sy'n darlunio'n fanwl-gyfewin ymarferiad arbrofol mewn labordy, mewn arddull a fyddai'n addas i werslyfr gwyddonol ar gyfer myfyrwyr. Pe bai Parry-Williams wedi canlyn arni gyda'i gwrs meddygol, fe allai fod wedi cymhwyso'i ddawn lenyddol i ddatblygu a helaethu rhyddiaith wyddonol Gymraeg yn ystod y dauddegau,

---

50   Mewn cyfweliad â'r awdur ym mis Mai 2016, gw Atodiad 3.
51   *Y Llenor*, ii (1923), t. 20.

ymhell cyn i bobl fel ei gyfaill Gwilym Owen, yr Athro Ffiseg, gyhoeddi'i lyfrau gwyddonol ef yn y tridegau, *Rhyfeddodau'r Cread* (1932) ac *Y Mawr a'r Bach* (1936), a chyn i Richard Owen Davies gyhoeddi'i lyfr *Elfennau Cemeg* (1937).[52] Teg nodi, serch hynny, i Gwilym Owen gyhoeddi ei lyfr gwyddonol cyntaf yn y Gymraeg mor gynnar â 1914, sef *Cwrr y Llen: Ysgrifau Syml ar Faterion Gwyddonol*, pan oedd yn Athro ym Mhrifysgol Auckland, Seland Newydd, llyfr a brynwyd gan Parry-Williams pan oedd yn fyfyriwr gwyddonol yn 1919-20.[53]

Pe baem yn troi i'r nodiadau a luniodd Parry-Williams yn ei ddarlithoedd a'i ddosbarthiadau ymarferol mewn labordy, fe welem y diagramau rhyfeddol o fanwl a luniodd fel myfyriwr ymroddedig o 21 Hydref 1919 ymlaen, gan gychwyn gyda'r llyffant. Darluniodd rannau o'i gorff: y gwythiennau, y galon, y rhydwelïau, yr ymennydd, cymalau'r coesau a'r gewynnau. Aeth ymlaen wedyn i astudio pysgodyn morgi (*dogfish*), cwningen, mochyn cwta a chimwch yr afon (*crayfish*), gan ddarlunio'n fedrus mewn pensel a labelu rhannau o'r corff. Ac yna ceir darlun manwl o anatomi'r pryf genwair. Saesneg, wrth gwrs, oedd iaith y darlithoedd a'r nodiadau, felly diagram o *earthworm*, aelod o deulu'r *Lumbricus*, a geir gan Parry-Williams, yn dangos ei anatomi cyffredinol. Ceir diagram arall sy'n manylu ar ei system nerfol, ei system atgenhedlu a'i lwybr treulio bwyd. Fel y gwelir yn yr ysgrif, dysgodd fod ganddo lawer o galonnau, gwaed oer, system nerfol a llawer o nodweddion anatomyddol rhyfeddol eraill. Mae'r llyfr nodiadau mewn Swoleg yn manylu mwy ar ei system genhedlu ac yn nodi fod y pryf genwair yn *hermaphrodite*, sef yn ddeuryw, a cheir nodyn pellach ar ei ddull o genhedlu, sef ar yr adegau prin hynny pan ddigwydd i bâr o bryfed genwair gyfarfod ei gilydd. Dysgodd

---

52 Diolchodd Gwilym Owen yn ei Ragair i *Mawr a Bach* (Caerdydd, 1936), i Parry-Williams am ddarllen a chywiro'r proflenni. Ar gyfer y llyfr hwn y cyfansoddodd y soned 'Mawr a Bach', sy'n ymddangos ynddo, ac a gyhoeddwyd wedyn yn T. H. Parry-Williams, *Synfyfyrion* (Aberystwyth, 1937), t. 81. Llyfr a fwriadwyd i blant ysgol ydoedd yn seiliedig ar y gwersi a ddarlledwyd gan Gwilym Owen i'r ysgolion yn ystod tymor yr haf 1935, 'Y Mawr a'r Bach yn y Greadigaeth'. Lluniodd Parry-Williams Ragair i lyfr R. O. Davies, *Elfennau Cemeg* (Caerdydd, 1937), lle y dywed hyn: 'Nid bychan o beth oedd llunio llawlyfr gwyddonol mor gryno'i gynnwys ac mor glir ei ymdriniaeth. Haedda'i glodfori fel gwaith oedd yn gofyn hyder arbennig i allu gorchfygu'r rhwystrau wrth arloesi'r tir.' Diolchodd yr awdur i aelodau o Is-bwyllgor y Bwrdd Celtaidd, a gynhwysai Parry-Williams, Henry Lewis a G. J. Williams, am lawer o gyfarwyddyd ynglŷn â'r iaith, a thermau Cymraeg am dermau Cemeg.

53 Mae copi o'r llyfr ac arno'r nodyn 'T. H. Parry-Williams, Chwef 1920' y tu mewn i'r clawr yn y rhan o'i lyfrgell bersonol a gedwir yn Ystafell y Llywydd yn y Llyfrgell Genedlaethol.

hefyd mai bywyd unig sydd gan y pryfyn, a thanlinellodd 'so lonely life' ag inc du, ac ysgrifennu uwchben hynny wedyn mewn pensel 'lonely life', fel petai wrth adolygu ar gyfer arholiad wedi tanlinellu a phwysleisio er mwyn cofio ffeithiau.

Cafodd ei swyno gan yr wybodaeth am ddirgelion ffisegol y pryf genwair, do, ond cyffesodd mai'r hyn a'i hudodd fwyaf oedd yr wybodaeth am ei ddull o fyw. Y wedd ddynol ar fywyd y pryf genwair a hawlia'r sylw yn ail hanner yr ysgrif:

> Meudwy pridd y ddaear ydyw'r pryf genwair, ac ni ellir peidio ag eiddigeddu wrtho. Yn y ddaear, nid ar y ddaear, y mae ei gartref. Llusg ei fwyd o ddail i'w dwnelau tanddaearol. Ni ddaw allan o'r pridd ond ar adegau arbennig, a hynny'n anfynych, megis pan fo glaw wedi gwneuthur y pridd yn amhosibl anadlu ynddo, trwy lenwi'r mân-dyllau. Gwelir weithiau ei lwybrau ar y ffordd wedi glaw fel ôl rhywun ar gyfeiliorn wedi gado'i gynefin. Yswil iawn ydyw: nid yn aml y daw'r cwbl ohono allan. Glŷn wrth y pridd cyhyd ag y gallo. Ie, creadur unig ydyw, a di-asgwrn-cefn (ond pa waeth? nid yw'n anystwyth ac ystyfnig), yn cilio o olwg y byd ac yn gallu byw a bod a breuddwydio dan groen wyneb y tir. Ond druan ag efyntau! Y mae iddo'i elynion arnodd ac odditanodd,—dynion ac adar a thyrchod daear. Twyllir ef allan gan yr adar (megis y twyllir ef allan gan enweiriwr trwy guro pren i'r ddaear a'i dapio a gwneuthur i'r creadur feddwl bod gelyn gerllaw yn y pridd), a helir ef yn ddiarbed gan y twrch—sydd fwy nag ef. Er byw yn nhywyllwch y pridd, er peidio ag aflonyddu ar ei gydgreaduriaid, er llechu'n ddistaw heb dresmasu na gormesu, eto ni chaiff lonydd. I bawb ond ef ei hun nid yw ond bwyd neu abwydyn. Nid nefoedd i gyd mo'r ddaear. Nid yw'r pridd wedi'r cwbl mor llonydd a heddychlon ag y tybiwn gynt. Wrth eiddigeddu wrth y pryf, rhaid tosturio wrtho hefyd.[54]

Ym mrawddeg agoriadol yr ysgrif, dywedir bod 'rhyw swyn peryglus i mi yn y creadur bach mud, diasgwrn hwn.' Mae'r ansoddair 'peryglus' yn un syndod o annisgwyl. O ystyried popeth sy'n wybyddus am ei brofiad fel gwrthwynebydd cydwybodol yn ystod y rhyfel, gwelodd ym mywyd y pryf ddrych a delwedd ohono'i hun. Dyna'r esboniad ar ei ddewis o ansoddair. Yr oedd y gyfatebiaeth rhwng cymeriad ac ymarweddiad y pryf genwair a

---

54   *Y Llenor*, ii (1923), tt. 21-2.

phrofiad diweddar Parry-Williams fel heddychwr yn anghyfforddus o agos. Gadewch inni oedi gyda'r cyfatebiaethau amlycaf:

1. 'Yswil iawn ydyw: nid yn aml y daw'r cwbwl ohono allan.' Cymeriad swil a diymhongar oedd Parry-Williams yn ôl tystiolaeth pobl a'i hadwaenai. Yn ystod y dauddegau, yr oedd yn ddyn go breifat.
2. 'Ie, creadur unig ydyw'. Fe welsom yn barod y sylwadau yn ei ddyddlyfr taith yn 1925 amdano'i hun fel rhywun a oedd yn gyfarwydd ag unigrwydd erioed.
3. 'a di-asgwrn-cefn'. Creadur *invertebrate* oedd y pryf genwair. Y cyhuddiad mwyaf cyffredin yn erbyn pob gwrthwynebwr cydwybodol adeg y Rhyfel Mawr oedd ei fod yn ddi-asgwrn-cefn.
4. 'Y mae iddo'i elynion'. Fe welsom eisoes pa mor selog fu gelynion Parry-Williams yn ei erlid.
5. 'er llechu'n ddistaw heb dresmasu na gormesu, eto ni chaiff lonydd'. Tynged sawl heddychwr adeg y Rhyfel Mawr oedd dioddef cael ei boenydio a'i watwar a'i erlid er na wnaeth ddim i niweidio neb arall.

Hawdd gweld sut yr ymuniaethodd â'r pryf diniwed hwn a gâi ei erlid er nad oedd yn erlidiwr ei hun. Yr oedd gan Parry-Williams elynion a oedd am rwystro a niweidio'i yrfa, er ei fod ef ei hun yn gymeriad anymosodol ac anhreisgar. Nid yw'n cyfeirio'n uniongyrchol ato'i hun o gwbl, wrth reswm, gan mai'r hyn a wna yw cyffredinoli'r profiad. Trwy ei ganfyddiad ei hun o fywyd a thynged y pryf genwair, mae profiad yr unigolyn yn dod yn rhan o brofiad cyffredinol y ddynoliaeth gyfan. Y tair brawddeg drymlwythog o safbwynt y sawl sy'n deall y cyd-destun yw'r rhain:

Nid nefoedd i gyd mo'r ddaear. Nid yw'r pridd wedi'r cwbwl mor llonydd a heddychlon ag y tybiwn gynt. Wrth eiddigeddu wrth y pryf, rhaid tosturio wrtho hefyd.

Eiddigeddai wrth y pryf am ei fod yn gallu byw a bod o'r golwg, a hynny'n ymddangosiadol mewn llonyddwch a heddwch. Ond yr oedd yn rhaid tosturio wrtho hefyd am nad oedd ei fywyd yn fêl i gyd. Y drefn yn hyn o fyd yw fod pobl a phethau byw diniwed yn cael eu brifo, er na wnânt hwy ddim oll i frifo neb arall. Tosturio wrth gyflwr y ddynoliaeth a wnâi Parry-Williams yn y bôn, a hynny yng ngoleuni ei brofiad yn ystod y Rhyfel Mawr.

Cloir yr ysgrif gyda thair golygfa o'r pryfyn; y drydedd olygfa yw'r un ohono wedi crimpio ar y ffordd yng ngwres yr haul 'fel petai wedi magu rhyw fath ar asgwrn cefn wrth drengi'n y goleuni.' Mae'r sylw chwerw-eironig hwn yn ddiddorol. A deimlai Parry-Williams, efallai, iddo fagu mwy o ddewrder yn sgil ei brofiad o gael ei erlid mewn modd mor gyhoeddus?

Un peth sy'n tueddu i gadarnhau ei fod yn taro'r post i'r pared glywed yn yr ysgrif fel yr ymddangosodd gyntaf yn 1923, yw iddo ddewis ei golygu cyn ei chynnwys yn ei gasgliad arloesol o ysgrifau bum mlynedd yn ddiweddarach. Hepgorodd un paragraff cyfan erbyn iddi ymddangos yn *Ysgrifau* (1928).[55] Cyfeiria at ddarlith gofiadwy a glywodd gan ferch ar y pryf genwair, a ymdriniai â'r mwydyn mewn ffordd ddynol a phersonol, ac yna daw'r paragraff hwn a hepgorwyd:

> Credaf yn ddistaw bach y buasai'r ddarlith honno, pe traddodid hi ledled y wlad, yn agor llygad a chalon, ac yn foddion dwyn llawer dyn at ei goed a sylweddoli nad peth di-anrhydedd ydyw (neu fuasai) bod hyd yn oed yn bryf genwair yn y byd cymysglyd ac afrywiog sydd ohoni hi yrŵan. Biti garw na buasai wedi taro ym mhen Job neu Eseia sôn am y milyn hwn. Gwyddai Bildad y Suhiad am y pryf copyn; ond gresyn na ddywedasai fwy amdano yn ei ddull digymar ei hun.[56]

Byd 'cymysglyd ac afrywiog' cyfnod adladd y rhyfel a oedd yn ei feddwl, byd yn llawn dynion yr oedd angen iddynt gallio. Yr oedd yr ysgrif yn 1923 yn berthnasol i amgylchiadau penodol y cyfnod wedi'r rhyfel, ac mae'n bosibl y teimlai erbyn 1928 fod angen ymbellhau oddi wrth unrhyw neges benodol amserol a hepgor y farn bersonol mewn ymgais i gyffredinoli'r profiad. Diau mai doethach peth oedd peidio ag amlygu'n ormodol y gyfochredd rhyngddo a'r pryf genwair.

Bu tuedd i ddyrchafu Parry-Williams yn un o arweinwyr y mudiad heddwch yng Nghymru wedi'r Rhyfel Mawr. Mewn darlith a draddododd adeg dathlu canmlwyddiant geni T. H. Parry-Williams yn 1987, awgrymodd Dyfnallt Morgan ei fod yn un o sylfaenwyr Urdd y Deyrnas, sef y mudiad heddwch a ddeilliodd o Gymdeithas Gristnogol y Myfyrwyr yn fuan ar ôl

---

55   T. H. Parry-Williams, *Ysgrifau* (Llundain, 1928), tt. 15-18.
56   Ibid., t. 21.

y rhyfel.[57] Nid oes, fodd bynnag, ddim tystiolaeth i gadarnhau hynny yn archif Urdd y Deyrnas ym mhapurau T. I. Ellis a Dr Gwenan Jones, dau o'r arweinwyr cynnar. Methwyd â chanfod yr un cyfeiriad o gwbl ato yn y rhestr o enwau'r aelodau cynharaf nac ychwaith yng nghofnodion pwyllgorau cynharaf yr Urdd.[58] Yr oedd amryw o blith staff y Coleg yn ymwneud â'r mudiad ac wedi gwasanaethu ar ei Bwyllgor Gwaith ar wahanol adegau, gan gynnwys T. Gwynn Jones, y Prifathro J. H. Davies, y Parchedig Herbert Morgan a oedd yn Gyfarwyddwr yr Adran Efrydiau Allanol, a Dr Gwenan Jones a oedd ar staff yr Adran Addysg. Pan gynhaliodd Urdd y Deyrnas ei chynhadledd genedlaethol yn nhref Aberystwyth yn Awst 1927, a'r rhaglen yn cyhoeddi fod T. Gwynn Jones ymhlith y prif siaradwyr, nid oedd golwg o enw Parry-Williams ar gyfyl y rhestr o enwau mynychwyr y gynhadledd. Petai wedi bod yn bresennol buasai mewn cwmni da, oherwydd ymhlith y cynadleddwyr yr oedd pobl fel J. Morgan Jones, Prifathro Coleg Bala-Bangor, y bu'n ei gwmni yn y gynhadledd yn y Bermo yn 1916, Cassie Davies, a oedd yn gyn-fyfyrwraig iddo, Ifor Williams, Saunders Lewis, W. J. Gruffydd a Waldo Williams.

Diau fod ei ddiffyg ymwneud â'r Urdd yn ateg arall i'r darlun o Parry-Williams fel un a gafodd ei niweidio gan y rhyfel ac a ymgiliodd ymhellach i'w gragen. Cofier mai cymdeithas Gristnogol oedd Urdd y Deyrnas, a ddisgrifiwyd yn ei llenyddiaeth gynnar fel 'Brawdoliaeth o bobl … a'u bryd ar ddirnad y ffydd Gristnogol, ar ddarganfod y ffydd Gristnogol, ac ar ymroddi o ddifrif i fyw y bywyd Cristnogol.' O ystyried ei chenadwri, nid yw'n syndod mewn gwirionedd nad oes modd canfod enw Parry-Williams ymhlith ei haelodau. Fel y nododd Dr Gwenan Jones mewn braslun o hanes yr Urdd, ar ôl diwedd y rhyfel pan ddychwelodd y milwyr a'r gwrthwynebwyr cydwybodol hwythau i'r colegau: 'Yr oedd tuedd wrth-eglwysig gref; llawer hefyd o ddifaterwch a chryn dipyn o wrthwynebiad i grefydd ei hun.'[59] Crynhodd yn y fan hon

---

57 'Y Cyffroadau Gynt' yn Tomos Morgan gol., *Rhywbeth i'w Ddweud: Detholiad o Waith Dyfnallt Morgan* (Llandysul, 2003), t. 174: '… yr oedd y bardd ymhlith y cwmni a sefydlodd Urdd y Deyrnas'. Nid annichon mai am gylchgrawn *Y Deyrnas* y meddyliai Dyfnallt Morgan, ac mai camgymeriad oedd enwi Urdd y Deyrnas yn y fan hon.

58 LlGC 'Papurau T. I. Ellis', A1996/40/C70, sef papurau yn ymwneud ag Urdd y Deyrnas rhwng 1923-46.

59 'Urdd y Deyrnas: Braslun o'i Hanes', LlGC 'Papurau Dr Gwenan Jones' (heb eu catalogio), blwch 5.

brofiad Parry-Williams, am iddo gael ei ddadrithio gan y grefydd gyfundrefnol ac adweithio yn ei herbyn.

Mewn cyfweliad tra dadlennol rhyngddo ac Aneirin Talfan Davies a ddarlledwyd fel rhan o'r gyfres deledu 'Dylanwadau' ar y BBC ym Mehefin 1960, cafwyd sylwadau gonest ganddo ynghylch effaith y Rhyfel Mawr ar ei gred a'i agwedd at grefydd. Dywedodd mai chwilio am 'grefydd bersonol' yr oedd, gan ein hatgoffa o gynnwys y gerdd 'Y Pagan' a gyhoeddwyd gyntaf yn 1915: 'Cefnodd yn gadarn ar gred ei dad, / O weled nad Duw mo dduw ei wlad.'[60] Dyma'r atebion a gafwyd ganddo i gwestiynau Aneirin Talfan:

> Talfan: Mae'n debyg i chi, fel llawer o'r un genhedlaeth â chi, adweithio'n go chwyrn yn erbyn crefydd gyfundrefnol. Pam?
> Parry-Williams: Wel, y rheswm pennaf, ddalia i, oedd yn ystod y rhyfel cyntaf; hwnnw ysgytwodd grefydd pawb rwy'n meddwl, tebyg i mi yr adeg honno. Dyna oedd y cyffro mawr crefyddol, os mynnwch chi alw peth fel yna yn gyffro crefyddol.
>
> …
>
> Talfan: Ie, ond fasech chi'n dweud 'nawr wrth edrych yn ôl, nad oes gennych chi ddim i'w ddweud wrth grefydd gyfundrefnol, Gristnogol gyfundrefnol?
> Parry-Williams: O na, 'dwy' i'n rhy ddyledus i gefndir fel yna o lawer iawn i anwybyddu'r peth. Ceisio cysoni fy nhipyn enaid fy hun â'r enaid a adlewyrchir yn y grefydd yna' i drwy'r adeg. Hynny ydyw, ymdrech ydy' hi, nid ymwrthod.
>
> …
>
> Talfan: Beth yw ystyr y grefydd Gristionogol yn eich golwg chi?
> Parry-Williams: Wel, mae cymaint, mae'n debyg iawn i'r hyn a glywais i'n cael ei ddweud yn adeg y rhyfel cyntaf. Mi ofynnwyd i ddyn yr adeg honno, mewn cyfarfod cyhoeddus: "'Rydw' i'n clywed nad ydych chi ddim yn credu yn Nuw." "Duw pwy 'dach chi'n feddwl," medde hwnnw. "Duw hwn-a-hwn, ynte Duw hwn-a-hwn." Mae'n dibynnu ar ba agwedd ar grefydd yr ydych yn ei derbyn, hynny yw, pa esboniad, os mynnwch chi, neu ba, 'dwn i ddim be 'di'r gair, pa arwyddocâd yn y grefydd yna sydd yn arwyddocâd gwirioneddol i chi. Mae 'na lawer o bethau ynglŷn â chrefydd gyfundrefnol wedi newid o oes i oes – mae nhw'n newid o flwyddyn i flwyddyn, on'd ydyn'? Chwilio am yr elfen gnewyllynol yna y mae dyn fel

---

60   *Y Wawr*, cyfrol iii, rhif 1 (Gaeaf 1915), t. 9.

fi, i geisio cael gafael ar y gwir beth, yn hytrach na'r ffrils sydd o gwmpas yr hyn a elwir yn grefydd gyfundrefnol.[61]

Byddai'n deg inni ddweud nad cefnu'n llwyr ar Gristnogaeth a wnaeth fel y cyfryw ond, yn hytrach, ar ddehongliad ac ar amlygiad pobl ohoni. Cefnodd ar ddehongliad rhai dynion o'r grefydd yn sgil ymateb rhai o offeiriaid yr Eglwys a rhai o weinidogion yr enwadau i'r rhyfel, yn enwedig y rheini a oedd yn gyfrannog yn y gwaith o'i erlid. Dyfyniad o'r gerdd 'Y Pagan' a ddaw i'r meddwl unwaith yn rhagor, lle mae'n cyfleu'r ymdeimlad o fod yn wrthodedig, a bron na ddywedem yn esgymun. Bu'n chwilio am gydymaith, meddai: 'Cydymaith a deimlai nad diawl mo'r dyn / A chwiliai am Grist yn ei ffordd ei hun.'[62] Erbyn diwedd ei oes, yr oedd yn ei weld ei hun, os rhywbeth, yn nes o ran ei gred at safbwynt y Crynwyr nag at safbwynt neb arall, yn ôl tystiolaeth Dr Emyr Wyn Jones (1907-1999):

Ond teimlaf ei bod yn werth ychwanegu yma, yn enwedig o gofio'r elfen o agnosticiaeth sydd i'w gael yn rhai o'i gerddi, iddo ysgrifennu ataf ddwywaith yn hollol ddigymell a heb berthynas o gwbl â heddychiaeth, i ddweud mai agos iawn at safle'r Crynwyr at bethau hanfodol bywyd oedd ei safle yntau.[63]

★ ★ ★

A dychwelyd at yrfa'r Athro a Phennaeth yr Adran tua diwedd y dauddegau, fe welwn fod y ddraenen yn ei ystlys yn dal i'w boeni a'i blagio. Nid oedd Timothy Lewis yn ddyn arbennig o hydrin na chydymffurfiol, a gellir gweld arwyddion pendant iddo'i ynysu ei hun fwyfwy oddi wrth y gymuned o ysgolheigion Cymraeg yr Adrannau. Nid oedd arno ofn tynnu blewyn o drwyn drwy gyhoeddi erthyglau a ymddangosai fel her i'r clic sefydliadol. Mewn ysgrif yn y *South Wales News* i nodi pen-blwydd Gwenogvryn Evans yn un ar bymtheg a thrigain ym mis Mawrth 1928, manteisiodd ar y cyfle i ganu ei glodydd a phwysleisio pa mor ddyledus oedd John Morris-Jones i

---

61   Cyfweliad rhwng Aneirin Talfan Davies a T. H. Parry-Williams, LlGC 'Papurau T. H. Parry-Williams', G109, tt. 9-10. Gw. hefyd y copi o'r sgript yn LlGC 'Papurau Aneirin Talfan Davies', blwch 15.

62   *Y Wawr*, cyfrol iii, rhif 1 (Gaeaf 1915), t. 9.

63   Emyr Wyn Jones, 'Atgofion II', *Y Traethodydd* (Hydref 1975), t. 255.

Gwenogvryn am ei dywys i fyd llenyddiaeth pan oedd yn fyfyriwr yn astudio mathemateg yn Rhydychen, ac am greu Cadair yn y Gymraeg ar ei gyfer ym Mangor.[64] Mewn erthygl yn yr un cyhoeddiad yr wythnos ganlynol fe ddygodd i gof yr hen, hen gynnen rhwng Gwenogvryn a John Morris-Jones ynghylch dyddio gwaith Taliesin, y bardd Cymraeg cynharaf.[65] Neilltuwyd rhifyn cyfan o gylchgrawn *Y Cymmrodor* yn 1918 i gyhoeddi trafodaeth fanwl dri chan tudalen gan John Morris-Jones ar destun ffacsimili Gwenogvryn o 'Lyfr Taliesin', ynghyd â'r gyfrol gymar yn cynnwys testun diwygiedig a chyfieithiad o'r cerddi, lle'r oedd yn ceisio gwrthbrofi honiad Gwenogvryn mai gwaith bardd a ganai yn llys Owain Gwynedd yn y ddeuddegfed ganrif oedd y cerddi a briodolwyd i Daliesin.[66] Cyflwynodd Morris-Jones ddadleuon ynghylch dyddio'r cerddi yn y chweched ganrif.

Cafodd Gwenogvryn gyfle i ymateb mewn rhifyn cyfan o'r *Cymmrodor* yn 1924, lle cyflwynodd ymosodiad personol cwbl ddeifiol ar John Morris-Jones, gan ei gyhuddo o fod yn egotist trahaus.[67] Mewn ysgrif yn y *South Wales News* a gafodd ei chyflwyno fel 'Welsh Scholarship Sensation', cafodd Timothy Lewis yntau gyfle i drafod cynnwys erthygl a oedd wedi ymddangos ganddo yn *Aberystwyth Studies* y flwyddyn cynt lle tynnai sylw at wendid un o'r dadleuon gan John Morris-Jones dros ddyddio Canu Taliesin yn y chweched ganrif. Credai Morris-Jones fod arysgrif Tywyn yn cynnwys yr enghraifft gynharaf o Gymraeg ysgrifenedig, ac fe'i dyddiodd i'r seithfed ganrif. Er nad oes a fynnom â manylion y ddadl yn y fan hon, digon yw dweud i Timothy Lewis dynnu sylw at yr hyn a ystyriai yn wendidau sylfaenol ysgolheictod cyfeiliornus John Morris-Jones.[68] Honnai i Syr John wneud cam gwag a cheisio camarwain pobl drwy gyhoeddi llun ffacsimili o lawysgrif gan Edward Jones (Bardd y Brenin, 1752-1824), yn cynnwys trawsysgrifiad o'r arysgrif ar y maen yn Nhywyn, a phriodoli'r ddogfen i Edward Lhuyd (1660-1709).[69]

---

64   Timothy Lewis, 'The Great Welsh Scholar; Dr Gwenogvryn Evans; A record of Notable Service', *South Wales News*, 20 Mawrth 1928, t. 11.

65   Timothy Lewis, 'The Cadfan Stone, Sir John Morris-Jones's Excursus, Hoaxed Welsh Savants?, Welsh Scholarship Sensation', ibid., 21 Mawrth 1928, t. 5.

66   John Morris-Jones, 'Taliesin', *Y Cymmrodor*, xxviii (1918); gw. yn benodol t. 37 ymlaen.

67   J. Gwenogvryn Evans, 'Taliesin: or the Critic Criticised', *Y Cymmrodor*, xxxiv (1924).

68   Lewis, 'The Cadfan Stone', t. 5.

69   Ibid. Cyhoeddodd John Morris-Jones y ffacsimili yn *An Inventory of the Ancient Monuments in Wales and Monmouthshire, VI, County of Merioneth* (London, 1921), ffigur 141.

Nid dyna ddiwedd y cyrch gan Timothy Lewis ar ysgolheictod Syr John, oherwydd ym mis Gorffennaf 1928 derbyniodd Athro Cymraeg Bangor lythyr gan olygydd y *South Wales News* yn ei hysbysu bod y papur yn bwriadu cyhoeddi cyfres o erthyglau gan Timothy Lewis yn ystod yr wythnos yn arwain at yr Eisteddfod Genedlaethol yn Nhreorci.[70] Bwriad awdur yr erthyglau oedd trafod syniadau Syr John ynghylch gwir darddiad yr Orsedd, ynghyd â dadlau bod ei waith yn *Cerdd Dafod* (1925) fel disgrifiad o'r gyfundrefn farddol draddodiadol wedi'i sylfaenu ar gamddarllen a chamddehongli ffeithiau. Gofynnai'r golygydd a hoffai Syr John gael cyfle i ymateb yng ngholofnau'r papur yn ystod wythnos yr Eisteddfod ei hun. Yn ei banig, fe ddrafftiodd John Morris-Jones ateb i'w anfon at y golygydd:

> Sir,
>
> Mr Timothy Lewis has been pursuing his vendetta against me for about 15 years, and I have never yet condescended to take any notice of him. [It surprises me that a respectable paper should lend its columns time after time to attacks so obviously inspired by personal animus.]
>
> Yours, etc.[71]

Cyn ei anfon, gyrrodd gopi ohono at W. J. Gruffydd a gofyn am ei gyngor. Yr oedd yn tybio efallai mai peidio ag ymateb o gwbl fyddai orau, oni bai fod Gruffydd yn gwybod am 'ryw ffordd arall i roi caead ar biser Timotheus'. Gofynnodd hefyd a oedd Gruffydd yn adnabod rhai o berchnogion y papur.

Wrth ateb ei gais, awgrymodd W. J. Gruffydd nad oedd angen cyfeirio at y fendeta personol rhag rhoi'r argraff fod Timothy yn gyfartal â Syr John.[72] Lluniodd ddrafft o ateb y gallai Syr John ei anfon at y golygydd, lle y dywedai fod 'Mr Timothy Lewis's attacks are inspired solely by personal animus, not only against me but against every Professor of Welsh in the University'. Cytunai fod angen rhoi 'caead ar Timotheus', ac er nad oedd yn adnabod neb o berchnogion y papur newydd, bwriadai ysgrifennu ynghylch y mater at Henry Stuart Jones (1867-1939), a oedd wedi'i benodi'n Brifathro Coleg

---

70 Llythyr Golygydd y *South Wales News* at John Morris-Jones, 4 Gorffennaf 1928, LlGC 'Papurau W. J. Gruffydd - gohebiaeth', rhif 478.
71 Llythyr John Morris-Jones at W. J. Gruffydd, 8 Gorffennaf 1928, ibid., rhif 477.
72 Llythyr W. J. Gruffydd at John Morris-Jones, 10 Gorffennaf 1928, ibid., rhif 479.

Aberystwyth wedi marwolaeth sydyn J. H. Davies yn 1926. Nid arbedodd ddim ar ei dafod yn y llythyr hwnnw:

> ... May I be allowed to draw your attention to two points? First, the substance of Mr Lewis' articles are the laughing-stock of Wales. It should [be] difficult for me to explain to you how *insane* they are. A large part of them consists of absurd etymologies, which the undergraduates of the University much appreciate for their unconscious humour. You are familiar, no doubt, with the local contributors (generally the parson) who send explanations of place-names, etc. to the press: Mr Lewis's contributions (I choose my words carefully) are incomparably more absurd than the wildest of these. The Welsh Department in Aberystwyth has to bear the disgrace of this, and indirectly all the scholars in the university.
>
> The second point is this. Mr Lewis draws [£]550 a year from the university, and does absolutely nothing for it exept to attack members of the university ...[73]

Credai Gruffydd fod y sefyllfa'n gwbl annioddefol ac annerbyniol a'i bod yn bryd gwneud rhywbeth yn ei chylch. Ychwanegodd hefyd fod ymchwiliad wedi ei gynnal i waith Timothy Lewis yn ystod cyfnod rhagflaenydd Henry Stuart Jones, sef J. H. Davies, a bod Timothy wedi addo y byddai'r ymosodiadau ar ei gyd-weithwyr yn dod i ben. Galwai Gruffydd ar y Prifathro i weithredu ar lefel golegol cyn bod rhaid i'r mater gael ei drafod ar lefel Prifysgol Cymru, ac awgrymodd y dylai ymgynghori â'i Athrawon yn Aberystwyth, sef T. H. Parry-Williams, T. Gwynn Jones, Edward Edwards a Herbert J. Fleure, ynghylch yr hyn y dylid ei wneud â Timothy Lewis. Yr oedd Henry Lewis yn Abertawe ac Ifor Williams ym Mangor hwythau hefyd yn bobl y gellid ymgynghori â hwy.

Wrth ymateb, awgrymodd Henry Stuart Jones mai'r peth cyntaf i'w wneud oedd cael gair â golygydd y *South Wales News*, a dywedodd y byddai'n ceisio gwneud hynny cyn gynted ag y byddai'n gyfleus. Gan na chyhoeddwyd yr erthyglau gan Timothy Lewis yn ystod yr wythnos cyn yr Eisteddfod fel y bwriedid gwneud, mae'n ymddangos i'r golygydd gael ei berswadio i beidio â'u cyhoeddi, oherwydd ysgrifennodd at Timothy Lewis ddiwedd Gorffennaf

---

73   Llythyr W. J. Gruffydd at Henry Stuart Jones, 10 Gorffennaf 1928, ibid., rhif 455.

yn dweud na allai dderbyn yr erthyglau dan yr esgus eu bod yn rhy dechnegol ar gyfer darllenwyr y papur, ac awgrymodd y dylai eu cynnig i gylchgronau academaidd.[74] Er nad aeth W. J. Gruffydd yn ei lythyr at y Prifathro mor bell â galw am ddiswyddo Timothy Lewis, yr oedd yn awgrymu'n anuniongyrchol y dylid ei ddisgyblu mewn rhyw fodd a chadw rheolaeth ar yr hyn a gyhoeddai. Diau fod sylwedd yr erthyglau a luniodd Timothy ar gyfer eu cyhoeddi yn y *South Wales News* i'w ganfod yn yr erthygl a gyhoeddodd ymhen rhyw dair blynedd wedyn yn *Y Ford Gron*, lle'r anghytunai â barn John Morris-Jones a Griffith John Williams mai creadigaeth Iolo Morganwg a'i ddilynwyr yn niwedd y ddeunawfed ganrif oedd Gorsedd yr Eisteddfod. Ym marn Timothy, nid oedd dim 'sail safadwy' i farn 'aeddfed' y ddau ysgolhaig hynny, a chredai ef yn hynafiaeth yr Orsedd heb unrhyw betrustod o gwbl.[75]

Gan nad oedd o ran ei natur yn or-hoff o ddadl na chynnen, ac yn gwneud popeth a allai i osgoi unrhyw wrthdaro personol, nid oes dim tystiolaeth i Parry-Williams gael ei dynnu i mewn i'r ymdrech hon i roi 'caead ar biser' Timothy Lewis. Wedi'r cyfan, gwyddai'n well na neb mai'r helynt ynghylch penodi i'r Gadair yn 1919-20 a oedd wrth wraidd llawer o'r drwgdeimlad a deimlai Timothy tuag at Athrawon Cymraeg Bangor a Chaerdydd. Ond y mae'n ymddangos iddo adrodd ei gŵyn yn breifat wrth W. J. Gruffydd ynghylch amharodrwydd Timothy i dorchi'i lewys, fel y daeth yn wybyddus ymhlith pobl y colegau eraill gyn lleied oedd ei gyfraniad i waith yr Adran Gymraeg.

Er na lwyddodd i gael ei benodi i'r Gadair yn 1920, daliodd Timothy Lewis ati i hyrwyddo'i achos fel ci ag asgwrn. Aeth ati i lobïo'r Prifathro yn 1928 a'i holi a oedd modd defnyddio arian o gymynrodd Syr John Williams i greu Cadair mewn Ieitheg Gymraeg a Phalaeograffeg. Derbyniodd ateb diplomataidd yn dweud y byddai'n anodd cyfiawnhau creu trydedd Gadair yn yr Adran Gymraeg.[76] Mae'n amlwg nad oedd hynny wrth fodd Timothy, oherwydd parhaodd i wasgu am gael cydnabyddiaeth deilwng. Yn 1931

---

74 Llythyr T. A. Davies at Timothy Lewis, 31 Gorffennaf 1928, LlGC 'Papurau Timothy Lewis', ffeil 3/20.

75 Timothy Lewis, 'Y mae'r Orsedd yn hen', *Y Ford Gron*, cyfrol 1, rhif 10 (Awst, 1931), tt. 5-6, 24.

76 Llythyr Henry Stuart Jones at Timothy Lewis, 11 Tachwedd 1928, LlGC 'Papurau Timothy Lewis', ffeil 3/20.

anfonodd cyfaill iddo, y Parchedig David Rhydderch o Landysul, lythyr ato wedi'i ardystio gan gyfreithiwr yn datgan i Syr John Williams ddweud wrtho yn haf 1919 ei fod am weld Timothy yn elwa ar y rhodd ariannol yr oedd Syr John wedi'i chyflwyno i'r Coleg, ac y dylai Timothy gael ei wneud yn Athro Ymchwil yn yr Adran Gymraeg.[77] Er na ddaeth dim o'r ymgais honno ychwaith i berswadio'r Coleg i'w ddyrchafu, parhaodd Timothy i wasgu am ddefnyddio peth o gymynrodd Syr John i ychwanegu at ei gyflog fel Darllenydd.[78] Mae'n ddigon posibl y teimlai fod ei swydd a'i safle dan fygythiad.

Gan fod Timothy yn gymaint o *bersona non grata* ymhlith ei gyd-ysgolheigion ledled y Brifysgol, ni fuasai modd iddo gael ei waith wedi ei dderbyn i'w gyhoeddi gan Wasg Prifysgol Cymru. Ei ymateb ef i hynny oedd cyhoeddi ar ei liwt ei hun drwy sefydlu ei wasg ei hun, sef Gwasg y Fwynant. Fel rhan o'i gynlluniau, sefydlodd 'Gyfres Hywel Dda' yr oedd ynddi gynifer â deg o gyfrolau y bwriedid eu cyhoeddi, gan gynnwys dwy gyfrol ar waith Dafydd ap Gwilym, y gyntaf yn trafod ei waith yng nghyd-destun barddoniaeth Ewropeaidd, a'r ail yn cynnwys 'argraffiad cyflawn' o'i gerddi. Cynhwysai'r rhestr o gyhoeddiadau arfaethedig y gyfres hefyd destun cyflawn o'r Mabinogion, Y Greal Sanctaidd, y cyfieithiad Cymraeg o waith Sieffre o Fynwy ym 'Mrut Dingestow', yn ogystal â golygiad o un o destunau Cyfraith Hywel Dda a thrafodaeth ar gyfreithiau canoloesol yn gyffredinol.[79]

Y llyfr cyntaf i ymddangos o Wasg y Fwynant oedd *Beirdd a Bardd-rin Cymru Fu* yn 1929. Aeth ati yn rhan gyntaf y llyfr i drafod y gyfundrefn farddol yng Nghymru, a neilltuodd yr ail ran i drafod cerdd dafod a gramadeg y beirdd. Yr oedd ei syniadau yn gyfan gwbl am y pared â syniadau John Morris-Jones yn *Cerdd Dafod*, ac mewn llythyr at un o danysgrifwyr y gyfrol, D. Lleufer Thomas, dywedodd Timothy ei bod yn drueni fod Syr John wedi marw cyn gallu adolygu'r gyfrol:

---

77   Llythyr David Rhydderch at Timothy Lewis, 1 Ebrill 1931, yn cynnwys y llythyr ardystiedig, ibid.

78   Gw. llythyr Ysgrifennydd y Coleg at Timothy Lewis, 13 Mawrth 1933, ibid.

79   Gw. llythyr Timothy Lewis at D. Lleufer Thomas, 19 Mawrth 1929, ynghyd â chopi o'r daflen a argraffodd i hysbysebu 'Cyfres Hywel Dda' ac i wahodd tanysgrifwyr, llawysgrif LlGC 12701C, rhif 25.

Y mae'n chwithig gennyf fod y Marchog o Fangor wedi codi aden cyn imi gael ei farn … Os yw Barddrin yn gywir yn ei brif bethau yna nid oes dim o Gerdd Dafod a sefyll.[80]

Mae'n amlwg ei fod yn ei weld ei hun yn cywiro ac yn tanseilio gwaith John Morris-Jones.

Y sawl a gafodd gyfle i adolygu'r llyfr pan gyhoeddwyd ef oedd Ifor Williams, a gydnabu ei fod yn ffrwyth blynyddoedd o lafur, ond gofidiai fod yn rhaid iddo gyfaddef, er gwaethaf holl ymroddiad ac ymchwil yr awdur, 'mai cruglwyth o gamgymeriadau dybryd yw ei lyfr.'[81] Yr oedd llunio'r adolygiad arno yn 'orchwyl poenus' i Ifor Williams am ei fod wedi'i seilio ar ieitheg gwbl fympwyol yn hytrach nag ar un wyddonol, fel petai'r awdur wedi anwybyddu'n llwyr y camau breision a wnaed yn natblygiad gwyddor ieitheg gymharol. Ystyriai waith Timothy fel cam mawr yn ôl. Rhaid oedd i'r adolygydd ei rwystro'i hun rhag cellwair am fod 'rhai o'r gosodiadau a'r damcaniaethau mor hurt ac mor groes i reolau arferol ieitheg.' Ei fai mawr oedd llurgunio geiriau er mwyn eu gorfodi i gyd-fynd â'i ddamcaniaeth ef ei hun yn lle parchu egwyddorion sylfaenol ieitheg, a thynnodd sylw at gamgymeriadau a ddeilliodd o gamddarllen testun mewn llawysgrif. Yr oedd dedfryd derfynol Ifor Williams ar gynnwys y llyfr yn gwbl ddamniol, ac ni chollodd gyfle i achub cam ei ddiweddar gyd-weithiwr a'i hen Athro ym Mangor:

Ystumiodd eiriau: ystumiodd ystyron: di-ystyrodd ddeddfau sefydlog yr iaith. Gwrthododd feddwl yn glir, ac ymfodlonnodd [sic] ar debygrwydd niwliog pethau a geiriau i'w gilydd. Y mae troi oddiwrth ei lyfr i frawddegau tryloyw, ac ymdriniaeth eglur fy hen athro Syr John Morris-Jones, fel troi o'r gwyll i oleuni dydd.[82]

Anfonodd Ifor Williams wahanlith o'i adolygiad at Parry-Williams, ac fe'i cadwodd y tu mewn i glawr ei gopi o *Beirdd a Bardd-rin Cymru Fu*. Mae'n amlwg iddo ddarllen y gyfrol yn gydwybodol o glawr i glawr gan fod ei gopi'n llawn marciau pensel. Yn ogystal â'r cywiriadau gramadegol

---

80   Ibid.
81   Gw. *Y Cymmrodor*, xlii (1931), tt. 269-307.
82   Ibid., t. 295.

a theipyddol niferus a nododd, mae'r tudalennau'n frith o ofynodau
ac ebychiadau. Ar dudalen 60, er enghraifft, lle mae'r awdur yn ymdrin
â'r dystiolaeth am ddosbarth o feirdd 'y glêr', y sylw chwyrn gan Parry-
Williams ar ymyl y ddalen yw 'Cymysglyd ddychrynllyd!'. Nid oedd, ar
unrhyw gyfrif, wedi'i blesio.[83]

Yn fuan wrth sodlau'r llyfr cyntaf, ymddangosodd yr ail lyfr yn y gyfres gan
Timothy Lewis, sef *Mabinogi Cymru* (1931). Ar un o flaenddalennau'r llyfr,
cynhwysodd gofnod o'i wasanaeth milwrol a'i rif swyddogol fel Brigadydd yng
Nghatrawd y Gynnau Mawr, ynghyd â'r arwyddair Lladin a geid ar arysgrifau
Rhufeinig, *Servus vovit liber solvit* (a dyngwyd yn gaethwas a wireddwyd yn
rhydd), a oedd yn ymgais fwriadol i atgoffa'i feirniaid a'i elynion iddo fod yn
ddigon dewr i wasanaethu yn ystod y rhyfel pan gafodd eraill rwydd hynt i
aros gartref ac i fwrw ymlaen â'u gwaith.

Os aeth Ifor Williams ati gyda chŷn a morthwyl i ddadlennu gwendidau
Beirdd a Bardd-rin, aeth W. J. Gruffydd ati i ddatgelu gwendidau *Mabinogi
Cymru* mewn adolygiad yn *Y Llenor* gyda throsol a gordd.[84] Yr oedd fel
petai'n gwneud yn fawr o'i gyfle i roi ysgytiad go iawn i Timothy Lewis
mewn adolygiad pur ddinistriol. Er i Gruffydd bwysleisio nad oedd yn fwriad
ganddo frifo teimladau'r awdur – yr oedd yn ei adnabod er pan oedd y ddau
yn fyfyrwyr ymchwil, a chredai ei fod yn 'ŵr rhadlon a llawen, a'i lond o
garedigrwydd syml a chartrefol' – aeth ati'n ddeheuig i ddatgelu gwendidau
sylfaenol ei ddull anysgolheigaidd ac anwyddonol o drafod iaith:

> Nid yn unig y mae'r awdur yn torri pob deddf wybyddus sy'n rheoli
> tarddiadau'r iaith Gymraeg ac ieithoedd eraill, ond nid yw byth *hyd yn oed ar
> ddamwain* yn dywedyd dim y gellir ei dderbyn fel tebygrwydd.[85]

Yr oedd yn feirniadol hefyd o arddull y llyfr, ac mae'n rhaid cyfaddef fod
rhywbeth hynod flodeuog, os nad astrus, yn null Timothy Lewis o draethu,
nes gwneud i'r awdur ymddangos ar brydiau'n ffuantus o rodresgar. Ystyrier

---

83   Gw. y copi o *Beirdd a Bardd-rin Cymru Fu* yn y rhan o lyfrgell bersonol T. H. Parry-Williams a
     gedwir yn Ystafell y Llywydd yn y Llyfrgell Genedlaethol.

84   W. J. Gruffydd, 'Mabinogion Mr. Timothy Lewis', *Y Llenor* (Gwanwyn 1932), tt. 4-27.
     Adargraffwyd yn Dafydd Glyn Jones gol., *Eira Llynedd ac Ysgrifau Eraill gan W. J. Gruffydd*,
     Cyfrolau Cenedl 8 (Bangor, 2013), tt. 144-69.

85   Gruffydd, 'Mabinogion Mr. Timothy Lewis', t. 13.

ei air at y darllenydd ar ddechrau *Beirdd a Bardd-rin Cymru Fu*, ac fel y mae'n taro'n gwbl anaddas mewn astudiaeth academaidd:

> Ceisio agor cyfair o hen wndwn gwydn a wneir yma. Bu yn faes o wenith gwyn gynt lle yr oedd medel yn aml a'u can yn fynych. Syrthiodd y magwyrydd wedi hynny ac aeth y deiliad yn ddiofal o'r maes. Heddyw bydd duryn y gwydd yn taro'n fynych wrth garreg ystyfnig a'r cwlltwr yn tagu wrth wreiddyn cyndyn cudd, a'r gwys felly yn mynd yn gam a'r arddwr yn flin. Amaeth llibyn, er hynny, sy'n torri ei galon pan dorro ei wydd mewn hen faes, oblegyd lle y bu gwenith yn tonni a gwedd aml lwythog gynt gellir hynny eto. Rhaid, er hynny, i'r sawl fynno ddwyn yr henfaes yn ol i dir âr ymfoddloni a dwyn y draul. Os aeth y Gododin yn Tin Ap, os aeth *Prosa'r* Llan drwy'r "Prost" i'r llaid yn "Ymffrost," os aeth *Organum* a hen gerdd y Cor drwy'r "Orian" yn "Hwiangerdd," os aeth "Canu Grigor" o'r Llannau gynt yn "Glogyrnach" heddyw ag yn ddihareb ... ac os digwyddodd myrdd o bethau tebyg drwy dreigl amser a llibyndod yr etifedd rhaid i rywrai fod yn foddlon syrthio yn fynych wrth geisio glanhau yr hen afael ... Feallai y syrth y llyfr ar lwybr beirniad. Cafodd rhai beirniaid Ras a Gwirionedd, eraill Wirionedd yn unig. Croeso i'r cyntaf a chroeso ddwywaith i'r ail. Bydd y grasol yn debyg o godi bys at y bwlch yn y fagwyr a gyweiriwyd, a'r llall godi dau fys at y bylchau adawyd.[86]

Anelodd W. J. Gruffydd ei ergydion wedyn at brif thesis Timothy Lewis yn y llyfr, sef mai hanes goresgynwyr Sgandinafaidd a geir ym Mhedair Cainc y Mabinogi. Ni allai fod wedi cyfeiliorni'n fwy nag a wnaeth:

> Nid oes neb dewin a allai wneuthur crynodeb o'i ddadleuon, canys ni ellir cael na phen na chynffon arnynt; cyfres ydynt o ddyfaliadau gwylltion wedi eu seilio ar gamddyfyniadau a chamosodiadau ...[87]

Dyfynnodd ddigon o enghreifftiau o'r camddeongliadau a'r camresymiadau yn y llyfr i beri i ddarllenydd yr adolygiad feddwl fod *Mabinogi Cymru* yn astudiaeth anghonfensiynol gan ddyn a ymddangosai'n dipyn o granc, ac nid cyd-ddigwyddiad yw mai hwnnw oedd y llyfr olaf a ymddangosodd o Wasg y Fwynant. Mae'n rhaid fod yr adolygiadau cignoeth a gafwyd ar

---

86 Lewis, *Beirdd a Bardd-rin Cymru Fu*, tt. vii–viii.
87 Ibid., tt. 19-20.

unig gynhyrchion y wasg yn ergyd boenus i'r awdur-gyhoeddwr. Yn wir, gofynnodd W. J. Gruffydd gwestiwn digon teg yn ei adolygiad: 'A ellir esbonio cyflwr meddwl Timothy Lewis?'

Yr oedd Timothy Lewis fel rhyw belican yn y diffeithwch, a'r tebyg yw i'w amgylchiadau gael effaith ar ei ysbryd a'i iechyd yn y diwedd. Mae'n amlwg nad Parry-Williams oedd yr unig un a deimlai'r straen yn sgil y berthynas anesmwyth a ddatblygodd yn yr Adran Gymraeg yn ystod y dauddegau, ac mae'n dra thebygol fod cyfarfodydd eraill nad adroddwyd dim amdanynt yng nghofnodion pwyllgorau'r Coleg wedi eu cynnal i geisio cadw trefn ar Timothy ac, o bosibl, i drafod ei symud o'r Adran Gymraeg. Rhyw fis cyn yr ymdrech i rwystro cyhoeddi'r erthyglau'n ymosod ar syniadau John Morris-Jones yn y *South Wales News*, gyrrodd ei fam yng nghyfraith lythyr at ei merch Nellie yn dweud bod yn ddrwg ganddi glywed nad oedd Timothy'n dda:

> I was grieved to hear that Tim was not up to the mark, and sincerely hope that he is better. It's no wonder that he is troubled by his old complaint after having such hard times between everything. It would be a great wonder if he didn't feel the effect.
>
> ... I hope that he will be able to go for a sea trip as it did him such good last year ... Does Tim think they will offer him another place? ...[88]

Er bod un peth da wedi deillio o'r galwadau a fu ar Bwyllgor Staffio'r Coleg i ystyried llwyth gwaith Parry-Williams, sef penodi aelod ychwanegol o'r staff, a'r craffu a fu yn sgil hynny ar ddyletswyddau a chyfrifoldebau Timothy Lewis, ni lwyddwyd erioed i gael ateb boddhaol i natur ei berthynas ag Adran y Gymraeg. Mewn adroddiad a luniwyd gan yr Athrawon E. A. Lewis a T. H. Parry-Williams ar ran Senedd y Coleg i drafod dyfodol y swydd Darllenydd mewn Palaeograffeg Geltaidd pan oedd Timothy'n ymddeol yn 1942, cydnabuwyd na fu'r swydd honno'n arbennig o lwyddiannus:

> The attempt to combine a semi-independent research appointment with partial teaching duties in a normal College Dept did not prove wholly

---

88   Llythyr Anne Evans at Nellie Lewis, 24 Mehefin 1928, LlGC 'Papurau Timothy Lewis', ffeil 3/20.

successful and was reviewed by a special Committee which reported to Council …

The position, however, continued unchanged and the Senate is not convinced that the experience of the past twenty years justifies an appointment of this nature, which, incidentally, is unique in the constituent Colleges of the University. The Senate does not feel justified, therefore, in recommending the continuance of the post.[89]

Swydd na fu ac na fyddai ei thebyg oedd honno, felly, ond fe'i crëwyd i geisio datrys problem benodol mewn man a lle ac amser penodol. Fe'i crëwyd o ganlyniad i amgylchiadau unigryw y penodiad i hen Gadair Edward Anwyl yn 1920, a'r drwgdeimlad a gafodd ei gorddi yn sgil y gwrthwynebiad i ymgeisyddiaeth Parry-Williams. Do, fe barhaodd cysgod y rhyfel yn hir.

---

89   Archifdy Prifysgol Aberystwyth, CAC/1/13, *Cofnodion Cyngor a Llys Coleg Prifysgol Cymru Aberystwyth, 1941-42*, tt. 11, 19.

Y meddyg na fu

B YMTHENG MLYNEDD AR ÔL cael ei benodi i'r Gadair, yr oedd traed Parry-Williams yn cosi, a phenderfynodd newid cwrs ei yrfa am yr eildro. Ailgododd yr ysfa am gael bod yn feddyg nes peri i rywun deimlo tybed nad oedd yn difaru wedi'r cyfan na fyddai wedi parhau â'i gwrs yn 1919-20. Ac yntau'n saith a deugain oed, cyflwynodd gais ffurfiol ddiwedd mis Ebrill 1935 am gael ei dderbyn i ail flwyddyn y cwrs gradd yn Ysgol Feddygol Cymru yng Nghaerdydd, a ddaethai erbyn 1931 yn un o sefydliadau cyfansoddol Prifysgol Cymru.[1]

Y mae ar glawr lythyr a anfonwyd gan Gwilym Owen, yr Athro Ffiseg a oedd erbyn hynny'n Is-Brifathro'r Coleg, at Brofost yr Ysgol Feddygol yn esbonio beth oedd bwriad Parry-Williams.[2] Ysgrifennu fel ffrind a chyd-weithiwr a wnâi, a dywedodd ei fod yn gwybod ers tro mai uchelgais ei gyfaill oedd bod yn feddyg. Cyfeiriodd at y flwyddyn a dreuliodd yn lasfyfyriwr gwyddonol ac at ei berfformiad rhagorol yn yr arholiadau – 'he was the "star" Intermediate student' – ac esboniodd iddo gael cynnig y Gadair yn 1920 ac iddo'i derbyn. Ond ni phallodd ei ddiddordeb mewn meddygaeth: '… his interest in Medicine has never waned and now he is apparently determined to go on with it.' Ond cyn ildio'r Gadair, meddai, yr oedd am gael sicrwydd o le. Byddai ei ymadawiad yn golled fawr i Goleg Aberystwyth, ac yr oedd y

---

1 Gw. llythyr S. C. Edwards, ysgrifennydd yr Ysgol Feddygol, at T. H. Parry-Williams, 30 Ebrill 1935, yn cydnabod derbyn ei ffurflen gais, dyddiedig 28 Ebrill 1935, LlGC 'Papurau T. H. Parry-Williams', CH751. Ceir hanes cynnar yr Ysgol yn Alun Roberts, *The Welsh National School of Medicine, 1893-1931: The Cardiff Years* (Cardiff, 2008).

2 Llythyr Gwilym Owen at A. W. Sheen, 23 Mehefin 1935, LlGC 'Papurau T. H. Parry-Williams', CH752.

Prifathro Ifor L. Evans, a benodwyd i olynu Henry Stuart Jones yn 1934, wedi ceisio'i ddarbwyllo i aros.

Yr oedd ar Parry-Williams angen gwybod y naill ffordd neu'r llall a oedd lle ar ei gyfer cyn diwedd Mehefin er mwyn gallu rhoi tri mis o rybudd i'w gyflogwr ei fod yn gadael. Daeth llythyr o Gaerdydd yn cadarnhau nad oedd problem o fath yn y byd i'w dderbyn i'r ail flwyddyn ar dir academaidd, ond ni allai'r Profost, A. W. Sheen, roi sicrwydd cadarn hyd nes y byddai'r Cyd-Bwyllgor Academaidd wedi ystyried ceisiadau holl fyfyrwyr yr ail flwyddyn mewn cyfarfod ym mis Medi. Ond yr oedd y rhagolygon yn addawol: 'I am sure Parry-Williams will be an excellent medical student, and I look forward to his coming.'[3]

Erbyn 11 Gorffennaf, fodd bynnag, daeth llythyr arall at Gwilym Owen o Gaerdydd, y tro hwn gan Gofrestrydd Coleg Caerdydd, yn cadarnhau bod y Cyd-Bwyllgor Academaidd wedi rhoi sêl ei fendith ar gais Parry-Williams ac y câi fynediad yn syth i'r ail flwyddyn.[4] Anfonodd Gwilym Owen y llythyr yn ei flaen at ei gyfaill yn cynnwys cwestiwn mewn pensel: 'Pa ateb a gaf ei anfon i hwn?' Lluniodd Parry-Williams sgerbwd o ateb ar waelod y llythyr:

> PW regrets that pressure of circs. have necessitated his abandoning his project of taking the course at [the] Welsh N[ational] S[chool of] M[edicine].[5]

A dyna'r cwbl. Er mor ffwr-bwt yr ymddengys y nodyn hwnnw ganddo, nid chwiw undydd unnos oedd ystyried astudio meddygaeth drachefn, gan iddo fod yn prynu ac yn darllen llyfrau meddygol o tua 1931 ymlaen, nes peri inni dybio ei fod yn ymbaratoi at newid gyrfa ymhell cyn anfon ei ffurflen gais i Gaerdydd yn 1935.

Ar ôl marwolaeth y Fonesig Amy Parry-Williams yn 1988 y trosglwyddwyd cyfran helaeth o lyfrgell bersonol Parry-Williams yn rhodd i'r Llyfrgell Genedlaethol. Ond yn Awst 1984 yr oedd ei weddw eisoes wedi dethol a chyflwyno i'r Llyfrgell gasgliad bychan o 23 o lyfrau meddygol a oedd yn eiddo i'w diweddar ŵr, ac yn wahanol i grynswth cynnwys ei lyfrgell, cafodd y rhain

---

3 Llythyr A. W. Sheen at Gwilym Owen, 24 Mehefin 1935, ibid., CH753.
4 Llythyr D. J. A. Brown at Gwilym Owen, 11 Gorffennaf 1935, ibid., CH754.
5 Ibid.

eu neilltuo ar wahân a'u catalogio.[6] Mae'r casgliad hwn yn un cwbl ryfeddol sy'n adlewyrchu dyfnder a difrifoldeb ei ddiddordeb mewn meddygaeth, ac yn dangos inni pa mor eang oedd ei ddarllen yn y cyfnod yn arwain at wanwyn 1935. Llyfrau ydynt y prynwyd y mwyafrif ohonynt ganddo rhwng 1931 a 1935, a hynny, yn ôl pob golwg, fel rhan o'i baratoad ar gyfer mynd yn feddyg neu'n llawfeddyg. Mae darllen y teitlau arbenigol a oedd ar silffoedd ei stydi yn gryn agoriad llygad, oherwydd yn eu plith y mae: *A Textbook of Midwifery for Students and Practitioners* (1932); *Common Gynaecological Conditions and their Treatment* (1934); *Diseases of Women* (1934); *An Introduction to the Physiology & Psychology of Sex* (1934); a *Synopsis of Obstetrics and Gynaecology* (1935).

Mae rhywbeth hynod ogleisiol mewn dychmygu'r hen lanc o Athro prifysgol, fel ag yr oedd ar y pryd, yn troi dail llyfrau ar broblemau iechyd merched a dulliau geni babanod, oblegid y mae'n amlwg iddo'u darllen gan fod bron y cyfan ohonynt yn cynnwys marciau pensel. Yr oedd yn ei feddiant hefyd yr argraffiadau diweddaraf o rai gwerslyfrau ar driniaethau llawfeddygol a fwriadwyd ar gyfer myfyrwyr, megis *A Synopsis of Surgery* (1933), a *Handbook of Physiology* (1933). Gan ei fod yn arfer nodi y tu mewn i'r cloriau pryd y prynodd hwy, gallwn fod yn eithaf sicr mai eu prynu a wnaeth gyda golwg ar newid ei yrfa yn 1935. Er na allwn fod mor sicr ynghylch pryd y darllenodd y llyfrau, rhesymol yw tybio mai'n fuan ar ôl eu prynu y gwnaeth, a hynny fel rhan o'r rhagbaratoad ar gyfer ymuno â'r Ysgol Feddygol yng Nghaerdydd.

Cynhwysai'r cwrs meddygol MB a BCh yng Nghaerdydd ddwy ran, a disgwylid i fyfyrwyr astudio am o leiaf chwe blynedd.[7] Yn ystod y flwyddyn gyntaf, astudid y pedwar pwnc rhagarweiniol, Cemeg, Ffiseg, Botaneg a Swoleg, sef y pynciau a astudiasai Parry-Williams yn 1919-20. Yna, rhaid oedd astudio Cemeg organig, anatomi dynol a ffisioleg dros gyfnod o ddwy flynedd academaidd arall, o leiaf. Yr oedd ail ran y cwrs yn ymrannu'n dair cangen, gyda'r gyntaf yn cynnwys astudio patholeg a bacterioleg, *materia medica* a chyffuriaeth; yr ail yn cynnwys hylendid a meddygaeth fforensig; a'r drydedd yn cynnwys llawfeddygaeth, obstetreg a gynaecoleg. A barnu wrth y

---

6   'Casgliad Meddygol T. H. Parry-Williams', sef catalog rhif 85 ar y silffoedd agored yn Ystafell y Gogledd yn y Llyfrgell Genedlaethol. Diolchaf i Dr Rhidian Griffiths, a gatalogiodd y casgliad, am roi imi'r wybodaeth am y cefndir.

7   Ceir disgrifiad o gynnwys y cwricwlwm meddygol ar gyfer darpar fyfyrwyr yng Nghaerdydd ar y pryd yn *The Lancet*, 25 Awst 1934, tt. 415-6.

llyfrau arbenigol a oedd yn ei feddiant, yr oedd y darpar fyfyriwr eisoes wedi paratoi ar gyfer ymgymryd ag astudio pynciau'r gangen olaf.

Yr hyn a welir yn y llyfrau a'r nodiadau yw ôl llaw darpar efrydydd meddygol chwilfrydig ac ymroddedig, ie, a gwybodus hefyd, oherwydd yn aml ar ddalennau sawl un o'r llyfrau ceir ychwanegiadau gan Parry-Williams lle gwelai fwlch. Er enghraifft, yng ngeirfa'r llyfr *The Human Body* (1931) ychwanegodd *anamnesis*, sy'n derm meddygol am gyfrif y claf o hanes ei iechyd ei hun, ac ar ddiagram yn darlunio'r pen a'r gwddf a'r geg yn *Black's Medical Dictionary*, a brynwyd ganddo tra oedd yn ymweld ag Eurwen ei chwaer a'i theulu yn Reading ym mis Medi 1935, ychwanegodd un nodwedd a oedd yn absennol, sef yr *epiglottis*.[8]

Llyfr arall a brynodd yn yr un cyfnod sy'n dangos inni ehanged a dyfned oedd ei ddiddordebau oedd *An Outline of Modern Knowledge* a olygwyd gan Dr William Rose o Goleg Prifysgol Llundain. Casgliad o erthyglau gan arbenigwyr blaenllaw'r dydd yn eu meysydd ar wahanol bynciau o ddiddordeb deallusol cyffredinol ydoedd, ac mae'n arwyddocaol mai'r penodau y ceir marciau pensel arnynt yn llaw Parry-Williams yw 'The Physical Nature of the Universe', 'Psychology', 'Theories of Psycho-Analysis' gan J. C. Flügel, a fu'n cydweithio ag Ernest Jones, cofiannydd Freud, a 'Sex', sef pennod a luniwyd gan Francis A. E. Crew, y genetegydd anifeiliaid arloesol o Brifysgol Caeredin, a drafodai gromosomau rhyw o safbwynt y biolegydd a'r genetegydd.[9]

Ar wahân i'r llyfrau a'r gwerslyfrau a enwyd, yr oedd dau deitl dadlennol arall ar silffoedd ei stydi, sef *Talks on Psychotherapy* (1923) a *Psychoanalysis & Medicine: a study of the wish to fall ill* (1933). Yr oedd William Brown (1881-1952), awdur y blaenaf o'r ddau, yn feddyg a fu'n trin milwyr clwyfedig yn y Somme.[10] Yr hyn a wna mewn cyfres o dair darlith yn y llyfr yw dadansoddi cyflwr cleifion a brofodd *shell-shock*, ac a ddioddefai o hysteria yn sgil hynny.

---

8   *Black's Medical Dictionary* (7th edition, London, 1924). Nid yw hwn yn rhan o'r casgliad llyfrau meddygol a gatalogiwyd, eithr mae yn llyfrgell bersonol Parry-Williams heb ei chatalogio yn y Llyfrgell Genedlaethol.

9   Gw. y copi o'r llyfr *An Outline of Modern Knowledge*, ed. Dr William Rose (London, 1931), yn y rhan o lyfrgell bersonol Parry-Williams a gedwir yn Ystafell y Llywydd yn y Llyfrgell Genedlaethol. Ceir y nodyn canlynol ar du mewn y clawr yn llaw Parry-Williams: 'THP-W Ion. 1932.'

10   Gw. William Brown, *Talks on Psychotherapy* (London, 1923). Ystyrid ef yn un o brif seicolegwyr a seicotherapyddion ei gyfnod yn Lloegr. Fe'i penodwyd yn gyfarwyddwr y Sefydliad Seicoleg Arbrofol ym Mhrifysgol Rhydychen yn 1936.

Trafoda theori melancolia a seicosis yng nghyd-destun syniadau seicdreiddiol Freud, cyn trafod yr ochr feddyliol sydd i'r broses o iacháu corfforol. Er mai yn 1923 y cyhoeddwyd y llyfr, nododd Parry-Williams ar y flaenddalen iddo'i ddarllen ddechrau Medi 1935, ac fe'i darllenodd o glawr i glawr gan ei farcio'n ysbeidiol â phensel. Cwbl nodweddiadol o'r darllenydd gwybodus a deallus ag ydoedd yw iddo ofyn cwestiwn ar ymyl tudalen 96, 'Where is complex?', sy'n dangos ei fod yn gyfarwydd â gwaith y 'seicobois', chwedl yntau, ymhell cyn iddo ddarllen y llyfr hwn.

Dyma'r cyfnod pryd yr oedd yn canlyn â'r meddyg teulu o Drawsfynydd a Phenrhyndeudraeth, Dr Gwen Williams, ffaith nid amherthnasol o ystyried ei gynlluniau i gefnu ar ei yrfa fel Athro'r Gymraeg. Brodor o Drawsfynydd oedd Gwen, neu Dr Gwennie fel y gelwid hi gan ei chleifion a chan drigolion y fro, lle'r oedd ei thad, Peter Williams, Bryn Eglwys, yn grydd llwyddiannus. Cyflogai'r tad chwech o gryddion eraill i wneud esgidiau chwarel gan gymaint oedd y galw, ac yr oedd hefyd yn gwerthu glo ac olew lamp.[11] Yr oedd gan Gwen un chwaer, Jennie, a chanddi hithau fab, sef y diweddar Ddr Peter Humphreys (1933-1999), a fu'n feddyg teulu yn Aberteifi.

Deuai Gwen o deulu cerddorol, ac enillodd dystysgrifau am lwyddo mewn arholiadau canu'r piano pan oedd yn ferch ifanc; yr oedd yn organyddes yng nghapel Bethel y Wesleaid yn Nhrawsfynydd.[12] Enillodd ysgoloriaeth fynediad i Ysgol Sir Blaenau Ffestiniog, lle y bu'n ddisgybl disglair, ac wrth ymadael â'r ysgol enillodd wobr goffa G. H. Ellis er mwyn hybu ei gyrfa fel myfyrwraig yng Nghyfadran Feddygol Prifysgol Lerpwl, lle'r aeth i astudio yn Hydref 1919.[13] Pan raddiodd gydag anrhydedd mewn Meddygaeth, gan ennill graddau MB (Baglor mewn Meddygaeth) a ChB (Baglor mewn Llawfeddygaeth) yn 1924, cyhoeddwyd erthygl nodwedd arni yng nghylchgrawn *Y Gymraes*.[14] A hithau ond yn ddwy ar hugain oed, enillodd glod am ei chyflawniadau mewn ysgol a choleg, a chanmolid hi am ennill rhagoriaeth mewn gynaecoleg ac obstetreg yn benodol, ynghyd ag ennill medal fel gwobr am ei gwaith ar anatomi. Nid

11 Gwybodaeth a gefais gan Elfed Roberts, Ty'n Ffridd, Penrhyndeudraeth, mewn gohebiaeth bersonol, 16 Chwefror 2015.

12 Gw. *Y Gwyliedydd Newydd*, 9 Hydref 1917, t. 2; ibid., 19 Tachwedd 1919, t. 2.

13 Gw. *The North Wales Chronicle*, 5 Rhagfyr 1919, t. 4. Ceir manylion am ei gyrfa yn y Brifysgol ac am yr arholiadau y rhagorodd ynddynt yn *The Lancet*, 14 Mehefin 1923, tt. 98-9, a 26 Mehefin 1924, t. 197.

14 'Miss Gwennie Williams M.B., Ch.B.', *Y Gymraes*, xxviii, rhif 337 (Hydref 1924), tt. 145-6.

syndod, felly, fod sawl llyfr safonol ar y pynciau hynny ym meddiant Parry-Williams.

Tystia'r bobl a'i hadwaenai mor fyrlymus oedd ei phersonoliaeth ac mor ddiwyd y gwasanaethai ei chleifion. Y mae Gerald Williams, yr Ysgwrn, Trawsfynydd, yn ei chofio, ac fe'i disgrifiodd fel 'meddyg gwlad da – doctor pawb.'[15] Sonnir hyd heddiw gan blant rhai o'i chleifion pa mor ddawnus ydoedd fel meddyg, ac fel y gallai baratoi ei moddion ei hun yn y feddygfa.[16] Hi oedd meddyg teulu Richard Griffith (Carneddog), a luniodd englyn iddi i fynegi ei werthfawrogiad am ei gofal pan fu'n wael yn ei wely am dair wythnos ym mis Chwefror 1932,[17] a meddyg teulu Bob Owen Croesor hefyd, a gyfeiriodd at 'ofal tyner Dr Gwennie' amdano yn 1952.[18] Nid oedd yn ddim ganddi ymweld â'r cleifion dan ei gofal yn hwyr y nos er mwyn gwneud yn siŵr eu bod yn ddiddig a chyfforddus. Ymestynnai ei phractis gwledig o gyrion Nanmor cyn belled â thref Harlech i'r de, ac yr oedd Dr Hugh Hughes yn bartner iddi ym meddygfa Plas-y-graig tan iddo farw'n sydyn o strôc ym mis Hydref 1936.

Gan ei bod yn Weslead pybyr, daeth i adnabod y Parchedig E. Tegla Davies, a ddywedodd hyn amdani: 'Yn wir, y mae'n wythfed rhyfeddod Cymru, a'r cwbl o garedigrwydd pur at eraill heb ystyried dim arni ei hun.'[19] Yr hyn a gymhellodd y geiriau hynny o glod oedd iddi deithio o'r Penrhyn i Fangor, lle'r oedd Tegla'n byw erbyn 1955, i edrych amdano wedi iddo fod yn cwyno, ac arhosodd yn ei gwmni tan ymhell wedi un ar ddeg o'r gloch y nos. Pan oedd Tegla ar daith bregethu yn Bootle, Lerpwl, yn Nhachwedd 1955, galwodd i weld Dr Gwennie gan ei bod hi ei hun yn wael ac yn gorffwys yn Southport ar ôl treulio cyfnod mewn ysbyty yn Lerpwl. O ganlyniad i orweithio yr aeth yn sâl y pryd hynny, ac ymddengys ei bod yn dal i ddioddef

---

15   Mewn sgwrs â'r awdur ar 1 Chwefror 2017.

16   Soniodd Mair Williams, Ysgubor Hen, Chwilog, wrthyf mewn sgwrs yn 2015 am Dr Gwennie yn arbed bywyd ei thad pan oedd yn ddyn ifanc yn y Beudy Glas, Llanfrothen.

17   Gw. 'Manion o'r Mynydd', *Yr Herald Cymraeg*, 22 Chwefror 1932, t. 2: ' "A Fu Rhyngof a'r Angau": O Geidwad! diolch! i godi – yfais / Afon o drwyth surni; / Â mil o fost diolchaf i / Ogoniant Dr. Gwennie.' Un arall a gyfansoddodd englyn gwerthfawrogol iddi oedd y Parchedig John Roberts Llanfrog, pan oedd yn weinidog ym Mhorthmadog, gw. Derec Llwyd Morgan, *Tyred i'n Gwaredu [:] Bywyd John Roberts Llanfwrog* (Caernarfon, 2010), t. 139.

18   Dyfed Evans, *Bywyd Bob Owen* (ail arg., Nant Peris, 1978), t. 210.

19   Llythyr E. Tegla Davies at Mrs Jane Jones Pugh, y Bala, 19 Tachwedd 1955, llawysgrif LlGC 23846C, rhif 31.

gan wendid corfforol difrifol yn 1957 pan ysgrifennodd Tegla y geiriau hyn amdani mewn llythyr at gydnabod iddo:

> Fel y gwyddoch, bu'n ofnadwy o wael. Yr oedd tua 6 ston pan aeth i'r ysbyty a gostyngodd yno i 5 st 1½ lb. Buont yn hir yn gwybod beth a oedd arni, ond y ddedfryd erbyn hyn yw mai wedi ei gweithio ei hun bron i farwolaeth ydoedd ac wedi bron gyrraedd y gwaelod … Ei bwriad, pan all hi ddal hynny, yw ei hanfon i Southport i "recuperatio" cyn caniatau iddi fynd adref, gweithio a wnâi beth bynnag a ddywedent wrthi … Y mae'r gair ei bod yn dechrau gwella wedi codi baich aruthrol o bryder oddi ar fy ysgwyddau. Yr oedd y peth yn arswyd beunyddiol, canys y mae hi mor ryfeddol [*sic*] o werthfawr i holl gylch ei gwasanaeth. Nid oes neb tebyg iddi ac y mae pawb yn teimlo fod bywyd yn haws i'w fyw am ei bod hi'n troi yn eu plith.[20]

A Dr Gwennie wedi ymddeol o'r practis ac wedi mudo o'i chartref ym Mryn Eglwys, Trawsfynydd, i Hen Golwyn erbyn 1963, lluniodd Tegla gyfres o benillion i'w chyfarch gan gyfeirio at y 'lumbago' y dioddefai ef ohono ar y pryd. Digon yw dyfynnu un pennill er mwyn gweld y parch a'r enw da a oedd iddi fel meddyg:

> Trist fy mryd, yn llawn *lumbago*,
> Eirth yn cyson gnoi fy nghefn,
> Cilio ennyd, gwan obeithio
> Rhuthro'n ôl a chnoi drachefn.
> Pob rhyw ddoctor yn ddidaro, –
> Doctor Gwennie, ble mae hi?
> Dim ond iddi alw heibio
> Cerdded wnaf yn abal ffri.[21]

Ni wyddys i sicrwydd pryd y dechreuodd y garwriaeth rhwng Parry-Williams a Dr Gwennie, nac ychwaith pryd yn union y daeth i ben. Bu R. Geraint Gruffydd ar drywydd y garwriaeth yn 1994–95, am ei fod yn tybio efallai mai'r berthynas hon a oedd wrth wraidd y cerddi chwerw a ganodd Parry-Williams ar ddechrau'r dauddegau, sef y tair cerdd y cyfeiriwyd

---

20 Llythyr E. Tegla Davies at Mrs Jane Jones Pugh, Y Bala, 21 Hydref 1957, ibid., rhif 68.
21 Llythyr E. Tegla Davies at Mrs Jane Jones Pugh, Y Bala, 15 Mawrth 1963, ibid., rhif 140.

atynt yn y bennod flaenorol. Bu Geraint Gruffydd yn gohebu â Dr Peter Humphreys, nai Dr Gwennie, yn holi am wybodaeth, ond canfu ei bod yn bur annhebygol mai'r berthynas â Gwen a oedd wrth wraidd y dadrith a brofodd ar ddechrau'r dauddegau. Y mae ym meddiant Heulwen Humphreys, gweddw Dr Humphreys, naw o gardiau post a anfonodd Parry-Williams at Gwen yn ystod ei daith yng Ngogledd America yn haf 1935.

Yn fuan ar ôl marwolaeth Willie ei frawd yng Ngorffennaf y flwyddyn honno, penderfynodd Parry-Williams groesi i'r Unol Daleithiau i ymweld â'i fedd ym mynwent Cypress Hills, Efrog Newydd, ac i holi ei hynt yn yr ysbyty lle yr oedd pan fu farw.[22] Fel y fordaith gyntaf y bu arni ddegawd ynghynt, cadwodd ddyddlyfr taith a chofnodi ynddo ambell gyfeiriad at Gwen. Ar 22 Awst, cofnododd hyn: 'Cael llythyr o Oslo (G) heddiw wedi ei ailgyfeirio.'[23] Yr oedd Dr Gwennie ar y pryd ar fordaith Urdd Gobaith Cymru i Norwy ar fwrdd llong yr RMS Orduña, a gychwynasai o borthladd Lerpwl ar 10 Awst a hwylio i Ffrainc, yr Iseldiroedd, Norwy a Denmarc. Honno oedd y drydedd fordaith a drefnwyd gan Ifan ab Owen Edwards ar ran yr Urdd, ac y mae enw Dr Gwennie Williams ar y rhestr o'r teithwyr; enwir hi hefyd fel ysgrifennydd y pwyllgor chwaraeon ar fwrdd y llong.[24] Ar 28 Awst y cofnododd Parry-Williams yn ei ddyddlyfr iddo weld bedd ei frawd: 'Gweld bedd Willie fy mrawd … lle braf.' Yr un diwrnod, anfonodd neges at Gwen: 'Hefyd cable i Gwen, i ddweud imi gyrraedd yn iawn ddoe,'[25] sef y diwrnod y cyrhaeddodd Efrog Newydd.

Mae'r naw cerdyn post a anfonodd at Gwen wedi eu dyddio rhwng 28 Awst a 6 Medi 1935. Dychwelasai hi o'r fordaith erbyn hynny, gan i'r Orduña lanio yn Lerpwl erbyn 24 Awst. Felly, fe anfonodd Parry-Williams gerdyn ati bob diwrnod ar ei daith o Efrog Newydd draw i'r gorllewin cyn belled â San Fransisco. I'r feddygfa ym Mhlas-y-graig, Penrhyndeudraeth, y cyfeiriai'r

22 Gw. llythyr Wynne Parry-Williams at T. H. Parry-Williams, 28 Awst 1935, LlGC 'Papurau T. H. Parry-Williams', C9/6: 'Mae'n debyg dy fod wedi cyrraedd N. York erbyn hyn. Gobeithio i ti fynd i Cypress Hill a chael popeth yn iawn. Mae'n debyg y byddi wedi galw yn yr ysbyty hefyd i gael dipyn o'r hanes.'
23 'Dyddlyfr taith U.S.A. Haf 1935', LlGC 'Papurau T. H. Parry-Williams', C10.
24 Gw. y copi o raglen swyddogol y daith yn LlGC ex 2177, a hefyd yn LlGC 'Papurau Dr Iorwerth Hughes Jones', blwch 3 M2/2. Am hanes mordeithiau'r Urdd, gw. R. E. Griffith, *Urdd Gobaith Cymru: Cyfrol 1, 1922-1945* (Aberystwyth, 1971), tt. 161-3, 181.
25 LlGC 'Papurau T. H. Parry-Williams', C10.

cardiau, a chynhwysent ychydig frawddegau byrion a orffennai bob tro gyda'r cyfarchiad 'Cofion serchog iawn atoch'. Er enghraifft, ar 30 Awst yr oedd yn Chicago:

> Cyrraedd yma'n Dixie heddiw'r bore o'r Niagara Falls. Yn ei chychwyn hi heno am y Grand Canyon. Popeth yn hwylus hyd yma, – a thywydd braf. Am fynd o gwmpas dipyn rwan. Fy ngh[ofion] s[erchog] i[awn] a[toch] Tom.[26]

Am iddo anfon cerdyn ati ryw ben bob dydd, mae'n amlwg ei bod hi ar ei feddwl gydol y daith, gan beri iddo ymdeimlo â'i unigrwydd wrth deithio ar ei ben ei hun bach. Yn wir, ar ddarn o bapur rhydd y tu mewn i glawr y dyddlyfr taith ceir cwpled ac iddo'r teitl 'Unigrwydd':

> Rwy'n dal i gredu'n y rhifol un
> Wrth gael cymaint o hwyl gyda mi fy hun.

Oni bai am farwolaeth annisgwyl ei frawd Willie, diau y byddai yntau hefyd wedi mynd ar fordaith yr Urdd i Norwy yng nghwmni Gwen. A hyd yn oed yn ei absenoldeb, mae'n debygol y byddai hi a gweddill y criw o dros dri chant o Gymry a oedd ar yr Orduña wedi bod yn canu geiriau pennill gan Parry-Williams mewn llyfryn o ganeuon poblogaidd a gasglwyd ynghyd yn 1934 yn unswydd ar gyfer eu canu ar fordeithiau'r Urdd, caneuon fel 'Mari Lisi', 'Defaid William Morgan', 'Sosban Fach', ac ambell gerdd ddigri gan Idwal Jones, Llambed. Teitl y pennill a luniwyd gan Parry-Williams oedd 'Penwaig Nefyn':

> Pwy fyn benwaig Nefyn?
> Ni bu eu bath am dorri newyn.
> Prynwch benwaig Nefyn
> Newydd ddod o'r môr.
> A chwi bob un yn cysgu'n dawel
> Heb un cof am fôr nac awel,

---

26   Cerdyn post T. H. Parry-Williams at Gwen Williams, 30 Awst 1935, sydd ym meddiant Heulwen Humphreys.

Wrthi 'r oeddym ni heb gysgod
Ar y dŵr yn hela pysgod.
Prynwch benwaig Nefyn,
Ni bu eu bath am dorri newyn.
Prynwch benwaig Nefyn
Newydd ddod o'r môr.[27]

Tybiai Dr Peter Humphreys i'w fodryb Gwen gyfarfod â Parry-Williams wrth fod ei gefnder R. Williams Parry yn cynnal dosbarthiadau nos ar lenyddiaeth Gymraeg ym Mhenrhyndeudraeth yn 1929-31, ac yr oedd yn cofio clywed sôn am ei fodryb a Parry-Williams yn mynd yng nghwmni ei gilydd i noson lawen yn Ynysfor, Llanfrothen, yn nechrau'r tridegau.[28] Er nad ymestynnai ei phractis cyn belled â Rhyd-ddu, Dr Gwennie oedd meddyg tylwyth Parry-Williams yn Oerddwr. Gallasai'r ddau yn hawdd fod wedi dod i gysylltiad â'i gilydd yn sgil ei hymweliadau hi ag Oerddwr yn nechrau'r tridegau, oherwydd bu John Hughes, ewythr Parry-Williams, yn gaeth i'r tŷ am gyfnod o dair blynedd oherwydd aflwydd ar ei droed. Bu'n orweiddiog am gyfnod hir, ond pan ddechreuodd wella a chodi o'i wely at y tân, mynegodd ei werthfawrogiad o'r gofal a gafodd gan Dr Gwennie a Dr Hugh Hughes, ei chyd-weithiwr, trwy lunio dau bennill yn eu canmol.[29]

Mae'n debygol iawn fod Parry-Williams a Gwen eisoes yn eitem erbyn 1933, oherwydd mae tystiolaeth ar gael i Parry-Williams ddechrau meddwl am newid gyrfa yr adeg honno, ryw flwyddyn a hanner cyn cyflwyno'r cais yn ffurfiol i'r Ysgol Feddygol yng Nghaerdydd. Y tu mewn i glawr ei gopi o *Psychoanalysis and Medicine*, y cyfeiriwyd ato uchod, ceir bonyn tocyn llyfr a gafodd yn anrheg gan 'Hugh a Helen Hughes'. Dr Hugh Hughes − partner Dr Gwennie yn y feddygfa − a'i wraig a roddodd y tocyn iddo, a dyna'r llyfr a brynodd ag ef yn Rhagfyr 1933.[30] Y mae ar glawr dystlythyr a luniwyd y mis

---

27 ' "Awelon yr Heli" Casgliad o ganeuon at wasanaeth mordeithwyr Orduña', gol. J. Eddie Parry, Cwmni Urdd Gobaith Cymru, Aberystwyth, 1934, t. 15, gw. LlGC ex 2177. Atalnodwyd y pennill gennyf. Lluniodd J. Eddie Parry ail bennill am gocos Cydweli yn gymar i'r pennill hwn.

28 Llythyr Dr Peter Humphreys at R. Geraint Gruffydd, 24 Awst 1995, copi a gefais trwy garedigrwydd Heulwen Humphreys. Ar ddosbarth nos R. Williams Parry ym Mhenrhyndeudraeth, gw. Alan Llwyd, *Bob: Cofiant R. Williams Parry 1884-1956* (Llandysul, 2013), tt. 251-3.

29 Cyhoeddwyd y penillion yn 'Manion o'r Mynydd', *Yr Herald Cymraeg*, 10 Chwefror 1931, t. 2.

30 Priododd Dr Hugh Hughes â Helen Kellow, chwaer Moses Kellow, rheolwr Chwarel Croesor, ym mis Hydref 1908, gw. *Yr Herald Cymraeg*, 13 Hydref 1908, t. 5.

Rhagfyr hwnnw gan J. Lloyd Williams yn cadarnhau i Parry-Williams ddilyn ei gwrs blwyddyn gyntaf mewn Botaneg yn 1919-20, lle y cyfeiriodd at ei ddoniau amlwg: 'He showed a very keen interest in the subject and proved himself a careful observer, and a thinker of exceptional ability.' Ar ddiwedd y llythyr i gyd-fynd â'r tystlythyr, ychwanegodd J. Lloyd Williams ei gyfarchiad fel jôc, 'Cofion fil at y wraig a chwithau'.[31] Y tebyg yw ei fod yn gwybod yn dda am y garwriaeth â Dr Gwennie.

Cymeradwyodd Senedd Coleg Aberystwyth gynnig gan Parry-Williams ym mis Mawrth 1932 fod Ifor Williams o Fangor yn dod i roi cwrs o ddarlithoedd yn Adran Gymraeg Aberystwyth fel rhan o gynllun cyfnewid darlithwyr Prifysgol Cymru. A chafodd Parry-Williams yn ei dro ganiatâd gan ei gyflogwr i roi cwrs o ddarlithoedd yn gyfnewid ym Mangor, a hynny yn ystod ail dymor blwyddyn academaidd 1933-34.[32] Tybed a oedd y trefniant hwnnw yn un a luniwyd ganddo er mwyn gallu bod yn nes at Gwen a threulio mwy o amser yn ei chwmni? Pan ysgrifennodd braidd yn oreiddgar at Ifor Williams i'w wahodd i roi darlithoedd ar Bedair Cainc y Mabinogi i fyfyrwyr Aberystwyth, mae'n amlwg iddo roi'r argraff fod Ifor Williams dan rwymedigaeth i'w wahodd yntau i Fangor yn syth wedyn, a bu'n rhaid iddo anfon gair ymddiheurol ei naws yn esbonio nad oedd am ei orfodi ei hun ar neb, ac na raid ei wahodd i Fangor o gwbl am nad oedd ganddo 'ddim i'w gludo i Newcastle' beth bynnag, meddai, gan ddefnyddio priod-ddull Seisnig. Ond petai Ifor Williams yn teimlo ar ei galon fel estyn gwahoddiad iddo, byddai'n fodlon mynd.[33]

Ni wyddys pryd y daeth y garwriaeth i ben. Ni wyddai Dr Peter Humphreys ddim manylion, ond tystiodd fod ei fodryb a Parry-Williams wedi aros yn ffrindiau wedi iddynt ymwahanu, a bod cyfeillgarwch rhwng 'Syr Thomas' a'r teulu cyfan.[34] Tystiodd hefyd na wyddai ei fam, Jennie, chwaer Gwen, na'i

---

31   Llythyr J. Lloyd Williams at T. H. Parry-Williams, 22 Rhagfyr 1933, LlGC 'Papurau T. H. Parry-Williams', CH623.

32   Archifdy Prifysgol Aberystwyth, SEN/1/A10, *Cofnodion Senedd Coleg Prifysgol Cymru, Aberystwyth, 1930-35*, tt. 209, 307.

33   Llythyr T. H. Parry-Williams at Ifor Williams, 23 Chwefror 1932, Archifdy Prifysgol Bangor, 'Casgliad Ifor Williams', 1088.

34   Llythyr Dr Peter Humphreys at R. Geraint Gruffydd, 21 Awst 1995, copi a gefais trwy garedigrwydd Heulwen Humphreys. Bu Parry-Williams yn aros gyda rhieni Dr Humphreys yn eu cartref yn Llundain tua 1934.

nain ychwaith, ddim am yr hyn a ddigwyddodd rhwng Parry-Williams a'i fodryb. Hen ferch oedd Dr Gwennie pan fu farw, ond dywedodd wrth ei nai iddi gael cynnig priodi ddwywaith yn ystod ei hoes, unwaith gan R. J. Cooke, perchennog y gwaith powdwr ym Mhenrhyndeudraeth, ond ni ddatgelodd wrtho gan bwy y derbyniodd yr ail gynnig. Serch hynny, yr oedd Nanw, merch Oscar, yn ei chofio'n dda fel 'Anti Gwen' a oedd yn gariad i'w hewythr, 'Yncl Tom', ac yr oedd yn ffrindiau da â'i mam, Dora Ellis. Byddai'n aml yn gyrru modur o'r Penrhyn i lawr i Aberystwyth ar ôl gorffen diwrnod o waith yn y feddygfa, ac weithiau'n cyrraedd am ddeg o'r gloch y nos. Byddai'n cychwyn yn ei hôl wedyn tua dau y bore er mwyn bod yn y feddygfa erbyn naw y bore canlynol. Pan oedd ei hewythr yn bwriadu priodi ag Amy, cofiai Nanw 'Anti Gwen' yn crio yng nghwmni ei mam, Dora, ac yn dweud wrthi, 'I had my chance'. Cadarnhaodd Nanw hithau i'r teulu barhau'n gyfeillion â Gwen wedi i'r berthynas rhyngddi a'i hewythr ddod i ben.[35]

O wybod ei fod yn canlyn â Dr Gwennie, fe'n cymhellir i awgrymu tybed a oedd a wnelo'r garwriaeth honno rywbeth â'i fwriad i astudio meddygaeth yn 1935? Nid yw'n amhosibl fod gan y ddau ohonynt gynlluniau i redeg practis ar y cyd, a bwrw eu bod yn teimlo'r adeg honno fod dyfodol i'w perthynas. Ond, fel y gwyddom, newidiodd Parry-Williams ei gynlluniau ac ailfeddwl. Er mai cyfeirio at ei benderfyniad i astudio meddygaeth yn 1919 a wna yn bennaf, ac er na chynigiodd esboniad pam y penderfynodd beidio â gwireddu ei uchelgais drachefn yn 1935, mae'n werth ystyried ei eiriau ef ei hun yn y cyfweliad teledu rhyngddo ac Aneirin Talfan Davies yn 1960, pan aeth yr holwr ar drywydd ei ddiddordeb mewn meddygaeth:

Talfan: Mae'n amlwg fod gennych chi feddwl dadansoddol – yn medru dadansoddi pethau, ac mae'n arwyddocaol eich bod chi unwaith a'ch bryd ar fynd yn feddyg. Ydy' hynna'n wir?

Parry-Williams: Ydy', eitha' gwir, mae'n ddrwg neu mae'n dda gen i ddweud. Mae hyn gryn amser yn ôl, cofiwch; wedi cael fy siomi braidd wrth fel 'roedd pethau'n datblygu, ac mi benderfynais yn sydyn y buaswn i'n newid cwrs fy mywyd. 'Roeddwn i wedi cymryd diddordeb mewn pethau

---

35   Cyfweliad yr awdur ag Ann Meire, ym mis Mai 2016, gw. Atodiad 3. Yn ôl tystiolaeth Dr Peter Humphreys, parhâi Parry-Williams a'i wraig Amy yn gyfeillgar â Gwen ar ôl iddynt briodi, a chyfnewidient anrhegion Nadolig. Derbyniai Parry-Williams sigârs yn anrheg gan Gwen.

gwyddonol yn yr ysgol. Yn wir, yr oedd y prifathro yn yr ysgol yn disgwyl i mi fynd "i mewn", fel bydda' nhw'n dweud, am wyddoniaeth. Ond fel arall y bu hi. Wel, beth bynnag, 'roedd yr ysfa yma i fod yn feddyg hefyd yn corddi oddi mewn i mi ers amser, ac yn wir fe ddaeth cyfle, a dyma fi'n ymddiswyddo o'r tipyn swydd oedd gen i, a dechrau yn sydyn ar gwrs gwyddonol – y cwrs pedwar pwnc y mae meddygon yn gorfod ei wneud. Ac yn wir, mi ges hwyl go dda arni; ac 'rwy' wedi sgrifennu yn rhywle am y flwyddyn ogoneddus honno. 'Roedd o'n brofiad gwirioneddol wych a chyfoethog i mi.

'Fynnwn i ddim er dim fod heb gael y flwyddyn honno. Er ei bod hi'n ymdrech aruthrol i mi, yn enwedig gyda rhai o'r pynciau 'rown i'n gorfod eu gwneud. 'Roedd ailafael mewn pethau mathemategol yn dipyn o ymdrech, ond yn wir mi ddois drwyddi'n rhyfeddol, ac ar y diwedd pan oeddwn i ar fin cychwyn ar fod yn rhyw fath o feddyg felly dyma fi'n cael swydd arall, ac felly fe newidiwyd y cwrs yn ôl.

Talfan: Ydych chi'n flin ichi newid 'nôl?

Parry-Williams: Wel ambell dro, a dweud y gwir wrthych chi – 'does neb yn gwybod hyn – ymhen blynyddoedd wedyn fe ddaeth i'm bryd i ymddiswyddo wedyn o swydd go dda ac ailgychwyn; yn wir 'roeddwn i wedi cael lle mewn ysgol feddygol – 'doedd dim llawer o bobl yn gwybod hynny – ac roeddwn i'n meddwl ailfentro wedyn.

Talfan: Beth yn union mewn meddygaeth oedd yn apelio atoch chi?

Parry-Williams: Wel, dynoliaeth y peth, hynny yw, cyffwrdd â dynoliaeth yn yr amrwd, megis. Ac 'roedd o'n apelio'n fawr iawn ata' i yr adeg honno.[36]

O ystyried tystiolaeth casgliad Parry-Williams o lyfrau meddygol, a'r argraff gadarn a geir o ddyn yn ymbaratoi at newid gyrfa a gwireddu'i hen ddyhead am fynd yn feddyg, y dirgelwch mawr yw pam y bu iddo newid ei feddwl mor sydyn? Ai cael traed oer a wnaeth? Tybed a oedd y rhybudd a gafodd gan Syr John Williams yn 1915 rhag mentro i fyd meddygaeth yn dal yng nghefn ei feddwl? Peth rhyfedd iddo benderfynu newid ei gynlluniau ar y funud olaf, a hynny rhwng cyflwyno'i gais i'r Ysgol Feddygol yng Nghaerdydd ym mis Ebrill 1935 a llunio'r nodyn brysiog fel ateb ar gyfer Gwilym Owen yn ystod ail wythnos mis Gorffennaf, sef y nodyn a ddywedai ei fod yn gofidio

---

36 Sgript y cyfweliad rhwng Aneirin Talfan Davies a T. H. Parry-Williams a ddarlledwyd ar raglen yn y gyfres 'Dylanwadau' ar 16 Mehefin 1960, LlGC 'Papurau T. H. Parry-Williams', G109, tt. 12-13.

ei fod yn gorfod rhoi'r gorau i'w gynlluniau oherwydd 'amgylchiadau'. Pa amgylchiadau'n union oedd y rheini, tybed?

Y mae R. Gerallt Jones fel petai'n awgrymu i farwolaeth annhymig ei frawd, Willie, ddrysu ei gynlluniau, ond pa mor gredadwy yw hynny mewn gwirionedd, o gofio ei fod eisoes wedi dechrau paratoi at gymryd y cam a mentro newid cwrs ei yrfa yn 1933, os nad ynghynt? Wedi 11 Gorffennaf 1935 y derbyniodd gadarnhad o Gaerdydd y byddai lle ar ei gyfer fel myfyriwr meddygol ail flwyddyn ym mis Medi. Bu farw Willie ar 7 Gorffennaf, ac nid yw'n amhosibl i sydynrwydd y newydd trist hwnnw daflu Parry-Williams oddi ar ei echel. Nid amhosibl ychwaith yw i'r cadarnhad a ddaeth o Gaerdydd ddod yn rhy hwyr yn y dydd iddo allu cyflwyno'i notis o dri mis i Goleg Aberystwyth fel na allai ddechrau fel myfyriwr ym mis Medi. Ond, serch hynny, mae'n ddigon posibl y byddai ei gyflogwr wedi cytuno i derfynu ei gytundeb ynghynt fel y gallai gofrestru fel myfyriwr ddiwedd mis Hydref. Hyd yn oed pe bai gofyn iddo aros am dri mis llawn tan ddiwedd cyfnod ei notis, a'i fod yn ymuno â'r cwrs meddygol fis neu ragor yn hwyrach na'r disgwyl, ni fyddai hynny'n ormod o dreth ar ddyn mor alluog ag ef.

Pe bai wedi glynu wrth ei fwriad gwreiddiol a gadael yr Adran yn 1935, byddai wedi gallu gwneud hynny'n dawel ei feddwl gan wybod iddo gyflawni pethau o bwys fel Athro a Phennaeth. Dyfarnwyd gradd DLitt Prifysgol Cymru iddo yn 1934 ar sail tri o'i gyhoeddiadau ysgolheigaidd, sef *The English Element in Welsh* (1923), *Llawysgrif Richard Morris o Gerddi* (1931), a *Canu Rhydd Cynnar* (1932). Pan glywodd W. J. Gruffydd i Parry-Williams gynnig am y radd, dywedodd wrth Ifor Williams fod y 'D.Litt wedi mynd yn uwd drwy'r adrannau Cymraeg,' a pharai hynny iddo deimlo'n anghysurus am y byddai dyfarnu'r radd iddo'n rhoi'r argraff i bobl fod yr Athrawon Cymraeg yn rhoi graddau i'w gilydd.[37] Am ei fod ef ac Ifor Williams ymhlith y dyfarnwyr, ofnai gyhuddiadau ynghylch nepotistiaeth. Beiai Henry Lewis, y dyfarnwyd iddo'r *Doctor Litterarum* ym Mehefin 1934, am gychwyn y ras am ei fod yn 'farus', ac nid da ganddo ychwaith yr hyn a welai 'dan frys THPW'. Yr hyn na wyddai W. J. Gruffydd ar y pryd, wrth gwrs, yw y gall mai'r rheswm am

---

37   Gw. llythyr W. J. Gruffydd at Ifor Williams, marc post 5 Mehefin 1934, Archifdy Prifysgol Bangor, 'Casgliad Ifor Williams', 487. Gw. hefyd adroddiad yr Athro Holger Pedersen ar gais Parry-Williams, dyddiedig 3 Gorffennaf 1934, ibid., 1099, a'r ohebiaeth gysylltiol, ibid., 487.

frys ymddangosiadol Parry-Williams i gael y radd oedd ei fwriad i gefnu ar y ddisgyblaeth yn 1935.

Nid oedd adeg fwy delfrydol o safbwynt ei yrfa fel ysgolhaig Cymraeg i gofleidio her newydd a throi ei wyneb at feddygaeth. Go brin y buasai neb – ac eithrio W. J. Gruffydd efallai – yn dannod iddo'i DLitt, am y byddai'r radd yn goron ar ei yrfa a'i gyflawniadau academaidd hyd at hynny. Rheswm arall dros gefnu ar yr Adran â chydwybod glir yn y cyfnod hwnnw fuasai ei fod wedi gosod seiliau cadarn ar gyfer ei dyfodol drwy wneud dau benodiad newydd. Fel y gwelsom yn y bennod flaenorol, daeth Gwenallt yn aelod o'r staff yn 1927 fel darlithydd cynorthwyol, a chael cytundeb parhaol yn 1929, ac erbyn mis Hydref 1933 yr oedd Thomas Jones, un o ddisgyblion disgleiriaf Parry-Williams, a fyddai'n ei olynu fel Athro'r Gymraeg yn 1952, wedi'i benodi'n ddarlithydd cynorthwyol. Fe allai Parry-Williams yn hawdd fod wedi edrych yn ôl ar ei bymtheng mlynedd fel Athro a Phennaeth Adran gyda chryn fodlonrwydd cyn mentro newid gyrfa.

Er mor ddeniadol yw damcaniaethu ynghylch ei benderfyniad i beidio â bwrw ymlaen â'i fwriad i astudio meddygaeth, drwy gynnig ei fod yn greadur rhy anwadal ac ansicr ei farn i allu gwneud penderfyniad mor ddiwrthdro, a'i fod, efallai, wedi ei frawychu gan aruthredd y cam o gefnu ar yrfa yr oedd wedi'i eni ar ei chyfer, gan fwrw heibio wybodaethau yr oedd wedi eu coleddu a'u hanwesu cyhyd, y mae'n haws credu yn y pen draw iddo sylweddoli nad oedd ei oedran o'i blaid. Byddai'n wyth a deugain oed erbyn diwedd Medi 1935, yn ŵr yn ei lawn oed a'i amser, a phetai wedi treulio o leiaf bum mlynedd arall yn fyfyriwr meddygol, byddai'n tynnu at ei hanner cant a thair yn graddio. Fe allai, wrth reswm, fod wedi cael gyrfa o ddeuddeng mlynedd o leiaf fel meddyg cyn ymddeol, ond dichon iddo sylweddoli, ar ôl dwys ystyried popeth, nad oedd amser o'i blaid.

Er i R. Gerallt Jones ddweud bod Parry-Williams wedi troi ei gefn ar feddygaeth yn 1919 ac yn 1935, nid yw hynny'n gwbl wir.[38] Fe gefnodd ar y bwriad i astudio meddygaeth yn ffurfiol, do, ond ni throdd erioed mo'i gefn ar y pwnc. Parhaodd i ymddiddori'n ysol mewn meddygaeth trwy gydol ei oes. Tystiodd Dr Peter Humphreys fod Parry-Williams bob tro'n ei holi'n awchus

---

38   Gw. Jones, *T. H. Parry-Williams (Dawn Dweud)*, t. 224.

am gynnwys ei gwrs meddygol pan oedd yn fyfyriwr,[39] ac fe dystiodd Nanw i'w hewythr ddweud wrth ei brawd Wyn, pan gwblhaodd ei gwrs mewn meddygaeth yng Nghaer-grawnt, y byddai'n fodlon cyfnewid yr holl raddau a oedd ganddo am y radd feddygol a oedd gan ei nai.[40]

Mae hanesyn a gafwyd gan Prys Morgan yn ategu'r argraff fod ganddo ddiddordeb dwfn yn y corff, oherwydd cofiai Gwenallt yn adrodd wrth ei dad, T. J. Morgan (1907-1986), hanes Parry-Williams adeg Eisteddfod Genedlaethol Abertawe yn 1964, pan oedd Parry-Williams yn henwr un ar bymtheg a thrigain oed. Yr oedd Gwenallt yn hwyr yn cyrraedd yr Eisteddfod am fod damwain car erchyll a ddigwyddodd ar y ffordd rywle rhwng Aberystwyth ac Abertawe wedi rhwystro'i daith. Pan glywodd Parry-Williams ef yn crybwyll y ddamwain, holodd Gwenallt yn daer am yr anafiadau a gafodd y gyrrwr. Dyma eiriau Prys Morgan am yr hanesyn:

> … er mawr syndod i Gwenallt, dyma fe'n holi'n dwll ynghylch yr anafiadau, a'r ymysgaroedd a'r gwaed yn diferu dros y ffordd, yn amlwg â'r diddordeb mwyaf manwl ynghylch union ddarnau'r corff oedd wedi cael archollion, mewn ffordd yr oedd Gwenallt yn cael braidd yn anstumogus.[41]

Ffaith arall sy'n cadarnhau'r diddordeb anghyffredin a oedd ganddo mewn meddygaeth yw'r hyn a ddywed R. Gerallt Jones am ei hoffter o fynd i weld cyfaill iddo'n cynnal llawdriniaethau yn Ysbyty Cyffredinol Aberystwyth.[42] Er nad enwir y cyfaill hwnnw, mae'n dra thebygol mai trwy ei gyfeillgarwch â Dr Ernest Jones y câi fynediad i'r theatr; ef oedd mab yng nghyfraith John Morris-Jones, y bu Parry-Williams, fel y clywsom eisoes, yn westai yn ei briodas ef a Rhiannon yn Awst 1926. Eu gwas priodas oedd Dr Martyn Lloyd-Jones (1899-1981), a aethai yn un ar bymtheg oed i Goleg Meddygol Barts yn Llundain. Ar ôl graddio daethai'n gynorthwyydd clinigol i'r meddyg brenhinol Syr Thomas Horder yn Harley Street, Llundain, cyn mynd i'r weinidogaeth yn 1927.[43] Yr oedd Dr Ernest Jones yn batholegydd yn yr ysbyty ac yn un o'r arbenigwyr ymgynghorol anrhydeddus yno rhwng 1921

---

39 Gwybodaeth a gefais gan ei weddw, Heulwen Humphreys, ym mis Mai 2016.
40 Mewn cyfweliad â'r awdur ym Mai 2016, gw. Atodiad 3.
41 Llythyr Prys Morgan at yr awdur, dyddiedig 9 Hydref 2014.
42 Jones, *T. H. Parry-Williams (Dawn Dweud)*, t. 216.
43 Gw. yr adroddiad ar y briodas yn *Baner ac Amserau Cymru*, 26 Awst 1926, t. 7.

a 1948, a gwasanaethodd fel Swyddog Meddygol Iechyd Sir Aberteifi o ganol y dauddegau tan iddo ymddeol yn 1956.[44] Cyhoeddodd ysgrif yn *Y Ford Gron* yn trafod pwysigrwydd bwydo plant ar ddigon o laeth a ffrwythau ffres er mwyn hybu tyfiant iach, a chyhoeddwyd llun o'i ferch ddwyflwydd oed ef ei hun, Gwen Morris Jones, a oedd yn batrwm o iechyd am ei bod yn cael ei magu ar 'laeth a heulwen ac ar ffrwythau a chynnyrch ffermydd Sir Aberteifi.'[45] Ceir yng nghasgliad Parry-Williams o lyfrau meddygol gopi a oedd yn eiddo i Dr Ernest Jones o *A Student's Handbook of Surgical Operations* (1918), felly dyna ddangos ei fod yn gwybod am ddiddordeb ei gyfaill mewn llawfeddygaeth a'i fod yn barod i roi cyngor a chyfarwyddyd iddo.

Ateg arall i ddifrifoldeb bwriad ac amcan y darpar feddyg yw fod ar glawr lythyr Saesneg diddyddiad gan Dr Ernest Jones yn diolch i Parry-Williams am gynnig iddo *speculum* a oedd yn gweithio â batri, sef teclyn archwilio trwyn a chlust.[46] Dyna brawf fod Parry-Williams nid yn unig yn prynu llyfrau meddygol ond offer meddygol hefyd, a allasai fod o ddefnydd iddo petasai wedi mynd i'r proffesiwn. Cyferchir Parry-Williams gan Dr Ernest Jones yn y llythyr fel 'Philologist, Biologist & Poet', ac yna rhwng cromfachau '(Words, worms & wisdom)', sy'n cyfeirio at ei ddiddordebau gwyddonol yn ogystal ag at ei ddawn fel bardd. Gan ei fod yn cyplysu 'Biologist' â 'worms' yn y fan hon, fe'n hatgoffir ni am yr ysgrif i'r pryf genwair, lle mae Parry-Williams yn cyfeirio at gyfaill a oedd yn magu pryfed neu drychfilod ac yn eu lladd:

> Y mae cyfaill i mi'n magu'n ofalus mewn isgell drychfilod sy'n anweledig i
> lygaid noeth, ac yn eu lladd wedyn yn ddiswta wrth y miloedd ar filoedd,
> a bydd yn dywedyd wrthyf yn aml, dan wenu'n hanner ofnus hanner
> gwatwarus, y daw dydd eu dial hwythau.[47]

Tybed, yn wir, nad cyfeirio ato'i hun y mae Parry-Williams yn y fan hon, a bod y sôn am 'gyfaill' yn ddyfais i guddio gwir hunaniaeth y magwr trychfilod? Cyfeiriai Dr Ernest Jones hefyd yn ei lythyr at fod yn 'so intimately connected to your family for so long', ac fe welsom yn y bennod flaenorol gyfeiriad at Dr

---

44   D. I. Evans, 'Hospital services in Aberystwyth before 1948', *Ceredigion*, v (1964-7), tt. 168-208.
45   Ernest Jones, 'Cam-fwydo'r plant', *Y Ford Gron*, Mawrth 1931, t. 7.
46   Llythyr Ernest Jones at T. H. Parry-Williams, diddyddiad, LlGC 'Papurau T. H. Parry-Williams', CH237.
47   'Y Pryf Genwair', *Ysgrifau*, t. 16.

Ernest Jones yn mynd i fwrw'r Sul yn Nhŷ'r Ysgol yn ystod mis Gorffennaf 1925, ac fel yr oedd wedi gallu rhoi sylw i gyflwr iechyd Henry Parry-Williams.

Yr oedd Parry-Williams yn gydnabyddus ag un arall o arbenigwyr Ysbyty Cyffredinol Aberystwyth yn ogystal, sef Dr Deiniol Roberts, yr anesthetydd, a oedd yn gyfeillgar ag Oscar a'i wraig Dora.[48] Ganddo ef y prynodd y Wern yn Ffordd y Gogledd ar ôl priodi: gwahanodd Dr Roberts oddi wrth ei wraig a gwerthasant eu cartref i Parry-Williams ac Amy.[49] Gallasai'n hawdd fod yn cael mynediad i theatr yr ysbyty i wylio llawdriniaethau yn ei gwmni yntau hefyd.

Ni phallodd diddordeb Parry-Williams wedi iddo ailfeddwl ynghylch astudio meddygaeth yn 1935, oherwydd ceir rhai llyfrau yn y casgliad meddygol sy'n adlewyrchu ei ddiddordeb ymarferol mewn meddygaeth ac mewn ymgeleddu adeg yr Ail Ryfel Byd. Mae rhai llyfrau cymorth cyntaf yn y casgliad sy'n perthyn i'r flwyddyn 1941-42 yn bennaf, ac mae hefyd ddwy set o nodiadau yn llaw Parry-Williams, ynghyd ag un ddalen rydd ar wahân, a drosglwyddwyd o'r casgliad llyfrau printiedig yn y Llyfrgell Genedlaethol i'r casgliad llawysgrifau.[50] Nodiadau yw'r rheini a ddarganfuwyd ymhlith y llyfrau meddygol, ac mae modd olrhain cysylltiad rhyngddynt a chynnwys llyfr cymorth cyntaf yr *Handbook of First Aid and Bandaging* (1941) sydd yn y casgliad o lyfrau meddygol.[51] Nid hwnnw oedd yr unig lawlyfr cymorth cyntaf yn ei feddiant, oherwydd ceir copi o lyfryn Saesneg Cymdeithas Brydeinig y Groes Goch a brynwyd ganddo ym mis Rhagfyr 1941, ynghyd â fersiwn Cymraeg o lyfr bychan Cymdeithas Ambiwlans Sant Ioan, *Amgeledd i'r Anafus* (1928), a chopi o'r *First Aid Catecism* (1939), sy'n peri inni amau'n gryf ei fod yn mynychu dosbarthiadau cymorth cyntaf yn ystod tymor y gaeaf 1941-42 a 1942-43. Cryfheir y dybiaeth honno gan y nodiadau y cyfeiriwyd atynt uchod.

Chwefror 1942 yw'r dyddiad a geir ar frig y set gyntaf o chwe thudalen o nodiadau sy'n trafod pwyntiau pwyso neu bwyntiau gwasgu, sy'n un o'r agweddau ar bwnc atal gwaedu a phwnc cylchrediad y gwaed. Nodiadau

---

48 Gwybodaeth a gafwyd gan Ann Meire ym Mai 2016. Yr oedd Dr Deiniol Roberts yn brif lawfeddyg yr ysbyty yn 1929, gw. Evans, 'Hospital services in Aberystwyth before 1948', t. 189.
49 Gwybodaeth a gafwyd gan Ann Meire ym Mai 2016.
50 LlGC ex 885.
51 Prynwyd y llyfr hwn ganddo ar 22 Mehefin 1942.

mewn inc yn llaw Parry-Williams ei hun yw'r rhain, y mae'n ymddangos ar yr olwg gyntaf eu bod naill ai'n nodiadau a godwyd ganddo wrth wrando ar rywun arall yn traethu, neu o bosibl, yn nodiadau a baratowyd ganddo ef ei hun ar gyfer traethu ar y pwnc. Am nad ydynt mor daclus ag y byddent petai ef ei hun wedi eu paratoi ar gyfer eu traethu, rhaid mai eu codi a wnaeth mewn dosbarth. Ceir y frawddeg hon ganddo: 'Felly adolygu'r hyn a glywsom gan Mr G. Owen y byddwn', sy'n awgrymu mai G. Owen oedd athro'r dosbarth. Bu'n gwrando'n astud, fel y prawf y nodyn hwn:

> Y Galon – yr organ / (peiriant mecanyddol) bwysicaf yn y corff efallai am mai hi sy'n gyrru gyda'r gwaed faeth a lluniaeth i wahanol rannau o'r corff. Cymaint [â] dwrn go fawr. Y galon ei hun yn cael ei maethu gan waed!

Ceir bras ddiagramau ganddo hefyd yn dangos llwybrau ac enwau'r prif rydweliäu.

Mae'r ail set, sydd wedi'i ddyddio ym mis Rhagfyr 1942, yn ymdrin â'r synnwyr gweld, a cheir diagramau manwl ganddo o'r llygad. Mae modd olrhain perthynas rhwng cyfeiriadau yn y nodiadau hyn at lyfr a oedd yn ei feddiant, sef *Handbook of Physiology* (1933). Marciwyd rhai adrannau o'r llyfr hwnnw'n helaeth â phensel, sy'n dangos iddo fod yn pori'n ddyfal ynddo, a cheir cyfatebiaeth rhwng y nodiadau ar y llygad a'r golwg a'r bennod berthnasol yn y llyfr hwnnw. Gan fod yr ail set o nodiadau yn fwy dwyieithog, awgrymir iddynt, o bosibl, gael eu codi â phensel mewn dosbarth nos. Yr hyn a geir yn y Gymraeg, gan mwyaf, yw glosau mewn inc ar dermau Saesneg. Hawdd gweld diddordeb a greddf ieithyddol yr Athro prifysgol lle mae'n nodi termau Cymraeg gyferbyn â'r rhai Saesneg: '*coats* – haenau, plygion y llygad; *sphincter* – cyhyryn cau; *capsule* – amlen belennog; *spherical aberration* – gwyriad y gronnell; *clot* – tolch(en) o waed'. Ymddengys mai cyfraniadau gwreiddiol ganddo ef ei hun yw'r rhain, sy'n dangos fel y gallai, petai wedi mynd yn feddyg, fod wedi datblygu terminoleg Gymraeg ym myd meddygaeth.[52] Mae modd ei weld yn llunio sawl cynnig ar ganfod term Cymraeg cyfaddas. Er enghraifft, wrth nodi'r ansoddair *popliteal*, sy'n cyfeirio at y rhydweli yng nghefn y pen-glin sy'n cludo'r gwaed i lawr

---

52   Ac eithrio 'tolchen' am *clot*, ni cheir y termau Cymraeg hyn yn *Termau Meddygol* a gyhoeddwyd gan Fwrdd Gwybodau Celtaidd Prifysgol Cymru yn 1986.

y goes, mae'n rhoi sawl cynnig ar yr enw Lladin *poples*, a'r enw Saesneg amdano, *ham*: 'Pannwl, pant, gwag y glun, cwm y glun (cwm y glo!).' Ac yn ei nodiadau ar y golwg a'r llygad y nododd yr enw Lladin *arcus senilis* – y cylch gwyn sy'n datblygu o gwmpas yr iris fel y mae dyn yn heneiddio – a ddaeth yn destun ysgrif ganddo yn 1942, lle mae'n dweud y gallai 'rhyw wàg o ellyll yn hawdd ei gyfieithu'n "enfys henaint"'.[53] Ef ei hun oedd y wàg a fathodd y Cymreigiad hwnnw.

Yna, ar y ddalen o nodiadau ar wahân, lle mae termau Saesneg wedi eu glosio yn Gymraeg unwaith yn rhagor, ceir bras ddiagram o'r galon, a'r frawddeg drosiadol bryfoclyd hon fel pennawd: 'Curad yn Adolygu darlith Parch G. Owen', sy'n awgrymu bod Parry-Williams yn ei ystyried ei hun yn llai o arbenigwr ar y pwnc na'r sawl a gynhaliai'r dosbarth. Ceir cyfeiriadau yn y nodiadau hyn hefyd at yr *Handbook of Physiology*, a gellir olrhain yr adnod a'r bennod yn hwnnw lle'r ymdrinnir â'r *vasa vasorum* (rhwydwaith o wythiennau) a'r adran ar *arteries* (rhydwelïau).

Oherwydd y cyfeiriad at y 'Parch G. Owen' ar y ddalen honno o nodiadau ar wahân, gellir awgrymu mai'r Parchedig Gwilym Owen (1897-1963), rheithor Eglwys y Drindod, oedd hwnnw. Brodor o Ddinorwig yn Arfon ydoedd a ddaeth yn rheithor i Aberystwyth yn 1938, ac yr oedd yn barddoni tipyn.[54] Ei enw yng ngorsedd oedd 'Gwilym Elidir'. Ymwnâi Gwilym Owen, fel ambell un arall o ficeriaid a gweinidogion tref Aberystwyth, â'r ymdrechion i ddiogelu'r cyhoedd yn ystod yr Ail Ryfel Byd, ac mae'i enw yn digwydd mewn adroddiad ar gyfarfod blynyddol pwyllgor Gwasanaeth Ysbytai Sir Aberteifi yn Chwefror 1941.[55] Erbyn hynny yr oedd cryn weithgarwch yn nhref Aberystwyth fel rhan o drefniadau'r Cyngor Bwrdeistref i warchod y cyhoedd adeg rhyfel. Cynhaliai adrannau Ambiwlans Sant Ioan ddosbarthiadau hyfforddi cymorth cyntaf yn Llanbadarn Fawr, a chynhaliai'r Groes Goch ddosbarthiadau yn ogystal, pan ddisgwylid i'r aelodau brynu copi o lawlyfr cymorth cyntaf y mudiad, a chynhelid rhai o'r dosbarthiadau yn neuadd Eglwys y Drindod. Ymhlith yr aelodau o gangen y merched o'r Groes Goch

---

53   '*Arcus Senilis*', *Lloffion* (Aberystwyth, 1942), t. 68.
54   Gw. Janet Jones, *Holy Trinity Church Aberystwyth: The First Hundred Years 1886-1996* (Aberystwyth, 1996), tt. 20-4. Bu'n gwasanaethu yng Nghorfflu'r Tanciau yn ystod y Rhyfel Byd Cyntaf.
55   Gw. *Welsh Gazette and West Wales Advertiser*, 27 Chwefror 1941, t. 2.

yr oedd Edith Jones, Lyndhurst, Ffordd y Gogledd, Aberystwyth, un o gyd-letywyr Parry-Williams.[56]

Erbyn Mai 1941, yr oedd Dr Ernest Jones, yn rhinwedd ei swydd fel Swyddog Meddygol y sir, yn cwyno am nad oedd digon o ddynion i gynnal gwasanaeth ambiwlans y dref, a galwai ar ddynion iach o gorff a oedd yn hŷn na'r oedran gwasanaeth milwrol i wirfoddoli.[57] Yr oedd angen llenwi'r bylchau a adawyd gan y dynion iau a alwyd i'r fyddin. Amcangyfrifwyd y byddai angen hyfforddi o leiaf drigain o bobl yng ngwaith yr ambiwlans a'r Groes Goch fel y gallent gynnal gwasanaeth brys ped ymosodid ar y dref gan fomiau'r Almaenwyr.

Bu'n rhaid cynnal cyfarfod brys o'r gwasanaeth ambiwlans ym mis Awst 1941 oherwydd y pryder am brinder gwirfoddolwyr, a galwyd drachefn am ddynion i ymuno'n wirfoddol â'r criwiau cymorth cyntaf. Ffurfiodd yr Athro Athroniaeth, R. I. Aaron (1901-1987), dîm cymorth cyntaf yn y Coleg, a fyddai'n barod i gynorthwyo pan fyddai angen, ond yr oedd Dr Ernest Jones yn gobeithio denu mwy o wirfoddolwyr. Yr oedd eisoes wedi ymbil ar rai o weinidogion y dref, ac eraill, i ymateb i'r alwad drwy gynnig eu gwasanaeth. Cydsyniodd rhai, ond yr oedd eraill yn fwy cyndyn.[58] Y mae tystiolaeth ddigamsyniol ar gael fod Parry-Williams wedi gwirfoddoli fel aelod o'r tîm cymorth cyntaf a arweinid gan R. I. Aaron, ac a gynhwysai rai o aelodau eraill o staff y Coleg. Ymhlith ei gyd-wirfoddolwyr yr oedd ei frawd, Oscar, T. I. Ellis ac R. L. Gapper. Yr oedd y Parchedig Gwilym Owen hefyd yn aelod o'r tîm hwn o un ar ddeg o ddynion a phymtheg ar hugain o nyrsys y Groes Goch a oedd wedi ei leoli yn ysbyty'r dref, lle'r oedd llawfeddyg y tŷ yn barod at ei wasanaeth.[59]

Gwnaed yr alwad am wirfoddolwyr cymorth cyntaf yn ystod 1941. Erbyn diwedd y flwyddyn honno, mae'n ymddangos fod Parry-Williams eisoes yn dilyn cwrs hyfforddi mewn cymorth cyntaf, gan iddo nodi'r dyddiad 5 Rhagfyr 1941 ar flaenddalen ei gopi o'r wythfed argraffiad o'r *British Red*

---

56   Gw. llyfrau cofnodion cangen y merched o Ambiwlans Sant Ioan 1939-1940, Archifdy Ceredigion, DSO/97. Erbyn diwedd Awst 1942 yr oedd Parry-Williams wedi priodi ag Amy Thomas, a symudasant i'r Wern yn Heol y Gogledd.

57   *Welsh Gazette and West Wales Advertiser*, 22 Mai 1941, t. 8.

58   Ibid., 28 Awst 1941, t. 2.

59   Gw. y rhestr o enwau'r 'Upgraded first responders: Aberystwyth First Aid Post', yn Archifdy Ceredigion, CDC/MOH/3/3/32 a CDC/MOH/3/3/34.

Cross Society First Aid Manual (1941). Erbyn diwedd 1941, byddai dynion rhwng deunaw a thrigain oed nad oeddynt eisoes yn gwasanaethu yn y fyddin yn dod yn wylwyr tân trwy orfodaeth. Ni fyddai ganddynt ddewis ond ymuno â'r gwasanaeth hwnnw, os nad oeddynt eisoes wedi gwirfoddoli ar gyfer cyflawni gwasanaeth arall fel rhan o gynlluniau amddiffyn sifil y Cyngor Bwrdeistref lleol. Buasai Parry-Williams yn hanner cant a phedair blwydd oed erbyn diwedd Medi 1941, ac yn rhy hen ar gyfer cael ei alw i'r fyddin. Ond ni allai fod wedi osgoi gofynion Deddf Rheoliadau Amddiffyn Cyffredinol 1939, na Gorchymyn Gwasanaeth Amddiffyn Sifil 1941, a fynnai fod dynion iach ac abl, a aned rhwng 21 Medi 1882 a 20 Medi 1924, yn gorfod cofrestru ar gyfer cyflawni gwasanaeth amddiffyn sifil.[60]

Wyneb yn wyneb â gorfodaeth filwrol yn 1916, safodd y darlithydd Cymraeg ei dir a herio'r drefn, ond erbyn yr Ail Ryfel Byd mae'n ymddangos fod yr Athro Cymraeg wedi ildio i'r drefn, a hynny yn ôl pob golwg yn ddigon boddog. Wedi'r cyfan, fel pennaeth un o adrannau academaidd y Coleg, byddai cyfrifoldeb arno am les ac iechyd y myfyrwyr dan ei ofal, petai digwydd i'r Coleg ddioddef ymosodiad gan awyrennau'r gelyn. Erbyn Tachwedd 1941 yr oedd is-bwyllgor wedi'i sefydlu gan Senedd y Coleg i benodi pedwar aelod o staff (nas enwir) i lunio cynllun ar gyfer gwyliadwriaeth rhag tân yn adeiladau'r Coleg. Yr oedd galw hefyd am lunio cynllun ar gyfer gwarchod diogelwch myfyrwyr petai angen gwagu adeiladau ar frys mewn argyfwng, a diau fod pob Athro cyfrifol yn gorfod ymorol am les ei gyd-weithwyr a'i fyfyrwyr. Mae bodolaeth llyfrau a nodiadau cymorth cyntaf Parry-Williams yn dangos iddo dderbyn hyfforddiant fel aelod o brif griw cymorth cyntaf tref Aberystwyth. Buasai'r gwaith gwirfoddol hwnnw wrth fodd ei galon, ac yntau'n gallu gweithredu fel meddyg dirprwyol. Trueni nad oes dystiolaeth ar gael am ganlyniadau ymarferol ei wasanaeth fel cymhorthwr cyntaf, os bu rhai o gwbl.

Os trown at gynnyrch llenyddol y bardd a'r llenor, gwelwn fod digon o dystiolaeth am ei ddiddordeb mewn meddygaeth a materion a ymwneud ag iechyd a chyflwr y corff. Diau mai'r ysgrif a ddengys orau ei ddiddordeb gwybodus a deallus yw '*Appendicitis*', sy'n disgrifio llawdriniaeth mewn theatr

---

60   Cyhoeddwyd hysbysiad cyhoeddus gan Gyngor Bwrdeistref Aberystwyth ynghylch gofynion y Ddeddf yn y *Welsh Gazette and West Wales Advertiser* ar 17 Medi 1941.

ysbyty i dynnu'r 'atodiadwst'. Mae camp arbennig ar y disgrifiad llygad-dyst a geir yn y paragraff hwn:

> Y mae'r theatr yn gynnes braf, a symud distaw, prysur a busnesol ynddi. Y mae'r meddygon yn rhwbio dŵr a sebon hyd eu dwylo a'u breichiau, ac yn eu sgwrio y tu hwnt i bob glanweithdra. Y mae'r dioddefydd ar ei hyd ar wely o haearn, y "bwrdd", a'r goleuni uwch ei ben, a rhan arbennig o'i gorff wedi ei noethi, er na ŵyr ef ddim, oherwydd y mae eisoes dan y "dylanwad", gan fod yr anesthetist erbyn hyn wedi dechrau ar ei waith cysgadurol, a'r gwlybwr graslon yn diferu'n ddistaw o'r llestr gloyw sy'n ei ddal, a'r tapiau i gyd dan reolaeth y dewin-lladd-poen, sef yr anesthetist. Y mae'r nyrsys yn barod i ddewis y rhai priodol o'r lliaws "arfau" gloywon o'r baddonau diheintiol. Troir goleuni tanbeitiach uwchben. Daw'r llawfeddygon at y bwrdd, un bob ochr. Y mae pawb mewn gynau lliain gwyn a chapiau gwynion, a hanner-mygydau dros eu ffroenau a'u genau, ac ambell un mwy cysetlyd na'i gilydd yn gwisgo esgidiau arbennig am ei draed. Golchir y fan a fydd yn fuan dan friw, â diheintydd lliwgar. Dyd y nyrs gyllell yn llaw'r un sydd am gyflawni'r gwaith torri; ac wedi gwneud osgo neu ddau, dyma yntau â llaw gelfydd, ddiysgog yn agor y clwyf unionsyth, rai modfeddi o hyd, yn y cnawd allanol. Yna y mae'r gŵr sydd gyferbyn yn cydio â gefel ar ôl gefel ym mhennau'r pibellau-gwaed toredig i atal llif y gwaed, nes bod ymylon y briw yn orchuddiedig bron gan y gefeiliau sy'n glwstwr o'i gylch. Ambell air yn unig a glywir, yn awr ac yn y man, a sŵn anadlu trwm ochneidiol y claf hefyd. Y mae'r gŵr cyntaf yn awr yn torri'n ddyfnach, y llengig y tro hwn, nes dyfod yr ymysgaroedd gwerog i'r golwg. Yna archwilio'n gyfrwys â'i fysedd, a chael gafael ar yr apendics troseddol llidiog. Gwasgu bôn y tamaid dros-ben llyngyrog hwn wrth y perfeddyn, a'i dorri ymaith yn lân â siswrn. Cau'r toriad hwn yn ddeheuig anghyffredin trwy ei bwytho fel y bo'r ymylon o'r tu mewn yn cyffwrdd â'i gilydd ac felly'n asio'n fuan. Trwy'r adeg mae'r nyrsys yn gweithio'n gyson fel cloc, a phob erfyn yn dyfod i law'r meddyg at alwad. Ar ôl glanhau'r cyfan oddi mewn, yna, os bydd popeth yn union a normal, fe eir ati i wnïo'r toriadau a chlymu pob pen pibell-waed doredig fel na ddiferont mwy. Yna cau'r briw allanol â phwythau destlus, a dyna'r cyfan ar ben (y mae'r anesthetist eisoes wedi cau ei dapiau)—ond i'r claf ddyfod ato'i hun a dechrau teimlo effeithiau'r holl driniaeth. Ond, gyda lwc, y mae ar y ffordd i ddyfod yn ddyn iach eto, ac yn ddi*appendicitis* mwy.[61]

---

61   *O'r Pedwar Gwynt*, tt. 48-9.

Ffrwyth y profiad o weld drosto'i hun a geir yma, pan arferai fynd fel darpar feddyg brwd a byw ei ddiddordeb i wylio'i gyfeillion wrth eu gwaith yn Ysbyty Cyffredinol Aberystwyth. Llawdriniaethau i dynnu'r apendics oedd rhai mwyaf cyffredin yr ysbyty am flynyddoedd. Yn 1925, er enghraifft, cynhaliwyd 78 ohonynt, sef y nifer mwyaf o ddigon o blith yr holl lawdriniaethau a gynhaliwyd y flwyddyn honno.[62] Nid yw'n amhosibl iddo ychwaith gael y profiad o wylio genedigaeth Cesaraidd yn theatr yr ysbyty, oherwydd y mae cynnwys y gerdd 'Cesar', a luniwyd yn 1951, yn lled-adleisio'r ysgrif gyda'i disgrifiad o'r paratoadau ar gyfer y driniaeth:

> 'Roedd pawb fel ysbryd mewn mwgwd a choban a chap.
> Sgwriasai'r meddygon eu dwylo o dan y tap.
>
> Ymdrwsiwyd â menig rwber, o bethau'r byd,
> A threfnodd yr anesthetydd ei gêr i gyd.
>
> Fe ddodwyd dysglau'r dur o fewn cyrraedd braich, —
> A threiglwyd rhyw Hi i'r theatr o dan ei baich …
>
> Dibennwyd gorchest y gyllell, a dyma ddwyn
> Dynan i'r dydd, heb i Natur gael dweud ei chŵyn.[63]

Manylder y darlun o'r llawdriniaeth sy'n ein taro yn yr ysgrif '*Appendicitis*', y disgrifio ffeithiol gwrthrychol mewn arddull glinigol, sef y math o arddull a welwyd ganddo eisoes yn ysgrif 'Y Pryf Genwair'. Diau fod peth dylanwad darllen llyfrau meddygol ar anatomi a thriniaethau llawfeddygol ar yr arddull gyfewin a phwrpasol hon ganddo. Yr hyn a welir yw'r meddwl dadansoddol ar waith, ynghyd â'r gallu i drin geiriau yn gelfydd, gysáct. Dyna'r arddull a wnaeth argraff ar Saunders Lewis pan drafodai ddylanwad Parry-Williams fel awdur rhyddiaith ac fel bardd. Dylanwadodd yr arddull yn uniongyrchol ar Saunders Lewis ei hun nes ei gymell i fynd ati i'w hefelychu yn ei nofel *Monica*. Techneg a berthynai i 'nofel seicolegol yr ugeinfed ganrif yw hon,' ym marn Saunders, ac yn hynny o beth yr oedd Parry-Williams yn arloeswr.[64]

---

62   Gw. Evans, 'Hospital services in Aberystwyth before 1948', t. 200.
63   *Casgliad o Gerddi T. H. Parry-Williams* (Llandysul, 1987), t. 144.
64   Saunders Lewis, 'T. H. Parry-Williams, gwerthfawrogiad gan Saunders Lewis' yn Aneirin Talfan Davies gol., *Llafar*, Haf 1955, tt. 7-9. Adargraffwyd yn Gwynn ap Gwilym gol., *Meistri a'u Crefft: Ysgrifau Llenyddol gan Saunders Lewis* (Caerdydd, 1981), tt. 14-21.

Os oedd yn arloeswr y math hwn o ysgrifennu yn y Gymraeg, fe welwn hefyd ddylanwad ei dueddfryd athronyddol a'i ddiddordeb yn y cysylltiad rhwng y corff a'r meddwl, gan fod ail hanner yr ysgrif '*Appendicitis*' yn trafod y wedd ddynol ar yr haint wrth drafod profiad cyfaill iddo a ddychmygai ei fod yn dioddef ohono. Rhyw wedd ar gyflwr hypocondraidd a drafodai, cyn mynd rhagddo i adrodd hanesyn am y cyfaill yn meddwl mai llid yr apendics oedd achos y chwydd a deimlai o dan gesail ei forddwyd dde, nes iddo'i wasgu a chanfod mai lladd llygoden o dan ei ddillad a wnaethai wrth wasgu'r lwmp. Goresgynnodd y cyfaill ei ofn ysol o'r haint yn sgil cyflawni'r hyn a ymdebygai, ym marn Parry-Williams, i '[w]eithred lawfeddygol arno'i hun'. Gellid gweld y profiad fel effaith blasebo lle'r oedd y meddwl yn ei dwyllo'i hun drwy gredu fod y cyflwr neu'r symptom corfforol wedi gwella. Gallai'r diddordeb hwn yn ymateb y meddwl i amgylchiadau'r corff ddeillio unwaith eto o rychwant ffrwyth ei ddarllen mewn llyfrau meddygol.

Myfyrdod ar ddarfodedigrwydd bywyd er gwaethaf y ffydd a roir mewn moddion i wella ac iacháu a geir yn yr ysgrif 'Poteli Ffisig'. Wrth graffu ar hen boteli ffisig a adawyd ar ôl i glaf farw, mae'n gweld bod yr hyn a oedd yn weddill o'u cynnwys bron wedi gwaddodi, ac fe'i llygad-dynnwyd gan liwiau'r sylweddau hylifol ynddynt. Dyma'r anian wyddonol yn ei hamlygu ei hun unwaith yn rhagor, a'r ymwybyddiaeth â *materia medica*:

> Yr oedd y lliwiau a loywai'r gwlybyron ynddynt yn ymddangos erbyn hyn yn fwy o ffenomena gwyddonol diddorol nag o simbolau cyfriniol celfyddyd meddyginiaeth. Methiant anorfod fuasai'r cwbl: yr oedd gorchfygwr ar gelfyddyd a gwyddor. Nid oedd Natur ei hun, gyda'i "deilen at bob dolur", wedi gallu cyflwyno rhwymedi i ddyn ar dranc ... Bywyd yn erbyn bywyd, ar un olwg, oedd yr ornest, oherwydd mân drychfilod byw neu ordyfiant celloedd byw sydd yn aml iawn yn peri i glaf golli ei fywyd ei hun.[65]

Cyfyngiadau meddyginiaeth faterol a welai, ond ni phylai hynny'r gobaith a oedd gan ddyn ynddi i'w gynnal cyhyd ag y gallai.

Mae ganddo un soned Saesneg anghyhoeddedig a gyfansoddodd fel ymateb i gais ar ran cydnabod, sydd hefyd yn cyfeirio at gyflwr y claf sy'n rhoi ei ffydd a'i obaith mewn gofal meddygol, ac yn benodol ofal ymgeleddol a chysurlon

---

65   *O'r Pedwar Gwynt*, tt. 17–18.

nyrs y mae ei phresenoldeb ar ward ysbyty yn lleddfu pryderon ac yn ymlid cysgodion anobaith. Lluniwyd 'The Night Nurse' yng Ngorffennaf 1937 ar gyfer y Parchedig Edward Evans (1870-1941), Tywyn, Meirionnydd:

> When stillness has retrenched the stir of day
> With padded footfall and with darkling ease,
> Casting its nightly, universal grey
> Upon mankind's disquiet and disease;
> With fitful sleep its favourite's enfolds
> With soothing silence in its velvet arms,
> Leaving the rest to wakefulness that holds
> Its captives bound to open-eyed alarms;
> And when night's phantom fears would fain once more
> Creep close within the walls of ward and room,
> Stand sentinels in every corridor
> And lurk awhile in every coloured gloom,
> An angel figure moves from bed to bed,
> Scaring the spectres of despair and dread.[66]

Brodor o Dal-y-llyn a fagwyd yng Nghorris oedd y Parchedig Edward Evans. Fe'i hordeiniwyd yn weinidog gyda'r Methodistiaid Calfinaidd a bu yng ngofal sawl eglwys cyn cael ei daro gan afiechyd. Bu'n drefnydd dosbarthiadau Cymdeithas Addysg y Gweithwyr yn Nhywyn ar ôl gorfod ymryddhau o'i ofalon fel bugail ar eglwys. Yn ogystal â cholli ei iechyd yn gynnar, profodd brofedigaethau creulon: collodd ei unig ferch yn un ar hugain oed, a thair blynedd yn ddiweddarach bu farw ei unig fab pan nad oedd ond ugain oed.[67]

Parhâi Parry-Williams i brynu a darllen ambell lyfr meddygol ymhell ar ôl rhoi'r gorau i'r bwriad o astudio'r pwnc yn ffurfiol. Yr oedd yn ei feddiant lyfr gan y meddyg poblogaidd ar y radio yn ystod y cyfnod rhwng y ddau ryfel, sef Dr Charles Hill, a adwaenid fel y 'Radio Doctor': *Your aches and pains and what you can do about them* (1945).[68] Ym mis Ebrill 1946 y prynodd y llyfr hwnnw, ac mae ôl llawer o fodio arno ynghyd â marciau a sylwadau a thanlinelliadau

---

66 'The Night Nurse [A sonnet by T. H. Parry-Williams]', LlGC XPR 7590 A783 T45. Ceir copi hefyd yn LlGC 'Papurau T. H. Parry-Williams', D112 a D112 ii.

67 Gw. *Blwyddiadur Eglwys Methodistiaid Calfinaidd Cymru*, 1942, tt. 112-13.

68 Yr oedd Charles Hill (1904-1989) yn feddyg a ddarlledai ar raglenni radio'r BBC a drefnid gan y Weinyddiaeth Fwyd, 'Kitchen Front', o 1942 ymlaen.

mewn pensel, sydd eto'n tystio i feddwl beirniadol, ymchwilgar a gwybodus y darllenydd. Er enghraifft, gyferbyn â'r nodyn ar 'swollen thyroid gland – Actually its products are little chemical compounds which it slips into the blood stream', gosododd Parry-Williams y cwestiwn 'How?'

Fel yr âi'n hŷn, ymdeimlai Parry-Williams â'r effaith a gafodd y blynyddoedd ar ei gorff a'i iechyd ef ei hun. Yr oedd yn ysmygu'n rheolaidd, boed getyn, sigarét neu sigâr, a dioddefai gan broblemau iechyd pan oedd dros ei bedwar ugain oed. Yr oedd ganddo gyflwr ar ei galon. Hoffai droi ymysg meddygon. Yr oedd yn adnabod Dr Ivor J. Davies, a ymgartrefodd yn Aberystwyth ar ôl ymddeol o'i swydd fel darlithydd mewn niwroleg yn yr Ysgol Feddygol Genedlaethol yng Nghaerdydd, ac a gyhoeddodd ei hunangofiant, *Memories of a Welsh Physician*, yn 1959.[69]

Cyfaill agos iawn iddo oedd Dr Emyr Wyn Jones a oedd ar Gyngor y Llyfrgell Genedlaethol ac yn aelod o Lys yr Eisteddfod Genedlaethol. Yr oedd Emyr Feddyg – ei enw yng ngorsedd – a ddisgrifiwyd gan Dr Glyn Penrhyn Jones fel 'meddyg o Gymro llengar', yn arbenigwr ar y galon yn Ysbyty Brenhinol Lerpwl.[70] Bu'n gyfarwyddwr Adran y Galon yn yr ysbyty ac yn ddarlithydd mewn meddygaeth glinigol ym Mhrifysgol Lerpwl tan ei ymddeoliad yn 1972. Daliai ar bob cyfle i alw heibio i Parry-Williams ac Amy yn eu cartref yn y Wern pan fynychai bwyllgorau yn Aberystwyth, ac fel y bardd a'r llenor yr oedd yn gymaint edmygydd ohono, yr oedd Dr Emyr Wyn Jones hefyd yn heddychwr.[71]

Bu'n rhaid i Parry-Williams gymryd pwyll ym mis Ebrill 1971 ar ôl bod yn cwyno am rai wythnosau. Derbyniodd sylw a thriniaeth gan ei feddyg teulu, Dr John Hughes (1921-2005), a chan Dr Emyr Wyn Jones yntau.[72] Mae'n amlwg fod ganddo wendid ar y galon a'r frest, ac un noson ym mis Tachwedd 1974, rhyw bedwar mis cyn ei farwolaeth, bu'n rhaid galw'r meddyg allan

---

69   Mae copi o'r hunangofiant yn llyfrgell bersonol Parry-Williams yn y Llyfrgell Genedlaethol.

70   Glyn Penrhyn Jones, *Gofal*, 13 (Mai 1973), t. 5. Ar ei yrfa ddisglair, gw: <http://munksroll. rcplondon.ac.uk/Biography/Details/5435> (cyrchwyd Medi 2017).

71   Diolchaf i Gareth Wyn Jones, ei fab, am yr wybodaeth hon mewn gohebiaeth bersonol, 17 Awst 2015: 'Roedd fy nhad yn edmygydd mawr o Syr Thomas ... Mi wn fod Dad yn bachu ar bob cyfle i alw heibio P[arry] B[ach] a'i wraig ... Roedd yntau yn heddychwr ar ôl yr Ail Ryfel Byd ac wrth gwrs roedd gan PB ddiddordeb byw mewn meddygaeth ...'

72   Llythyr Amy Parry-Williams at Ann Meire, 11 Ebrill 1972, yn archif deuluol Ann Meire: 'Fe fu Yncl Tom braidd yn anhwylus am rai wythnosau, ond mae e bellach yn llawer gwell, ar ôl cael sylw a thriniaeth gan Dr John Hughes a Dr Emyr Wyn Jones (Lerpwl) sy'n ffrind i ni.'

ato. Derbyniodd archwiliad pelydr-X ar ei frest a mesurwyd patrwm curiad ei galon ar beiriant electro-cardiograff.[73] Mae'n amlwg oddi wrth yr ysgrif deyrnged gan Emyr Wyn Jones fod ei gyfaill yn ymddiried ynddo fel meddyg ac yn derbyn ei gyngor a'i ofal.[74] A'r hyn a achosodd ei farwolaeth yn y diwedd oedd trawiad ar y galon: y geiriau a roddwyd ar ei dystysgrif marwolaeth oedd 'thrombosis coronol' ac 'atheroma coronol'.[75]

Hyd yn oed yn ei henaint, ymddiddorai Parry-Williams mewn datblygiadau meddygol, oherwydd anfonai Emyr Feddyg gopïau ato o wahanlithoedd o rai o'r erthyglau arbenigol a gyhoeddai: darllenodd Parry-Williams ei ysgrif 'Crefydd a Meddygaeth' cyn iddi ymddangos yn *Y Traethodydd* yn 1962, a derbyniodd wahanlith o'r erthygl 'Trawsblannu Meddygol' a ymddangosodd yn wreiddiol yng nghylchgrawn *Y Gwyddonydd* yn 1969.[76] Gan ei fod yn ysmygwr selog, nid syndod iddo roi marc ar ymyl y ddalen gyferbyn â'r ffeithiau rhybuddiol hyn a geid yn yr erthygl honno:

> … mae pum mil ar hugain o'n cyd-Brydeinwyr yn marw o dyfiant ar
> yr ysgyfaint bob blwyddyn, ac yn ail, mae effaith niweidiol ysmygu
> sigarennau wedi ei brofi'n ystadegol glir y tu hwnt i bob amheuaeth ers rhai
> blynyddoedd bellach …[77]

Gwyddai'n iawn beth fyddai canlyniadau anwybyddu cyngor y meddyg i roi'r gorau i ysmygu. Fel y dywedodd Emyr Feddyg amdano:

> Yr oedd y diagnosis yn eglur ddigon ers rhai blynyddoedd. Yr oedd Syr
> Thomas yn sylwedydd craff ac yn dyst effeithiol o'i symptomau ei hun,
> a phan sgwrsiem am natur ei salwch fe gymerai sylw arbennig o fanylion
> y drafodaeth oblegid yr oedd ganddo ddirnadaeth sylweddol o'r cefndir
> meddygol.[78]

---

73 Llythyr Amy Parry-Williams at Ann Meire, 29 Tachwedd 1974, yn archif deuluol Ann Meire.
74 Emyr Wyn Jones, 'Atgofion II', *Y Traethodydd*, Hydref 1975, tt. 254-9. Ailgyhoeddwyd yr ysgrif yn Emyr Wyn Jones, *Cyndyn Ddorau ac Ysgrifau Eraill* (Y Bala, 1978), tt. 113-20.
75 Copi dilys o gofnod yn y Swyddfa Gofrestru Genedlaethol o'r dystysgrif wreiddiol, ddyddiedig 3 Mawrth 1975, cyfeirnod QWBDXZ 166270. Cadarnhawyd achos y farwolaeth gan y meddyg teulu, Dr John Hughes MB.
76 LlGC 'Papurau T. H. Parry-Williams', O68-77.
77 'Trawsblannu Meddygol', adargraffwyd o'r *Gwyddonydd*, vii, rhifyn 1 (Mawrth 1969), LlGC 'Papurau T. H. Parry-Williams', O77.
78 Jones, 'Atgofion II', t. 254.

Nid rhyfedd, felly, iddo ychwanegu fod penderfyniad Parry-Williams i beidio â bwrw ymlaen â'i gynlluniau i astudio meddygaeth wedi amddifadu'r byd meddygol o un a allai'n hawdd fod wedi cael gyrfa lwyddiannus fel meddyg galluog a delfrydol.[79]

★ ★ ★

Taflodd y Rhyfel Mawr ei gysgod hir dros yrfa Parry-Williams, ac yr oedd yr hyn a wnaeth fel adwaith i'r profiadau a gafodd fel gwrthwynebydd cydwybodol yn ystod y rhyfel, a'r erlid a fu arno wedi i'r rhyfel ddod i ben, yn dal yng nghefn ei feddwl. Os craffwn ar ei ysgrif 'Y Flwyddyn Honno', fe welwn ei fod yn edifarhau am na fyddai wedi dal ati â'i astudiaethau gwyddonol yn 1920 yn hytrach na dychwelyd i'r Adran Gymraeg i lenwi'r Gadair. Cofier mai yn 1944 yr ymddangosodd yr ysgrif, bron chwarter canrif ar ôl y flwyddyn y sonnir amdani, a naw mlynedd ar ôl rhoi'r gorau i'w gynlluniau i newid cwrs ei yrfa yn 1935. Er gwaetha'r bwlch amser, yr oedd yn dal yn ansicr a wnaethai'r peth iawn yn gadael ei efrydiaeth wyddonol:

> Nid wyf byth wedi bod yn sicr fy meddwl a wneuthum y peth iawn ai
> peidio wrth roi'r gorau iddi, petai waeth am hynny erbyn hyn.[80]

Bob tro y cyfarfyddai â rhai o'i gyd-fyfyrwyr meddygol a hel atgofion am 'y flwyddyn honno', a chlywed ambell un yn dannod mai 'gadael iddi' a wnaethai, teimlai'r peth i'r byw, ac yr oedd am blwc yn 'edifarhau'n ofidus'.[81] Ymdeimlai ag 'anghysur brathog' bob tro y galwai'r flwyddyn i gof, sy'n awgrym go bendant fod yr annifyrrwch hwnnw'n deillio o'r ymdeimlad iddo wneud camgymeriad. Yr hyn sy'n fwy o syndod, felly, yw iddo droi fel cwpan mewn dŵr pan gafodd gyfle i unioni'r cam ac ailafael ynddi yn 1935 a phenderfynu peidio wedi'r cyfan. Yn y pen draw, efallai mai ofni mentro yr oedd. Ac yntau erbyn hynny'n ddyn yn tynnu at ei hanner cant, buasai'n fenter go fawr. Os oes coel ar ei sylwadau ynghylch ei edifeirwch adeg llunio'r ysgrif 'Y Flwyddyn Honno', yna fe wyddai ym mêr ei esgyrn y dylai fod wedi

---

79   Ibid., t. 256.
80   'Y Flwyddyn Honno', *O'r Pedwar Gwynt*, t. 58.
81   Ibid., t. 59.

dilyn ei reddf a'i gynneddf yn ôl yn 1920 yn hytrach na chael ei berswadio i ddychwelyd i'r Adran Gymraeg. Ond fe wnaed yr hyn a wnaed, ac nid oedd modd i T. H. Parry-Williams, dim mwy na neb arall, gael ddoe yn ôl.

Atodiad 1

Cyplyswyd yr erthygl hon gan Henry Parry-Williams wrth lythyr a anfonodd at E. Morgan Humphreys, dyddiedig 25 Hydref 1919. Dywed yn y llythyr hwnnw: 'Ni welaf i ddim o le i minnau anfon erthygl ar y mater yn gyfrinachol i chwi. Credaf ei bod yn berffaith lân oddiwrth ddim *libelous*.' (LlGC 'Papurau E. Morgan Humphreys', A/3431). Ei fwriad oedd rhoi deunydd i Morgan Humphreys fedru ei ddefnyddio yn y newyddiaduron yr oedd yn olygydd arnynt. Trawsysgrifiad cywir heb ei olygu yw hwn o'r ddogfen wreiddiol.

Colled Genedlaethol

Achos Dr. Parry-Williams

Da gennym weled y newyddiaduron Cymraeg, o'r diwedd, wedi cymryd y mater hwn i fynny o ddifrif. "Colled Genedlaethol" mewn gwirionedd, ydyw colli Dr Parry-Williams o'r Cylch Cymreig. Ond na feddylied neb fod y doctor wedi ffromi wrth Gyngor y Coleg fel yr awgryma rhai. Y mae ganddo ormod o barch i lawer ar y Cyngor hwnnw i wneud hynny. Gallodd sylweddoli eu hanawsderau ac enciliodd. Heblaw hyn, meddyliai am ei ddyfodol ei hun, a phwy a'i beiai? Bu ef am bum-mlynnedd a hanner yn crogi mewn ansicrwydd yn y Coleg. Pe yr arosai flwyddyn arall, teimlai ei fod yn myned i ormod o oed i droi i gyfeiriad newydd pe'n wrthodedig.

Ond beth am y golled i'r oes sy'n dyfod? Cara'r doctor ei wlad, ei iaith a'i genedl yn angerddol. Gosododd ei dalentau disglaer at ei gwasanaeth yn hollol, ac anrhydeddodd hi yn y cylchoedd addysgol drwy Iwrob. Graddiodd yn yr ieithoedd Celtaidd mewn modd na wnaeth neb arall hyd y gwn i. Bu am ddeng mlynedd yn y colegau yng Nghymru, Lloegr, yr Almaen a Ffraingc. Graddiodd yn BA o Brifysgol Cymru gydag Anrhydedd o'r dosbarth cyntaf mewn Cymraeg a Llenyddiaith, ac anrhydedd o'r ail ddosbarth mewn Lladin. Y mae'n "ysgolor" o Goleg yr Iesu, Rhydychen. Astudiodd yno o dan Syr John Rhys, a graddiodd yn anrhydeddus yn B.Litt. o'r hen Brifysgol enwog, ac yn M.A. (Cymru) yr un flwyddyn.

Gwnaed ef yn gymrawd o Brifysgol Cymru, ac aeth i'r Cyfandir. Astudiodd yr Ieithoedd Celtaidd, Sanscrit, yr ieithoedd Slavonaidd, a changenieithoedd yr Almaeneg, o dan yr athro Celtaidd byd-adnabyddus Thurneysen ac eraill. Graddiodd yno yn "Ddoethur" o'r ieithoedd Celtaidd gydag "uchel gymeradwyaeth".

2

Cyhoeddodd y gyfrol gyntaf o'i lyfr ar ei ymchwiliadau i "Debygrwydd Seinyddiaeth y Gymraeg a'r Llydaweg". Llyfr ysgolheigaidd, safonol, gwreiddiol i'r doctor ei hun, ac nid ail-argraphiad o waith neb arall. Deallaf fod yr ail gyfrol yn barod i'r wasg. Heblaw hyn y mae ganddo mewn llaw-ysgrif ddefnydd cyfrolau eraill ar "Yr elfen Saesneg a Lladinaidd" yn y Gymraeg. Ystyrir y gwaith hwn yn safonol gan y prif ieithegwyr Celtaidd. Nid yw'r doctor eto wedi cael hamdden i'w gyhoeddi oherwydd amlder dyledswyddau, ac anhawsterau eraill y pum mlynnedd diweddaf. Er mwyn ein hefrydwyr ieuaingc, prysured a'r gwaith drwy'r wasg. Ni chyhoeddodd efe erioed ddim ond ei waith gwreiddiol ei hun, yr hwn pe'i cesglid a wnai gyfrolau gwerthfawr lawer.

Gosododd anrhydedd ar Brifysgol Ffraingc drwy fynd yno ar ol bod yn yr Almaen. Arhosodd ym Mharys am flwyddyn i astudio o dan yr athrawon Vendryes a Meillet. Cyfarfu a'r Athro Vendryes yn Aberystwyth yn ddiweddar, a gofynodd am dyst-ysgrif ganddo. "Buaswn yn rhoi tystysgrif i chwi," meddai'r Athro o Barys, "pe buasech wedi'n helpu ni." Rhoddodd dyst-ysgrif, feddyliwn, i'w wrth-ymgeisydd, er na fu hwnnw, hyd y mae'n hysbys i mi, am bum munud erioed o dan ei addysg. Nid wyf yn sicr a oedd yn ei adnabod o gwbl. Nid rhyfedd fod ein milwyr yn cwyno iddynt ymladd dros y ddwy genedl fwyaf di-ymddiried a phydredig yn Iwrob.

Ond, pa beth a wnaeth Dr. Parry-Williams i'w wlad? Mynnodd y tribynllys sirol ei ryddhau fel un yn gwneud gwasanaeth cenedlaethol llawer gwell yn y Coleg nag a wnai byth yn y fyddin, er iddo ef ddadlau cydwybodolrwydd. Ymdaflodd i waith. Gosododd Adran y Gymraeg yn y Coleg ar seiliau cedyrn. Llwyddodd yn anhygoel yng ngwyneb anhawsderau lu. Dyna dystiolaeth y myfyrwyr, a dyna dystiolaeth rhestrau yr arholiadau am raddau.

Ymdaflodd i fywyd cyhoeddus y Coleg, ac mae ol ei law gelfydd ar ei chylchgronau, Cymraeg a Saesneg.

3

Y mae ei ysgrifau a'i farddoniaith Saesneg yn gyfryw ag y buasai unrhyw lenor Saesneg heddyw yn falch o'u harddel.

Gwnaeth orchestion ar lwyfan yr Eisteddfod Genedlaethol na wnaeth neb arall o'i flaen nac ar ei ol hyd yn hyn. Nid oes eisieu dweyd wrth Gymru pwy ydyw Dr. Parry-Williams, megis eraill. Pwy, o'r rhai oedd yn bresennol yn Eisteddfod Genedlaethol Corwen, anghofia am y bachgen difarf o'r Rhyd-ddu yn distewi'r miloedd a gair ei enau, ac yn hoelio mewn cyfaredd wrth y feirniadaeth benigamp a draddodai.[82] Ac eto dyma'r anwylyn y beiddia rhyw un neu ddau o bersonau lafoeri eu llysnafedd hyd-ddo yn y wasg Saesneg-Gymreig ers rhai misoedd. Paham, wys? Gŵyr Cymru benbaladr paham. Yn rhyfedd ni wnaeth dim fwy o les i achos y doctor na'r ysgrifau hyn. Deffrodd Gymru oll mewn cydymdeimlad a'r dyn ieuangc, syml, diymhongar hwn – na fyn, er ei fywyd, niweidio neb pwy bynnag yn ei fater.

Y mae yn Aberystwyth oddeutu deuddeg cant o efrydwyr o'r ddau ryw – y mwyafrif o'r gwyr ieuaingc yn "ex-Service men" fel y dywedir. A ydynt hwy yn foddlawn fod yr Athro medrus wedi gorfod troi ei gefn ar y Coleg – er mwyn eu anrhydedd hwy a'r Coleg yn ogystal a'r eiddo ei hun? Nid wyf yn tybied.

Pa werth sydd i'w roddi ar y Gwladgarwch hwnnw – os gwladgarwch hefyd – ac y mae ei berchen am ei gymryd i'r farchnad i hyrwyddo ei fuddiannau ei hun?

[Ar gefn y ddalen hon ysgrifennwyd 'H. Parry-Williams, Rhyd-ddu'.]

Ffynhonnell: LlGC 'Papurau E. Morgan Humphreys', A/3431a.

---

82 Yr oedd T. H. Parry-Williams yn un o feirniaid cystadleuaeth y Gadair yng Nghorwen, ac ef a draddododd y feirniadaeth. Mae'n amlwg iddo wneud argraff ar ohebydd *Y Cymro*, ac eraill, wrth draddodi: 'Edmygem yn ddirfawr benderfyniad y beirniad ieuanc yn dal at ei stori ger bron y dyrfa fawr, gan leoli y deunaw ymgeiswyr yn eu dosbarthiadau gyda rhwyddineb, a difynnu yn helaeth o rai ohonynt yn gwbl ddibetrus...' (*Y Cymro*, 13 Awst 1919, t. 4).

Atodiad 2

Niferoedd y myfyrwyr yn yr Adran Gymraeg rhwng 1920 a 1930 yn cynnwys myfyrwyr israddedig ac uwchraddedig. Dyma'r ffigurau a geid yn adroddiadau Llys y Llywodraethwyr bob blwyddyn, ond dylid nodi mai'r niferoedd a gofrestrodd ar ddechrau'r flwyddyn academaidd ym mis Hydref ydynt. Byddai rhai myfyrwyr yn gadael cyn cwblhau'r flwyddyn.

Yr oedd gan fyfyrwyr ddewis o ddau gwrs gradd o 1921 ymlaen, sef naill ai'r cwrs iaith a ddysgid gan T. H. Parry-Williams, neu'r cwrs llên a ddysgid gan T. Gwynn Jones. Ar gyfartaledd, yr oedd 87 o fyfyrwyr yn cofrestru yn yr Adran bob blwyddyn yn ystod y degawd. O 1921 ymlaen, yr oedd 68 o fyfyrwyr ar gyfartaledd yn dilyn y radd yn y Gymraeg a 6 myfyriwr ar gyfartaledd yn dilyn y radd mewn Llenyddiaeth Gymraeg, ac at hynny hefyd ceid myfyrwyr ymchwil yn yr Adran.

1920–21
Y Gymraeg	128

1921–22
Y Gymraeg	96
Llenyddiaeth Gymraeg	13

1922–23
Y Gymraeg	79
Llenyddiaeth Gymraeg	4

1923–24
Y Gymraeg	66
Llenyddiaeth Gymraeg	2

1924–25
Y Gymraeg	60
Llenyddiaeth Gymraeg	2

1925–26

Y Gymraeg	69
Llenyddiaeth Gymraeg	7

1926–27

Y Gymraeg	80
Llenyddiaeth Gymraeg	7

1927–28

Y Gymraeg	73
Llenyddiaeth Gymraeg	5

1928–29

Y Gymraeg	80
Llenyddiaeth Gymraeg	9

1929–30

Y Gymraeg	79
Llenyddiaeth Gymraeg	10

Ffynhonnell: Archifdy Prifysgol Aberystwyth, CRT/1/1, *Cofnodion Llys Llywodraethwyr Coleg Prifysgol Cymru Aberystwyth, 1911-24*; Archifdy Prifysgol Aberystwyth, CRT/1/2, *Cofnodion Cyngor a Llys Llywodraethwyr Coleg Prifysgol Cymru Aberystwyth, 1925-34.*

Atodiad 3

Trawsysgrifiad o ran o'r cyfweliad rhwng yr awdur ac Ann Meire (Nanw), ar 26 Mai 2016, yn ei chartref ym Mangor. Ganed Nanw yn 1927.

BOH: Roeddwn i am gael gwybod a oedd carwriaeth rhwng eich Yncl Tom a Dr Gwennie ai peidio.

AM: Oedd, mi oedd carwriaeth. Roedd hi'n ffrindie mawr 'da Mam. A wyddoch chi, roedd hi'n llawn egni; rown i'n ffond iawn ohoni. Roen ni gyd yn ei licio hi.

Ar ôl *surgery* fyse hi'n aml iawn yn gyrru'r holl ffordd i Aberystwyth a galw fewn i'n gweld ni, falle ryw ddeg o'r gloch yn y nos, a wedyn 'se hi'n cychwyn 'nôl tua dau o'r gloch yn y bore a *surgery* tua naw o'r gloch y bore wedyn. A chael *chats* mawr, a dwi'n cofio pan oedd Yncl Tom yn mynd i briodi Anti Amy, mi oedd hi'n crio gyda Mam, ac yn gweud 'I had my chance,' medde hi. Ac on i wastad yn meddwl am Anti Gwen, mai cariad Yncl Tom oedd hi yndê.

BOH: Mae'n amlwg eich bod yn agos iawn ati hi fel teulu.

AM: O, oen, oen. Falle pan oen ni'n mynd i Ryd-ddu am wylie ac aros dros y ffordd – roedd chwaer Nain wedi marw wrth gwrs erbyn hynny, ond roedd ei gŵr hi wedi ailbriodi ac roen nhw'n cadw fisitors yn yr haf, ymwelwyr, ac roen ni'n aros yno weithie – doedd dim car gyda Nhad, ac roedd Anti Gwen yn dod a mynd â ni ar *runs* a phethe; oedd hi'n mynd i ffwrdd ar ei gwyliau ac roedd hi wastad yn dod â rhyw bresant bach neis gartre ... Ond roedd hi'n byw ar ei nerfau wyddoch chi; roedd hi ar y *go* o hyd. Doedd hi ddim fel 'se hi'n gallu ymlacio fel Anti Amy.

BOH: Pryd ddiweddodd y berthynas rhyngddyn nhw?

AM: Dwn i ddim; dwi i ddim yn gwybod hynna o gwbl. Fedra i ddim gweud hynny wrtho chi. Wrth gwrs, roedd diddordeb dag e mewn meddygieth. Hefyd roedd Anti Gwen – roedd pawb yn meddwl y byd ohoni, ac roedd hi'n edrych ar ôl pawb. Wrth gwrs, mi oedd e yn Aberystwyth yn ei swydd ac mae'n debyg nad oedd hi ddim eisie rhoi'r gore i'w swydd ym Mhenrhyndeudraeth, felly doedd dim gobeth yn nag oedd?

Ond meddyg oedd fy mrawd, a dwi'n cofio pan nath e orffen ei gwrs, wedodd Yncl Tom wrtho fe y byse fe'n newid ei *degrees* a phob peth am yr un oedd gyda fe. Wedyn, mi oedd e'n hynod … diddordeb mawr mewn meddygieth.

BOH: Dyna sy'n fy nharo i ydi dyn mor alluog oedd o.

AM: Oedd, oedd. Diddordeb eang yn doedd? Ond wyddoch chi efo'r COs busnes yma, mae gen i ryw deimlad, dwn i ddim os oes ryw wirionedd yno fo, ond wyddoch chi, yn yr haf roedd 'y Nhaid … roedd lot o athrawon o'r Cyfandir, a'r Almaen yn enwedig, yn dod i aros yn Nhŷ'r Ysgol dros y gwylie a dysgu Cymraeg; roen nhw â diddordeb mewn ieithoedd Celtaidd, ac wrth gwrs roen nhw'n un o'r teulu rywsut. Gath 'y nhad enw ar ôl un ohonyn nhw, Oscar. Ac wedyn pan aeth [Yncl Tom] i Freiburg a gwneud ffrindie yn fan'na, a dwi fel sen i'n meddwl nad oedd e ddim eisie lladd pobl a fu'n gyfeillion iddo, wyddoch chi. Dyna beth dwi'n teimlo. Dwi'm yn gwybod. Dyna ryw deimlad sydd gen i. Falle mai dyna beth oedd achos y peth. Falle mod i'n hollol anghywir, yndê.

BOH: Mi aeth ei frodyr o, Wyn, Willie a'ch tad, Oscar, i'r fyddin.

AM: Do, do. Oedd Yncl Wyn yn *prisoner of war* yn yr Almaen rywle. Roedd fy nhad yn yr RAMC ac yn ei chanol hi … Yncl Willie, mi aeth e i'r America. Dwi ddim yn gwybod pam ei fod e wedi mynd na beth oedd ei oed e'n mynd … Mi briododd e yna. Den i wedi colli cysylltiad â'r teulu … Roedd mab gyda fe o'r enw Henry Wyn Parry-Williams ond newidiodd ei enw i Wayne. Roedd e'n gweithio mewn ffilms …

BOH: Mae rhyw awgrym efallai nad oedd eich Nain ddim yn gefnogol i safiad Yncl Tom.

AM: Doeddwn i ddim yn sylweddoli hyn'na tan i Bethan ddweud wrtha i ryw dro. Rown i'n siarad am y pwnc ganddi ac oen i'n gweud beth oen i'n feddwl a wedodd hi ei fod e wedi cael amser reit ddrwg yn Rhyd-ddu. Doedd ei fam e ddim yn, wel, falle'n gweld y lleill yn mynd a fe ddim yntê, dwi ddim yn gwybod. Sut oedd Bethan yn gwybod, dwn i ddim. Yn ystod yr adeg yma byddai Yncl Tom yn mynd i Oerddwr yn aml i helpu gyda'r gwair ac ati er mwyn cael dianc rhywfaint, mae'n debyg.

BOH: Oedd eich tad ac Yncl Tom yn agos iawn?

AM: O, oen, oen. Roen ni'n byw, da chi'n gweld, drws nesa ond un. Roen ni'n byw yn North Road, yn y Rhos – Llanio ydi enw'r tŷ rŵan – ac roedd Yncl Tom yn byw drws nesa ond un yn Lyndhurst; lojo gyda Mrs Morgan, gwraig weddw oedd hi, ac roedd 'da fe stafell lawr stâr, ac wedyn stafell wely fyny llofft. Ac roedd Yncl Tom yn galw bob nos yn y Rhos i'n gweld ni. Ac, o, roen i'n addoli Yncl Tom. Roedd 'da fe ryw chwerthin bach doniol rywsut, a rhyw bethe bach od yr oedd e'n eu ffeindio nhw'n ddoniol. Ac roedd 'y Nhad a fo'n mynd am dro ar y Prom bob nos, tan iddo fo briodi, wrth gwrs. Roedd Anti Amy hithe mor annwyl a gofalgar o Yncl Tom. Roeddwn i'n wirioneddol hoff ohoni. Roedd hi mor addfwyn.

BOH: Yda chi'n cofio Dr Ernest Jones?

AM: Ydw, cofio'n iawn. Roedd hi ei wraig e yn ferch i John Morris-Jones, ac roedd dwy ferch 'da nhw, Cara a Gwenno; roedd Gwenno yn yr ysgol gen i … Roedden nhw'n byw yn St David's Road … Weda i wrtho chi, roedd fy Mam a Nhad yn ffrindie mawr efo Dr Deiniol Roberts, a fe oedd yng ngofal anesthetics, ac wir mi aeth e i'r fyddin, ac fe wnaeth e a'i wraig wahanu, a gwerthu'r tŷ, a mi brynodd Yncl Tom y tŷ, Wern … roedd yr ysbyty reit tu ôl i'r Wern …

BOH: Yng nghyfnod yr Ail Ryfel Byd wedyn, a oedd eich tad yn ymwneud â'r *civil defence*?

AM: Oedd, oedd. Roedd e'n gwylio tân rai nosweithie.

BOH: Ac Yncl Tom?

AM: Nag oedd, dim i mi wybod, os nad oedd e'n gwneud rhywbeth drwy'r Coleg nad oen i ddim yn gwybod.

BOH: Mae rhywun yn dychmygu ei fod yn ddyn swil, encilgar.

AM: Yr oedd e'n swil. Byth yn ymwthio … Roedd e fel 'se fe yn ei gragen dipyn … Doedd e ddim yn mynd i bethe cymdeithasol oedd yn mynd ymlaen yn y Coleg. Roedd 'y Mam a Nhad yn mynd, a dod i nabod y myfyrwyr, ac oen nhw'n dod draw i'r tŷ am baned o de ar nos Sul.

Mynegai

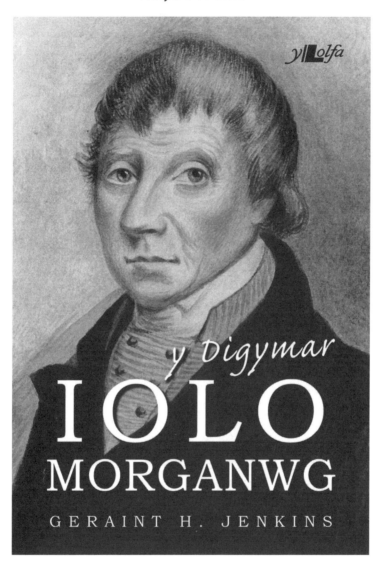

y Digymar

IOLO
MORGANWG

GERAINT H. JENKINS

£14.99

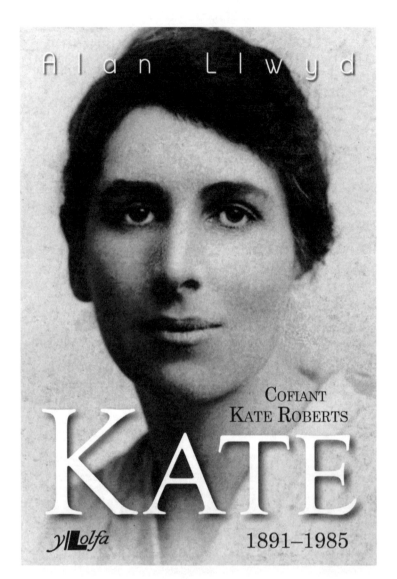

Alan Llwyd

Cofiant
Kate Roberts

KATE

y Lolfa

1891–1985

£19.95 (cm)
£29.95 (cc)

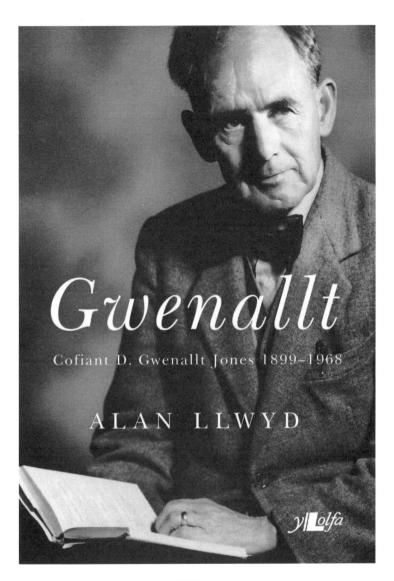

Gwenallt

Cofiant D. Gwenallt Jones 1899–1968

ALAN LLWYD

£19.99

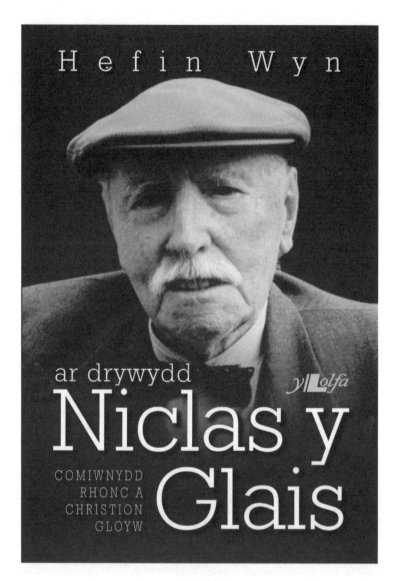

Hefin Wyn

ar drywydd
Niclas y
Glais

COMIWNYDD
RHONC A
CHRISTION
GLOYW

yLolfa

£14.99

Am restr gyflawn o lyfrau'r Lolfa, mynnwch
gopi am ddim o'n catalog
neu hwyliwch i mewn i'n gwefan

www.ylolfa.com

lle gallwch archebu llyfrau ar-lein.

TALYBONT CEREDIGION CYMRU SY24 5HE
ebost ylolfa@ylolfa.com
gwefan www.ylolfa.com
ffôn 01970 832 304
ffacs 832 782

Argraffwyd gan Y Lolfa
Holwch am bris